図解
最新

LATEST PHILOSOPHY TERMINOLOGY ENCYCLOPEDIA

哲学大事典

[用語・学説・理論の
意味がひと目でわかる！]

中野 明 著

秀和システム

はじめに

　アメリカのプラグマティズム哲学者で心理学者でもあったウィリアム・ジェームズがこんなことを言っています。

「それは有用であるから真理である*」

　哲学に関する重要語句を網羅した本書の編集コンセプトはこの言葉に凝縮されています。哲学といえば日常社会に使えない学問だと考えられがちです。しかしそんなことは決してありません。哲学や思想をめぐるキーワードの数々は、現代社会について考える視点あるいは視座を与えてくれます。あるいは1つのキーワードを契機に複雑な現象の背景にある構造が理解できることがあるかもしれません。このような有用性にこだわったのが本書『哲学大事典』です。

　この有用性という考え方は本書の構成にも反映されています。例えば本書と同様の用語事典の場合、キーワードを五十音順に並べるか、西洋哲学の歴史に沿って配置するかのいずれかが主流でした。これに対して本書では全体を2部に分け、最初の第I部は「現代哲学の視点」として、現代社会のいまを考えたり、ビジネスに応用したりできるキーワードを列挙しています。これは有用性を念頭に編んだ結果です。

出典：W・ジェイムズ著、枡田啓三郎訳『プラグマティズム』（岩波書店）P149

この第Ⅰ部を受けて第Ⅱ部では「哲学の歴史と展開」のタイトルのもと、西洋哲学史の時間軸に沿って、哲学を語る上で知っておきたい重要語を挙げました。このような構成ですから、哲学の基礎を理解してから現代への応用を考えたいという読者の方であれば、第Ⅱ部を先に読んで、それから第Ⅰ部に戻ってもまったく問題ありません。

　また第Ⅰ部は6章、第Ⅱ部は5章からなっています。時間軸を基礎にする第Ⅱ部は各章を配列順に読むことをお勧めしますが、第Ⅰ部に関しては興味のある章から読んでもらっても構いません。ただし、各章の項目についてはストーリーのある配置に配慮していますから、最初から終わりまで通読されると理解が深まると思います。

　何かと難解そうな哲学ですが、本書は豊富な図解とわかりやすい解説をモットーにしています。きっと楽しい読書体験になると思いますよ。

　最後に私事です。私は京都・衣笠にある立命館大学の哲学科を卒業して40年近くが経ちます。在学当時、不勉強な私に温かい言葉をかけてくださったのは恩師の故西川富雄先生でした。僭越ながら先生の墓前に拙著を捧げたいと思います。

2023年11月　著者識（しる）す

目次

第Ⅰ部　現代哲学の視点

第1章　現代を考える突破口

第2章　思考術と方法論

第4章 美と芸術

第5章　意識と心

第6章　科学と技術

第Ⅱ部　哲学の歴史と展開

第7章　古代・中世哲学

第**8**章　近世哲学

第**9**章　近代哲学

第10章 現代哲学 I

第 11 章　現代哲学 II

付録

本書の読み方・使い方

　本書は哲学に関して全11章に分けて解説するものです。巻末の付録では、本書に登場する著名な哲学者や関連人物についてまとめています。また、用語の出典ページ、各学説の関連などが一覧できるように詳細な索引も掲載いたしました。

●概要
上記用語に関する概略説明です。

●関連用語・人名
タイトルに関連する重要用語や人物名などです。

●補足説明
ホスト（著者）からのつぶやきや問いかけです。

359 万物の尺度は人間である
The measure of all things is man.

プロタゴラス
[1358] ソフィスト

ソフィストの1人であるプロタゴラスの言葉です。物事には普遍的な真理の尺度は存在せず、個人の判断が真理の基準になることを意味しています。

「万物の尺度は人間である」というプロタゴラスの言葉は、意外にもニーチェやパースペクティビズム（遠近法主義）に結びつくのだ。

●キーワード（太字）
心理学を学ぶ上で、おぼえておきたい重要語句です。

　　プロタゴラス*は紀元前5世紀末～前4世紀前半に、ギリシアのアブデラで生まれました。ギリシア全土を遍歴し、卓越した弁論術を伝授しました。ソクラテス*によると、プロタゴラスこそが、自らソフィストと名乗り、職業教師として報酬を得た最初の人物だといいます。
　　そのプロタゴラスが残した言葉が「万物の尺度は人間である」です。この言葉は、あらゆる人間にあてはまるような普遍的な真理や価値は存在せず、個人の判断が真理の基準になることを意味しています。
　　プロタゴラスのこの立場は、**相対主義**や**主観主義**と呼んでもよいでしょう。また、20世紀にはニーチェがパースペクティビズム（遠近法主義）[108]を提唱します。これは、人は特定の立場から特定の認識の枠組みでしかものごとを理解できないという、プロタゴラスと同じ立場です。さらにこの立場は**ポストモダン**[47他]でも重要な位置を占めます。

文献資料：山本光雄訳編『初期ギリシア哲学者断片集』（岩波書店）

●解説部
詳細な説明部です。

相対主義の進展

万物の尺度は
人間である。

存在するのは
解釈だけだ。

大きな物語とは別の
異質性が必要だ。

プロタゴラス
Prōtagoras
前490?～420?

ニーチェ
Friedrich Nietzsche
1844～1900

リオタール
Jean-François Lyotard
1924～1998

●関連項目参照先
[数字]（色文字）
各用語は相互に関連しています。関連する用語を参照すれば、より深く、広く理解できます。

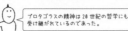
プロタゴラスの精神は20世紀の哲学にも受け継がれているのであった。

(322)

●人名の参照
巻末の人名一覧から学説や用語の提唱者を知ることができます。

第 **I** 部　現代哲学の視点

第 **1** 章

現代を考える突破口

　世界各地における紛争が物語るように、21世紀の世界は激変の様相を呈しています。多様な価値観が錯綜する現代社会を哲学の眼を通していかに見るか。本章ではその観点を示したいと思います。

001 生命倫理
bioethics

[002] 遺伝子工学
[004] ゲノム編集ベビー

医療技術や生命科学の発展とともに生じた新たな倫理問題に対する考え方や行動の在り方、政策などについて考える、学際的な学問分野を指します。

生命倫理の守備範囲はとても広範だ。遺伝子治療や臓器移植、クローン、延命治療など、最新の技術が新たな倫理問題を生み出している。

近年、医療技術や生命科学の著しい発展とともに、新たな問題が次々と生じています。その1つが**倫理問題**です。これらの問題に対処して、対応の基本的な考え方や行動の在り方、政策などについて考える学際的な学問分野が**生命倫理**です。

例えば、**臓器移植**を考えてみましょう。医療技術の向上により臓器移植は特殊な医療ではなくなってきています。しかしながら、貧しい人が家族の生活のために自分の臓器を売り、富める人が高いお金を支払ってその臓器を買うということは、倫理的に許されるのでしょうか。あるいは**遺伝子工学**の進展により、遺伝的に優れた子供を誕生させることも可能になってきています。これは**優生思想**に結びつかないのでしょうか。

このように、生命倫理の領域は、医療技術や生命科学ばかりか、法学や哲学、神学、社会科学など広範な範囲に及びます。

科学の進歩と課題

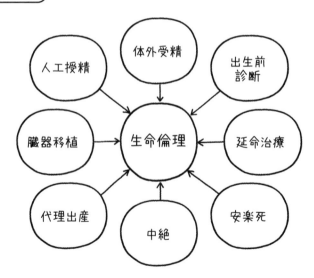

テクノロジーの進展には、正の側面と負の側面が常に存在する。負の側面にどう対処するかが問題だ。

002 遺伝子工学
genetic engineering

[001] 生命倫理
[004] ゲノム編集ベビー

生命工学の1分野で、生物の遺伝子を形づくるDNA（デオキシリボ核酸）の操作やその技術を研究する最先端の学問分野です。

遺伝子工学には、遺伝子編集や遺伝子組み換え、ゲノム編集など多様な用語があるものの、その定義の境界は必ずしも明瞭ではない。

遺伝子工学は、生命工学の1分野で、生物が持つ遺伝子を形づくる**DNA（デオキシリボ核酸）**の操作やその技術の研究を行う分野です。現在の遺伝子工学では、特定の遺伝子を追加、削除、修正することで、生物のDNAに正確な変化を与えることができるようになっています。

この**遺伝子編集**または**遺伝子組み換え**の技術は多様な分野に応用されています。医学の分野では、遺伝性疾患の患者に、特定の遺伝子やウィルスなどを導入して、病気にかかわる遺伝子に変化を加えて治癒を目指します。また、農業分野では、害虫や病気に強い**遺伝子組み換え作物**を作るのに遺伝子工学が利用されています。これは発展途上国の栄養不足解消に貢献する可能性もあるでしょう。

しかし、遺伝子工学がもたらす多くの利点や進歩にもかかわらず、倫理的・安全的な懸念は払拭されていないのが現状です。

遺伝子工学の応用

| 医療 | ・細菌などの遺伝子組み換え生物を使った治療用タンパク質の生産
・遺伝性疾患の治療のための遺伝子治療 |

| 農業 | ・害虫や病気、除草剤に対する耐性や栄養価の向上
・望ましい形質を持つ遺伝子組み換え作物の生産 |

| 汚染浄化
（バイオレメディエーション） | ・環境汚染物質の浄化を助けるための遺伝子組み換え微生物の活用
・バイオ燃料の生産 |

遺伝子工学は医学ばかりではなく農業や環境浄化の分野でも活用されているのだ。

研究室や医療施設などから、有害な病原体や遺伝子組み換えを行った生物などが外部に流出し、人の健康や環境を脅威にさらすことを意味します。	新型コロナウィルスの病原菌が、中国武漢の研究所から流出したのではないかと評判になった。しかし今や真相は闇の中になってしまった。

バイオハザードとは、有害な病原体や遺伝子組み換えをした生物、あるいは感染性物質が、研究室や医療施設の外部に流出し、人の健康や環境に深刻な影響を及ぼすことを指します。**生物災害**ともいいます。**生命工学**の進展によりバイオハザードのリスクは上昇しています。バイオハザードが深刻なのは、いったんそのような生物や物質が外部に流出すると止めようがないという点です。そのためこれらを扱う施設は、取り扱う有害な病原体や感染性物質のリスクの程度によって4段階の**バイオ・セーフティ・レベル（BSL）**に対応するようになっています。最もリスクの小さい場合は BSL-1 で、最もリスクの高い場合は BSL-4 の安全対策が必要になります。

2020 年に大流行した新型コロナは、中国武漢にある**武漢ウイルス学研究所**から流出したのではないかといわれました。今や真相は闇の中ですが、同研究所は BSL-4 に対応する安全対策を施していたといいます。

バイオ・セーフティ・レベル（BSL）

リスク群1 （BSL-1）	ヒトあるいは動物に疾病を起こす見込みのないもの。

リスク群2 （BSL-2）	ヒトあるいは動物に感染すると疾病を起こし得るが、病原体等取扱者や関連者に対し、重大な健康被害を起こす見込みのないもの。また、実験室内の曝露が重篤な感染を時に起こすこともあるが、有効な治療法、予防法があり、関連者への伝幡のリスクが低いもの。

リスク群3 （BSL-3）	ヒトあるいは動物に感染すると重篤な疾病を起こすが、通常、感染者から関連者への伝幡の可能性が低いもの。有効な治療法、予防法があるもの。

リスク群4 （BSL-4）	ヒトあるいは動物に感染すると重篤な疾病を起こし、感染者から関連者への伝幡が直接または間接に起こり得るもの。通常、有効な治療法、予防法がないもの。

出典：国立感染症研究所「国立感染症研究所　病原体等安全管理規程」

004 ゲノム編集ベビー
genome-edited baby

[001] 生命倫理
[002] 遺伝子工学

ゲノムとは個人が持つ遺伝子の全情報を指します。このゲノムを編集して生まれた、心身的により優れた子供のことをゲノム編集ベビーといいます。

ゲノムを編集して、より優れた子供を誕生させるという行為は、倫理上許されるのだろうか。これに対して多様な議論が行われているのが現状だ。

ゲノムとは、ある生物をかたち作るのに必要な**遺伝情報**のすべてを指します。すでに人間のゲノム解析は終了しており、ステージは個人の遺伝子解析に移っています。技術的にはこのゲノムを編集してより優れた子供を誕生させることもできるようになってきました。このような子供を**ゲノム編集ベビー**といいます。

ゲノム編集ベビーに対しては、倫理面において大きく3つの立場があるようです。まず、親の意図による人為的な操作は一切行うべきではないとする立場です。次に、生まれてくる子供の自由や権利を侵害しないのであれば、親の意図による人為的操作は許されるとする立場です。最後は、優れた子供が生まれるのであれば、親の意図による人為的操作は許されるとする立場です。

親であれば生まれてくる子供がより優れていることを願うでしょう。今やそれが科学技術的に可能になってきているからこそ**倫理問題**が生じるのです。

ゲノム編集ベビーに対する3つの立場

人為的操作は一切ダメ！
反対派

子の権利を侵害しなければOK！
容認派

優れた子が生まれるのなら全面的にOK！
賛成派

ゲノム編集ベビーには3つの立場がある。あなたはどの立場を支持する？

005 クローン
clone

[001] 生物倫理
[002] 遺伝子工学

生物学的には、個体の体細胞から無性生殖によって作られた、遺伝的に同一の組み合わせを持つ生物を指します。そのプロセスをクローニングといいます。

1996年に生まれた羊のドリーは、無性生殖によってクローン作成に成功した世界で最初の哺乳類動物だった。現在、剥製がイギリスの博物館に展示されている。

　生物学における**クローン**とは、個体の体細胞から**無性生殖**によって作られた、遺伝子的に同一の組み合わせを持つ生物を指します。無性生殖とは他の個体と交配することなく自分自身だけで子孫を作り出すことを意味しています。

　クローンを生成するプロセスを**クローニング**といいます。このクローニングには大きく**治療型クローニング**と**生殖型クローニング**とがあります。治療型クローニングはクローンを病気の治療に役立てようとする医学的アプローチです。これに対して生殖型クローニングは、生物全体のクローンを作成することを目的にします。

　生殖型クローニングでつとに著名なのが**羊のドリー**です。1996年に生まれた羊のドリーは、無性生殖によって作られたクローンとして世界で最初の哺乳動物でした。羊のドリーは現在、剥製がイギリスの博物館に展示されています。

羊のドリー

出典：Wikimedia Commons

ドリーの出生は当初秘密にされていて、公表された際には大きな議論がわき起こったんだ。

006 iPS 細胞
induced pluripotent stem cell

山中伸弥
[002] 遺伝子工学

幹細胞は人体に存在する様々な特殊な細胞種に分化する能力を持つ細胞です。iPS 細胞は人工的に作り出された多能性幹細胞の一種に相当します。	iPS 細胞は 2006 年に日本の山中伸弥教授らのグループが発見したもので、これにより教授は 2012 年にノーベル生理学・医学賞を受賞した。

　iPS 細胞は**人工多能性幹細胞**とも呼ばれ、人工的に作り出された**多能性幹細胞**の一種です。2006 年に日本の山中伸弥*教授のグループが発見しました。

　多能性幹細胞は、体内に存在するすべての異なる種類の細胞、例えば神経細胞や筋肉細胞、血液細胞など、さまざまな系統の細胞に分化する能力を持っています。

　iPS 細胞が発見される以前は、多能性幹細胞を得ようと思うと**胚性幹細胞（ES 細胞）**を用いるしかありませんでした。しかしこれには倫理的な懸念があり、実際に法的な規制のある地域もありました。これに対して iPS 細胞は、成人の体細胞を利用しており、それを培養することで人工的に作り出せます。しかもその細胞が、心臓や脳、皮膚、肝臓、骨、角膜など、さまざまな組織の細胞に分化させることができるのですから、まさに**再生医療**の分野に革命をもたらしたといえます。

007 生殖補助医療
assisted reproductive medicine

[001] 生命倫理
[008] AID

生殖を助け不妊の解消を目的にした医療を指します。人工授精や体外受精、代理出産など多様な技術が開発されています。	不妊に悩む夫婦にとって生殖補助医療は力強い味方だ。ただしここにも新たな倫理的・社会的な問題が生じてきている。

　生殖補助医療とは、不妊に悩む夫婦に対して、生殖を助け不妊を解消する医療処置を指します。一般的な生殖補助医療としては次のようなものがあります。

人工授精：妊娠可能な時期に、女性の子宮に用意した精子を人工的に挿入する医療処置です。精子には配偶者の精液を利用する場合と、第三者の精液を利用する場合（**AID**）があります。

体外受精：女性の卵子と男性の精子を体外に取り出し、実験室で受精させて受精卵にします。受精した胚は子宮に戻して着床します。

代理出産：不妊の妻に代わって、妻以外の第三者が妊娠と出産を行います。受精卵を代理母の胎内に移植する方法と、夫の精子と代理母の卵子を用いる方法とがあります。代理出産が営利目的になったり、新たな親子関係が生じたりするため、新たな倫理的・社会的問題の 1 つになっています。

008 AID
artificial insemination by donor

[001] 生命倫理
[007] 生殖補助医療

非配偶者間人工授精。無精子症など男性の事情による不妊の場合に適用される方法で、配偶者以外の男性ドナーの精液を使用し人工授精を行います。

AID という新たなテクノロジーの進展により新たな問題も生じてきた。それは AID で生まれた子どもの出自に関する難しい問題だ。

AID は**非配偶者間人工授精**の略称で、無精子症など男性の事情による不妊の場合に適用される**人工授精**の一種です。利用する精子には配偶者以外の男性の精子を利用します。日本では 1948 年に初めて、AID による妊娠が試みられました。以来、日本において AID によって生まれた子どもの数は約 2 万人にのぼるともいわれています。

日本では AID に精子を提供する男性ドナーは**匿名**が条件になっています。また、AID で子どもをもうけた場合、この事実を子どもには秘密にしておくのが一般的でした。

ただし、場合によっては、AID によって生まれたという事実を子どもが知るケースもあります。しかし現在のルールでは、精子を提供した男性の身元が明かされることはありません。子どもの知る権利と精子提供者のプライバシーのいずれを重視すべきなのか、AID によって新たな問題が生じています。

009 リビング・ウィル
living will

[001] 生命倫理
[011] 脳死

人が自分で意思疎通や意思決定ができなくなった場合に備えて、どのような医療行為を希望するのか、事前に自分の意思を明記した文書を指します。

ある意味でリビング・ウィルは、患者本人が自分の意思と尊厳の保証を医療従事者や家族に託すものだといえる。

リビング・ウィルは、自分自身で意思疎通や意思決定ができなくなった場合を考えて、どのような医療行為を希望するのか、自分の意思を事前に明記した文書を指します。**事前医療指示書**や**医療委任状**とも呼ばれます。

リビング・ウィルが注目されるようになったのは、1976 年にあった**カレン＝クライン事件**です。植物状態[011]になったカレン＝クラインという女性が、「延命治療を拒否する」という意思を生前に書面で表明していました。この書面が法的に有効かどうか裁判で裁かれ、その結果、人間の「**死ぬ権利**」が認められました。また同年、カリフォルニア州ではリビング・ウィルの効力を法的に認める法律も成立しました。

ただし日本では、リビング・ウィルについて法的には認められていません。人間に「死ぬ権利」はあるのでしょうか？

010 中絶問題
abortion issue

[001] 生命倫理
[007] 生殖補助医療

妊娠を故意に終わらせること、つまり誕生する前に胚や胎児を子宮から除去または排出することが中絶であり、これに対する賛否に関する議論を指します。

中絶問題は特にアメリカにおいて国を分断する大きなトピックになっている。最も解決の困難な問題の1つといえる。

中絶とは、誕生する前に胚や胎児を女性の子宮から除去または排出して、妊娠を故意に終わらせることを指します。そして中絶という行為が倫理的に許されるのか、その賛否を問うのが**中絶問題**です。

中絶賛成派は、女性自身が妊娠を終了させる選択を含め、自分の体について決定する権利を持つべきであると主張します。また、中絶を制限することで、リスクの高い方法による中絶を促すことになり、妊婦の健康上のリスクを高めるとも主張します。これに対して**中絶反対派**は、胎児には受胎した瞬間から生きる権利があり、故意に妊娠を終了させることは、意図的に人間の生命を絶つのと同じことだと主張します。

このように、女性の「選ぶ権利」と胎児の「生きる権利」に対する争いが中絶問題の大きな側面になっています。今や中絶に関する賛否は、現代のアメリカを二分する問題に発展しています。

中絶の賛成派と反対派

自分の身体については自分で決める権利がある！

受胎した瞬間から胎児には生きる権利がある！

賛成派

反対派

周知のようにこの中絶問題、アメリカでは国を二分する大問題に発展しているのだ。

(011) 脳死
brain death

[001] 生命倫理
[009] リビング・ウィル

脳幹を含む脳全体の機能が失われ、回復する可能性がない状態を指します。これに対して植物状態では、脳幹の機能が残っていて自力で呼吸ができます。

日本では臓器移植法により、臓器移植の場合に限り脳死が人の死として認められている。その場合、臓器提供の意思表示が事前に必要になる。

脳は古いものから順に**脳幹**、小脳、**大脳**からなります。脳幹も含めてこれらすべての機能が失われて回復が見込めない状況を**脳死**といいます。脳死の患者は自らの力で呼吸できません。

これに対して、大脳や小脳の機能が失われ、脳幹の機能だけが残された状態を**植物状態**といいます。また、植物状態の人を**植物人間**ともいいます。植物状態では自力での呼吸が可能で回復の可能性も残されています。

1997年に施行された**臓器移植法**では、臓器移植の場合に限り、脳死が人の死にあたると定めました。ただし臓器移植にあっては、臓器提供者（ドナー）が事前に脳死下での臓器提供を表明しておく必要があります。そのための「**臓器提供意思表示カード**」が用意されています。さらに臓器提供者の意思に加えて、家族の承諾があった場合に限って、脳死は法的に死として認められます。

臓器提供意思表示カード

出典：日本臓器移植ネットワーク（https://www.jotnw.or.jp/files/page/give/give02cardleef.pdf）

脳死では脳の機能が完全に失われているのに対して、脳幹は機能しているのが植物状態なのだ。

012 安楽死
euthanasia

[009] リビング・ウィル
[011] 脳死

不治の病や重度の障害より助かる見込みのない病人や怪我人を、肉体的・精神的苦痛から解放するために、人為的に死亡させることを意味します。

安楽死には賛成派と反対派がある。例えば反対派は、安楽死が苦痛の解放以外に使用されるのではないかと懸念する。

安楽死は、病気や怪我で回復の見込のない人を、肉体的・精神的苦痛から解放するために、人為的に死亡させることを意味します。**慈悲殺**とも呼ばれます。

安楽死には3つの種類があります。まず、苦痛からの解放を目的に投薬などで意図的に死なせる**積極的安楽死**です。単に安楽死といった場合、多くはこれを指します。

次に、延命治療を中止して死を早める**消極的安楽死**です。この措置は人間らしく生きられない患者の尊厳を守ることから**尊厳死**ともいわれます。

最後は、患者に対して苦痛緩和の措置はとるものの、その措置が結果的に死を早める**間接的安楽死**です。

安楽死には賛否があります。賛成派は死ぬ権利の尊重や苦痛からの解放を主張します。一方反対派は、安楽死が苦痛の解放以外に使用されるのではないか、などの懸念を表明しています。

013 トリアージ
triage

[009] リビング・ウィル
[011] 脳死

限られた医療資源を有効に活用することを目的に、患者に優先順位を付けて治療することを意味します。フランス語の「選別（triage）」に由来します。

トリアージは功利主義が主張する「最大多数の最大幸福」の考え方を前提に、生命に優先順位を付けている。ここにも倫理問題が浮上する。

医療における**トリアージ**とは、限られた医療資源を有効活用することを目的に、患者の重症度に応じて優先順位を付けて治療することを意味します。自然災害や大量殺傷事件、過密な救急部門など、緊急時に医療資源が逼迫している状況において、トリアージは効果を発揮すると考えられています。

トリアージの考え方の背景には、「できる限り多くの人の命を救いたい」という考えがあります。これは「**最大多数の最大幸福**」を目指す功利主義[418]の考え方と合致します。しかしながらこれに対して、より多くの人のために個人のニーズが無視されてもいいのかという意見もあります。また、人種や年齢、性別、社会的あるいは経済的地位によって、優先順位が変わるのではないかという強い懸念もあります。このようなことから、トリアージの手順がどのようにして行われるのか、その公正さと透明化が問われています。

014 環境倫理
environmental ethics

レイチェル・カーソン
[017] 循環型社会

人間と自然環境との関係についての道徳的原則や規範、価値観を指します。これらについての研究を環境倫理学といいます。

環境倫理学は、生態系や動植物、天然資源など、さまざま自然環境に対する人間の倫理的義務や責任を明らかにする。

　人間は誕生以来、自然環境の制約を受けると同時に、自然環境に働きかけることで、人間の福祉や利益を増進してきました。しかしこのような**人間中心主義**が過ぎたため、人間による自然環境からの搾取が横行し、結果、自然環境の破壊へと至りました。こうした状況を背景に、1960年代のアメリカで**レイチェル・カーソン**＊らが**自然保護**の重要性を説き、**環境倫理**が注目されるようになりました。

　環境倫理とは人間が自然環境とかかわる際の道徳的原則や価値観を指します。自然環境からやみくもに搾取するのではなく、自然環境が持つ固有の価値を認めて、その保存に積極的にかかわることを重視します。さらに、生態系や地球全体にまで倫理的配慮を広げた**エコセントリズム**や現在および将来の世代の長期的な健康および幸福のバランスを考える**サステナビリティ（持続可能性）**が問われるようになってきています。

文献資料：レイチェル・カーソン『沈黙の春』（新潮社）

015 エシカル消費
ethical consumption

[016] SDGs
[017] 循環型社会

製品やサービスを購入する前に、それが持つ社会面や環境面、道徳面での意味合いを考え、その上で購買するかしないかを決定する消費態度を指します。

SDGsや循環型社会の重要性が問われる中、エシカル消費に対する意識が高まっており、企業も対応を迫られている。

　エシカル消費とはエシカル消費主義とも呼ばれており、製品やサービスを購入する前に、それが持つ社会面や環境面、道徳面での意味合いを考えた上で購買を決定する消費態度を指します。

　エシカル消費のための視点は多岐にわたります。例えば、その製品やサービスを提供する企業が、労働者の権利を守り、公正で安全な労働環境を提供しているかどうかは、エシカル消費を行う上での重要な判断基準の1つになります。

　また、環境に配慮した上で製品やサービスを提供しているかどうかも重要な判断ポイントです。具体的には二酸化炭素排出量を抑制する再生可能なエネルギーの使用、廃棄物の最小限化、リサイクル可能な製品設計などが挙げられます。

　その他にも、LBGTIQA+[021]の理解、動物の権利[033]への配慮など、エシカル消費の決め手となるポイントは多様です。

016 SDGs
sustainable development goals

[014] 環境倫理
[017] 循環型社会

持続可能な開発を促進することで、貧困や飢餓、不平等、環境破壊などを撲滅する17の目標を指します。2015年に国際連合によって制定されました。

SDGsのロゴマークを用いたバッジがある。意識の高さをアピールするためか、このバッジを付ける政治家や企業経営者が多いようだ。

SDGs は、**サステナブル・ディベロップメント・ゴールズ**の略を指します。日本では**持続可能な開発目標**と訳されています。2015年に**国際連合（UN）**によって制定されたもので、2030年までに達成を目指す**17の目標**、169のターゲット、230の指標からなります。17の目標は次のとおりです。

①貧困をなくす、②飢餓をゼロにする、③健康と幸福を促進する、④質の高い教育の提供、⑤男女共同参画、⑥清潔な水と衛生、⑦手頃な価格のクリーンエネルギー、⑧働きがいのある人間らしい雇用（ディーセント・ワーク）の促進、⑨強靱なインフラとイノベーションの促進、⑩不平等の是正、⑪強靱で持続可能な都市と地域社会の実現、⑫持続可能な生産消費形態の確保、⑬気候変動対策、⑭海洋・海洋資源の保護と持続利用、⑮陸上生態系の保護、⑯平和で包摂的な社会の促進、⑰グローバル・パートナーシップの活性化。

文献資料：United Nations. "THE 17 GOALS." (https://sdgs.un.org/goals)

SDGs

出典：外務省「持続可能な開発目標（SDGs）と日本の取り組み」(https://www.mofa.go.jp/mofaj/gaiko/oda/sdgs/pdf/SDGs_pamphlet.pdf)

最近、SDGsバッジをつけてる人が多いよね。皆んな意識の高い人なのかな？

017 循環型社会
recycling-oriented society

[015] エシカル消費
[016] SDGs

廃棄物の発生を最小限に抑え、資源の再利用とリサイクルを最大化し、環境への悪影響を最小限に抑える社会を指します。SDGs にも深く関連します。

従来の大量生産・大量消費・大量廃棄を反省し、廃棄物を最小限に抑え、再利用を旨とする循環型社会が求められるようになっている。

SDGs は**持続可能な社会**の実現を目指します。**循環型社会**は、二酸化炭素の排出を極力抑えて環境への悪影響を低減する**脱炭素社会**とともに、持続可能な社会の具体的な達成イメージの１つといえるでしょう。

　循環型社会では、廃棄物の発生を最小限に抑え、資源の再利用とリサイクルを最大化し、環境への影響を最小限に抑える社会を目指します。従来の社会では、大量生産・大量消費・大量廃棄を前提にしており、その結果として地球環境に大きな負荷を与えてきました。この反省から、環境への負荷を最小限に抑える循環型社会が問われるようになりました。

　循環型社会の実現には、リサイクル可能な製品設計や環境に配慮した流通、持続可能な消費パターンの促進、リサイクルインフラの整備など、生産・流通・消費・リサイクルという**過程全体**を考慮する必要があります。

循環型社会の実現

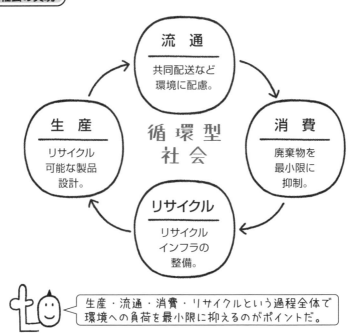

生産・流通・消費・リサイクルという過程全体で環境への負荷を最小限に抑えるのがポイントだ。

018 企業の社会的責任
corporate social responsibility (CSR)

[015] エシカル消費
[016] SDGs

社会や環境、倫理に対して責任ある対応を、事業運営やステークホルダーとの交流に取り入れることを目的とした企業の取り組みを指します。

企業の社会的責任はCSRと略すことも多い。企業によるSDGsの示す目標達成への貢献は、企業の社会的責任を実践することだといえる。

企業の社会的責任（CSR）とは、従業員や顧客、株主、地域社会、環境など、さまざまなステークホルダーに与える影響を考慮した、企業の誠意ある行動を指します。企業の社会的責任には多様な側面がありますが、最も分かりやすいのは**SDGs**の目標達成に貢献する経営という考え方でしょう。

SDGsを念頭に置くと、再生可能エネルギーを採用した二酸化炭素排出量の抑制やリサイクルの促進と廃棄物の管理など、環境に配慮した行動が求められています。また、倫理的な労働環境も重要なポイントになります。労働者の権利の尊重や安全な労働環境の提供、適正な賃金や機会均等への配慮、さらには従業員の多様性の促進などが求められています。加えて、慈善事業と地域社会への貢献、適切なサプライチェーン・マネジメント、偽りのない透明性のある事業報告など、いずれもSDGsと関連する企業の社会的責任の一環になります。

CSR の適用範囲

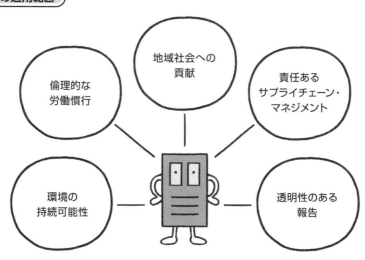

倫理的な労働慣行

地域社会への貢献

責任あるサプライチェーン・マネジメント

環境の持続可能性

透明性のある報告

CSRは企業のブランド評価に大きな影響を及ぼす。その重要性は今後さらに増すだろう。

019 フェミニズム
feminism

メアリ・ウルストンクラフト
シモーヌ・ド・ボーヴォワール

生活のさまざまな側面において、女性であるがための不平等に異議を唱え、これを解消し、男女平等を促進する立場を指します。また、このような立場の人をフェミニストといいます。

フェミニズムは**女権拡張主義**や**女性解放主義**などとも訳される。歴史的には女権の拡張、そのあとさらに女性の不平等からの解放が叫ばれた。

　フェミニズムは、女性の権利や機会、待遇など社会的地位の向上を目指すとともに、社会的・経済的な差別から女性を解放することを目指す立場です。18世紀末に、**メアリ・ウルストンクラフト***によって女性の権利の擁護が叫ばれました。そのため彼女は史上初のフェミニストともいわれています。

　ただしフェミニズム運動が社会的なうねりとなって現れるのは女性参政権の実現を生み出した19世紀から20世紀半ばにかけてのことです。これを**第1波フェミニズム**といいます。

　これが1960年代以降になると、男性中心の社会や文化に根づく女性の不平等に関心が高まりました。これは従来の「男らしさ」「女らしさ」に対する批判となって現れます。これが**第2波フェミニズム**といわれています。フランスの哲学者**シモーヌ・ド・ボーヴォワール***はその活動の中心にいた人物の1人です。

文献資料：メアリ・ウルストンクラフト『女性の権利の擁護』（未来社）

020 ジェンダー
gender

シモーヌ・ド・ボーヴォワール
[434] 実存主義

生物学的な性差である「セックス」に対して、社会によって作られる性差を指します。社会や文化のあり方によって、ジェンダーに対する役割や期待は大きく変わります。

ボーヴォワールは、男性社会が作り出した「女らしさ」を否定するとともに、女性自身が成長の過程で自分を定義しなければならないと主張したんだ。

　フランスの活動家で哲学者**ボーヴォワール***は、著作『**第二の性**』において、実存主義[434]の立場から男女の間にある性差の問題に斬り込みました。

　家父長型社会では、男性が中心的存在であり、男性から見ると女性は「**他者**」に映ります。これは女性を「**第二の性**」として位置づけることを意味しています。その結果女性は、男性一般がもつ「**女性らしさ**」という枠組みの中で、女性にならされるのだとボーヴォワールは主張します。そして現代では、生物としての性のあり方が「**セックス**」であるのに対して、社会や文化によって作られる性のあり方を「**ジェンダー**」と呼ぶようになりました。

　本来ジェンダーは、男性によって固定された本質ではありません。そのような作られた本質を否定し、成長する過程で女性が自らの責任で、自分を定義していかなければなりません。「実存は本質に先立つ」[469]のであれば、女性の実存は「女性らしさ」に先立ちます。

文献資料：シモーヌ・ド・ボーヴォワール『第二の性』（新潮社）

021 LGBTIQA+
LGBTIQA+

[016] SDGs
[018] 企業の社会的責任

レズビアン、ゲイ、バイセクシャル、トランスジェンダー、インターセックス、クィア／クエスチョニング、アセクシャル、プラスの略称で、多様な性的思考を指します。

現在、多様な性的指向や性自認、性表現に関する認識と理解が大きく変わろうとしている。LGBTIQA+ はその動きを象徴するキーワードだ。

　現在社会には、多様な性的指向や性自認、性表現を持つ人が多数存在し、その認識と理解が深まっています。LGBTIQA+ はそのような多様な性的指向のそれぞれの頭文字をった言葉です。

　①**レズビアン（L）**は、他の女性に恋愛感情や性的魅力を感じる女性を指します。②**ゲイ（G）**は、他の男性に恋愛感情や性的魅力を感じる男性を指します。③**バイセクシャル（B）**は、男性と女性双方に恋愛感情や性的魅力を感じます。④**トランスジェンダー（T）**は、性別が出生時に割り当てられた性別と一致しない人を指します。⑤**インターセックス（I）**は、男性または女性の典型的定義にあてはまらない身体特徴を持つ人を指します。⑥**クィア／クエスチョニング（Q）**は、従来のカテゴリーに当てはまらない性的指向を指します。⑦**アセクシャル（A）**は、他人に性的魅力を感じない人を指します。また、最後の⑧**プラス（+）**は、上記に含まれない性的指向を表しています。

022 スタンドポイント理論
standpoint theory

[019] フェミニズム
[020] ジェンダー

女性を含めた不利な集団や抑圧された集団の立ち位置（スタンドポイント）から社会を見ることで、慣例や制度の欠陥が見えてくるとする考えを指します。

より公平な社会を促進するには、多様な立場、特に社会の周縁に位置する人々の立場を認識し、その立場から物事を評価することが重要だ。

　スタンドポイント理論とは、女性を含めた社会的に不利な集団や抑圧された集団の立ち位置や視点（**スタンドポイント**）から社会を見ることで、社会が持つ慣例や制度の欠陥が見えてくるとする考えを指します。

　スタンドポイント理論では、個人の社会や文化、歴史における経験が、その人の世界に対する立ち位置、すなわちスタンドポイントを形成すると考えます。そうすると、疎外[427]された人々や従属的な立場にある人々は、社会や制度、権力力学などについて独自の視点を持つことになります。仮にこのような立ち位置から社会を見たとしたら、特権的な立場にある人には見えにくい社会システムの欠陥が見えてくるに違いありません。

　多様な立場から社会を見つめ直し、欠陥を是正する策を取り入れることで、より包括的で公平な社会の実現が可能になるでしょう。

023 ブルシット・ジョブ
bullshit job

デイヴィッド・グレーバー
[427] 疎外

「クソどうでもいい仕事」を意味します。アメリカの文化人類学者デヴィッド・グレーバーが自分の著作のタイトルに用いた言葉に由来します。	ブルシット・ジョブに従事する人は、労働から疎外され、その結果、自分が自分でない自己喪失[428]に陥る傾向が強いに違いない。

　ブルシット・ジョブはアメリカの文化人類学者**デイヴィッド・グレーバー**＊が 2018 年に出版した著作『ブルシット・ジョブ』に由来します。日本語版の副題は「クソどうでもいい仕事の理論」となっており、社会全体ばかりかその仕事をしている当事者からも無意味で不要と思われがちな仕事を指します。

　ブルシット・ジョブの大半は公共部門に限られていると即断しがちですが、それは間違っているとグレーバーは指摘しています。例えば、より効率的なシステムがあれば存在しなかった問題に対処する仕事もブルシット・ジョブの１つになります。これを前提にすると、システムの基本設計上で問題のあるインフラやコンピュータ・システムの障害を繰り返し応急処置する IT 担当者はそれに該当します。また、真のサービスを提供するのではなく、競合他社を妨害するための法的戦略に従事する企業弁護士などもブルシット・ジョブに従事する人です。

文献資料：デヴィッド・グレーバー『ブルシット・ジョブ』（岩波書店）

ブルシット・ジョブと自己喪失

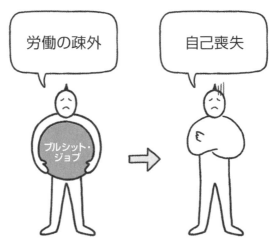

労働の疎外　　自己喪失

ブルシット・ジョブ

仕事から達成感を得られないのは本当に辛いことなのだ。

024 FIRE
financial independence, retire early

[023] ブルシット・ジョブ
[428] 自己喪失

近年人気を博している金融哲学とライフスタイルの1つです。経済的に自立し、従来の定年退職年齢よりも若い年齢で退職することを意味します。

好きでない仕事は労働からの疎外[422]と自己喪失の感情を生み出す。FIRE に憧れる人が増加する背景にはこれらがあるのではないか。

FIRE は、**経済的自立**（Financial Independence）と**早期退職**（Retire Early）を推奨する金融哲学およびライフスタイルを指します。2010 年代に**ミレニアル世代**の間で流行したのがその始まりです。

上記のように FIRE は 2 つの考え方からなります。前者の経済的自立とは、投資からの利益で生活費をまかなえる経済状態を指します。このために年間支出額の倍数で表される貯蓄額を達成する必要があります。一般には年間経費の 25 倍の貯蓄額が目標になります。これだと、毎年投資ポートフォリオの 4% を取り崩すことで生活できることになります。

また、後者の早期退職ですが、こちらは必ずしも完全に仕事を辞めることを意味しているわけではありません。経済的自立を背景に、実入りは少なくても自分が本当に打ち込める仕事に情熱を傾けることができるようになります。

FIRE への憧れ

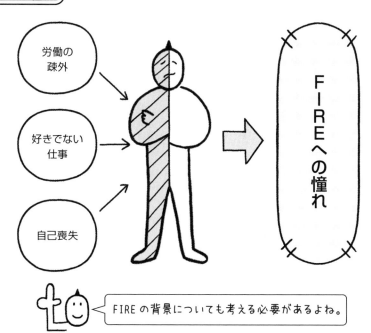

労働の疎外
好きでない仕事
自己喪失
FIRE への憧れ

FIRE の背景についても考える必要があるよね。

025 新自由主義
neoliberalism

20世紀後半に世界中で大きな影響力を持つようになった経済・政治イデオロギーで、市場原理至上主義と個人の自由と自己責任を最大限重視します。

新自由主義は市場原理と個人の自由を徹底的に信奉する点が特徴だ。しかし、新自由主義が貧富の差を拡大したという主張もある。

　アダム・スミス*ら古典経済学は、政府による経済介入を否定し、国防や司法に専念すればよいと主張しました。このような政府を**小さな政府**といいます。これに対して、**ケインズ***が提唱したように、国民に対する社会福祉を厚くし、財政出動を通じて市場に積極的に働きかける政府を**大きな政府**といいます。大きな政府は財政負担が自ずと増えるため財政赤字に陥るリスクも抱えています。

　1970年代の**石油危機**により世界の国々は深刻な不況に見舞われました。政府は財政負担の重みに苦しみ、**大きな政府**が行き詰まりをみせます。そこで台頭したのが**小さな政府**への回帰を主張する**新自由主義**です。ミルトン・フリードマン（1912～2006）らが提唱した新自由主義では、政府の介入を最小限に抑えるとともに、徹底した**市場原理主義**と個人の自由と自己責任を最大限重視します。レーガン米大統領による経済政策（**レーガノミクス**）や、日本の小泉政権による**小泉改革**は、新自由主義を念頭にした取り組みでした。

小さな政府を目指した人々

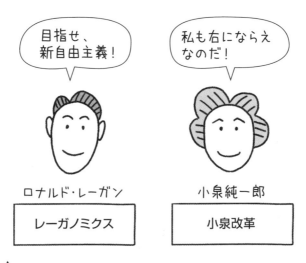

目指せ、新自由主義！

私も右にならえなのだ！

ロナルド・レーガン　　　　小泉純一郎

レーガノミクス　　　　　　小泉改革

2人とも目指したのは新自由主義を基礎にした「小さな政府」の実現だった。

026 貧困
poverty

[016] SDGs
[028] 人間の安全保障

経済的に貧しく生活に困っていることを指します。SDGs では世界における貧困の撲滅を、17 ある目標のうちトップに掲げています。それだけ切実な問題です。

貧困は世界の問題であると同時に日本の問題でもある。凶悪化が急激に進む現在の日本における犯罪の背景に貧困問題があると考えてよいのではないか。

　　SDGs では、持続可能な開発目標のトップに**貧困の撲滅**を掲げています。**貧困**とは貧しく生活に困っていることを指しますが、従来は世界の発展途上国について語られることが多かったように思います。しかし今や、貧困問題は日本固有の問題でもあります。

　　日本は先進国と呼ばれています。しかし、**相対的貧困**という尺度で見ると、日本における貧困問題の重要性が浮き彫りになります。相対的貧困とは人々の所得がその社会の平均所得や中央値をどの程度下回っているかで調べます。日本の場合、相対的貧困の基準は世帯年収が **127 万円**とされており、相対的貧困率は **15.7%**（2018 年）に達しています。これは日本人の 6 人に 1 人が貧困ライン以下で生活していることを示しています。近年、凶悪な犯罪や自滅型の犯罪が目立ちますが、その背景には貧困の存在があるように思えてなりません。

文献資料：SDGs ACTION！「相対的貧困とは？　定義と現状、解決につながる対策を紹介」(https://www.asahi.com/sdgs/article/14844785#h2sledtt5br159f27ge2l1yf1j51qrl)

相対的貧困率

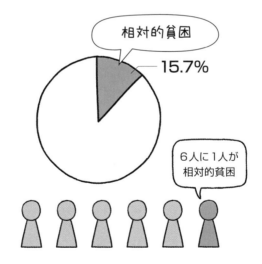

相対的貧困
15.7%

6人に1人が
相対的貧困

フィンランドは 2.4％だから、
日本の高さがわかるというものだよね。

自国通貨を発行する政府は、税金や借金に頼らずに財政支出を実行できるという主張を指します。2008年の金融危機以降、注目されるようになりました。

MMTは現代貨幣論ともいう。その主張の突飛さから「ブードゥー経済」や「とんでも理論」と呼ばれることもある。でも、誤解されている点も多いようだ。

　MMTは**現代貨幣理論**とも呼ばれており、自国通貨を発行する政府は、税金や借金に頼らずに財政支出を行うことができる点が理論の柱になっています。MMTが立脚する理論の基礎は、「**国家は自国通貨を自在に発行できる**」という、誰も否定できない事実にあります。現代国家では、政府と中央銀行に機能が分化しており、政府から独立した中央銀行が通貨を発行します。とはいえ、中央銀行も国家の一機能であることに変わりはありません。よって、「国家は自国通貨を自在に発行できる」という命題は否定しようがありません。ならば、国は制限なくお金を作れるのでしょうか。もちろん制約はあります。たとえば一時に大量の通貨を供給すれば過剰な**インフレ**が進行して貨幣制度を傷つけてしまいます。よって、国は自国通貨を自在に発行できるけれど、節度なく発行することをMMTが推奨しているわけではありません。この一例のようにMMTの細部を検討すると、必ずしも「とんでも理論」でないことがわかります。

文献資料：L・ランダル・レイ『MMT　現代貨幣理論入門』（東洋経済新報社）

MMT の主張

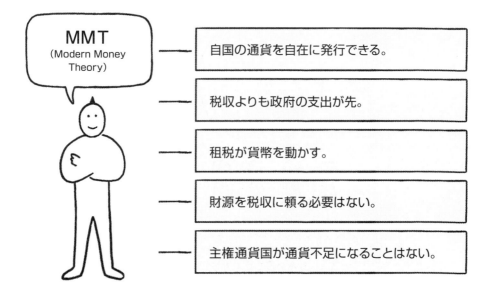

MMT
(Modern Money Theory)

- 自国の通貨を自在に発行できる。
- 税収よりも政府の支出が先。
- 租税が貨幣を動かす。
- 財源を税収に頼る必要はない。
- 主権通貨国が通貨不足になることはない。

028 人間の安全保障
human security

アマルティア・セン
[026] 貧困

> 従来の安全保障は国家を中心にすえていました。これに対してその中心に個々の人間をすえ、生存や生活、尊厳に対する脅威から人々を守る考えを指します。

> 人間の安全保障の中には食の安全保障も含まれる。世界各地で相次ぐ紛争により食の安全に対する脅威が強く意識されるようになった。

　人間の安全保障は、人間の生存や生活、尊厳に対する脅威から人々を守り、安全で豊かな暮らしを提供する取り組みを実践する考えを指します。ノーベル経済学賞を受賞したインドの経済学者**アマルティア・セン***らが訴えました。

　安全保障とは、文字どおり責任を持って安全を確保することです。従来は国家の安全保障というようにその中心には国家がすえられ、軍事的あるいは政治的側面から議論されてきました。人間の安全保障ではこれを一歩進めて、人々の日常生活に影響を与えるより広範な脅威をも安全保障の対象に拡大しようというものです。

　人間の安全保障には大きく7つの領域があります。①経済的安全保障、②食の安全保障、③健康の安全保障、④環境の安全保障、⑤個人の安全保障、⑥コミュニティの安全保障、⑦政治的安全保障がそれです。このうち**食の安全保障**については、ロシアのウクライナ侵攻により世界的に注目が高まりました。

人間の安全保障の7領域

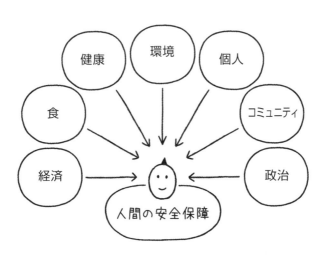

国家ではなく人間をその中心にすえる点が人間の安全保障の特徴になっている。

029 人口減少社会
depopulation society

[025] 新自由主義
[026] 貧困

人口が減少に転じた社会を指します。日本では 2005 年に人口の純増減で初めて減少を記録しました。日本の人口は 2022 年時点で 1 億 2486 万人です。

人口減少と同時に進んでいるのが社会の高齢化だ。すでに日本は、2007 年時点で高齢化社会から高齢社会、さらには超高齢社会に突入しているのだ。

　日本では 2005 年に人口の純増減で初めて減少を記録しました。その後、一旦は持ち直しますが、2011 年以降 10 年連続で人口は減少しました。2022 年 12 月 1 日現在の日本の人口は、1 億 2486 万人で、前年より約 51 万人減少しました。将来人口は 2050 年代に 1 億人を割り込むと予想されています。人口減少は生産年齢人口の減少も意味し、経済力の弱体化につながります。また、人口減少と同時に高齢化も大きな社会問題になっています。

　高齢化社会は、全人口に占める満 65 歳以上の高齢者人口の割合（**高齢化率**）が 7% を超えた社会を指します。この高齢化率が 14% を超えると**高齢社会**、21% を超えると**超高齢社会**になります。日本の高齢化率は 1994 年に 14% を超え、2007 年には 21% を超えました。また、女性が生涯に出産する子供の数を示す**合計特殊出生率**は、2022 年には過去最低の 1.26 になりました。このように現在の日本では**少子高齢化**が急速に進んでいます。

日本の長期人口推移

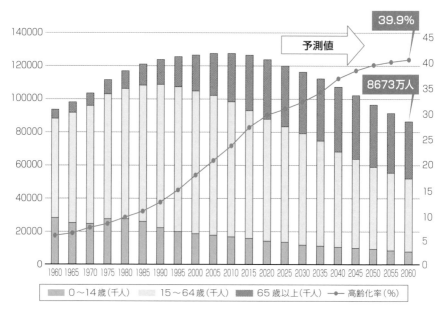

出典：国土交通省（https://www.mlit.go.jp/hakusyo/mlit/h27/hakusho/h28/html/n1111000.html）

030 暗黙知
tacit knowledge

マイケル・ポランニー
[474] 身体図式

形式的なルールや言語によって表現したり、他者に直接伝達したりすることが困難な知識を指しており、これらは個人の経験や直感、技能に深く根ざします。

日本の経済学者**野中郁次郎**は、ポランニーの暗黙知を経営理論に応用し、企業の暗黙知を形式知に変える**ナレッジ・マネジメント**を提唱した。

　暗黙知は個人の経験や直感、技能に根ざした知識であり、形式的なルールや言語によって明示的に表現したり、他者に直接伝達したりするのが困難だという特徴があります。ハンガリー出身の科学哲学者**マイケル・ポランニー**＊が提唱しました。

　一般に知識とは明示的な形式で表現できるものだと考えられがちです。しかし、自転車の乗り方を考えた場合、身体はその方法を知識として所持していますが、これを言葉で表現し尽くすのはほとんど不可能です（**身体図式**）。この一点からも人間は明示的に表現できない暗黙知を持っていることがわかります。さらにポランニーは、科学的発見や芸術的創造、実践的スキルなどでこの暗黙知がとても重要な役割を果たしていると主張します。実際、私たちは、暗黙知がなければ自転車に乗るという、極めて日常的な活動も行えなくなります。その意味で暗黙知は個人的で主観的なものだともいえます。

文献資料：マイケル・ポラニー『暗黙知の次元』（紀伊國屋書店）

ナレッジ・マネジメント

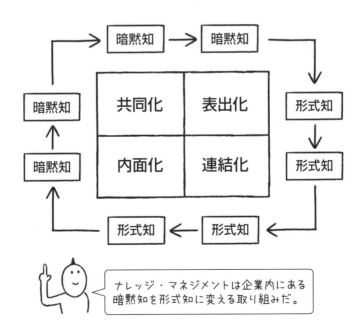

ナレッジ・マネジメントは企業内にある暗黙知を形式知に変える取り組みだ。

031 エスノセントリズム
ethnocentrism

[022] スタンドポイント理論
[032] オリエンタリズム

自文化中心主義ともいいます。自分が所属している社会・文化のあり方や考え方を基準にして、異なる他の社会・文化を観察し評価する態度を指します。

ある意味でエスノセントリズムの反省から、スタンドポイント理論のような多視点的アプローチが生まれてきたのではないだろうか。

エスノセントリズムは**自文化中心主義**あるいは**自国（自民族）中心主義**とも呼ばれていて、自分が所属する社会が持つ文化規範や価値観から、異なる他の社会・文化を観察し評価する態度を指します。このように書くと公平な観察と判断がなされているように見えますが、そうではありません。通常、エスノセントリズムには、自国の文化が他国よりも優れている、あるいは望ましいという認識が基礎にあります。そのため他文化に対する観察に**バイアス**がかかってしまい、偏りのある判断や評価になる傾向があります。

現在、エスノセントリズムとして最も大きな影響力を持つのが**ヨーロッパ中心主義**、中でも**西側中心主義**で世界を見る態度でしょう。このような観点に立つと、権威主義[153]の立場やグローバルサウス[174]の立場から世界を見るなどといった、**スタンドポイント理論**のアプローチも必要になるのかもしれません。

032 オリエンタリズム
Orientalism

エドワード・サイード
[031] エスノセントリズム

サイードによると、この語は、西洋人が東洋に抱くエキゾチックなイメージの総称のみならず、西洋人が東洋を支配するために作り出した様式を意味します。

アメリカの思想家エドワード・サイードは著作『オリエンタリズム』で、「オリエンタリズム」の本質に迫っている。「西高東低」は西洋人が作り出した幻想だ。

一般に**オリエンタリズム**というと、西洋人が東洋に抱くエキゾチックなイメージの総称ととらえられています。パレスチナ系アメリカ人の思想家**エドワード・サイード***は、このオリエンタリズムというイメージは西洋人が東洋を支配するために作り出した様式であり、そこには東洋を後進的かつ劣等で西洋の介入と支配を必要とする存在として描いている、と主張しました。

サイードによると、オリエンタリズムはヨーロッパの植民地主義の時代に生まれたといいます。西洋人は、オリエンタリズムという言葉を通じて、東洋が神秘的で非合理的な存在であることを人々の頭に植え付け、それゆえ何事にも優れている西洋によって支配される必要があると言外に述べているのだ、というのがサイードの主張です。

ヨーロッパ中心主義という**エスノセントリズム**を媒介にして東洋を見た時に生まれた見方、それがオリエンタリズムということになるでしょう。

文献資料：エドワード・サイード『オリエンタリズム』（平凡社）

033 動物倫理
animal ethics

ピーター・シンガー
[001] 生命倫理

動物の道徳的地位や権利と利益、人間が動物にどのように接し、どのように共生すべきかを考える倫理学の一分野を指します。	オーストラリアの哲学者ピーター・シンガーは、人間に基本的人権があるように、動物の生きる権利も尊重すべきだと主張した。

　動物倫理は、動物の権利や利益について考え、人間が動物にどのように接すべきかを問う倫理学の一分野です。人間は牛や豚、鳥などの動物を食糧としてきました。また、科学研究において多くの動物を実験に利用してきました。このような動物に対する私たちの立場には次のようなものがあります。

　まず、動物に道徳的な地位はなく、私たちは自由に動物を利用できるという立場で、現在の動物利用を肯定します。また、動物の利用を否定するわけではありませんが、動物に対する愛護を最大限配慮すべきだという立場です。さらに、動物にも人間と同じ権利や道徳的地位があり、私たちは動物に敬意をもって接する義務があるという立場です。

　オーストラリアの哲学者**ピーター・シンガー**＊は、上記に挙げた第3の立場を支持し、人間の利益のために動物の生きる権利を奪うことに強く反対しています。

文献資料：ピーター・シンガー『動物の解放』（人文書院）

動物倫理の立場

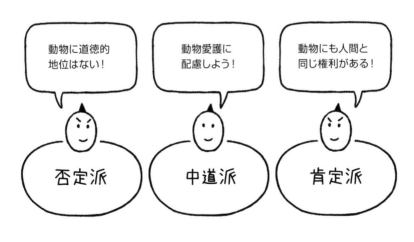

動物に道徳的地位はない！　否定派

動物愛護に配慮しよう！　中道派

動物にも人間と同じ権利がある！　肯定派

ピーター・シンガーは**動物倫理の積極的な肯定派**だ。

進化論
theory of evolution

チャールズ・ダーウィン
[035] 自然淘汰

すべての生物は共通の祖先を持ち、それが長い年月の間、自然淘汰のプロセスを経て、変化分岐して現在に至ったとする学説を指します。ダーウィンの進化論が著名です。	進化論はキリスト教が伝統的に前提としてきた創造論と鋭く対立する。そのため進化論は誤りである、と今でも大きな論争の的になっている。

　進化論とは、すべての生物は共通または少数の祖先を持ち、それが長い年月の間、**自然淘汰**のプロセスを経て、変化分岐して現在に至ったとする学説を指します。19世紀にフランスのラマルクが進化論を提唱しましたが、決定的な影響を及ぼしたのがイギリスの博物学者**チャールズ・ダーウィン**[*]による『**種の起源**』の発表でした。

　進化論の考え方を前提にすると、生物である人も進化の結果、現在の形になったと考えられます。そうだとすると、人間特有の思考や行動も、長い年月を経て人間に備わったものと考えられます。このようなことから、人間について考える場合、進化論の考え方を念頭に置くことが重要になります。実際、多様な学問領域で進化論を射程に入れた活動が広まっています。

　進化論は、生物の種は神によって創造されたとするキリスト教の伝統思想である**創造論**と鋭く対立します。そのため進化論は今でも大きな論争の的になっています。

文献資料：チャールズ・ダーウィン『種の起源』（光文社）

チャールズ・ダーウィンの生涯

チャールズ・ダーウィン
Charles Darwin
（1809〜1882）

年	概要
1809	2月12日、イギリスのシュルーズベリーで生まれる。
1831	ビーグル号で5年間の世界一周の旅に出る。
1835	ガラパゴス諸島で、フィンチを含む多くの標本を採集。
1836	ビーグル号での航海を終えてイギリスに戻る。
1839	従姉妹のエマ・ウェッジウッドと結婚する。
1859	著作『種の起源』を出版する。
1871	著作『人間の起源』を出版する。
1882	4月19日死去。享年73歳。

ダーウィンの進化論は生物学だけではなく、社会や文化、人間の心理にも大きな影響を及ぼした。

035 自然淘汰
natural selection

チャールズ・ダーウィン
[034] 進化論

ダーウィンの進化論の中心概念です。生存や繁殖に有利な突然変異が生じ、これが長い年月を経て子孫に遺伝し、やがてその種に広がることを指します。

自然淘汰は「natural selection」の訳だ。そのため「自然選択」と呼ばれることもある。つまり自然淘汰と自然選択は同じ意味なので注意したい。

　ある条件下で、生物が生存に有利な**形質**（その生物が持つ特徴）を身に付けることを**適応**といいます。この適応の原動力となるのが**自然淘汰（自然選択）**であり、**ダーウィン**[*]の**進化論**の中心的な考えになっています。

　自然淘汰とは、生存や繁殖に有利な**突然変異**が生じ、これが遺伝して、やがてその種に広がることを指します。生存や繁殖に有利か否かは、その生物がどのような環境で生きているかによります。そして、たまたま環境により適応した変異があった時、この形質が生物の生存に有利となり、やがてその種に広がります。このように適応は自然淘汰によって生み出され、それが長い時間をかけて生物の進化を生み出します。この考えがダーウィンの進化論の基礎になっています。

　なお、よく誤解されるのは**進化と進歩の同一視**です。上記のように突然変異は目的もなくランダムに発生するものであり、それは決して進歩とは限りません。

文献資料：チャールズ・ダーウィン『種の起源』（光文社）

自然淘汰の仕組み

1	生物の個体に変異が生じる。

2	変異には生存や繁殖に有利なものがある。

3	生存や繁殖な有利な変異が親から子に遺伝する。

4	生存や繁殖に有利な変異が長い時間をかけて集団の中に広まる。

進化心理学では、人間の身体と同様、人間の心も進化の過程で環境に適応してきたと考えている。

断続平衡説
punctuated equilibrium

[034] 進化論
[035] 自然淘汰

進化生物学の理論の1つで、種の進化は比較的短時間に急激な変化が起こる期間と、ほとんど進化的変化が起こらない期間があるとする説を指します。

断続平衡説が画期的だったのは、進化が徐々に連続的に変化するとした従来の系統漸進説に疑問を投げかけた点にある。両者の論争は現在も続いている。

断続平衡説は、生物進化論における理論の1つで、種の進化は変化がほとんど起こらない期間と、比較的短時間で急激な変化が起こる期間があるとする説を指します。この断続平衡説が提唱される以前は、種は漸進的に変化すると一般に考えられていました。このような進化観を**系統漸進説**といいます。スティーヴン・ジェイ・グールド（1941〜2002）らが提唱しました。

断続平衡説の背景には**化石**の存在があります。多くの化石は長い間ほとんど変化せず、その後突然新しい種の化石が出現するからです。このような変化を断続平衡といいます。断続平衡は、環境の変化によって種の集団のバランスが崩れ、新しい形態の進化が急速に進むことによって引き起こされると考えられています。これに対して、種と種を結ぶ中間的な化石が発掘されていないのは、単に化石にならなかったか、まだ見つかってないかだとの主張もあります。これを**ミッシング・リンク**といいます。

文献資料：Eldredge, Niles & Gould, Stephen Jay. 1972. 'Punctuated Equilibria：An Alternative to Phyletic Gradualism.' *Models in Paleobiology*. Freeman Cooper.

系統漸進説と断続平衡説

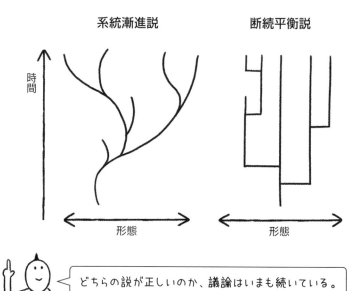

系統漸進説　断続平衡説

時間　形態　形態

どちらの説が正しいのか、議論はいまも続いている。

037 利己的な遺伝子
selfish gene

リチャード・ドーキンス
[035] 自然淘汰

進化は個体や種の保存が原動力になっているのではなく、遺伝子が原動力になっているとする考えを指します。ドーキンスの学説を象徴する言葉です。

利己的な遺伝子は進化生物学者リチャード・ドーキンスの著作のタイトルでもある。代表作でもあるこの著作でドーキンスは時の人になった。

　従来の進化論[034]では、個体の生存や種の繁栄を原動力にして**自然淘汰**が生じると考えられていました。これに対して進化生物学者**リチャード・ドーキンス***は1976年に発表した著作『**利己的な遺伝子**』で、自然淘汰の原動力になっているのは**遺伝子**だという画期的な視点を示しました。ドーキンスによると、遺伝子は基本的に生存と自己複製を求める「利己的」な存在です。生物の生存と繁殖の可能性を高める遺伝子は、世代から世代へと受け継がれます。その結果、遺伝子は生存と繁殖に有利なさまざまな形質や行動を生み出します。その意味で生物は、遺伝子が自己増殖するための単なる**遺伝子の乗り物**とも考えられます。

　自然淘汰の原動力を遺伝子に見出したドーキンスの主張は画期的でした。ただし「利己的な遺伝子」というと、何か遺伝子が意志を持っているかのように思えます。その点で誤解を招きやすいネーミングのようにも思えます。

文献資料：リチャード・ドーキンス『利己的な遺伝子』（紀伊國屋書店）

038 社会ダーウィニズム
social Darwinism

ハーバート・スペンサー
[034] 進化論

ダーウィンの進化論を人間の社会や社会構造に適用しようとする立場を指します。哲学者ハーバート・スペンサーはこの立場を代表する人物の1人です。

社会ダーウィニズムは、特定の社会的・政治的イデオロギーの正当化に使用されたという、少なからず暗い過去がある。この点には要注意だ。

　社会ダーウィニズムはイギリスの哲学者**ハーバート・スペンサー***が提唱したもので、社会も生物と同様に進化する立場をとります。スペンサーによると、社会やそれを構成する人間も自然界の種と同じように生存をかけた競争を繰り広げています。この生存競争は、競争力のある社会や個人を発展させますが、競争力の劣る者は衰退し滅び去る運命にあります。スペンサーはこれを「**適者生存**」と呼び、社会ダーウィニズムの中心的な考え方にしました。

　スペンサーの考え方は、社会的強者が自由放任主義[422]や帝国主義[149]などを支持するのに都合のよいものでした。そのため社会ダーウィニズムは、特定のイデオロギー[147]を正当化するための理論として使用されました。しかし、進化を進歩と取り違えたり、西洋人や成功した事業家を優れた存在とみなしたりするなど、スペンサーの思想は多くの誤りに基づいており、現在ではほぼ支持されていません。

文献資料：『世界の名著36　コント　スペンサー（「進歩について」）』（中央公論社）

進化心理学
evolutionary psychology

[034] 進化論
[040] 心理的適応

人の行動や心の仕組みをダーウィンが提唱した進化論の立場から理解しようとする心理学の一分野を指します。今、最も注目されている心理学の１つです。

現在、多様な学問分野で進化論の考え方を援用するようになってきている。身体の一部である心が身体と同様に進化したと考える進化心理学もその１つに数えられる。

進化心理学は心理学の新たな分野の１つです。**進化論**の考え方を援用して人の心や行動を考えるのが進化心理学の真骨頂です。

そもそも進化論を前提にすると、生物である人は、他の生物と同様、環境に適応することで進化してきたと考えられます。そのため生物に共通する進化と適応の考え方から人間を研究することは、生物としての人間を理解する上で役立つはずです。

また、人の心や行動について考えてみると、生物の一種である人の身体が進化してきたように、身体の一部である心も同じように進化してきたと考えられます。つまり、現在の私たちが有している**心理的メカニズム**や**心理的適応**は、長い年月をかけた進化による産物だということになります。そうだとしたら、人間の心や行動について進化論の立場からうまく説明できるはずです。このような観点からアプローチするのが進化心理学にほかなりません。

文献資料：長谷川寿一、長谷川眞理子、大槻久『進化と人間行動［第２版］』（東京大学出版会）

心の進化

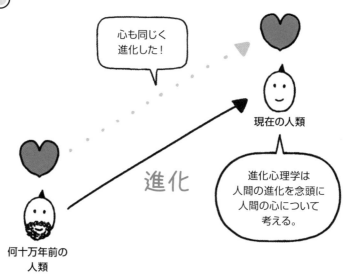

心も同じく
進化した！

進化

現在の人類

進化心理学は
人間の進化を念頭に
人間の心について
考える。

何十万年前の
人類

進化心理学では、人間の身体と同様、人間の心も進化の過程で環境に適応してきたと考えている。

040 心理的適応
psychological adjustment

[039] 進化心理学
[045] 返報性

人が生まれつき持っている思考パターンや感情パターンを指します。心理的適応は、環境に適応するために進化の過程で獲得されたものと考えられます。

人間の心理的適応を考える場合、人類の発生から農業が誕生するまでの200万年間について考えることが重要になる。それは途方もなく長い時間だ。

　心理的適応とは、人が生まれつき持っている、無意識のうちに働かせる思考パターンや感情パターンを指します。心理的適応は人間が持つ身体的な形質と同様、**進化的適応環境**を通して形成されたと考えられます。進化的適応環境とは、現代人が持つ生物学的特徴が進化してきた環境を指します。一般には人類（原人）の発生から農業が誕生するまでの200万年間が人類にとっての進化的適応環境になります。

　例えば人は、はるか昔から、集団で暮らしてきました。太古の時代、仮に人が集団から見放され、1人だけ荒野に取り残されたとすると、これは確実にその人の死を意味します。よって人は集団から見放されないようにする心理的適応を育んできたと考えられます。人間は周囲の人に共感し互いに協力する態度を身につけていますが、これも集団から見放されないようにするための心理的適応の1つだと考えられます。

文献資料：五百部裕、小田亮編『心と行動の進化を探る』（朝倉書房）

心理的適応の一例

①	はるか昔から、人は集団で暮らしてきた。
②	人が集団から見放されたら、それは死を意味した。
③	仲間と円滑な関係を結ぶほうが、死を回避できる。
④	こうして人は、周囲の人に共感し互いに協力する態度を身につけてきた。

041 性淘汰
sexual selection

[035] 自然淘汰
[040] 心理的適応

メスをめぐるオス同士の闘争、オスに対するメスの選り好み、ここから現れる自然淘汰を、ダーウィンは性淘汰と呼びました。ダーウィン進化論の重要概念の1つです。

一般に男性はリスク追求的、女性はリスク回避的な傾向が強い。これも性淘汰による結果といえる。その理由については下記を参照されたい。

　繁殖の準備ができている雄と雌の比を**実効性比**といいます。ほとんどの動物では、雌より雄の方が実効性比の値が大きくなります。そのため数の多い雄は、数の少ない雌をめぐって熾烈な競争を繰り広げることになります。この結果、雄と雌とは異なる形質を持つようになりました。これを**性淘汰**と呼びます。例えば牡鹿の大きな角やクジャクの美しい羽根は性淘汰の結果です。

　また、人間の場合、一般に男性は**リスク追求的**、女性は**リスク回避的**な傾向を強く持ちます。男性は女性をめぐって配偶者獲得競争を繰り広げなければなりません。勝者は理論上何百人もの子孫を残せますが、敗者の場合1人の子孫も残せない可能性があります。そのため、男性の場合、競争に勝つために少々リスクを背負う覚悟が必要です。女性はそこまでリスクを負わなくても男性を確保できるでしょう。殺人犯が圧倒的に男性に多いのも、男性がリスクを好んで負う結果です。性淘汰からこのように説明できます。

文献資料：『世界の名著39　ダーウィン（「人間の起源」）』（中央公論社）

性淘汰の仕組み

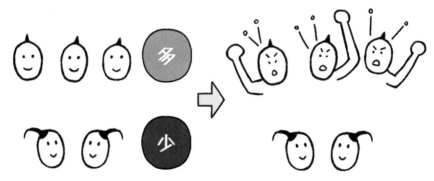

繁殖の準備ができているのはメスよりオスのほうが多い。

多い方が配偶者を巡って争う。これにより争いに有利な形質が進化した。

このような仕組みで、オスとメスは異なる形質を獲得した。

042 エラー管理理論
error management theory

[040] 心理的適応
[044] 至近要因と究極要因

人は死をも意味する大きな誤り（エラー）を回避するために、小さい誤りを繰り返す習慣を持つようになった、という考えを基礎にする理論を指します。

大きな誤りを犯すと最悪死に至ることになる。それを回避するために人は小さい誤りを繰り返す心的メカニズムを持つようになったのだ。

エラー管理理論は、人は大きな失敗を回避する代わりに、小さい誤りをする習慣を持つようになった、という考えが基礎になっています。人間がこのような行動をとるようになったのも**進化的適応環境**が大きく影響しています。

　私たちの遠い先祖が森の中を歩いている時に異音を耳にしたとしましょう。先祖は天敵だと思い、慌てて逃げ出しました。しかし、その異音は風のいたずらでした。先祖は小さな誤りをおかしました。これを**肯定的な誤り**といいます。しかしながら、その異音が実際に天敵の出す音だったとします。風の音だと思って逃げなかった先祖は天敵に襲われて命を失ったでしょう。これを**否定的な誤り**といいます。否定的な誤りという最悪の事態を避けるため、人は小さな誤り（肯定的な誤り）を繰り返すようになりました。これがエラー管理理論の考え方です。エラー管理理論のメカニズムは人間の行動の至る所で見出すことができます。

文献資料：Martie G. Haselton, David M. Buss. 2000. 'Error Management.' *Journal of Personality and Social Psychology*. January Vol. 78, No. 1.

肯定的な誤りと否定的な誤り

肯定的な誤り	否定的な誤り
異音を聞いたので逃げ出した。	異音がしたけど逃げなかった。

異音は風のいたずらだった。
でも、命に別状はなし。
良かった良かった。

異音は猛獣の出した音だった。
哀れ、ご先祖様は猛獣の
餌になってしまった。

043 ティンバーゲンの4つのなぜ
four whys of Tinbergen

ニコラス・ティンバーゲン
[044] 至近要因と究極要因

動物行動の究極的な原因を理解するために開発された枠組みです。生物の行動のみならず、多様なテーマについて考える上でのフレームワークにできます。

「4つのなぜ」を問うことで、人間を含めた動物の行動をより包括的に理解し、その直接的なメカニズムと進化的な意義の両方を考慮できる。

　ノーベル賞受賞者でもある動物行動学者**ニコラス・ティンバーゲン***は、動物が何かの行動する際の原因を理解するためのフレームワークとして「4つのなぜ」を挙げました。このフレームワークはのちに開発者の名にちなみ**「ティンバーゲンの4つのなぜ」**と呼ばれるようになりました。

　ティンバーゲンは、①問題となる行動の直接のメカニズム（**至近要因**）、②問題となる行動とそのメカニズムが生じる理由（**究極要因**）、③特定の行動の進化的・適応的意義（**系統進化要因**）、④その進化の歴史（**発達要因**）、これらについて問うことで、動物行動の背後に潜む謎を解き明かせると考えました。このフレームワークの適用範囲は動物行動だけではありません。多様なテーマについて、直接的なメカニズムと進化的な意義の両方を考察できます。

文献資料：ランドルフ・M・ネシー『なぜ心はこんなに脆いのか』（草思社）

ティンバーゲンの4つのなぜ

	至近的	進化的
時間のある一点	問題となる行動の直接のメカニズム。 ➡至近要因	問題となる行動とそのメカニズムが生じる理由。 ➡究極要因
時間の経過	特定の行動の進化的・適応的意義。 ➡系統進化要因	その進化の歴史。 ➡発達要因

至近要因と究極要因については次節を参照してもらいたい。

044 至近要因と究極要因
proximate factor and ultimate factor

[042] エラー管理理論
[043] ティンバーゲンの４つのなぜ

何かの対象について考察する際の態度で、至近要因は対象の直接的なメカニズムについて、究極要因は進化論を念頭に置いたメカニズムについて考えます。

至近要因と究極要因は、「ティンバーゲンの４つのなぜ」でも取り上げられている、対象について考える際の視点だ。思考の指針として活用したい。

　男性なら身に覚えがあると思いますが、女性のちょっとしたしぐさに「彼女はオレに気があるのではないか」と考えがちです。なぜそう思う傾向が強いのか、**至近要因**と**究極要因**で考えてみましょう。

　まず、至近要因で説明すると、「男はうぬぼれが強いから」となるでしょう。確かにそうかもしれません。しかしこれでは、なぜ男はうぬぼれが強いのかを説明していません。一方、この理由を**エラー管理理論**で考えてみましょう。あなたは気があると思った女性をデートに誘いました。しかし彼女には気がありません。これは断られるのがおちでしょう。あなたは**肯定的な誤り**を犯しました。これに対して、女性には気があるのにあなたはデートに誘いませんでした。これは絶好のチャンスをみすみす見逃したことになります。このような**否定的な誤り**を回避するために男性はうぬぼれが強くなったと考えるのが究極要因からの説明です。

文献資料：アラン・S・ミラー、サトシ・ナカザワ『進化心理学から考えるホモサピエンス』（パンローリング）

男のうぬぼれ

彼女、ボクに
気があるんじゃ
ないかなぁ。

またネー

至近要因からの説明

男はうぬぼれが強いから、
自分に気があるように思って
しまう。

究極要因からの説明

絶好のチャンスを逃さない
ためにも、うぬぼれが強いほうが
得なのだ。

ありふれた出来事の背景にある究極要因に
目を向けてみよう。意外な発見があるかも。

045 返報性
reciprocation

[040] 心理的適応
[044] 至近要因と究極要因

人は何かをしてもらうと、それがたとえ嫌いな人からでも、何かお返しをしようとする傾向を指します。これは心理的適応の一種と考えられます。

人は相手に何かしてもらうとお返しせずにいられない性向を持つ。これを究極要因から説明すると、人が進化の過程で得た特性だといえるだろう。

　私たちは他の人から何かをしてもらったりすると、何かお返しをしなければならないと、半ば自動的に考えるものです。このような傾向を**返報性**といいます。

　なぜ人に返報性が備わったのか、一般に2つの理由が考えられています。1つは親切を受けたままだと人は不快な気分になるからです。この説明は返報性のメカニズムを**至近要因**でとらえたものだといえるでしょう。

　これに対してもう1つの理由は、お返しを怠った人は、社会集団の他メンバーから嫌われる可能性が高まるからです。人ははるか昔から集団で暮らしてきました。太古の時代、集団からの疎外はつまり死を意味しました。そのため、集団内のメンバーから嫌われないように、何かしてもらったらお返しをせずにはいられないという**心理的適応**が形成されたわけです。これは返報性のメカニズムを**究極要因**でとらえたものだといえます。

文献資料：ロバート・チャルディーニ『影響力の武器［第三版］』（誠信書房）

「お返し」の理由

はい、これ

ありがと

ありがと

こないだの
お返し

おみやげ

お返し

人が何かしてもらうとお返しがしたくなるのは、集団内のメンバーから嫌われないようにするためだ。これも心理的適応の結果なのだ。

046 社会脳仮説
social brain hypothesis

ロビン・ダンバー
[039] 進化心理学

人間の脳は、対人能力を徹底的に活用して、集団の中でうまく振る舞えるようにするために、これほど大きく発達したと主張する仮説を指します。	人は社会的な駆け引きを通じて自分の立場を有利なものにする。この駆け引きが結果的に脳の進化を促したと社会脳仮説では考えているのだ。

マキァヴェリ的知性仮説とも呼ばれる**社会脳仮説**は、イギリスの進化心理学者**ロビン・ダンバー***が提唱したもので、社会の発達が脳の進化を促したとする立場を指します。遠い昔、人は外敵から身を守るために集団生活を営むようになりました。集団で暮らすということは、他人との意思疎通や駆け引き、仲間づくりをすることです。集団内で存在感を高めるには、こうしたコミュニケーション能力が求められます。その結果、人は集団の中でうまく振る舞えるように脳を発達させてきたと考えるのが社会脳仮説の主張です。

ダンバーによると、社会脳仮説の裏付けになるのが、集団のサイズと大脳の新皮質のサイズとの間にある強い正の相関関係です。これは人間以外のさまざまな霊長類にもあてはまるといいます。進化した脳が社会を作ったのではなく、社会が脳の進化を促したということです。どこか逆説的ですが注目すべき理論です。

文献資料：ロビン・ダンバー『なぜ私たちは友だちをつくるのか』（青土社）

社会脳仮説

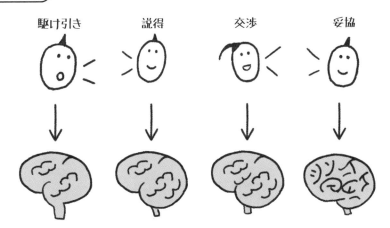

駆け引き　　説得　　　交渉　　　妥協

コミュニケーションが脳の発達を促した。

集団のサイズと大脳の新皮質のサイズとの間には、強い正の相関関係があるんだって。

ダンバー数
Dunbar's number

ロビン・ダンバー
[046] 社会脳仮説

1人の人間が関係を結べる人数の上限のことで150人を指します。イギリスの進化心理学者ロビン・ダンバーが発見したことからこの名称がつきました。

人の社会的ネットワークは、親しさの度合いを基準に「5人➡15人➡50人➡150人」と、およそ3倍で規模が大きくなるという。

社会脳仮説では、人の脳がこれほど発達したのは対人能力を徹底的に活用した結果だと考えます。社会脳仮説を支える証拠の1つが集団のサイズと大脳の新皮質のサイズにある強い正の相関関係です。この相関は人間以外の霊長類にもあてはまるといいます。

では、最大の大脳皮質を持つ人間の場合、1人の人間が関係を結べる人数の上限はどの程度なのでしょうか。**ロビン・ダンバー***によるとその数は**150人**だといいます。これを**ダンバー数**といいます。ダンバーはこの数を、いまだ文明化されていない、狩猟と採集で暮らす集団、中でも狩猟場と水源を同じくする「氏族（クラン）」の調査で明らかにしました。またダンバーは、こうした社会的ネットワークが親しい間柄から順に「5人➡15人➡50人➡150人」と、親密度の同心円はおよそ**3の倍数**で規模が大きくなっていくことも示しました。

文献資料：ロビン・ダンバー『友達の数は何人？』（インターシフト）

ダンバー数

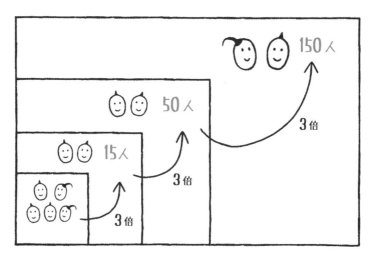

人の親密度の輪5人→15人→50人→150人と3の倍数で規模が大きくなる。

048 ルッキズム
lookism

[034] 進化論
[039] 進化心理学

外見至上主義ともいいます。人の能力や性格を評価する際に、その人の身体的な外見を重視する立場を指しており、場合によっては差別に発展します。

ルッキズムが差別に発展するのは避けなければならない。しかしルッキズムを進化論の立場から見ることも必要だ。

ルッキズムはその人の外見的特徴に基づいて能力や性格を評価する立場を指します。私たちは程度の差こそあれ、外見が魅力的な人に好感を持ち、場合によっては有能でかつ信頼がおけると評価してしまいがちです。しかしながら、このような偏見が度を越してしまうと、身体的魅力のある人が社会で優遇され、逆に魅力的でない人は教育や雇用、人間関係といったさまざまな面で不利益を被ることになります。このようにルッキズムと差別は紙一重の関係にあります。

とはいえ、人が身体的特徴を重視するのは**進化**とも関係しています。例えば、**ウェスト・ヒップ比率**が 0.7 対 1 の女性に男性は最も魅力を感じるという研究があります。なぜ魅力を感じるかというと、0.7 対 1 は女性の若さと健康、繁殖力を示すとともに、他人の子を宿していない証拠になるからです。もっともだからといって、ルッキズムによる差別が許されるわけではありません。

文献資料：Devendra Singh. 1993. 'Adaptive Significance of Female Physical Attractiveness：Role of Waist-to-Hip Ratio.'*Journal of Personality and Social Psychology*. September

049 シナジー
synergy

ルース・ベネディクト
アブラハム・マズロー

文化人類学の用語の1つで、利己的な目的の追求が他人を助け、また愛他的・利他的な行動が、必然的に自分自身にも利益をもたらす仕組みを指します。

残念ながら、ベネディクトのシナジー論に関する原稿はいまや失われ、心理学者**アブラハム・マズロー**の著作を通じてようやく知ることができる。

シナジーとは一般に「**相乗効果**」と考えられています。しかし、シナジーには、この一般的なニュアンスとは異なる別の意味があります。それは、自分のための利己的な行為が他人のためになり、他人のための利他的な行為が自分のためになる仕組み、という意味です。

このような意味でシナジーという言葉を用いたのは、著作『**菊と刀**』で有名な文化人類学者**ルース・ベネディクト**でした。

ベネディクトは、インディアン社会のフィールドワークを通じて、文化度の高い部族では、利己主義が部族のためになり、また部族に対する利他主義が個人の利益になることを見出しました。逆に、文化度の低い部族では、利己主義はあくまでも自分のためであり、一人の勝者の背後で多数の敗者が我慢を強いられることも発見しました。ベネディクトは前者をハイ・シナジーな社会と呼びました。シナジーにはこのような意味があることを是非とも覚えておきたいものです。

文献資料：アブラハム・マズロー『人間性の最高価値』（誠信書房）

050 複雑系
complex system

[051] 自己組織化
[053] カオス

相互に関連する多数の要素の相互作用からなる統一体を指しており、統一体の振る舞いは個々の要因や部分の総和に還元できない特徴を持っています。

複雑系には、白アリの巣や海水の対流、鳥類や魚類の群れ行動、交通の流れ、金融市場など多様な例があります。

　複雑系は多数の互いに関連する要素の相互作用からなる統一体（系またはシステム）です。システムの全体としての振る舞いや挙動は、システムを構成する要素や部分の相互作用から生じます。しかしながら複雑系では、システム全体の巨視的な挙動が、システムを構成する要因や部分の総和に単純には還元できません。つまり、複雑系のシステム全体で見ると、構成要素間の相互作用によって、予期せぬ新しい挙動が生じるという特徴を持ちます。

　複雑系の例として**シロアリの巣**があります。シロアリの巣づくりに設計図があるわけではありません。個々のシロアリは土の塊を移動したり積み上げたり、個々のルールに従って活動します。このような分散的な活動の相互作用により、温度調節や換気、構造的安定性を備えた複雑な巣構造をシロアリは形成します。他にも海水などの**対流**や鳥類や魚類の**群れ行動**も複雑系の一種になります。

文献資料：グレゴイール・ニコラス、イリヤ・プリゴジン『複雑性の探究』（みすず書房）

051 自己組織化
self-organization

[050] 複雑系
[052] フラクタル

複雑なシステムが外部からの制御や指示を受けることなく、自発的に自分自身を調性したり再編成したりするプロセスを指します。複雑系とも関連があります。

自己組織化は、物理現象や生態系、社会現象などさまざまなレベルで観察される。対流パターンや鳥の群れの行動などは自己組織化の一例だ。

　複雑系と似た考えに**自己組織化**があります。両者は似ていますが同じものではありません。複雑系は相互に関連する多数の要素部分から構成された系（システム）で、系を構成する要素が相互作用することで複雑で特徴のある集団挙動を見せます。これに対して自己組織化は、複雑なシステムが外部からの制御や指示を受けることなく、自発的に自分自身を調性したり再編成したりするプロセスを指します。構成要素間の局所的な相互作用とフィードバック・メカニズムが、複雑な行動やパターンを生み出します。

　複雑系が自己組織化の特徴を持つ場合もあります。**鳥の群れ**の行動はその一例で、どのように一緒に飛ぶかという全体的な計画、言い換えると外部からの制御や指示はありません。個々の鳥がそれぞれ単純なルールに従うことで、群れとして複雑で特徴のある動きを作り出します。このように複雑系と自己組織化には深い関連があります。

文献資料：エリッヒ・ヤンツ『自己組織化する宇宙』（工作舎）

052 フラクタル
fractal

[050] 複雑系
[053] カオス

一見複雑なパターンではあるものの、細部の構造が全体とよく似ている形状を指します。部分が全体と自己相似になる幾何学的形状と言い換えてもよいでしょう。

フラクタルという言葉は数学者のブノワ・マンデルブロが作ったものだ。フラクタルの具体例としては、雪の結晶や樹木、海岸線など自然界に多数見られる。

フラクタルは数学者**ブノワ・マンデルブロ***がラテン語から作った言葉で、一見複雑なパターンではあるものの、異なる拡大率で見ると、細部の構造が全体とよく似た自己相似性を持つ幾何学的形状を指します。つまり、どれだけ拡大しても、どれだけ縮小しても、同じ形に見える点がフラクタルの特徴になります。

フラクタルは自然界にそれこそ多く観察できます。最も著名なフラクタルは**雪の結晶**でしょうか。雪の結晶が作る複雑な形は、拡大して見ると全体の形状が小さく再現されているのがわかります。まさに自己相似性です。あるいは**樹木**もそうです。樹木は幹から枝に向かうにつれて、枝が細かく分かれ、さらにその枝が細かく分かれていきます。このような自己複製的な枝分かれのパターンは、フラクタルに特有のものです。他にも海岸線や山脈、雲など、フラクタルは多様な自然現象に見られます。そして私たちはその美しさになぜか魅了されてしまうのです。

文献資料：ブノワ（ベンワー）・マンデルブロ『フラクタル幾何学』（日経サイエンス社）

053 カオス
chaos

[050] 複雑系
[052] フラクタル

一見無秩序に見えるものの実はその背景に確固たる規則がある現象を指します。よく混同されますが、カオスと「ランダム＝無秩序」とは別物です。

カオスは「混沌」と訳されることが多い。混沌が無秩序を意味するのであれば訳語としてはあまり適切ではないだろう。その背景に何が秩序が必要になる。

物事が何かの規則に従って変化していたら、それは規則的な変化です。逆にいかなる規則にも従っていない変化は**ランダム**です。ところが、規則的に変化しているものの、その規則が人間の理解を超えているため不規則な変化に見える場合があります。これを**カオス**といいます。ランダムとカオスは混同して用いられることがよくありますが、秩序の有無という点で両者には大きな違いがあります。カオスが規則に従っているにもかかわらず無秩序に見えるのは、カオスを構成する要素の1つひとつの動きは単純であっても、集合体として振る舞うと複雑になるからです。つまりカオスは**複雑系**の一種ということになります。

カオスは自然界に広く見られますが、身近なものに私たちの生体信号があります。例えば指先の**指尖脈波**を測定すると、時間の経過とともに不規則に揺らいでいるように見えますが、そこにカオスを見出せることがわかっています。

文献資料：雄山真弓『心の免疫力を高める「ゆらぎ」の心理学』（祥伝社）

054 オートポイエシス
autopoiesis

[050] 複雑系
[051] 自己組織化

生物学から生まれた言葉で、生命体が自己を継続的に生成し維持する能力を指します。「autopoiesis」は、ギリシア語の「自己」と「生産」に由来します。

オートポイエシスの概念は、生物学だけでなく、認知科学や心理学、哲学など、多様な分野に影響を与えている。覚えておきたい言葉の1つだ。

オートポイエシスは、生命体が示す自己創造と自己維持のプロセスを意味します。生物学の分野から生まれた言葉で、ギリシア語で「自己」を意味する「auto」と「創造」や「生産」を意味する「poiesis」に由来しています。

生命を持つ個体の本質的な特徴はその**自律性**（オートノミー）にあります。しかしながら、自律性は生命体のみが有する特徴ではありません。そして生命体にあって非生命体にはない自律性をオートポイエシスは持ちます。

まず、生命体には境界があり、これにより生命体の内部と外部を区別できます。次に、分子や細胞、臓器などの構成要素です。これらは境界の中で相互に影響し合います。さらに生命体の構成要素とそのシステムを継続的に再生し、維持するための、複雑なプロセスの組み合わせが存在します。このプロセスには代謝活動や情報処理、システム内でのコミュニケーションなどがあります。

文献資料：ウンベルト・マトゥラーナ、フランシスコ・バレーラ『知恵の樹』（筑摩書房）

055 サイバネティクス
cybernetics

ノーバート・ウィーナー
[345] 科学哲学

何かの目的をかなえるための通信や制御について、従来、通信工学や生物学で別々になされていた研究を結びつけてより豊かな成果を目指す学問分野を指します。

サイバネティクスという言葉は数学者兼哲学者ノーバート・ウィーナーによる命名で、ギリシア語の「舵取り」や「統治」に由来する。

アメリカの数学者で哲学者でもある**ノーバート・ウィーナー**[*]は、第2次世界大戦中に高射砲の自動照準・発射制御システムの開発に大きく貢献した人物です。このような経験から、ウィーナーは機械の制御システムと生物に見られる制御システムの間に類似性があることを直観します。これに触発されたウィーナーは、生物や機械といった異なる領域にわたる制御とコミュニケーションの基礎となる基本原理を探求します。その結果、1948年に結実したのが、ウィーナーの名を一躍有名にした著作『**サイバネティクス**』でした。この著作でウィーナーはサイバネティクスを、生物と機械における制御と通信の科学的研究としてとらえました。そして、望ましい目標を達成するための制御と通信、すなわちサイバネティクスは、生物系（人間を含む動物）と人工系（コンピューターやロボットを含む機械）の双方に適用できると主張しました。現在サイバネティクスはロボット工学や人工知能など多様な分野で応用されています。

文献資料：ノーバート・ウィーナー『サイバネティックス』（岩波書店）

056 パラダイム
paradigm

トマス・クーン
[306] ラッダイト運動

一般的には範例や理論的な枠組みを指します
が、科学の文脈では特定の時期に普遍的に認め
られた科学的信念や仮定、方法論、理論の集合
を指します。

哲学者トーマス・クーンが述べたパラダ
イム・シフトは、科学の発展が支配的な
科学パラダイムの移行により生じることを示し
ている。

　哲学者**トマス・クーン***は著作『**科学革命の構造**』において、**パラダイム**を科学論の言葉として用いました。一般的にパラダイムは範例や理論的な枠組みを指します。これに対してクーンはパラダイムを、特定の時期に特定の科学研究者の集団において、普遍的に認められた科学的信念や仮定、方法論、理論の集合と定義しました。

　したがってパラダイムは、その時代の科学者が研究課題に取り組むための枠組みや理論を評価するための基準を提供します。

　従来、科学の進歩は、知識の着実な蓄積によってなされるものだと考えられてきました。これに対してクーンは、科学の発展は**プトレマイオス的体系**が**コペルニクス的体系**に置き換わったように、支配的な科学パラダイムが新しいパラダイムに取って変わられることにより生じると主張しました。クーンはこれを**パラダイム・シフト**と呼びました。

文献資料：トーマス・クーン『科学革命の構造』（みすず書房）

コペルニクス的転回

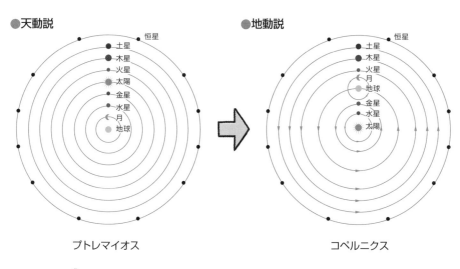

●天動説

恒星
土星
木星
火星
太陽
金星
水星
月
地球

プトレマイオス

●地動説

恒星
土星
木星
火星
月
地球
金星
水星
太陽

コペルニクス

プトレマイオス的体系からコペルニクス的体系への
転回は、まさにパラダイム・シフトの典型なのだ。

メディア・リテラシー
media literacy

[058] メディアは
メッセージである
[060] 敵対的メディア効果

メディアを通じた情報が、社会や個人にどのような影響を与えるのか分析し、評価し、批判的に理解する能力を指します。デジタル社会を生きるのに不可欠です。

いまや高いメディア・リテラシーを身につけることは、ちまたにあふれる悪意ある虚偽情報やフェイクニュースに騙されないためにも不可欠だ。

　誰もが情報を簡単に受発信できる今日のデジタル時代において、**メディア・リテラシー**の重要性は、これまでにも増して高まっています。メディア・リテラシーとは、メディアを通じた様々な情報が、社会や個人にどのような影響を与えるのか分析し、評価し、批判的に理解する能力や一連のスキルを指します。

　そもそもメディアという語は大きく2つの意味で用いられています。1つは新聞や雑誌、テレビ、ラジオといった**情報伝達の手段**を意味します。もう1つはそうした手段を用いて**情報を発信する主体**を指します。すなわち新聞社や雑誌社、テレビ局、ラジオ局などがそれに相当します。

　インターネットも、情報伝達手段の1つでありメディアの仲間です。しかしながら情報を発信する主体は玉石混交です。その点を念頭に、情報を理解して批判的に解釈するメディア・リテラシーがますます重要になります。

文献資料：笹原和俊『フェイクニュースと科学する』（化学同人）

フェイクニュースに騙されるな

真偽不明の情報でもSNSで拡散されてしまうと、真実らしく思えてくる。やはり高いメディア・リテラシーが必要なのだ。

058 メディアはメッセージである
The medium is the message.

マーシャル・マクルーハン
[057] メディア・リテラシー

カナダのメディア理論家マクルーハンの言葉です。メッセージの内容よりも情報を伝達する媒体が持つ影響力の重要性を示しています。	SNSはいまや巨大マスメディアと認識されている。それは20世紀のマスメディアとタイプがまったく異なる。

「**メディアはメッセージである**」は、カナダのメディア理論家**マーシャル・マクルーハン***が、述べた非常に有名な言葉です。簡単なようでなかなか理解困難なこの言葉の核心は、情報を伝達する**媒体**（情報伝達手段）が、ある種固有のメッセージを作り出し、ときにメッセージの内容よりも人々に大きな影響をもたらすという点にあります。つまり、情報が個人や社会にどのように認識され理解されるかに、情報伝達の媒体それ自身が大きな影響を及ぼすということです。

マクルーハンによると、異なるメディアには、私たちの認識や理解を形成するそれぞれの特徴があるといいます。例えば書籍や新聞などの印刷メディアは、情報を合理的に理解する傾向を強めます。一方、テレビやインターネットなどの電子メディアでは、より感覚を重視した認識や理解を形成する傾向が強まります。

文献資料：マーシャル・マクルーハン『メディア論　人間拡張の諸相』（みすず書房）

059 ミーム
meme

リチャード・ドーキンス
[037] 利己的な遺伝子

人間社会の中で人から人へと広がっていく考えや行動、スタイルといった文化的伝達の単位を指します。ミームは遺伝子と似ているところが特徴です。	ミームは進化生物学者リチャード・ドーキンスが著作『利己的な遺伝子』の中で紹介したコンセプトなのだ。

著作『**利己的な遺伝子**』で著名な**リチャード・ドーキンス***は、同書の中で**ミーム**という造語を使用しています。ミームは生物学における遺伝子に類似した文化的伝達の単位で、社会の中で人から人へと広がっていくアイデアや行動、スタイルを指しています。ミームの興味深い一例にポリネシアンのカヌーがあります。

ポリネシアンの島民は、海から無事に戻って来たカヌーを出来の良いカヌーだと考えていました。そして戻ってきたカヌーの複製を作ることをカヌー作りのルールにしていました。つまりカヌーのどの機能を残し、どの機能を省略するかを決めるのは、他でもない「海」そのものです。島民の意思は働いていません。彼らのとった行為は遺伝子がとる自然選択とまったく同じ過程です。この例の場合、ミームはカヌーの意匠です。あるいはカヌーが持つ機能だといってもいいかもしれません。

文献資料：リチャード・ドーキンス『利己的な遺伝子』（紀伊国屋書店）

060 敵対的メディア効果
hostile media effect

[057] メディア・リテラシー
[058] メディアはメッセージである

> 偏った立場の意見や信念を持つ人が、中立的な立場の報道に対して、自分の考えとは相反する立場に偏っていると誤って判断する傾向を指します。

> 敵対的メディア効果の影響を受けやすい人は、「マスメディアは敵対する立場に偏っている」と、自分勝手に思い込む傾向が強くなる。

敵対的メディア効果は、偏った立場の意見や信念を持つ人が、中立的な立場の報道に対して、自分の考えとは相反する立場に偏っていると判断する傾向を指します。**敵対的メディア認知**や**敵対的メディア・バイアス**とも呼ばれています。

例えばここに、政治的信条において左派の人と右派の人がいるとします。その人たちに中立的な報道を見てもらい意見を聞いたとしましょう。するといずれの派の人も、報道が敵対する側の立場に偏っていると主張する傾向が強まります。その結果、いずれの人も、「マスメディアは敵対する立場に偏っている」と信じるようになります。

敵対的メディア効果は選挙報道でも確認できます。例えば、ある候補の支持者は、メディアが敵対する候補者の報道に偏っていると考える傾向が強まりますし、その逆も同様です。

文献資料：Vallone, R. P., Ross, L., & Lepper, M. R. 1985. 'The hostile media phenomenon.' *Journal of Personality and Social Psychology*, 49（3）

敵対的メディア効果

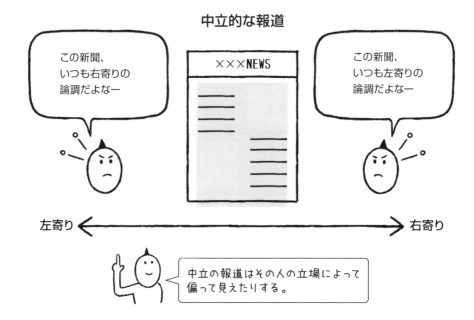

中立的な報道

この新聞、いつも右寄りの論調だよなー

×××NEWS

この新聞、いつも左寄りの論調だよなー

左寄り ← → 右寄り

中立の報道はその人の立場によって偏って見えたりする。

061 相互監視社会
mutual surveillance society

ミシェル・フーコー
[493] パノプティコン

> 監視社会は個人の生活が常に監視され、追跡され、記録されている状態や状況を指します。いまやその監視を個々人が相互に行うようになってきています。

> 高度なテクノロジーを手にした私たちは、スマホやドライブレコーダーで互いを監視することが日常風景になっている。改めて考えると恐い社会だ。

　フランスの哲学者ミシェル・フーコー※は、現代の監視社会を現代版のパノプティコンと考えました。パノプティコンは刑務所の一種で、中央に監視塔をもち、それを取り囲むように独房があります。監視塔からは独房の中が見えますが独房からは監視塔に人がいるかさえもわかりません。囚人は「監視人が見ているのではないか」という不安から悪事を働きません。フーコーは、現代の権力者が多様な制度や技術を用いて社会自体をパノプティコン化し、人々を監視していると考えたわけです。

　しかし、昨今の監視社会はフーコーが考えていた以上に進んでいます。それは監視される側だった個人が、高度なテクノロジーを手にすることで、監視する側にもなっているからです。全体主義社会[150]や権威主義社会[153]では、市民による監視や密告を奨励してきました。同じようなことが、権力者の強制ではなく自発的に行われているのが現代の相互監視社会なのかもしれません。

文献資料：ミシェル・フーコー『監獄の誕生』（新潮社）

監視社会と相互監視社会

監視社会	個人の生活が常に監視・追跡・記録される。	・公共空間・交通機関の監視カメラ ・商業施設の監視カメラ ・ネット上のログ
相互監視社会	監視される側の個人が監視する側にもなる。	・スマートフォン ・ドライブレコーダー ・監視情報のSNSへの投稿と拡散

監視社会も怖いけど、相互監視社会のほうがもっと恐ろしい気がする。

062 ディストピア
dystopia

オルダス・ハクスリー
[150] 全体主義

逆ユートピアともいいます。抑圧的で望ましくない状況を特徴とする架空または空想上の社会を指しており、しばしば全体主義的傾向を持つのが特徴です。

ディストピア小説としては、オーウェルの『1984年』やハクスリーの『すばらしき新世界』などが著名だ。皆さんは読んだことある？

ディストピアとは聞くからに暗いイメージがする言葉ですが、抑圧的で望ましくない状況を特徴とする架空または空想上の社会を指します。小説で描かれることが多く、ディストピアを描いた代表的な作品には、**ジョージ・オーウェル***の『**1984年**』[063]や**オルダス・ハクスリー***の『**すばらしき新世界**』などが著名です。

小説が描くディストピアには一般に共通した特徴があります。まず、**全体主義**をモットーにする政府の存在です。一極に集中した強力な国家権力が人々を支配し、反対勢力を抑圧するために監視や検閲、プロパガンダ、武力行使を行います。そこでは個人の自由や権利、プライバシーが制限されるか、あるいはまったく存在しません。ただし、一部の支配階級は別で、彼らは一般人が持たない富や権利を手にしています。

お隣のあの国はこんな社会ではないか、と思わず考え込んでしまいます。

文献資料：『世界SF全集10　ハックスリイ　オーウェル』（早川書房）

---

063 1984年
"1984"

ジョージ・オーウェル
[062] ディストピア

イギリスの作家ジョージ・オーウェルが1949年に出版したディストピア小説のタイトルです。恐ろしい全体主義社会が小説の舞台になっています。

「戦争は平和である」「自由は屈辱である」「無知は力である」が、小説に登場するビックブラザーのスローガンなのだ。逆説的メッセージには奇妙な説得力がある。

ジョージ・オーウェル*が執筆したディストピア小説『**1984年**』は、ビッグブラザーと呼ばれる謎の人物に率いられた政府が、市民の生活を完全にコントロールする全体主義社会[150]の恐ろしさを描いています。思想警察もその1つです。これは政府による秘密警察で、ビックブラザーが支配する党の規則に違反した者を容赦なく取り締まる組織です。思想警察にとらえられた主人公は、拷問や洗脳、心理的操作を受けて、党のイデオロギー[147]に従うことを強要されます。

このビッグブラザーの悪夢をテレビ広告の表現に利用したのが**アップル**です。1984年1月、同社のパーソナル・コンピュータ、**マッキントッシュ**の発売に合わせて放送したテレビ広告では、スクリーンに映し出されたビッグブラザーの顔に、女性がハンマーを投げつけ、スクリーンを粉砕する様子を描きました。これはマッキントッシュが人々を情報操作から解放することを象徴的に表現していました。

文献資料：『世界SF全集10　ハックスリイ　オーウェル』（早川書房）

064 宗教
religion

[042] エラー管理理論
[405] パスカルの賭け

合理的な態度では、理解したり制御したりできない超越的な現象や存在に対し、人間が恣意的に積極的な意味と価値を与え、それらを信仰する体系を指します。

フランスの啓蒙主義者パスカルも、下記の本文で示す同様の論理で神の存在を証明している。これを「パスカルの賭け」と呼んでいる。

　宗教とは、一般的に超越的な存在や現象に価値を認めてそれを信仰する体系を指します。宗教がどのように生じたのか未だに確たる説はありませんが、ここでは**エラー管理理論**が示す興味深い説を紹介しましょう。

　人は何か奇跡的なことが起こると、人知を超えた超越的な存在、すなわち**神**がいると考えがちです。例えば、絶体絶命の場面で危うく一命をとりとめたとします。その時、肯定的な誤り[042]をおかした場合、神など存在しないのに、神が救ってくれたと感謝します。これに対して否定的な誤り[042]をおかした場合、本当は神が存在するのに、神などいないと考え、感謝することはありません。しかしその場合、次回の危機的場面で神が助けてくれません。それならば、たとえ誤りだとしても神は存在すると考えておいたほうが長期的には得でしょう。エラー管理理論の見地からは、こうして宗教が発生したと考えられます。

文献資料：アラン・S・ミラー、サトシ・ナカザワ『進化心理学から考えるホモサピエンス』（パンローリング）

065 アニミズム
animism

[064] 宗教
[066] タブー

動物や植物、大地、山岳などあらゆる自然現象の背後に霊的存在を認める世界観を指します。森羅万象に神を見出す日本人は古くからアニミズムに親しんできました。

およそ1万5000年〜2万年前に遡るといわれる**ラスコー洞窟**に描かれた壁画からは、人間が動物に何か特別の念を抱いていたことがうかがえる。

　アニミズムは最も古い形態の宗教で、動物や植物、大地、山岳、さらには無生物など、人間以外の存在に霊的または超自然的な価値を認める世界観です。

　アニミズムの信仰対象には精霊や魂が宿っており、ときにそれらは独自の人格や能力を持つ存在として認識されます。アニミズムを信仰する人々は、この精霊が人間の生活に影響を及ぼすと考えています。そのため善いことが起これば精霊をたたえ、悪いことが生じれば精霊の怒りを鎮める儀式を行います。

　儀式には、祈りや詠唱、踊り、神聖な物やシンボルの使用など多様な形態があります。また、場合によっては、**シャーマン**や**メディスン・マン**（ウーマン）と呼ばれる特定の人物が、人間と精霊の仲介役となり、コミュニケーションや癒しを促進させることもあります。青森・恐山の**イタコ**は現代に生きるシャーマンであり、**口寄せ**という独特の手法で現世と霊界を結びます。

文献資料：ユヴァル・ノア・ハラリ『サピエンス全史』（河出書房新社）

066 タブー
taboo

[064] 宗教
[499] エロティシズム

宗教的または精神的、文化的伝統の中で、特定の行為を行ったり、特定の事物に触れたりすることを禁じる規則を指します。禁忌ともいいます。

世界に共通するタブーの1つに「見る行為の禁止」がある。世界の神話や昔話にはこのタブーが破られる話が多数存在するのは不思議な事実なのだ。

タブーは特定の行為を行ったり、特定の事物に触れたりすることを禁じることであり、宗教的または精神的、文化的な伝統の文脈で行われます。神聖な場所や儀式における服装や行動、宗教における食事の制限や性別による役割など、タブーは宗教や文化によって多様です。

もっとも多様ながら共通するタブーもあります。その1つに「**見る行為の禁止**」があります。これは、日本や世界の神話、昔話に共通して現れるタブーで、ある特定の場所を覗くことを禁止するものです。

例えば、『**古事記**』には日本を生んだ**イザナギ**と**イザナミ**の神話があります。この神話の中にも見る行為の禁止が登場します。また昔話では「**鶴の恩返し**」が有名です。さらに『**旧約聖書**』ではソドムとゴモラの滅亡の際、神の使いがロトの家族に町の方を振り返るなと言います。いずれもタブーは破られるのが共通のモチーフになっています。

文献資料：倉野憲司校注『古事記』（岩波書店）

067 カルトとオカルト
cult and occult

[064] 宗教
[066] タブー

特定の信念や習慣を持つ集団をカルトと呼びます。また、科学や宗教とは乖離した、超越的存在を信じる思想をオカルトといいます。両者のニュアンスは微妙に異なります。

特定のカルトが、ある特定のオカルトを熱烈に信仰する場合が多々ある。とても似た言葉ながら、示す内容は異なっているところに注意したい。

部外者から見ると奇妙で極端な信念や習慣を持つ集団が存在します。このような集団のことを**カルト**あるいはカルト集団などと呼びます。例えば**ジム・ジョーンズ**＊によるカルト教団**人民寺院**がかつて存在しました。ジョーンズは牧師である一方で熱烈な社会主義者で、自らカルト集団・人民寺院を創設すると、南米ガイアナに通称ジョーンズタウンと呼ばれるコミューンを設立します。そして1978年、このコミューンにおいて900人以上の信者が集団自殺をはかり、世界に大きな衝撃を与えました。

このカルトと似た言葉に**オカルト**があります。オカルトは**神秘主義**、**隠秘学**のことで、一般に感覚を超えた超越的存在を信じ、その存在を特殊な方法で認識したり、その存在と合一することを目指したりします。カルトがオカルト思想を有することはよく見られます。そのため両者はよく混同されるのでしょう。

文献資料：コリン・ウィルソン『オカルト』（平河出版社）

第  章

思考術と方法論

哲学と思考は切っても切れぬ関係にあります。「哲学する」ということは「思考する」ことにほかならないからです。本章では即応用可能な哲学的思考術と方法論に関するキーワードを紹介したいと思います。

議論や意思決定の適切さ、推論の健全さについて研究する学問です。それらを判断するための形式的枠組みを、論理学は私たちに提供してくれます。

筋道を立てて考えるということはなかなか難しいことなのだ。そのための枠組みや方法を提供してくれるのが論理学であり、学ぶ価値は十分にある。

論理学は、議論の構造をチェックするとともに、議論が適切かあるいは不適切かを判断するためのルールや基準を明らかにします。

論理学に通じることで、自分自身や他人の考えが、適切な思考プロセスを通じて得られたものかどうか検証できます。その意味で論理学は、自分の考えを整理するだけではなく、他者の意見を批判的に評価する際にも利用できます。

命題は論理学の出発点の１つともなるもので、真または偽の可能性がある文を指します。命題には大きく**定言命題**と**条件命題**があります。また、命題が真（または偽）であると証明することを**論証**といいます。論証は結論を支持する一連の前提から構成されます。つまり論証とは、私たちの思考のプロセスを記述したものであり、その内容や構造が適切かどうか判断するのが論理学の役割にほかなりません。

文献資料：近藤洋逸、好並英司『論理学入門』（岩波書店）

定言命題と条件命題

●定言命題
❶**全称肯定**…すべてのＡはＢである。
❷**全称否定**…すべてのＡはＢではない。
❸**特称肯定**…いくらかのＡはＢである。
❹**特称否定**…いくらかのＡはＢではない。

●条件命題
❶**仮言命題**…もしＡがＢならばA1はB1である。
❷**選言命題**…ＡはＢまたはＣである。

定言は「ＡはＢである」の形式で、条件は「ＡかつＢ」「ＡまたはＢ」の形式になる。

069 記号論理学
symbolic logic

[068] 論理学
[070] 演繹法

論証を評価する際に「論理演算子」という一連の記号をあてはめて、その思考プロセスの適切・不適切を評価する方法論を指します。概念の抽象化に役立ちます。

記号論理学は論証を分析・評価する方法の1つだ。その際に利用する論理演算子には否定や連言、選言、含意などがあり、これらには十分慣れておきたい。

　記号論理学は、**命題**に記号を用いることで、論証がもつ形式や構造を一般化して分析・評価します。この点が記号論理学の大きな特徴の1つになっています。

　命題の主語や述語は一般に「P」や「Q」などのアルファベットで表記します。これを**否定**（¬）、**連言**（∧）、**選言**（∨）、**含意**（⊃または→）などの**論理演算子**（単に**演算子**、または**論理記号**ともいう）で結びつけます。例えば、「¬P」「¬Q」とすれば「P ではない」「Q ではない」となります。また、「P ∧ Q」のようにすると、「P でありかつ Q である」の連言形式になり、「P ∨ Q」とすることで「P または Q」の選言形式になります。さらに、「太陽が昇れば、朝が来る」というように「P ならば Q」は「P ⊃ Q」か「P → Q」で表現します。もっとも、記号と論理演算子で自然言語が持つ曖昧さを扱うのには限界があるのも事実です。とはいえ、概念の抽象化に記号論理学の手法は大きな助けになります。

文献資料：三浦俊彦『論理学入門』（NHK 出版）

論理式

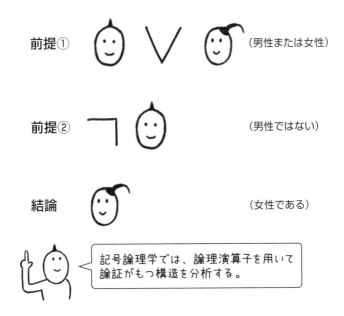

前提① （男性または女性）

前提② （男性ではない）

結論 （女性である）

記号論理学では、論理演算子を用いて論証がもつ構造を分析する。

070 演繹法
deduction

[068] 論理学
[082] 帰納法

前提を真と認めたら結論も真と認めざるを得ない論理展開を指します。その際に演繹の論理形式と内容、双方が妥当か確かめます。帰納法と並ぶ論理的に考えるための方法論です。

deduction を「演繹」と訳したのは、philosophy を「哲学」と訳した、明治時代の啓蒙思想家・**西周** なのだ。

演繹法は、事実や一般的な法則から結論を導き出す論理展開を指します。**帰納法**と並んで論理的に考える代表的な方法の１つです。演繹法は、漢字を見ると何か難しいもののように思えますが、誰でも日常的に実行しています。

例えば、「次のバスに乗り遅れたら８時発の電車に乗れない。８時発の電車に乗れないと授業に遅れる」のような思考法は誰もが日常的に実行しているはずです。実はこれもりっぱな演繹法を用いた思考法の一種です。

文章の冒頭にある「次のバスに乗り遅れる」ということが正しいとします。すると「８時発の電車に乗れない」わけです。これは、前提が正しいと認められれば、結論も正しいと認めざるを得ない関係にあります。つまり演繹です。さらに、この結論が前提となり、これを正しいと認めると、「授業に遅れる」も認めざるを得ません。これも演繹にほかなりません。

文献資料：近藤洋逸、好並英司『論理学入門』（岩波書店）

演繹法の構造

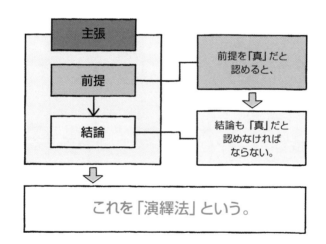

これを「演繹法」という。

演繹法は漢字が難しいこともあって敬遠されがちだけど、人が日常的に用いる思考方法なのだ。

071 三段論法
syllogism

[070] 演繹法
[072] 三段論法の格

演繹法の代表的な形式で、大前提、小前提、結論という３つの命題からなります。三段論法では、これら２つの前提となる命題から、正しいと認めざるを得ない結論を導き出します。

 「人はいつか死ぬ。ソクラテスは人である。よってソクラテスはいつか死ぬ」は最も著名な三段論法だ。この三段論法が演繹法の一種だと理解しておこう。

三段論法とは**演繹法**の一種で、**大前提**、**小前提**、**結論**という３つの命題からなります。これは２つの前提から１つの結論を導き出すものです。

「①人はいつか死ぬ。②ソクラテスは人である。③よって、ソクラテスはいつか死ぬ」は、三段論法の最も有名な例です。①が大前提、②が小前提（あるいは①と②を併せて前提）、③が結論になっています。

また、①〜③の各命題の主語や述語といった**概念（名辞）**には、**大概念**、**中概念（媒概念）**、**小概念**という名が付いています。記号で示すと次のようになります。

①**M（中概念）はP（大概念）**。②**S（小概念）はM**。③**∴SはP**

これは、三段論法の基本型だと考えてください。

文献資料：近藤洋逸、好並英司『論理学入門』（岩波書店）

ソクラテスの三段論法

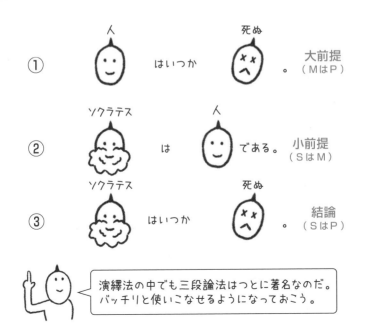

演繹法の中でも三段論法はつとに著名なのだ。バッチリと使いこなせるようになっておこう。

三段論法の格
figure of syllogism

[070] 演繹法
[071] 三段論法

> 三段論法の命題を構成する概念の位置には規則があります。これを格といいます。正しい格に則っていると三段論法が適切に機能します。格からはずれると論理が破綻します。

> 三段論法の格はたったの4種類しかない。この格からはずれると三段論法は破綻する。4種類の格に配慮して、論理の破綻に十分注意したい。

三段論法は形式の上で、大概念（P）、中概念（M）、小概念（S）の位置に決まりがあります。これを三段論法の**格**といいます。形式が妥当な三段論法の格は4種類しかありません（下図参照）。

「人はいつか死ぬ。ソクラテスは人である。よって、ソクラテスはいつか死ぬ」の格は、「M-P、S-M、S-P」であり、三段論法の第1格を適用していることがわかります。一方で、「人（M）はいつか死ぬ（P）。ソクラテス（S）はいつか死ぬ（P）。よってソクラテス（S）は人である（M）。」は下記の4格に該当しません。よって、妥当な形式とはいえず、結論を適切に導いているとは言えません。

また、「爬虫類はいつか死ぬ。ソクラテスは爬虫類である。よってソクラテスはいつか死ぬ。」は、格の上では**妥当**です。しかし、ソクラテスは爬虫類ではないので、内容の上から妥当とはいえません。これらを**妥当でない推論**といいます。

文献資料：近藤洋逸、好並英司『論理学入門』（岩波書店）

三段論法の格

	第1格	第2格	第3格	第4格
大前提	M−P	P−M	M−P	P−M
小前提	S−M	S−M	M−S	M−S
結論	S−P	S−P	S−P	S−P

ソクラテスの三段論法は第1格を活用しているのがわかる。

073 仮言命題
hypothetical proposition

[071] 三段論法
[072] 三段論法の格

命題のうち「A ならば B」の形式を仮言命題といいます。三段論法にもこの仮言命題を利用できますが、論証がやや複雑になります。この点には要注意です。

仮言命題を使用すると、のちにふれる前件否定や後件肯定など、妥当でない形式になることがよくある。仮言命題の使用には慎重を期したい。

　命題のうち「ソクラテスは人だ」のように「A は B」の形式を**定言命題**（categorical proposition）といいます。これに対して「雨ならば休み」のように条件を示した「A ならば B」の形式を**仮言命題**といいます。

　この仮言命題は三段論法にも利用できます。例えば、「一般参加者ならば受付に進む。私は一般参加者である。よって私は受付に進む」はその１つです。大前提が仮言命題になっています。上記は仮言三段論法の**肯定式**といいます。これには**否定式**もあります。「一般参加者ならば受付に進む。私は一般参加者ではない。私は受付に進まない」などがそれです。

　このように一見すると簡単そうな仮言命題です。しかし、仮言命題には、多くの人がよくしでかす誤りがあります。

　次節以降、その点について紹介しましょう。

文献資料：近藤洋逸、好並英司『論理学入門』（岩波書店）

仮言命題と三段論法

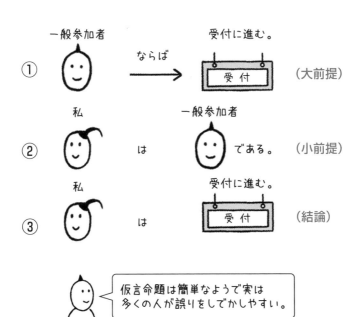

① 一般参加者　ならば　受付に進む。　（大前提）

② 私　は　一般参加者　である。　（小前提）

③ 私　は　受付に進む。　（結論）

仮言命題は簡単なようで実は多くの人が誤りをしでかしやすい。

074 前件否定
denying the antecedent

「A ならば B」のとき、「A でないならば B でない」としてしまう誤りです。この論証は理論的に成立しません。次の後件肯定と併せて理解してください。

前件否定による判断ミスは日常的にあちこちで見られる。論理思考を鍛える上でも前件否定に敏感になりたい。

「A ならば B」のような**仮言命題**で、A を**前件**、B を**後件**といいます。**前件否定**とは、前件を否定したら、後件も否定してしまう論理展開です。大前提が「A ならば B」のとき、「A でない」「よって B でない」とみなすケースです。これは、仮言命題を持つ三段論法でよく見られる、妥当でない論証形式の 1 つです。

なぜ前件否定が妥当な三段論法でないのか、具体例で考えてみましょう。例えば、「午後 5 時以前に入店すると、ビールが半額になる」という仮言命題があります。現在、午後 7 時で、午後 5 時以前ではありません。それならば、「ビールは半額ではない」となるでしょうか。必ずしもそうはなりません。ビール半額クーポンを持っていれば半額になります。また、女性は常時ビールが半額かもしれません。このように前件を否定した場合、後件が必ずしも否定されるわけではありません。前件否定はよくある判断ミスですから十分に気をつけましょう。

文献資料：野矢茂樹『論理トレーニング』（産業図書）

(前件否定)

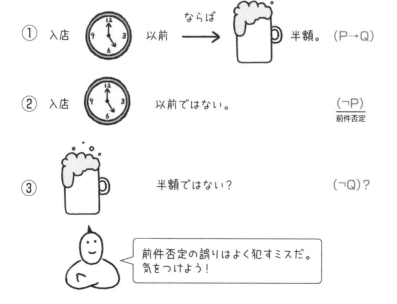

① 入店 以前 ならば 半額。 (P→Q)

② 入店 以前ではない。 (¬P) 前件否定

③ 半額ではない？ (¬Q)？

前件否定の誤りはよく犯すミスだ。気をつけよう！

075 後件肯定
affirming the consequent

[073] 仮言命題
[074] 前件否定

「A ならば B」のとき、「B ならば A である」とする誤りです。後件肯定は前件否定とセットで覚えておくべき判断ミスです。前件否定と併せて理解してください。

後件肯定による判断ミスも日常的にあちこちで見られる。こちらも論理思考を鍛える上で敏感になりたい。

　前件否定とセットになる判断ミスが**後件肯定**です。後件肯定では「A ならば B」のとき、「B ならば A である」と判断してしまう誤りです。やはりこちらも、**仮言命題**を持つ三段論法でよく見られる、妥当でない論証形式の 1 つです。

　前節と同じく「午後 5 時以前に入店すると、ビールが半額になる」という仮言命題を利用しましょう。後件肯定の場合、「ビールが半額になった」、そうであるならば「午後 5 時以前に入店した」のように論理展開します。

　しかしながら、前件否定でも見たように、午後 5 時以降に入店していたとしても、ビール半額クーポンを利用したのかもれませんし、女性は一律半額かもしれません。このように、後件を肯定した場合、前件が必ずしも肯定されるわけではありません。後件肯定も前件否定と同様よくある判断ミスですから十分に注意したいですね。

文献資料：野矢茂樹『論理トレーニング』（産業図書）

（後件肯定）

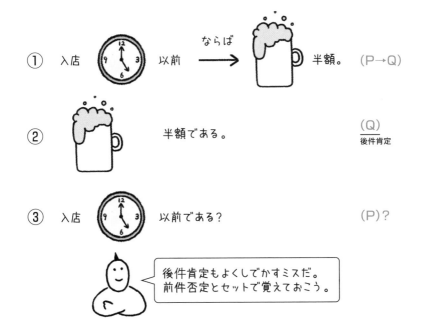

① 入店　〔時計〕以前　ならば→〔ビール〕半額。　(P→Q)

② 〔ビール〕半額である。　(Q)　後件肯定

③ 入店　〔時計〕以前である？　(P)？

後件肯定もよくしでかすミスだ。
前件否定とセットで覚えておこう。

076 裏、逆、対偶
inverse, converse, contrapositive

[074] 前件否定
[075] 後件肯定

仮言命題の前件および後件の肯定と否定によって生じる三段論法の形式を指します。基本命題が真の場合、必ず真として成立する形式は対偶です。

仮言命題における裏、逆、対偶の関係をよく理解しておきたい。これは適切な議論を行う上でとても重要になる。中でも裏と逆には要注意なのだ。

「P ならば Q」のとき、「P でない ∴（ゆえに）Q でない」とするのが**前件否定**でした。これを基本命題の**裏**（inverse）といいます。先にも見たように、前件否定すなわち裏は必ずしも真にはなりません。

また、同じく「P ならば Q」のとき、「Q である ∴ P である」とするのが**後件肯定**でした。これを基本命題の**逆**（converse）といいます。こちらの後件肯定すなわち逆も必ずしも真にはなりません。

一方で、「P ならば Q」のとき、「Q でない ∴ P でない」という論理展開も考えられます。こちらの形式を**対偶**（contrapositive）と呼んでいて、基本命題が真ならば対偶は必ず真として成立します。以上の関係を図示したのが下記です。裏、逆、対偶の関係をよく理解して、論理思考が破綻しないようにしたいものです。

文献資料：野矢茂樹『論理トレーニング』（産業図書）

裏・逆・対偶

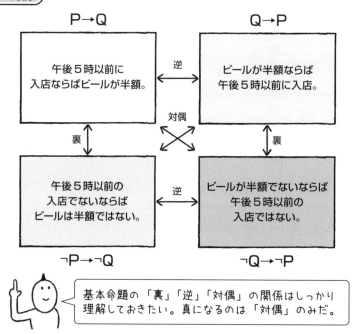

基本命題の「裏」「逆」「対偶」の関係はしっかり理解しておきたい。真になるのは「対偶」のみだ。

077 ド・モルガンの法則
De Morgan's law

オーガスタス・ド・モルガン
[076] 裏、逆、対偶

イギリスの数学者・論理学者オーガスタス・ド・モルガンにちなんで名づけられた形式論理学の基本原理を指します。第1法則と第2法則の2種類があります。

下記に示したようにド・モルガンの法則には第1法則と第2法則がある。いずれも「かつ」「または」の否定を用いて同値関係を示しているところがポイントだ。

　ド・モルガンの法則は、イギリスの数学者で論理学者**ド・モルガン**[*]にちなんで名づけられた論理学の基本原理の1つで、第1法則と第2法則があります。

　第1法則　「PかつQ」ではない⇄「PでないまたはQでない」

　第2法則　「PまたはQ」ではない⇄「PでないかつQでない」

　このようにド・モルガンの法則では同値関係にある2組を指します。いずれも**連言**（かつ）と**選言**（または）を入れ替えて同じ意味内容を表現しています。これを記号で書いてみましょう。

$$\lnot (P \land Q) \rightleftarrows (\lnot P \lor \lnot Q)$$
$$\lnot (P \lor Q) \rightleftarrows (\lnot P \land \lnot Q)$$ ※⇄は「同値である」を示す。

　連言（かつ＝∧）と選言（または＝∨）が入れ替わっているのが一目瞭然で分かるでしょう。

文献資料：前原昭二『記号論理入門（新装版）』（日本評論社）

ド・モルガンの法則（ベン図）

$\lnot(P\land Q)\rightleftarrows(\lnot P\lor\lnot Q)$

$\lnot(P\lor Q)\rightleftarrows(\lnot P\land\lnot Q)$

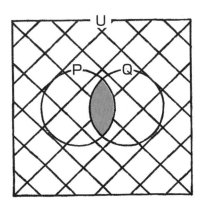
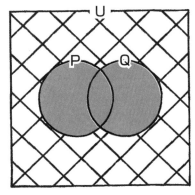

ベン図を描くと、ド・モルガンの法則が成立することがよくわかる。

078 義務と許可の混同
confusion between obligations and permits

[070] 演繹法
[080] 演繹法の評価

演繹的議論で許可と義務を混同すると、内容的に不適切な議論であるにもかかわらず、適切な議論をしているように見えます。注意してください。

許可であるのに義務ととらえ、これを前提に議論を進めると不適切な演繹的議論になる。議論の適切さを見分ける1つのポイントになる。

義務とは「〜しなければならない」であり、**許可**とは「〜してもよい」ということです。この義務と許可を混同すると演繹的議論が不適切になってしまいます。

ここにある試験があって「合格するには60点以上の成績が必要だ」としましょう。合格するには60点以上を取らなければなりません。よって、この命題は義務を主張しています。

一方、同じ試験で「90点以上とると海外留学の候補になれる」とします。これを根拠に、「優秀な人物は海外留学の候補になるだろう。彼は候補になっていない。よって、彼は優秀ではない」と主張したとします。この主張は適切でしょうか。

「90点以上とると海外留学の候補になれる」は許可についての命題です。ところがこの命題が、「優秀な人物は海外留学の候補になる」という義務の命題にすりかわっています。つまり前提自体が正しくなく、適切な演繹的議論とはいえません。

文献資料：Ｅ・Ｂ・ゼックミスタ、Ｊ・Ｅ・ジョンソン『クリティカルシンキング［実践篇］』（北大路書房）

079 必要条件と十分条件の混同
confusion between necessary and sufficient conditions

[075] 後件肯定
[076] 裏、逆、対偶

こちらもよくある妥当といえない演繹的議論の1つです。必要条件を十分条件と取り違えて前提にすると、適切な演繹的議論にはなりません。こちらも要注意です。

下記の例をよく考えてみてもらいたい。必要条件と十分条件の混同は、後件肯定の誤りを犯しているのがわかると思う。このミスはあちこちで見られるものだ。

必要条件とはある事柄が成立するためになくてはならない条件を指します。「AならばB」が真の場合、BはAの必要条件になります。これに対して**十分条件**とは、それさえあれば在る事柄が成立する条件をいいます。「AならばB」が真の場合、AはBの十分条件になります。**必要条件と十分条件の混同**は、ある事象が必要条件にもかかわらず、十分条件と勘違いすることです。

例えば、「植物を育てるのならば水が必要だ」という命題があります。この命題では、「水が必要だ（B）」は「植物を育てるには（A）」の必要条件になっています。これに対して「水をやっているから植物は育つだろう」と考えたとします。仮に水をやるだけで植物が育つならばこの命題は適切です。しかし、水以外にも、太陽の光や肥料も必要ですし、水をやり過ぎたら根腐れします。つまり必要条件を十分条件にして前提にしたため、不適切な議論になったわけです。

文献資料：Ｅ・Ｂ・ゼックミスタ、Ｊ・Ｅ・ジョンソン『クリティカルシンキング［実践篇］』（北大路書房）

080 演繹法の評価
evaluation of deduction

[072] 三段論法の格
[076] 裏、逆、対偶

演繹が妥当かどうかについては、前提の条件のあり方、前提が真かどうか、形式が妥当かどうか、これらについてここまでにふれてきた手法を用いて評価します。

演繹は極めて強力な論証手法だ。演繹に慣れるのは論理思考に慣れる近道ともいえる。その際に裏・逆・対偶などの拠りに留意したい。

　演繹法による論証が妥当かどうかをチェックするには、①結果を導く前提が真かどうか、②前提から結論を導く形式が妥当かどうか、これらの点をチェックしなければなりません。特に形式の妥当性については、本章で紹介してきた手法の数々を用いてチェックします。

　演繹法が三段論法の場合、形式の妥当性のチェックは、三段論法の格[072]に準じているかどうかを確かめます。また、論証に前件否定[074]や後件肯定[075]が紛れ込んでいないか確認します。「裏、逆、対偶」の関係を念頭に、命題が真の場合に真になるのは、裏や逆ではなく対偶だけだと理解しておくべきです。さらに、義務と許可の混同[078]、それに必要条件と十分条件の混同[079]を犯していないかも検証します。

　前提を真と認めれば結論も真と認めざるを得ない演繹は、極めて強力な論証手法です。妥当性のチェックを忘れず大いに活用したいですね。

文献資料：E・B・ゼックミスタ、J・E・ジョンソン『クリティカルシンキング［実践篇］』（北大路書房）

演繹のチェックポイント

①結果を導く前提がすべて真か？

②前提から結論を導く形式は妥当か？

- 三段論法の格に準じているか？
- 前件否定はないか？
- 後件肯定はないか？
- 義務と許可を混同していないか？
- 必要条件と十分条件を混同していないか？

演繹は極めて強力な論理手法だ。大いに活用したい！

081 非形式的誤謬
informal fallacy

[074] 前件否定
[075] 後件肯定

不適切な論理形式から生じる誤りではなく、心理的なバイアスにより議論が不適切になるケースを指します。非形式的誤謬には多様な形式があります。

非形式的誤謬はなり振り構わぬ議論でよく見られる。根拠もなく「フェイク・ニュース」と叫ぶのはその典型でとても恥ずかしいことだ。

　前件否定や**後件肯定**など妥当でない論理形式から生じる誤りを**形式的誤謬**（formal fallacy）といいます。これに対して人が持つ心理的バイアスによって議論が不適切になる場合がよくあります。これを**非形式的誤謬**といいます。非形式的誤謬には次のようなものがあります。

わら人形論法（straw man）：相手の主張を極端にゆがめ、そのゆがめられた主張に反論する議論を指します。

人身攻撃論法（ad hominem）：相手の議論の中身について反論するのではなく、議論している「人」に対して攻撃する論法です。

二分法の誤謬（fallacy of false choice）：多様な選択肢があるのにもかかわらず、二者択一の選択肢しかないと思い込ませて、いずれかの選択を迫る論法を指します。他にある選択肢を故意に隠して相手を説得する点が特徴です。

文献資料：E・B・ゼックミスタ、J・E・ジョンソン『クリティカルシンキング［実践篇］』（北大路書房）

人身攻撃論法

文末 84

082 帰納法
induction

フランシス・ベーコン
[085] 帰納法の評価

複数の事実から共通する一般法則を導き出す手法です。論理思考において演繹法とともに頻繁に用いられています。その仕組みをきちんと理解しておきたいですね。

「人はいつか死ぬ」というソクラテスの命題は、過去の経験から得られたものだ。そのためこの命題は帰納法によって作られたといえる。

　三段論法[071]をはじめとした演繹法[070]は、普遍から特殊を引き出す手法といえます。それはつまり個別事例が普遍的な法則に従っているか検証する態度です。この論法は**アリストテレス***以来の歴史を持ちます。

　しかしながら、イギリスの哲学者**フランシス・ベーコン***は、演繹法では新しいものを産出する上で実効性が乏しいと主張しました。その上でベーコンは自然を認識する科学的方法として**帰納法**を提唱しました。

　帰納法は、観察した複数の事実から共通する一般的な法則を見つけ出す思考方法を指します。帰納法の最大の特徴は、それが推測の一種だということです。よって、結論は必ずしも真とは限りません。また、結論が1つしかないとも限りません。そのため帰納法では、事実から導き出した結論に「それらしい感」「納得感」が欠かせなくなります。

文献資料：『世界大思想6　ベーコン　（「ノヴム・オルガヌム」）』（河出書房）

帰納法の構造

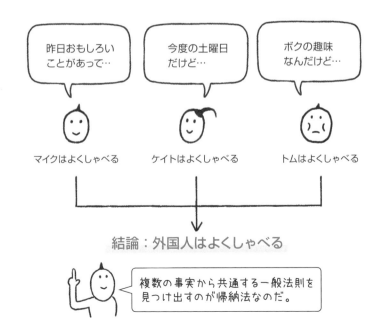

昨日おもしろいことがあって…

今度の土曜日だけど…

ボクの趣味なんだけど…

マイクはよくしゃべる　　ケイトはよくしゃべる　　トムはよくしゃべる

結論：外国人はよくしゃべる

複数の事実から共通する一般法則を見つけ出すのが帰納法なのだ。

083 モルグ街の殺人
murder in the Rue Morgue

エドガー・アラン・ポオ
[082] 帰納法

アメリカの小説家エドガー・アラン・ポオによる小説のタイトルです。この中で探偵デュパンが帰納法を用いて殺人事件の犯人を推理しています。

「モルグ街の殺人」は1841年に発表された世界最初の推理小説といわれている。帰納法は世界最初の推理小説にも使われていたのだ。

　アメリカの小説家**エドガー・アラン・ポオ**[*]は怪奇と幻想の作家といわれる一方で、世界初ともいわれる推理小説を書いています。その小説のタイトルが**「モルグ街の殺人」**です。同小説では、モルグ街のレスパネー家で起きた密室殺人事件の謎を、**探偵デュパン**が解き明かすというストーリーになっています。

　現場を検証し関係者の証言を吟味したデュパンは、状況証拠を**帰納法**の要領で積み上げて真犯人を推理します。デュパンが列挙した状況証拠は全部で6種類でした（下図）。真犯人が誰だったか、まだ同小説を読んでいないという人のために、あえてここでは記しません。むしろここでは、デュパンが挙げた状況証拠の数です。1つや2つの状況証拠からだけで結論に至るのは困難でしょう。それは帰納法というよりも勘に過ぎません。このように事実の数（サンプル数）を十分確保することは、帰納法の信頼性を高める上で非常に重要です。

文献資料：エドガー・アラン・ポオ『ポオ小説全集3（「モルグ街の殺人」）』（創元社）

> **デュパンの推理**

デュパン

✓犯人は人間離れした奇声を上げる。

✓犯人は超人的な力の持ち主である。

✓犯人は並々ならぬ敏捷性の持ち主である。

✓犯人には金目当てなどの動機がない。

✓被害者は毛を握っていたが、それは人間のものではない。

✓被害者の咽喉に付いた手形はあるものと合致する。

これらに共通するのは？

> エドガー・アラン・ポオは、探偵デュパンに帰納法を用いた推理をさせたんだ。

084 MECE
mutually exclusive and collectively exhaustive

[082] 帰納法
[083] モルグ街の殺人

「互いに重複せず、全体として漏れがない」を意味します。帰納法の前提となる事実では十分な数に加えこの MECE（ミーシー）が欠かせません。

 いくら事実ではあっても偏りがあっては、適切な帰納的結論を得ることはできないのだ。帰納法を実践する際には MECE を忘れずに。

　探偵デュパンが真犯人を推理したときのように、**帰納法**では列挙する事実にそれそうとうの数がなければなりません[089]。とはいえ、数さえ多ければよい、というわけではありません。適切な帰納法を行うには、列挙した事実について、「互いに重複せず、全体として漏れがない」という点が重要になります。これを **MECE（ミーシー）** と呼んでいます。

　もっとも MECE を徹底しても、帰納法の結論が誤りになる場合があります。例えば、今まで見てきたバラの中で、青いバラはなかったことを根拠に、「世の中に青いバラは存在しない」と結論づけたとします。しかし今や、バイオテクノロジーの活用により青いバラは存在します。ですからこの結論は真ではありません。

　このように、帰納法では、前提に新しい情報が加わることで、結論が変化する可能性が常にあります。

文献資料：エドガー・アラン・ポオ『ポオ小説全集3（「モルグ街の殺人」）』（創元社）

MECE に配慮する

MECE

Mutually Exclusive **and** Collectively Exclusive

互いに重複せず　　　　　全体として漏れがない

▽

帰納法の事実列挙の際に気をつけること。

 帰納法を実践する際には MECE に気を配ろう。

帰納法の評価
evaluation of induction

[082] 帰納法
[089] 仮説演繹法

より良い帰納法を実践するために議論の内容を4つの点から評価しましょう。そもそも帰納法が恣意的になっては適切な議論になりません。そのようにならないための評価です。

恣意的な帰納法は、あらかじめ結論を決めておいて、その結論を支持する事実ばかりを列挙することだ。これでは帰納法は機能しない。

演繹法[070]が適切かどうか評価する基準がありました[080]。同様に帰納法にも、前提から結論に至るプロセスが適切かどうか、評価する基準があります。基本は次の4つの点から評価することです。

まず、前提として列挙した事実が正しいのかという点です。仮に正しさが判断できない場合許容できるかを考えます。次に前提と結論の結びつきが妥当かどうか検討します。論理にあまりの飛躍がある場合、妥当な結びつきとはいえません。続いて、複数の前提が結論の可能性を高めるかどうかを検証します。ここでの作業は、列挙した前提が MECE[084]の考え方に基づいているかどうかです。最後に、導き出した結論が適切かどうか実際に観察して、適否を判断する必要があります。この最後の過程は帰納の論理的追跡であり、帰納法とあわせて仮説演繹法[089]に相当します。

文献資料：中野明『「論理思考」の基本が身につく本』（秀和システム）

帰納法のチェックポイント

①前提は正しいか、あるいは容認できるか。	
・前提は正しいか。	・前提は容認できるか。
②前提と結論の間に妥当な関連性はあるか。	
・前提と結論に関連性はあるのか。	・論理の飛躍になっていないか。
③前提は結論を支持する十分な根拠になっているか。	
・前提は MECE になっているか。	・前提は典型的で、不適切な要素はないか。
④結論と観察した事実が一致しているか。	
・観察した事実と一致しているか。	・例外はないか。

演繹法と同様、帰納法も強力な論証手段だ。こちらも大いに活用したい！

086 因果関係
causal relationship

[087] 相関関係
[088] アブダクション

ある出来事が別の出来事に影響を及ぼす場合、影響を及ぼす出来事と及ばされる出来事の間にある関係を指します。相関関係と因果関係は別物である点に留意してください。

因果関係を明らかにするのは簡単なようで難しい。下記に示すように、因果関係を立証するには少なくとも3つの点から考察する必要がある。

因果関係は、ある出来事が別の出来事に影響を及ぼす場合における、両出来事の関係を指します。影響を与える側が原因、影響される側が結果になります。

ボールから手を放すと、ボールが床に落ちてはねるように、因果関係の見極めは一見簡単なように思います。しかし、事象間に因果関係を認めるには、少なくとも次の3つの点から考察する必要があります。

まず、**共変関係**（covariance）です。これは出来事 A が原因で、出来事 B が結果としたら、両者はともに変化（共変）しなければなりません。次に**時間的順序**（temporal order）です。A が B の原因であるのならば、A が B よりも時間的に先に生じていなければなりません。最後に**第3要因の排除**（third factors）です。A と B 双方に影響を及ぼして、両者に因果関係があるかのように見せる第3要因を完全に排除することです。

文献資料：E・B・ゼックミスタ、J・E・ジョンソン『クリティカルシンキング［入門篇］』（北大路書房）

087 相関関係
correlation

[086] 因果関係
[088] アブダクション

一方が変われば他方も変わる関係を指します。ある事象間に相関関係があるからといって、必ずしも因果関係がある訳ではないので注意が必要です。

相関関係が見つかると、関係する事象の間に因果関係があるように見えるものだ。ただし因果関係があると即断してはいけない。

共変関係とは、ある出来事 A が変化すると、これに対応して別の出来事 B も変化する関係です。このような場合、A と B には**相関関係**（correlation）があるともいいます。A と B に相関関係（共変関係）がある場合、次のような状況が考えられます。

まず、A が B を引き起こしている場合です。これは明らかに**因果関係**があります。また、B が A を引き起こしていることも考えられます。これを**逆因果**といいます。さらに、第3要因が A と B を引き起こしている場合です。これを**交絡**といいます。

因果関係を立証するには3つの点から考察する必要がありました。そのうち**時間的順序**を無視すると逆因果の可能性が残ります。また、**第3要因**の存在を考慮にいれないでいると、交絡の可能性が残ります。要するに、一方が変われば他方も変わるからといって、必ずしも両者の間に因果関係があるわけではありません。

文献資料：E・B・ゼックミスタ、J・E・ジョンソン『クリティカルシンキング［入門篇］』（北大路書房）

アブダクション
abduction

チャールズ・サンダース・パース
[089] 仮説演繹法

「仮説設定」や「仮説的推論」を意味します。アメリカの哲学者チャールズ・パースは、演繹法や帰納法と並んでアブダクションの重要性を説きました。

ディダクション（演繹）、インダクション（帰納）、そしてアブダクション（仮説設定）と、３つをセットで覚えることで、論理思考に役立てたい。

　アメリカで活躍したプラグマティズム[475]の哲学者**チャールズ・パース**[*]は、演繹法（ディダクション）と帰納法（インダクション）と並んで、**アブダクション**の重要性を説きました。アブダクションに対する固定的な訳語はありませんが、通常は「**仮説設定**」や「**仮説的推論**」、あるいは単に「**推定**」などと記します。

　何か不可解な状態があり、その状態が別のある一般法則の１つと仮定すれば説明できるとき、その仮説を**アブダクション**といいます。アブダクションを支持する証拠があまりに弱い場合、それは勘ということになるでしょう。しかしながら、観察された不可解な事象からあまりにも常識的な仮説を設定しても意味はありません。そのためアブダクションでは、ある程度の論理の飛躍、「ハッと気づく」ということが重要になります。帰納法で考える場合もアブダクションが重要になることは言うまでもありません。

文献資料：『世界の名著 48　パース、ジェイムズ、デューイ（パース「論文集」）』（中央公論社）

アブダクションの構造

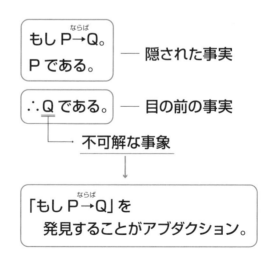

もし P→Q。
P である。 ── 隠された事実

∴Q である。 ── 目の前の事実
└─ 不可解な事象

「もし P→Q」を
　発見することがアブダクション。

アブダクションは後件から前件を推論する作業とも言える。
斬新な発想にアブダクションは不可欠だ。

089 仮説演繹法
hypothetico-deductive method

[070] 演繹法
[082] 帰納法

観察し、仮説を立て、仮説から結論を演繹的に推論します。さらに実際にその結論に至るか実験し、仮説の適否を確かめる一連のプロセスを指します。

帰納法に演繹法を組み合わせて、より科学的なプロセスに練り上げたのがこの仮説演繹法だ。現代の科学的探求の基礎的手法になる。

仮説演繹法は、現代の科学探究に基礎になっている手法です。その特徴は、観察、仮説設定、演繹による推論、実験による推論の検証、仮説の適否判断というプロセスを経て、仮説を科学的に評価する点にあります。

科学では、まず、特定の現象を注意深く**観察**してデータを収集します。次に観察に基づいて現象をうまく説明できる**仮説**を立てます。ここで行う作業が**帰納法**または**アブダクション**[088]に相当します。続いて設定した仮説を真とした場合、どのような論理的結果が得られるのかを**推論**します。これは前提を真と認めた場合、結論も真になる**演繹法**の活用です。さらに、**演繹的推論**が本当に正しいか、あるいは反証できないか、**実験**を計画して実施します。そして実験の結果から、立案した仮説について分析し、その適否を**結論**として示します。仮説演繹法は、以上のようなプロセスで、論証に客観性を持たせることを目指します。

文献資料：John Dewey. 1991. "How We Think". Prometeheus Books.

仮説演繹法の手順

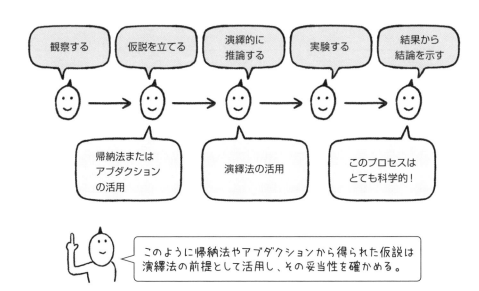

観察する → 仮説を立てる → 演繹的に推論する → 実験する → 結果から結論を示す

帰納法またはアブダクションの活用

演繹法の活用

このプロセスはとても科学的！

このように帰納法やアブダクションから得られた仮説は演繹法の前提として活用し、その妥当性を確かめる。

090 背理法
reductio ad absurdum

[070] 演繹法
[082] 帰納法

命題の真偽を証明する方法の１つです。ある命題を証明する際、命題を否定すると矛盾が生じることを立証し、そのことから命題が真であることを証明する方法を指します。

背理法は帰謬法ともいう。古代ギリシアで開発された。ある命題の真偽を証明するための強力な手段だ。

背理法は、ある命題を証明する際、命題を偽として扱うと矛盾が生じることを立証することで、命題が真であることを証明する方法です。ラテン語の「Reductio ad absurdum」は、「**不条理への還元**」を意味しています。具体例を示しましょう。

命題：すべての人が死ぬのであって、ソクラテスが人であるならば、ソクラテスは死ぬ。

論証：ソクラテスは死なないとする。すると、すべての人間が死ぬ以上、ソクラテスは人間ではない。しかし、ソクラテスは人間であることが分かっており、これは矛盾している。したがって、元の命題は真でなければならない。

このように、背理法では、「ソクラテスは死なないとする」というように命題を否定することから始めます。しかしそうすると矛盾が生じることを明らかにし、元の命題が真であることを立証します。

文献資料：三浦俊彦『論理学入門』（NHK 出版）

ソクラテスの背理法

●命題
すべての人が死ぬのであって、ソクラテスが人であるならば、ソクラテスは死ぬ。

●論証
❶ソクラテスは死なないとする。
❷すべての人間が死ぬ以上、ソクラテスは人間ではない。
❸ソクラテスは人間であることが分かっているから矛盾する。
❹元の命題は真でなければならない。

このように背理法では、命題の否定から始めて、矛盾が生じることを明らかにし、元の命題が真であることを立証する。

091 弁証法
dialectic

ゲオルク・ヴィルヘルム・フリードリヒ・ヘーゲル
[416] 弁証法的歴史観

もともとは問答や対話の技術を意味しましたが、ドイツの大哲学者ヘーゲル*によってものごとの運動や発展の法則として基礎づけられました。

弁証法では、矛盾や対立を超越し、さらに新たな矛盾や対立に直面し、さらなる解法を見出すというこの繰り返しで、より高次の段階へと発展する。

　弁証法は、正・反・合の繰り返しにより、あらゆるものがより高次のレベルへと発展する過程を指します。弁証法ではこの過程を念頭に置いて物事を見ようとします。この正・反・合の繰り返しをもう少し詳しく説明しましょう。

　あらゆる物事は矛盾や対立を含みます。ただ、それがまだ表面化していない場合があります。弁証法ではこのような状態を「正（テーゼ／定立）」といいます。しかしやがて矛盾や対立が生じて正が否定されます。この段階を「反（アンチテーゼ／反定立）」といいます。しかしやがて、この反に対立や矛盾があらわになります。こうして否定の否定が成立します。この段階を「合（ジンテーゼ／総合）」といいます。この3つのステップが繰り返されることで、立ち現れるジンテーゼの次元は高まるでしょう。これが弁証法の基本的な過程と考え方です。弁証法は人間の精神や国家、歴史の発展に適用できます。

文献資料：『世界の大思想12 ヘーゲル 精神現象学』（河出書房）

弁証法の構造

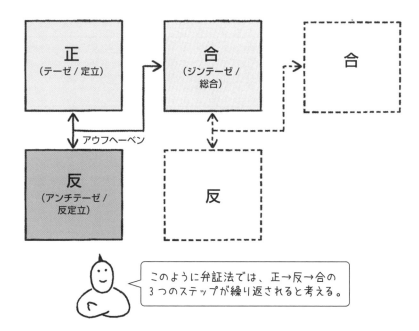

このように弁証法では、正→反→合の3つのステップが繰り返されると考える。

092 反証可能性
falsifiability

カール・ポパー
[082] 帰納法

ある仮説が実験や観察によって反証される可能性があることを指します。オーストリア出身のイギリスの哲学者ポパーが提唱した科学と疑似科学を区別する方法論です。

仮説を立てたらその正しさの根拠になる事例をさらに探すのではなく、その仮説の反駁に努めることが科学的態度になる。

反証可能性は、哲学者**カール・ポパー***が提唱したもので、ある仮説が実験や観察によって反証される可能性があるかを問うことを指します。ポパーはこれを**科学**と**疑似科学**を区別する基準だと考えました。

従来、何らかの論証から仮説を立てたら、その仮説の正しさを証明するために、証拠が検証されたり確認されたりしてきました。これに対してポパーは反証可能性の重要性を説きました。それは、何らかの仮説を打ち立てたら、この仮説について全身全霊をかけて反駁する態度です。ポパーは、これこそが科学者に求められる態度だと考えました。そして反駁が成立するのであれば新たな仮説を再設定する必要があります。一方で、そもそも反駁が不可能な仮説は科学的ではなく疑似科学によるものだと主張しました。このようなことからポパーは、反証可能性のある仮説のみを科学的な仮説として扱うべきだと主張しました。

文献資料：カール・ポパー『科学的発見の論理』（恒星社厚生閣）

093 トレードオフ
trade-off

[094] アンチノミー
[177] 囚人のジレンマ

2つの選択肢があって一方を取れば他方を諦めなければならない状態を指します。それは両立したいのにできないというジレンマの状態を意味します。

一方を選んだ際、選ばなかった他方から得られた価値を機会費用という。意思決定には機会費用も考慮すべきなのだ。

トレードオフとは、2つの選択肢があって、一方を選ぶと他方を諦めざるを得ない状態を指します。「あちらを立てれば、こちらが立たず」という両立できない関係を示しています。日常生活を振り返るとトレードオフはあちこちに存在することがわかります。例えば、企業では製品のコンセプトを考えるにあたり、高品質路線でいくのか、低価格路線でいくのか、議論を戦わせます。これはトレードオフ（高品質対低価格）にあって、いずれを選択するのか、意思決定を迫られている状態だといえます。

経済学ではこのトレードオフとセットで**機会費用**について言及するのが一般的です。機会費用とは、トレードオフの状況にあって、一方を選択した場合、選択しなかった他方の価値を費用として考えることを指します。トレードオフに陥ったら、機会費用も考慮して選択すべきだということです。

文献資料：ケビン・メイニー『トレードオフ』（プレジデント社）

094 アンチノミー
antinomy

イマニュエル・カント
[093] トレードオフ

二律背反ともいいます。同等に確からしい根拠がある2つの命題の間に矛盾と対立がある状態を指します。カント哲学のキーワードの1つになります。

アンチノミーはギリシア語の「アンチ」（反対）と「ノモス」（法律）に由来する。これは法律や原則の間の衝突や対立を意味している。

アンチノミーとは、2つの命題があって、同様に確からしい根拠を持つにも関わらず、両者の間に矛盾と対立がある状態を指します。日本語では**二律背反**ともいいます。**トレードオフ**と類似した概念ながら、いずれかを選択しなければならないという状況を指すわけではありません。その点でトレードオフと異なります。

哲学者**イマニュエル・カント**[*]は、世界は時間・空間的に有限か無限か、世界は単純な要素からなるのか、自由は存在するのか、神は存在するのか、これら4つを挙げ、肯定的回答と否定的回答が同時に成立することを証明しました。いずれのアンチノミーも人間の経験を超えた物事に適用した結果だとカントはいいます。

あるいは、「**すべてのクレタ人は嘘つきだ**」[112]と言ったクレタ人の言葉は真か偽かという問からも、自己言及的な論理的アンチノミーが生じます。

文献資料：イマニュエル・カント『純粋理性批判』（岩波書店）

095 トートロジー
tautology

[093] トレードオフ
[094] アンチノミー

「すべての独身者は未婚である」のように、いかなる状況下でも偽にならず、常に真でしかありえない文を指します。これを同語反復ともいいます。

トートロジーはある文の自明性を強調するレトリックや、故意に矛盾を作り出すために使用されることもある。

トートロジーとは、「すべての独身者は未婚である」「正方形は四角形である」「私は起きているか、いないかのどちらかである」のように、いかなる場合でも偽にならず、真でしかありえない文を指します。

トートロジーは、**論理演算子**すなわち「and」（接続詞）や「or」（論理和）、「not」（否定）、「if-then」（含意）等を用いることが多い点が特徴の1つです。

例えば「もし明日雲が一切なければ晴れるだろう」について考えてみましょう。雲が一切ない状態と晴の状態は、定義上同じです。よってこれは「if-then」（含意）を用いたトートロジーになります。

また「彼は人間であり人間でないことはない」もトートロジーです。人間であり人間でないことはできません。この文書ではそれを否定しているので、常に真となるからです。

文献資料：三浦俊彦『論理学入門』（NHK出版）

システム１とシステム２
system 1 and system 2

ダニエル・カーネマン
[097] ヒューリスティクス

人が持つ２種類の思考形式で、システム１は直感にゆだねて即座に判断する思考態度、システム２は分析を重ねて論理的に判断する思考態度を指します。

システム１を利用すると効率的に意思決定できる。しかし慎重な意思決定にはシステム２の働きが欠かせないのだ。

　心理学者で行動経済学者でもある**ダニエル・カーネマン***は、人の思考形式を２種類に分類しています。１つは直感にゆだねて即座に判断する思考態度です。もう１つは分析を重ねて論理的に判断する思考態度です。前者は**システム１**による思考、後者は**システム２**による思考に相当します。

　システム１は、深く考えることはせず、自動的かつ高速に働いて答えを出します。ただし、スピードが早いものの、しばしば間違った答えを出してしまいます。これに対してシステム２は、状況を分析し、論理的な結論を下します。そのため答えを出すのに時間がかかりますが、より正しい答えに到達できる可能性が高まります。簡単な判断にシステム１を利用するのは合理的です。しかしながら、システム１は**ヒューリスティクス**に陥りやすいなど、いろいろと欠点があることを理解しておくべきです。

文献資料：ダニエル・カーネマン『ファスト＆スロー』（早川書房）

システム１とシステム２

システム１

・速い判断スピード
・自動的・無意識的
・感情的

システム２

・遅い判断スピード
・意識的で努力を要する
・論理的

ルーチンにシステム１を利用するのは理に適っている。しかし、システム１に頼り過ぎてはいけないのだ。

097 ヒューリスティクス
heuristics

ダニエル・カーネマン
[096] システム1とシステム2

人が迅速かつ効率的に意思決定や判断をしよう
とする際に、過去の経験や知識などをもとに、
システム1を用いて思考の近道をすることを指
します。

ヒューリスティクスはヒューリスティッ
クの複数形だ。システム1はヒューリス
ティクスを用いてスピーディーに結論を出す傾
向がある。

　ヒューリスティクスは、人が迅速かつ効率的に意思決定や判断をしようとする際にとる簡便で
直感的な方法です。いわば「思考の近道」と考えればよいでしょう。思考を省力化する**システム
1**はこのヒューリスティクスを頻繁に利用します。その意味で、システム1とヒューリスティクス
には深い関係があります。

　人にとって思考の近道が悪いわけではありません。例えば、過去の問題解決でうまくいったや
り方があった場合、同様の場面に遭遇した際に、あまり深く考えずにそのやり方を再利用すれば、
いちいち長考することなくスピーディーに問題を解決できるでしょう。ところが、本来は慎重に
意思決定すべき場面で、安易にヒューリスティクスに頼っていると、誤った判断をしやすくなりま
す。その意味であらかじめヒューリスティクスの種類とその特徴を知っておけば、誤った判断を
回避できる可能性が高まるでしょう。

文献資料：ダニエル・カーネマン『ファスト＆スロー』（早川書房）

システム1とヒューリスティック

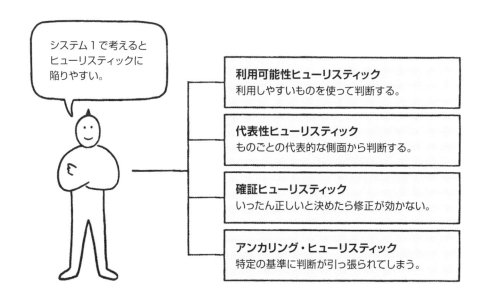

システム1で考えると
ヒューリスティックに
陥りやすい。

利用可能性ヒューリスティック
利用しやすいものを使って判断する。

代表性ヒューリスティック
ものごとの代表的な側面から判断する。

確証ヒューリスティック
いったん正しいと決めたら修正が効かない。

アンカリング・ヒューリスティック
特定の基準に判断が引っ張られてしまう。

利用可能性ヒューリスティック
availability heuristic

[096] システム1とシステム2
[097] ヒューリスティクス

ヒューリスティクスの1つです。システム1が記憶に鮮明なものなど利用しやすいものを使用して思考の近道をはかる傾向を指します。

利用しやすいものには、記憶が鮮明な情報、もう1つは記憶の構造上検索しやすい情報などがある。

利用可能性ヒューリスティックは**ヒューリスティクス**の1つで、システム1が利用しやすいものを使用して、思考の近道をはかる傾向を指します。ここで言う「利用しやすいもの」は、2種類に大別できます。1つは記憶が鮮明であったり新しかったりする情報です。もう1つは記憶の構造上検索しやすい情報です。

例えば、大きな飛行機事故は私たちの記憶に鮮明に残ります。そのため利用が容易で、自動車よりも飛行機の事故で死亡する確率が高いといったような、誤った判断をしてしまいがちです。また、「a」で始まる英単語と、頭から3番目に「a」をもつ英単語を考えてみてください。記憶の構造上、頭に「a」が来る単語のほうが思い出しやすいでしょう。ただし数でいうと、頭から3番目に「a」をもつ英単語のほうが多く、一般的な人が持つ印象とは合致しません。

文献資料：ダニエル・カーネマン『ファスト＆スロー』（早川書房）

記憶から容易に引き出せる情報

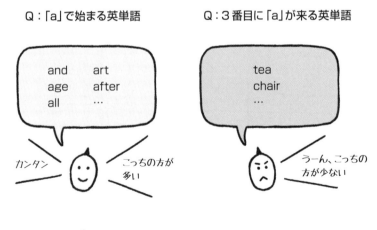

Q：「a」で始まる英単語

and   art
age   after
all   …

カンタン　こっちの方が多い

Q：3番目に「a」が来る英単語

tea
chair
…

うーん、こっちの方が少ない

記憶から容易に引き出せる情報を使うと誤った判断をしてしまうことがある。

099 モンティ・ホール問題
Monty Hall problem

[097] ヒューリスティクス
[098] 利用可能性ヒューリスティック

モンティ・ホール問題は、アメリカのテレビゲーム番組「Let's Make a Deal」で実際に出題された確率に関する問題です。

下記はモンティ・ホール問題のアレンジ版です。利用可能性ヒューリスティックに注意しながら問題を考えてみてください。

　ここに３つの箱 A、B、C があります。どれか１つの箱には金貨が入っており、他の２つには何も入っていません。金貨が入っている箱を当てれば、金貨はあなたのものです。熟考したあと、あなたは A の箱を選びました。どの箱に金貨が入っているのかを知っている私は、金貨の入っていない C のフタを開けました。残る箱は A と B です。A を選んだあなたは、もう一度、箱を選べるチャンスがあります。この時、そのまま A を選ぶか、それとも選び直して B にするか、どちらが得でしょうか。理由も合わせて答えてください。

　以上が**モンティ・ホール問題**の概略です。**利用可能性ヒューリスティック**に基づくと、２つに１つだから、どちらを選んでも当たる確率は 1/2 になります。しかし、これは間違い。正解は下図を参考にしてください。

文献資料：ハワード・S・ダンフォード『不合理な地球人』（筑摩書房）

モンティ・ホール問題の答え

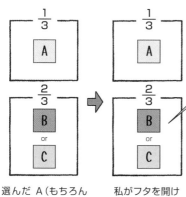

結果、B に金貨がある確率は 2/3 となり、A の 1/3 より当たる確率が高くなる。よって、あなたは選び直したほうが得なのだ。

選んだ A（もちろん B でも C では構わない）の箱に金貨がある確率は1/3。一方、「B または C」に金貨がある確率は 2/3。

私がフタを開けたため、C に金貨がないことが判明した。

要するにこれは「B または C（にある確率は 2/3）」「C でない」「B である（確率は 2/3）」の形をとっている。これを選言三段論法（disjunctive syllogism）という。

100 代表性ヒューリスティック
representative heuristic

[096] システム1とシステム2
[097] ヒューリスティクス

ヒューリスティクスの1つです。対象が持つ代表的な特徴に引きずられてしまい、その結果、誤った判断をしてしまう傾向を指します。

代表性ヒューリスティックが、いかに簡単に私たちの判断を誤らせるか、問題を下記に用意した。答えを考えてほしい。

代表性ヒューリスティックは、人がものごとの代表的な側面を過大に評価することで、誤った判断をする傾向を指します。例えば次の問題について考えてみてください。

「ある世界的に著名な指揮者には実の息子が1人いる。その息子が事故に遭い、病院に運ばれた。知らせを聞いた指揮者は病院に駆けつけた。すると息子がいる病室には、息子の実の父親が先に来ていた。このようなことはあり得るのか」

この問題のポイントは、「世界的に著名な指揮者」にあります。一般に代表的な指揮者のイメージといえば男性です。しかもカラヤンや小澤征爾のように世界的に著名ならばなおさらです。しかしこの指揮者が女性だと考えてみてください。すると問題は簡単に解決します。このように「世界的に著名な指揮者＝男性」と想起するのは代表性ヒューリスティックのなせるワザです。

文献資料：ハワード・S・ダンフォード『不合理な地球人』（筑摩書房）

指揮者は男性？

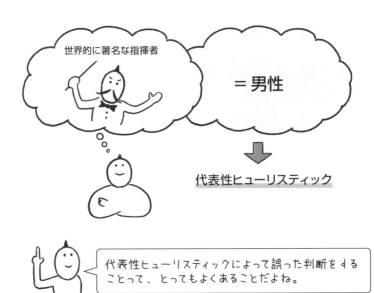

代表性ヒューリスティックによって誤った判断をすることって、とってもよくあることだよね。

101 リンダ問題
Linda problem

ダニエル・カーネマン
エイモス・トヴェルスキー

誰もが代表性ヒューリスティックによって容易に誤った判断をしてしまうことを示す問題です。カーネマンとトヴェルスキーが考案したことで著名です。

まずは下図に示した問題を解いてみてもらいたい。その際、代表性ヒューリスティックのことを念頭に置くと判断ミスを回避できる。

リンダ問題は、心理学者で行動経済学者**ダニエル・カーネマン***と**エイモス・トヴェルスキー***が考案した問題で、代表性ヒューリスティック[100]の存在を明らかにしたものとして著名です。ここではそのアレンジ版を紹介しましょう。

　リンダは大学でプログラミングを学び首席で卒業しました。彼女は菜食主義者で環境問題にも造詣が深い女性です。彼女はいま社会人として活躍しています。リンダは現在何をしているか、次のうちいずれの可能性が高いでしょうか。可能性が高い順に並べてください。

①銀行員
②プログラマー
③銀行員で環境保護運動家

　問題は以上です。問題に解答してから下図を見てください。

文献資料：ダニエル・カーネマン『ファスト＆スロー』（早川書房）

連言錯誤に要注意

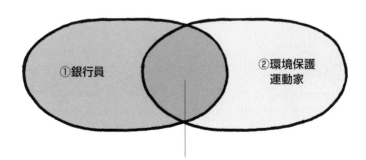

③銀行員かつ環境保護運動家

　①と②のいずれの可能性が高いかは一概に言えません。ただし、①の可能性は③よりも必ず高くなります。これは上図のベン図で考えれば明らかです。ところが我々は得てして③が①よりもリンダの代表性を示していると考えがちです。
　これを連言錯誤といいます。

102 確証ヒューリスティック
confirmation heuristic

[098] 利用可能性ヒューリスティック
[100] 代表性ヒューリスティック

いったん正しいと思い込んだら、その正しさを支持する証拠を選択的に集め、たとえ誤っていたとしても都合の良い解釈に執着する傾向を指します。	人間は一貫性を保とうとする。これを一貫性バイアスという。確証ヒューリスティックは一貫性を確保したいから生じるのだろう。

　確証ヒューリスティック（または**確証バイアス**）とは、人が何かをいったん正しいと思い込んだら、その正しさに執着する態度を指します。その結果、正しさを支持する証拠を選択的に集め、不都合な証拠については無視したり、都合の良い解釈をしたりするようになります。

　確証ヒューリスティックの背景には、人間が持つ**一貫性バイアス**が潜んでいるようです。これは人が、自分の考えや信念、態度などに一貫性を持たせようとする傾向を指します。

　通常私たちは、何らかの信念や確たる考えをもっているものです。しかし、このような信念に対して明確な反証が生じると、一貫性が欠如するため、人は心理的に不快な状態になります。このような状況を**認知的不協和**といいます。確証ヒューリスティックは、この認知的不協和を回避して一貫性を維持するための方法の１つだと考えられます。

文献資料：ダニエル・カーネマン『ファスト＆スロー』（早川書房）

新車と確証ヒューリスティック

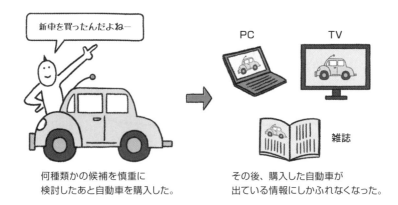

何種類かの候補を慎重に
検討したあと自動車を購入した。

その後、購入した自動車が
出ている情報にしかふれなくなった。

これは購入した自動車の情報にさらにふれ続けることで、
自分の選択が間違いでなかったことを確認しているのであり、
確証ヒューリスティックの一種といえる。

103 ウェイソンの選択課題
Wason selection task

ピーター・ウェイソン
[102] 確証ヒューリスティック

イギリスの認知心理学者ピーター・ウェイソン*が考案した問題です。この問題から人が確証ヒューリスティックに陥りやすいことがわかります。

下図にウェイソンの選択課題をアレンジした問題を掲載した。問題を読んだあと、答えを見ずに実際に解答してもらいたい。

まず、下図に示した**ウェイソンの選択課題**にチャレンジしてみてください。

いかがでしょう。おそらく誰もが「e」のカードをめくってその裏に偶数が書いてあるか確認するでしょう。また、「Q」は問題と無関係ですから無視するでしょう。問題は「3」と「8」です。このうち、「3」のカードは裏返して、小文字のアルファベットが書いてないか確認する必要があります。注目したいのは「8」です。

従来の実験から、圧倒的に多くの人が「3」よりも「8」をめくる傾向にあります。しかし、「片面が偶数であれば、もう片面は小文字のアルファベットである」とは何も明記していません。したがって、「8」のカードはめくる必要がなく、最低限必要なのは「e」「3」のもう片面を確認することです。めくらなくてもよい「8」をめくってしまうのは、より多くの確証を得たいからです。つまりその背景には**確証ヒューリスティック**が潜んでいるわけです。

文献資料：P. N. Johnson-Laird, P. C. Wason. 1970. 'A Theoretical Analysis of Insight into a Reasoning Task.' *Cognitive Psychology* 1.

ウェイソンの選択課題

問　片面にアルファベット、もう一方の片面に数字が書いてあるカードが4枚並べてあります。これらのカードは「片面に小文字のアルファベットが書いてあれば、もう片面には偶数が書いてある」という規則をもちます。この規則の正否を証明するには、最低限、どのカードのもう片面を確認する必要があるでしょうか。

e　Q　3　8

めくらなくてもよい「8」をめくってしまうのは、より多くの確証を得たいからだ。
そこに確証ヒューリスティックの存在が見え隠れする。

アンカリング・ヒューリスティック
anchoring heuristic

[287] プライミング効果
[289] サブリミナル効果

人が判断する際、基準にしたものに影響を受ける傾向を指します。アンカリングとは碇を降ろすことであり、何かの基準を設けることです。	私たちは知らない間に何かの基準をアンカーにしている。そして知らないうちにそのアンカーに引きずられて判断している。

　私たちが何かを判断する際、適当な基準を見出してそれを元にして意思決定します。このように基準を決めることを、船舶が碇（**アンカー**）を降ろして停泊するのになぞらえて**アンカリング**といいます。そして、いったんアンカリングを行うと、人の判断はその基準に影響を受ける傾向にあります。これを**アンカリング・ヒューリスティクス**または**アンカリング効果**といいます。

　ある心理学の実験で、工場の買収交渉という設定のもと、買い手と売り手それぞれが先に価格を提案した場合の最終合意価格を調べました。すると、買い手が先だと平均価格は1970万ドル、売り手が先だと平均価格は2480万ドルになりました。買い手の場合、できるだけ安い値段、逆に売り手の場合はできるだけ高い値段を最初に提示するでしょう。いずれの場合も、最初の提示価格が基準（アンカー）となったため、最終合意価格にこれほどの差が出たと考えられます。

文献資料：Adam D. Galinsky, Thomas Mussweiler. 2001. 'First Offers as Anchors.' *Journal of Personality and Social Psychology*, November.

（価格交渉）

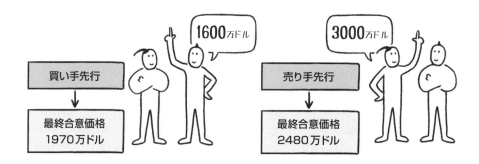

買い手先行
↓
最終合意価格
1970万ドル

1600万ドル

売り手先行
↓
最終合意価格
2480万ドル

3000万ドル

アンカリング効果を考えると、価格交渉では先に価格を提示した方が交渉を有利に進められるようだ。

105 フレーミング効果
framing effect

[287] プライミング効果
[289] サブリミナル効果

フレーミングとは表現の枠組みのことです。このフレーミングを少し変えることで人の意思決定に影響を及ぼす効果をフレーミング効果と呼んでいます。

下記に示した「コピー実験」からもわかるように、人の意思決定に影響を及ぼすのだから、広告表現のみならず、フレーミングの重要性がわかる。

私たちが行う「表現」には枠組みがあります。この枠組みのことを**フレーミング**といいます。また、私たちはこの表現の枠組みによって評価や態度を変える傾向を強く持っています。フレーミングが人の評価や態度に影響を及ぼすことを**フレーミング効果**といいます。

たとえば、他人に何か頼み事をする際に、理由を述べるフレーミングと理由を述べないフレーミングを想起してみてください。このようなフレーミングの違いが、頼み事の承諾にどう影響するかを調べた実験があります。

その結果、理由を述べたほうが承諾率は高まるとだいたい予想はつくでしょう。実際結果もそうでした。

ただし、理由が適切でも不適切でも、同程度の高い承諾率になりました。これは「〜ので」といわれると、システム1が理由だと判断して、意味を深く考えずに承諾したものと思われます。

文献資料：Ellen Langer, Arthur E. Blank. 1978. 'The mindlessness of ostensibly thoughtful action.' *Journal of Personality and Social Psychology.* Vol. 36. No. 6.

コピーの実験

コピーを先にとらせてもらう実験を行った。その際に①理由なし、②適切な理由あり、③無意味な理由ありで頼み事をした。その結果、コピー枚数が少ない場合、無意味な理由でも適切な理由と同程度の承諾率になった。

▼結果（承諾率）

頼み事	理由なし	適切な理由あり	無意味な理由あり
コピー5枚	60%	94%	93%
コピー20枚	24%	42%	24%

枚数が多くなると無意味な理由は理由なしと同程度の承諾率になった。これは頼まれた側がシステム2で判断したからだろう。

106 フォールス・コンセンサス効果
false consensus effect

[102] 確証ヒューリスティック
[164] エコーチェンバー

自分が何かの意見をもっているとき、他者も同様の意見をもっていると考えがちです。この傾向をフォールス・コンセンサス効果といいます。	下記に示した「サンドイッチマン実験」は、フォールス・コンセンサス効果の存在を示している。

フォールス・コンセンサス効果とは、自分の意見や行動は一般的で、人も自分と同じ意見を持つと考える傾向を指します。この点に関して調査したものに**サンドイッチマン実験**があります。

まず、実験者は学生の被験者に対して、サンドイッチマンになって「ジョーの店で食事をしよう」や「悔い改めよ」と書いたプラカードを持ち、大学のキャンパス内を 30 分間歩いて欲しいと要望します。その上で、被験者の学生には、まずサンドイッチマンになることに同意するかしないかに答えてもらいます。実験のポイントはここからです。そのあと実験者は被験者に対して、他の人ならばどう答えるかを尋ねました。その結果、同意した人はその多数が他の人も同意すると答えました。また、拒否した人はその多数が他の人も拒否すると答えました。この実験はまさにフォールス・コンセンサス効果の存在を示しています。

文献資料：Lee Ross, David Greene, Pamela House. 1977. 'The false consensus effect.' *Journal of Experimental Social Psychology.* 13（3）.

(サンドイッチマン実験)

107 認知の歪み
cognitive distortion

デイヴィッド・バーンズ
[106] フォールス・コンセンサス効果

物事を見る際に歪んだ見方でとらえる態度を指します。もちろん見方に歪みがあると適切な判断や物事の理解が困難になります。下記は代表的な認知の歪みです。

認知の歪みは多様だ。心理学者バーンズは代表的な認知の歪みとして、「全か無か思考」「一般化しすぎ」など10種類を挙げている。

認知の歪みとは物事を歪んだ見方でとらえる態度を指します。心理学者デイヴィッド・バーンズ*は、代表的な認知の歪みを10種類挙げています。物事の見方に歪みがあると適切な理解や判断は困難です。バーンズが指摘する認知の歪みをあらかじめ理解しおき、それを回避するようにすれば、物事を適切に見ることができるでしょう。

文献資料：デビッド・D・バーンズ『いやな気分よさようなら』（星和書店）

10種類の認知の歪み

認知の歪み	概要
全か無か思考	ものごとを白か黒かで判断する態度を指す。二分法思考とも呼ぶ。
一般化しすぎ	何か悪いことが起これば、これですべて駄目だと考える態度を指す。
心のフィルター	たった1つの悪いことにこだわって、そればかりくよくよ考える態度を指す。
マイナス化思考	いいことや何でもないことでも、全部悪い出来事にすり替えてしまう傾向を指す。
結論の飛躍	相手の心を読み過ぎたり、物事を先読みし過ぎたりする傾向を指す。
拡大解釈と過小評価	悪いことを拡大して解釈し、良いことを過小に評価する傾向を指す。
感情的決めつけ	自分の感情を証拠に用いて真実だと証明しようとする態度を指す。
すべき思考	「～すべき」「～してはならない」に取り憑かれて自分を追い込む傾向を指す。
レッテル貼り	一時的な出来事を根拠にして、自分自身に対して自己破滅的なレッテルを貼ってしまう態度を指す。
個人化	自分に責任がない場合でも、自分に責任があると考えてしまう傾向を指す。

皆んなにも思いあたる認知の歪みがあるんじゃないかな。

(108) 思考実験
thought experiment

エルヴィン・シュレーディンガー
[110] アキレスと亀のパラドックス

物理的な実験には頼らず、思考のみで論理的に推論し、結論を導き出す活動を指します。思考実験は哲学的な考えを探求する際によく活用されます。

ここで紹介する「シュレーディンガーの猫」は、粒子が複数の状態で存在できるという量子力学の奇妙な性質を示している。

思考実験は、ある特定の状況について、物理的な実験には頼らず、自らの思考のみで論理的に推論し、結果を導き出す活動を指します。想像力を可能な限り働かせることが必要になり、ために哲学的な考えを探求する際によく活用されます。

過去に著名な思考実験が次々と提出され、今でも私たちの頭を悩ませています。ここではその1つとして物理学者**エルヴィン・シュレーディンガー***が提唱した「シュレーディンガーの猫」を紹介しましょう。密閉された箱の中に、放射性物質とその崩壊を検知する装置と一緒に猫を入れます。装置が放射線を感知すると毒が放出されて猫は死にます。ところで、**量子力学**では、放射性物質のような粒子は、それが観測されるまで、崩壊している状態でもあり、崩壊していない状態でもあります。そうすると、密閉された箱を開けて観察するまで、猫は生きていると同時に死んでいるという、**重ね合わせの状態**になります。

文献資料：榛葉豊『思考実験』（講談社）

(109) パラドックス
paradox

[108] 思考実験
[110] アキレスと亀のパラドックス

常識に反していて矛盾する命題にもかかわらず、それが一見妥当と思える推論によって導かれる命題を指します。逆説や逆理、背理と呼ぶこともあります。

ギリシア語で「para」は「逆」を、また「dox」は「意見」や「臆見」を意味する。このように本来は常識に反しているという意味合いが強い。

パラドックスとは命題の1つで、一見すると常識に反していて、矛盾するように思えます。しかしながら、妥当な推論、または一見妥当と思わせる推論によって導かれる命題を指します。**思考実験**と同様、パラドックスの価値は、しばしば私たちの常識を覆し、哲学的な議論につながる点にあります。以下、思考実験のためのパラドックスをいくつか紹介しますが、ここではその1つとして「**祖父のパラドックス**」を示しておきます。

ある人が、まだ自分の父親が生まれる前の過去にタイムトラベルし、自分の祖父を殺害したとします。その結果、どのような事態が生じるでしょうか。祖父を殺害したのですから、その人の父親はこの世に生まれません。となると、その人自身も存在しないことになり、その人がタイムトラベルすることが不可能になります。祖父のパラドックスの矛盾です。この矛盾をあなたはどう考えますか。

文献資料：三浦俊彦『論理パラドクス』（二見書房）

110 アキレスと亀のパラドックス
Achilles and the tortoise paradox

エレアのゼノン
[108] 思考実験

ギリシア神話の英雄アキレスは亀と競争します。しかしどうしても亀に追いつけないというパラドックスです。ゼノンのパラドックスともいいます。

アキレスと亀のパラドックスでは、時間や空間は小さな部分に分割され得るという前提に立っている。この前提は正しいのだろうか。

　　アキレスと亀のパラドックスは、古代ギリシアの哲学者**エレアのゼノン***が提唱したもので、古くから思考実験の１つとして愛されてきました。これからアキレスと亀が徒競走をします。亀はアキレスより 100 メートル先にいて同時にスタートします。アキレスが亀を追い抜くには、最初に亀がいた場所に到着しなければなりません。するとその間に、亀はわずかでも前進しています。次にアキレスはその場所まで向かいます。しかし、その場所に着くと、亀はわずかでも前進しています。これが延々と繰り返され、結局アキレスは亀を追い抜くどころか、追いつくことさえできません。こんなこと、本当にあり得るのでしょうか。

　　以上がアキレスと亀のパラドックスの概要です。このパラドックスでは、時間や空間は小さな部分に分割され得るという前提に立っています。果たしてこの考え方は適切なのでしょうか。あなたはこの矛盾についてどう考えますか。

文献資料：ジュリアン・バジーニ『100 の思考実験』（紀伊國屋書店）

アキレスと亀のパラドックス

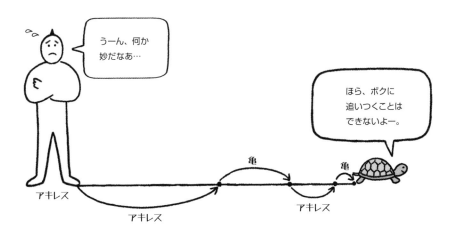

うーん、何か妙だなあ…

ほら、ボクに追いつくことはできないよー。

亀

亀

アキレス

アキレス

アキレス

時間や空間を小さなサイズにどんどん切り刻むことは実際には可能なのだろうか？

> 砂山から砂を1粒ずつ取り除いていきます。この作業を続けていったとき、この砂山が砂山でなくなるのはどの時点と考えるべきなのでしょうか。

> このパラドックスは古代ギリシアの哲学者エウブリデスが考案したといわれる。そもそも砂山の概念自体が曖昧なのだ。

砂山のパラドックスは古代ギリシアの哲学者**エウブリデス***が考案したといわれています。ここに高さ2mの砂山があります。この砂山から砂を1粒ずつ取り除いていきます。

では、砂を1粒取り除いた砂山は、もはや砂山ではないのでしょうか。おそらくそのようなことはないでしょう。

しかしながらそのように判断した場合、では砂を1粒ずつとり除いていったどの時点で、砂山は砂山でなくなるのでしょうか。あるいは残りがたった1粒になっても、これを砂山とまだ呼ぶのでしょうか。

いかがでしょう。あなたはこのパラドックスをどのように考えますか。このパラドックスは砂山という定義が曖昧なものを対象にしているから生じるようです。もっとも、曖昧な定義をそのまま受け入れるのも、このパラドックスの解決法なのかもしれません。

文献資料：ジュリアン・バジーニ『100の思考実験』（紀伊國屋書店）

砂山のパラドックス

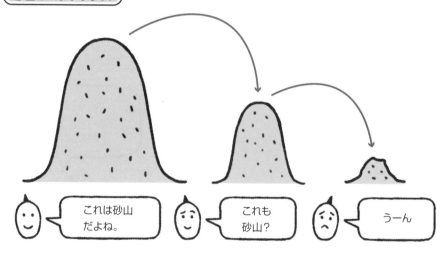

これは砂山だよね。

これも砂山？

うーん

砂山って定義が曖昧だよね。それを厳密に考えるとこんなパラドックスに陥る。

112 嘘つきのパラドックス
liar paradox

エピメニデス
[111] 砂山のパラドックス

あるクレタ人が「すべてのクレタ人は嘘つきだ」と述べました。この命題の真偽はいかに。これが嘘つきのパラドックスです。あなたはどう考えますか。

嘘つきのクレタ人が言ったことだから嘘になる。でもそうなるとクレタ人は本当のことを言うことになる。こうして矛盾が生じるのだ。

　ギリシアの哲学者**エピメニデス**＊はクレタ人だったといいます。このエピメニデスが「すべてのクレタ人は嘘つきだ」と述べました。この命題は真なのでしょうか、それとも偽なのでしょうか。これが有名な**嘘つきのパラドックス**です。

　もし彼の発言が真だとしたら、エピメニデスはクレタ人なのに嘘をついていないことになり、発言は矛盾します。また、嘘つきのクレタ人が言ったことだから、この発言は偽だとします。するとすべてのクレタ人は嘘つきではなくなり、やはり発言は矛盾します。同様のことは、「**この文は偽である**」についてもいえます。この文が真だとすると主張内容と矛盾します。またこの文が偽だとすると、この発言は実際には真実であることを意味するため、これもまた矛盾します。

　このように嘘つきのパラドックスは、ある文が自分自身を参照することによって矛盾や無限ループが生じる場合に発生します。

文献資料：三浦俊彦『論理パラドクス』（二見書房）

嘘つきのパラドックス

すべてのクレタ人は嘘つきなのだ。

本当でも嘘でも矛盾が生じるよなー。

クレタ人のエピメニデス

ある文が自分自身を参照することで無限ループに陥る場合がある。

113 カテゴリー錯誤
category mistake

ギルバート・ライル
[395] 主観・客観問題

特定のあるカテゴリーに属する対象が、別の不適切なカテゴリーに属するかのように示してしまうような、論理的な誤りを指します。

「美しい絵だ。重さはどれくらい？」と問われたと想起してもらいたい。話者は美的属性と物理的属性を混同している。これはカテゴリー錯誤の一種だ。

カテゴリー錯誤とは、特定のあるカテゴリーに属する対象が、別の不適切なカテゴリーに属するかのように示す誤りを指します。イギリスの哲学者**ギルバート・ライル***が著作『**心の概念**』で用いた言葉です。

大学の物理学研究室にやって来て男が教授に尋ねました。「重力の法則はどこにあるのでしょうか？」。この男は重力の法則を、何か手で持てるモノのカテゴリーに含まれるとカテゴリー錯誤したようです。あるいは、強豪のバスケットチームを訪れた男が、個々の選手の練習を見学しました。練習後、男は選手たちに尋ねました。「チームスピリットはどの人なのでしょうか？」。これもカテゴリー錯誤の一種です。ちなみに、選手の集合であるチームを人間の肉体と考えた場合、チームスピリットは精神に相当します。ライルによると、心と体を並列に扱う物心二元論[395]は、このようなカテゴリー錯誤を起こしていると主張しました[250]。

文献資料：ギルバート・ライル『心の概念』（みすず書房）

114 合成の誤謬
fallacy of composition

バーナード・デ・マンデヴィル
[109] パラドックス

「ある部分がXであるならば、全体もXである」という議論の誤りを指します。もちろん真の場合もありますが、必ずしもそうとは限らないのが現実です。

個人にとって正しい選択であっても、全員がその選択肢を選ぶと、想定に反して悪い状況に陥ることがある。これも合成の誤謬の1つだ。

合成の誤謬は経済学にも適用されることがあります。その場合、ミクロ経済学では適切な理論でも、マクロ経済学では必ずしも適切ではない、という意味で使われることが多いようです。どういうことか、イギリスの啓蒙思想家**バーナード・デ・マンデヴィル***の『**蜂の寓話**』をもとに説明しましょう。

ここに安楽で贅沢に暮らす蜂がいます。彼らは私利私欲と個人的な悪徳によって動いていますが、それにより社会は大いに繁栄していました。ところがあるとき、贅沢を放棄し**質素倹約**を説く蜂が現れます。彼の宣託はたちまち社会に広がり悪徳は一掃されました。その結果、社会からはかつての景気は失われ、かつての繁華街は、閑古鳥が鳴く有様になりました。質素倹約は個人にとっては正しいことです。しかし、社会全体から見ると望ましいことではない、というのがマンドヴィルの主張でした。当時、この主張は大きな物議をかもしたといいます。

文献資料：上田辰之助『蜂の寓話』（新紀元社）

115 ベイズ推論
Bayesian inference

トマス・ベイズ
[116] 男の子と女の子のパラドックス

事前情報（事前確率）と利用可能な証拠やデータを組み合わせて事後確率を計算し、それをもとに推論や予測を行うことを指します。

ベイズ推論はベイズ推定とも呼ばれていて、イギリスの牧師で確率論の確立に寄与した**トマス・ベイズ**にちなんで名づけられたんだ。

　ベイズ推論は、**事前確率**など事前の情報や知識を利用して、それを観測データと組み合わせて事後確率を計算し、推論や予測を行うことを指します。ベイズ推論に関してよく取り上げられるトピックに医療診断があります。

　ある地域における女性の乳がん有病率は 1% です。あなたは女性でマンモグラフィーによる乳がん検査を次の条件で受けました。この装置は、乳がんの場合に、乳がんと判断する確率は 90% で、乳がんでない場合に誤って乳がんと判断する確率は 9% です。検査の結果、あなたは乳がんだと判定されました。さて、あなたが本当に陽性である確率は何 % でしょうか。

　現役の医師の答えで最も多かったのは 80% から 90% でした。しかしながら、ベイズ推論により、事前確率と、そのあとから得られたデータを組み合わせると、まったく異なる確率が得られます（下図参照）。

文献資料：スティーブン・ピンカー『人はどこまで合理的か』（草思社）

ベイズ推論の実践

❶ 基準率は「女性が乳がんになる確率は 1 %」であり、1000 人の女性がいるとすると、そのうち 10 人が乳がんにかかることになる。 ➡ $\dfrac{10}{1000}$

❷ 乳がんの場合、陽性の判定が出るのは 90% だ。つまり 10 人のうち 9 人が陽性になる。 ➡ $\dfrac{9}{10}$

❸ 乳がんでない場合、誤って陽性の判定が出るのは 9% だ。乳がんでない人は 990 人で、そのうちの 9% は、端数を切り捨てて 89 人になる。 ➡ $\dfrac{89}{990}$

❹ このマンモグラフィーで陽性と判定されるのは、本当の陽性が 9 人、誤った陽性が 89 人で、合計が 98 人になる。そのうち、9 人が本当の陽性だから、陽性の判定が出て乳がんである確率は「9/98」つまり 9.1% になる。 ➡ $\dfrac{9}{98}$

このように驚くほど低い確率になった。ベイズ推論で考える重要性がわかる。

116 男の子と女の子のパラドックス
boy and girl paradox

[099] モンティ・ホール問題
[115] ベイズ推論

ある夫婦に2人の子供がいます。1人は女の子であることがわかっています。では、もう1人も女の子である確率は？

人間の生物学的な性別は男性か女性かのいずれかであり、もう1人が女の子である可能性は2分の1になりそうだが…。

「男の子と女の子のパラドックス」は統計学においてとても有名な問題です。**ベイズ推論**と同様この問題でも、私たちが確率的にものごとを考えるのが苦手であることを示しています。

　ある夫婦に2人の子供がいます。1人は女の子であることがわかっています。では、もう1人も女の子である確率を答えてください。

　問題は以上です。とってもシンプルですね。**システム1**[096]で考えると、人間の生物学的な性別は男性か女性かのいずれかです。この点を前提に考えると、もう1人が女の子の確率は2分の1になりそうです。しかし、この答えは誤っています。ポイントは、2人の子どものうちいずれが女の子なのか明らかになっていない点です。この点を考慮して組み合わせで考えると、もう1人も女の子である確率は3分の1になります（下図参照）。

文献資料：ハワード・S・ダンフォード『不合理な地球人』（筑摩書房）

男の子と女の子のパラドックス

2人の子どもを便宜上A、Bにすると、男女の組み合わせは、次のようになる。

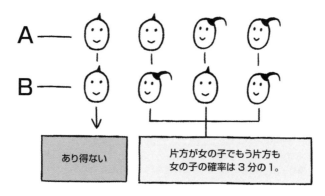

あり得ない

片方が女の子でもう片方も女の子の確率は3分の1。

システム1で考えると2分の1と考えてしまいそうだ。でも、システム2を働かせれば正しい答えが得られる。

117 集団の意見は案外正しい
wisdom of crowds

フランシス・ゴルトン
[163] 集団浅慮

群衆の知恵は、個人の知恵よりも優れていることを示しています。しかし集団思考が個人の判断よりも劣る場合があります。どちらが正しいのでしょうか。

集団浅慮は、集団による思考が個人で考えるよりも劣ることを指す。どうやら集団による思考は条件によって優劣が分かれるようだ。

　「集団の意見は案外正しい」ともいわれます。これが**群衆の知恵**です。個人の知恵よりも集団の知恵のほうが優れているという立場です。この立場をとったのが**チャールズ・ダーウィン***の従弟としても知られている、生物統計学者**フランシス・ゴルトン***です。

　ゴルトンは 20 世紀初頭に行われた、参加者 787 人による雄牛の重量当てコンテストの予想を調査しました。すると 787 人のうち正解者は 1 人もいませんでした。しかしゴルトンが参加者の回答の平均値を算出したところ、結果は 1200 ポンドで、正解（1198 ポンド）に非常に近いことが判明しました。まさに群衆の知恵の勝利です。

　ただし、これには条件があるようです。それは、個人がそれぞれめいめいで判断し、そのあと平均をとるということです。互いに話し合って回答を出すと、群衆の知恵の効力はたちまち消えてしまいます。これが**集団浅慮**かもしれません。

文献資料：ジェームズ・スロウィッキー『「みんなの意見」は案外正しい』（角川書店）

群衆の知恵

1380 ポンド　990 ポンド　1500 ポンド　820 ポンド

ポイント：各人が個別に考える

平均をとると正解に近づく

ポイントは各人が個別で考えるという点だ。相談して決めるとダメみたい。

118 デザイン思考
design thinking

[119] ラピッド・プロトタイピング
[313] アフォーダンス

イノベーションを生み出すために、デザイナーの手法を活用する思考法です。その際に人間の行動から隠れたニーズを見つけ出し問題解決策を見出します。

デザイン思考を広めたのはアメリカのデザイン会社 IDEO で、アップル社のパソコン「Apple Lisa」のマウスをデザインしたのは同社なのだ。

デザイン思考はアメリカのデザイン会社 **IDEO** が具体的な方法を確立し世界に広めました。例えば、「朝の歯磨きをデザインし直す」という課題を与えられたとしましょう。デザイン思考では、この課題に関わる人（実際に歯磨きする人など）の行動を実際に観察し、共感を通じて**インサイト**（気づき / 洞察）を見つけ出し、問題を定義して、ソリューションを提供します。このような一連の活動がデザイン思考です。

　注目したいのは、「歯磨き」のように、デザイン思考の対象が必ずしも「モノ」に限らないということです。そもそもデザインとは、「計画する、設計する」という意味を持つラテン語の「デーシグナーレ（designare）」を語源にしています。したがって広義のデザインは、モノや物事、サービス、組織、社会制度など、あらゆるものを対象に計画したり、設計したりする行為を指します。もちろん、デザイン思考も、広義のデザインをターゲットにしています。

文献資料：トム・ケリー＆デイヴィッド・ケリー『クリエイティブ・マインドセット』（日経 BP）

119 ラピッド・プロトタイピング
rapid prototyping

[118] デザイン思考
[313] アフォーダンス

デザイン思考の流儀の1つで、いきなりプロトタイプを作ることを意味します。その際に、「手軽」「低コスト」「短時間」を重視します。

デザイン思考の目標の1つは、素晴らしい**アフォーダンス**を実現することだ。アフォーダンスの度合いが高いほど優れたデザインといえる。

　従来の商業製品における**プロトタイプ**とは、設計がほぼ固まった時点で作る試作品のイメージがあります。これに対して**デザイン思考のラピッド・プロトタイピング**では、アイデアの段階でプロトタイプを即席かつスピーティーに作り上げます。そしてラピッド・プロトタイピングを繰り返して、実際のプロダクトの形に仕上げていきます。

　ラピッド・プロトタイピングのキーワードになるのが「**手軽**」「**低コスト**」「**短時間**」です。つまり身の回りにあるもので（手軽）、お金をかけず（低コスト）、スピーディー（短時間）にプロトタイプを作ることがポイントになります。出来上がったらユーザーに試してもらい、フィードバックを得て、次のプロトタイプを作ります。この繰り返しで最終的な完成品に仕上げます。

文献資料：トム・ケリー＆ジョナサン・リットマン『発想する会社！』（早川書房）

120 ゲーム理論
game theory

ジョン・フォン・ノイマン
[176] チキンゲーム

複数の主体がそれぞれの意思決定によって影響を受ける状況（ゲーム的状況）において、主体がどのように意思決定し行動するのかを理論化したものです。

 ゲーム理論は天才数学者ジョン・フォン・ノイマン※らによって提唱されたことで注目され、現在もMBAの必須科目になっている。

ゲーム理論が指すゲームとは、複数の主体がそれぞれの意思決定によって影響を受ける状況のことを指します。これを**ゲーム的状況**と呼びます。そして、このゲーム的状況の中で、主体がどのように意思決定し行動するのかについて理論化したものがゲーム理論です。

ゲーム的状況を適切に理解することで、いずれの行動が不利で、いずれの行動が最善なのかが、的確に把握できる可能性が高まるでしょう。つまり、ゲーム的状況を理解することは、最善の行動を選択するという**戦略的思考**の基礎になるわけです。

またゲーム理論では、**チキンゲーム**や**囚人のジレンマ**[177]など、特徴的なゲーム的状況が多数モデル化されています。こうしたモデルを現実に適用することで、いままで理解不能だったことが合理的に説明できたり、複雑な状況下においてより合理的な判断ができます。戦略的な意思決定にゲーム理論的思考は欠かせません。

文献：ジョン・フォン・ノイマン、オスカー・モルゲンシュテルン『ゲームの理論と経済行動』（筑摩書房）

ゲーム理論とはと何か

ゲームとは	複数の主体が個々の意思決定によって影響を受けることが「ゲーム」であり、そのような環境を「ゲーム的状況」という。

▽

ゲーム理論とは	ゲーム的状況において、主体がどのように意思決定し行動するのかについて理論化したものを「ゲーム理論」という。

[適用範囲]

遊戯	経済	経営	社会	進化	量子力学	人類学

 天才数学者ジョン・フォン・ノイマンらによって提唱されたゲーム理論は、多様な分野に応用されている。

ゲームの木
game tree

[120] ゲーム理論
[122] 後ろ向き帰納法

複数のプレイヤーが順番に戦略を実行する展開型ゲームにおいて、意思決定の筋道をビジュアルで表現するツールを指します。戦略的な思考の支援に欠かせません。

ゲームの木は、相手がいかなる行動をとるのか、その上で自分はいずれの行動をとるべきなのか、これらを判断する有力なツールになる。

ゲーム理論では、複数のプレイヤーが同時に戦略を実行するゲームを**戦略型ゲーム**と呼びます。一方、プレイヤーが順番に戦略を実行するゲームを**展開型ゲーム**と呼んでいます。

後者の展開型ゲームにおいて、プレイヤーが行動を選択する場面を**手番**といいます。**ゲームの木**は、複数のプレイヤーがとるこの手番をビジュアルで表現し、どの手番をとるのが有効なのか考えるためのツールです。

母親が買ってきたケーキを兄弟が公平に分けるケースについて考えてみましょう。母親がケーキを半分に切っても「そっちの方が大きい」と喧嘩になりそうです。そこで母親は、兄弟の一方にケーキを切らせ、他方にケーキを選ばせるようにしました。これは展開型ゲームの一例で、これをゲームの木として描くと下図のようになります。このゲームの木を分析すると、切り役は公平に切り分けざるを得ないことがわかります[122]。

文献資料：中野明『図解 de 理解　ゲーム理論入門』（FLoW ePublication）

ケーキの切り分けをゲームの木で記述する

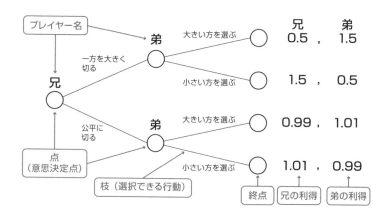

これがゲームの木の**基本構造**になる。ゲームの木は**最適な**戦略を選択するのに欠かせない思考ツールなのだ。

122 後ろ向き帰納法
backward induction

[120] ゲーム理論
[121] ゲームの木

ゲームの木で合理的な戦略を選ぶ方法を指します。ゲームの終わりにより近い意思決定点から順に、プレイヤーが選ぶ合理的選択を明らかにします。

ゲームの木を作成すると自分と相手、双方の立場から手番を考えられる。この手番を後ろ向きに推論することから「後ろ向き帰納法」の名がついた。

ゲームの木で合理的な戦略を選ぶ場合、**後ろ向き帰納法（バックワード・インダクション）**と呼ぶ手法を用います。これは、ゲームの終わりにより近い**意思決定点**から順に、プレイヤーが選ぶ合理的選択を明らかにするものです。後ろ向きに推論することからこの名がついています。

ここでは、先のケーキの切り分けを例に、ゲームの木を用いて弟と兄それぞれの立場から、それぞれにとって有利な手を考えてみます。後ろ向きに推論することで、公平に切るという選択を選ばざるを得ないことがわかります。

文献資料：中野明『図解 de 理解 ゲーム理論入門』（FLoW ePublication）

弟・兄の立場で考える

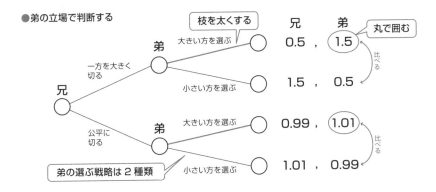

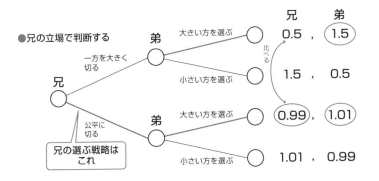

123 利得表
profit table

[120] ゲーム理論
[121] ゲームの木

戦略型ゲームにおいて、相手の行動と自分の行動を記述し、どの戦略を選ぶのが得策かを考えるためのツールです。ゲーム理論では利得表を最大限活用します。

利得表の基本構造は2行と2列からなる。そのためこれを2×2マトリックスとも呼ぶ。まずこのシンプルな形で、戦略型ゲームに利得表を用いるのがよい。

　複数のプレイヤーが同時に戦略を実行するゲームを**戦略型ゲーム**と呼びます。戦略型ゲームでは、ゲームの木ではなく**利得表**を用いてゲームの全貌を把握します。その一例を示しましょう（下図）。最もシンプルな利得表は2行2列から出来ているので、**2×2マトリックス**と呼ぶこともあります。

　利得表では行側がプレイヤー1の戦略、列側がプレイヤー2の戦略になります。行列の交差する個々のセルには、各戦略の組み合わせにおける、個々のプレイヤーの**利得**を表示します。

　例えば下図を見ると、プレイヤー1の戦略1とプレイヤー2の戦略1が交わるセルでは、利得が「30, 40」となっています。これは、プレイヤー1の戦略1に対してプレイヤー2が戦略1をとった場合、それぞれの利得はプレイヤー1が左側の「30」、プレイヤー2が右側の「40」になる、ということを意味しています。

文献資料：ジェームズ・ミラー『仕事に使えるゲーム理論』（阪急コミュニケーションズ）

利得表の構造

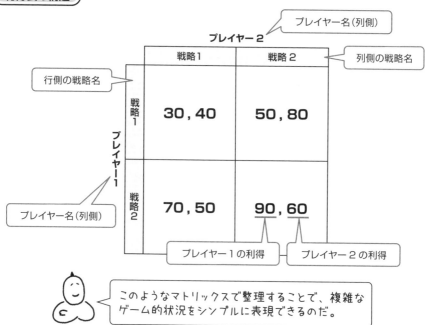

このようなマトリックスで整理することで、複雑なゲーム的状況をシンプルに表現できるのだ。

124 絶対優位の戦略
dominant strategy

[120] ゲーム理論
[123] 利得表

相手がどのような戦略を選ぼうとも、自分の選んだ特定の戦略が、他の戦略よりも優れている戦略を指します。支配戦略（dominant strategy）ともいいます。

利得表を検討して絶対優位の戦略が存在しないかを検証する。絶対優位の戦略があればそれを選択することが、優れた意思決定になる。

絶対優位の戦略とは、相手がどのような戦略を選ぼうとも、自分の選んだ特定の戦略が、他の戦略より優れているものをいいます。**利得表**を用いて意思決定する際の判断基準の1つです。一例として、下図の利得表に絶対優位の戦略が存在するかどうか検証してみましょう。

まず、プレイヤー1（以下P1）の立場で考えましょう。プレイヤー2（以下P2）が、戦略1を採用した場合、P1が採用できる戦略を比較すると、戦略1(30)よりも戦略2(70)の方が有利であることがわかります。

また、P2が戦略2を採用した場合、P1が採用できる戦略を比較すると、こちらも戦略1(50)よりも戦略2(90)の方が有利であることがわかります。

このようにP1の場合、P2がいずれの選択でこようとも、戦略2を採用するのが有利です。つまりP1にとって戦略2は絶対優位の戦略になります。

文献資料：アビナッシュ・ディキシット、バリー・ネイバフ『戦略的思考とは何か』（TBSブリタニカ）

絶対優位の戦略を見つける

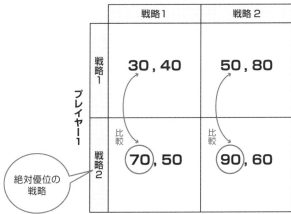

プレイヤー2

	戦略1	戦略2
戦略1	30 , 40	50 , 80
戦略2	70 , 50	90 , 60

絶対優位の戦略

比較　比較

プレイヤー1

プレイヤー1は、プレイヤー2がいずれの戦略できても戦略2を採用するのが有利だ。これを絶対優位の戦略という。

ナッシュ均衡
Nash equilibrium

ジョン・フォーブス・ナッシュ
[126] 男女の争い

相手の戦略に対して双方が最適な反応をとっている戦略の組を指します。ナッシュ均衡では一方だけが戦略を変更すると変更した側の利得が減ります。

1994年にノーベル経済学賞を受賞した天才数学者ジョン・フォーブス・ナッシュ*が発見したことから「ナッシュ均衡」の名がついた。

　ここでも再び[124]節と同じ**利得表**で P2 の対応について考えてみましょう。P1 が戦略1を採用した場合、P2 が採用できる戦略を比較してみます。P2 が戦略1をとれば利得は 80、戦略2だと利得は 40 です。よって、P1 が戦略1の場合、P2 は明らかに戦略1を採用した方が大きな利得を得られます。

　次に、P1 が戦略2を採用したとします。この場合 P2 が戦略1を採用すると利得は 50、戦略2だと 60 になります。よって、P1 が戦略2の場合、P2 は戦略2を採用した方が有利です。つまり P2 は相手がどう出てこようと戦略2を選ぶのが絶対優位の戦略[124]となります。

　この結果、プレイヤー1とプレイヤー2は、ともに絶対優位の戦略である戦略2を選ぶことになり、双方の利得は 90 と 60 になると予想できます。このように相手の戦略に対して双方が最適な反応をとっている戦略の組を**ナッシュ均衡**といいます。

文献資料：岡田章『ゲーム理論・入門』（有斐閣）

ナッシュ均衡

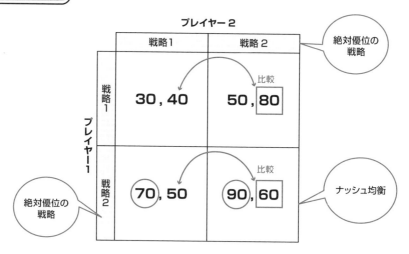

ナッシュ均衡の場合、一方が自分の戦略を変更すると利得がマイナスになる。そのためこの均衡を破ろうとするインセンティブは働かない。

(126) 男女の争い
battle of the sexes

ジョン・フォーブス・ナッシュ
[125] ナッシュ均衡

相手の戦略に対して最適な反応をとっている戦略の組であっても、一方の利得が別の選択をした場合よりも低くなる状況があります。男女の争いはその一例です。	男女の争いからわかるのは、個人の好みが異なる場合に、協調して互いに満足できる結果を得るのはことのほか難しいということだ。

　ナッシュ均衡とは、相手の戦略に対して双方が最適な反応をとっている戦略の組のことをいいます。したがって、ナッシュ均衡の状況では、一方だけが戦略を変更しても利得は増えません。逆に利得は減ります。

　また、あるゲーム環境においてナッシュ均衡は1つだけだとは限りません。次に示す「**男女の争い**」と呼ばれる状況では、ナッシュ均衡が2つあることがわかります。

　ある夫婦が一緒に夜を過ごしたいと思っています。しかし、夫はサッカーの試合、妻は映画に行きたいと思っています。ともに一緒に過ごしたい点を前提にすると、選択肢は2つになります。1つはサッカーの試合に行くケース、もう1つは映画に行くケースです。夫婦とも一緒にいたいのですから、いずれかを選んだあと一方だけが他の選択肢に変更すると利得が減るため、そうするインセンティブは働きません。つまり、ナッシュ均衡が2つあるわけです。

文献資料：岡田章『ゲーム理論・入門』（有斐閣）

(127) パレート最適
Pareto optimum

ヴィルフレド・パレート
[125] ナッシュ均衡

誰かの満足を犠牲にしなければ、他の誰かの満足を高めることができない状況を指します。パレート最適は資源が最大限利用されている状況だといえます。	誰かの満足を犠牲にすることなく、他の誰かの満足を高めることができることを**パレート改善**という。パレート最適と併せて覚えておこう。

　パレート最適とは、誰かの満足を犠牲にしなければ、他の誰かの満足を高めることができない状況を指します。資源が最大限利用されている場合にこのような状況が生じます。また、誰かの満足を犠牲にすることなく、他の誰かの満足を高めることができることを**パレート改善**といいます。経済学者**ヴィルフレド・パレート**＊が提唱したことからこの名がつきました。**パレート効率性**ともいいます。

　例えば2国間の貿易協定について考えてみましょう。現在の貿易協定は2国間に利益を与えています。仮に一方の国が貿易からの利益をより上げるため協定を変更すると、他方の国の利益を押し下げてしまいます。このような場合、両国の貿易協定はパレート最適にあるといえます。

　一方、協定を変更しても、他方の国の利益を損なうことなく自国や他国の利益を増大できるのであれば、それはパレート改善になります。

文献資料：岡田章『ゲーム理論・入門』（有斐閣）

128 ミニマックス戦略
minimax strategy

[120] ゲーム理論
[129] マックスミニ戦略

ミニマックス戦略は、想定される最大の損失が最小になるようにする戦略を指します。これに対して、想定される最小の利得を最大にするのが**マックスミニ戦略**です。

ミニマックス戦略は、戦略型ゲームにおける意思決定基準の1つだ。戦略ごとに最大の損失を調べ、それが最小になる戦略を選択する。

一方が得をすれば、他方がその分損をするゲームを**ゼロサム・ゲーム**（**ゼロ和ゲーム**）といいます。特殊な**ゲーム的状況**の1つです。このゼロ・サムゲームで最適な手を決める際に用いる戦略の1つが**ミニマックス戦略**です。

ミニマックス戦略は、想定される最大の損失が最小になるようにする戦略を指します。例えばS社とT社があって、この2社で市場の取り合い、つまりゼロ・サムゲームを行っているとします。S社には戦略1と戦略2があり、戦略1を選ぶと最大で80%のシェアをとれる可能性があります。これは「勝ち」を意識した戦略だといえます。

しかし冷静に相手の出方も考えた上で、「負けた時の損失を最小にする」という着眼点もあるでしょう。この着眼点がミニマックス戦略です。ミニマックス戦略がいつも最善とはいえませんが、シンプルで効果的な意思決定方法です。

文献資料：岡田章『ゲーム理論・入門』（有斐閣）

129 マックスミニ戦略
maximin strategy

[120] ゲーム理論
[128] ミニマックス戦略

マックスミニ戦略は、想定される最低限の利得が最大になるようにする戦略を指します。これに対して、想定される最大の損失を最小にするのが**ミニマックス戦略**です。

マックスミニ戦略はマキシミン戦略と呼ぶこともある。[128]でふれたミニマックス戦略と混同しやすいので、その違いをよく理解しておきたい。

ゼロサム・ゲームにおける基本的な戦略に**ミニマックス戦略**がありました。これは「負けた時の損失を最小にする」という考え方でした。最大の損失を最小にすることから「ミニマックス」というわけです。

これに対して少なくとも得られる利得を最大限にするという戦略も考えられるでしょう。これを**ミニマックス戦略**に対して**マックスミニ戦略**（**マキシミン戦略**）といいます。両者は混同しやすいので要注意です。

マックスミニ戦略では、やみくもに利得の最大化を目指すのではありません。相手の戦略と自分の戦略を考えて、最低限得られる利得を最大化する点がポイントになります。言い換えると、最低限得られるであろう利得のうち、最も大きな利得を得られる戦略を選ぶということです。最低限のライン（ミニ）を最大化することからマックスミニ戦略というわけです。

文献資料：岡田章『ゲーム理論・入門』（有斐閣）

第 3 章

国家と社会

　世界各地で相次ぐ紛争により、国家について改めて考える機会が増えました。古来、哲学にとっても国家や政治は重要なテーマでした。ここで示すキーワードを頼りに再度国家について考えてみます。

130 国家
nation

プラトン
[364] 理想国家

一般に、言語や文化、歴史などを共有し、共通の政府や共通の法律、制度などの政治体制を持つ人々の集団と定義できます。領域、国民、主権は国家の3要素になります。

プラトン*は、理想国家の実現には、哲学者が統治者になること、あるいは統治者が哲学者になることが欠かせないとする**哲人国家**を主張した。

　一般に**国家**とは、言語や文化、歴史を共有していて、共通の政府や共通の法律、制度などの政治体制を持つ人々の集団を指します。国際法上で見ると、国家は一定の**領域**、**国民**、**主権**の3要素をもちます。これを**国家の3要素**といいます。また国民が主権を持つことで、人民の意思による**民主政治**が初めて実現できます。これを**国民主権**といいます。国民主権は民主政治の基礎になります。

　国家観は歴史を経る中で変化してきました。18、19世紀に主流だった国家観は**夜警国家**です。これは国家とは治安を維持して市民生活の安全をはかればよいという考え方です。**小さな国家**ともいいます。

　これに対して現代では国民の福祉や多様な社会問題に対処し、場合によっては経済に介入する役割を国家に求める傾向が強くなっています。これを**福祉国家**や**大きな国家**と呼んでいます。

文献資料：『世界の名著7　プラトン（「国家」）』（中央公論社）

国際法上の領土・領海・領空

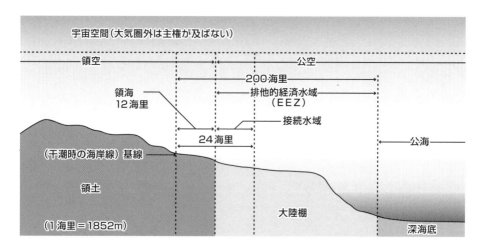

図に示したのは国際法上の領土・領海・領空の考え方だ。
北朝鮮関係ではよく排他的経済水域（EEZ）が取り沙汰される。

131 地政学
geopolitics

[130] 国家
[149] 帝国主義

地球上における地理が政治や外交にどのような影響を及ぼすか研究する学問分野です。地政学を通じたランドパワーやシーパワーといった陸海の戦略立案が重要になります。

国家は地政学的な条件を念頭に自らを位置付け、他国との同盟や防衛力の整備、軍事影響力の行使、資源の確保、貿易ルートの確保などを行う。

　地政学は、国家の**地理的要因**が国の政治力、外交政策、国際関係にどのような影響を与えるかを検討する学問分野です。

　地理的要因としては、地球上における領土の位置、国境、地形、天候、天然資源、エネルギー資源、軍事基地、農作物、貿易ルートなど、多様な要因が考えられます。これらについて自国および他国の状況を逐一検討することで、自らの戦略的位置づけを明らかにし、その上で他国との同盟や防衛の在り方、他国への軍事影響力の行使などについて考えます。いまや、世界各地で生じる政情不安を通じて、軍事面の**安全保障**のみならず、エネルギーや経済、食糧などでの安全保障についても考慮する必要があることが歴然となっています。

　いまだ世界では**国際紛争**が絶えません。なぜそうした紛争が生じるのか、地政学による研究はますます重要になりそうです。

文献資料：バティスト・コルナバス『地政学世界地図』（東京書籍）

世界の紛争地域

出典：外務省

中庸の道
path of moderation

アリストテレス
[364] 理想国家

> ギリシアの哲学者アリストテレスが目指した倫理観です。過剰と欠乏という2極端の中間をとる道を指します。人が善く生きるためばかりか政治の指針にもなります。

> 自分の理想を語るのもよいが、現実的な状況では誰もがだいたい納得できる妥協点を探ることも必要になる。これぞ中庸の道なのだ。

私たちは物事を善と悪のように、二項対立[489]で考えがちです。しかしながら、物事を二項対立で考えて、その一方を採用すると、物の見方が極端になりがちです。これに対してギリシアの哲学者**アリストテレス***は、道徳的で正しい行いを実践する唯一の方法は**中庸の道**を選ぶことだと主張しました。

中庸とは、過剰と欠乏の2極端があれば、その中間の道をとる態度です。例えば、「勇気」という価値観は、勇気が過剰な「無謀」と、勇気が欠乏した「臆病」の中間に位置づけられるでしょう。

アリストテレスの主張を借りると中庸の道は国家の政治でも実践すべきだといえます。統治者が中庸の道を選べば、専制や放任を避け、公共の利益のために尽くすでしょう。また、市民が中庸の道を選べば、社会不安や不正につながる極端な行動を避け、法律を尊重し、公的な問題に参加するでしょう。

出典：文献：『世界の名著8　アリストテレス（「エウデモス倫理学」）』（岩波書店）

アリストテレスが説く中道

超過	悪賢さ	ぜいたく	高慢	柔弱	媚び	追従	自慢	放漫	利得	嫉妬	放埒	恥知らず	無謀	怒りっぽさ
不足	愚直	みみっちさ	卑屈	頑強	横柄	敵意	卑下	けち	損失	（名前なし）	鈍感（無感覚）	内気	臆病	怒りを知らぬこと
中庸	思慮	豪勢	高邁	忍耐	威厳	親愛	正直	鷹揚	正	義憤	節制	慎み	勇気	穏和

「過剰」と「欠乏」の中間の道を行く。それがアリストテレスの説く中庸の道なのだ。

133 王権神授説
divine right of kings

トマス・アクィナス
トマス・ホッブズ

王権神授説とは、絶対的権力をもつ国王が君臨して国を統治する絶対王制において、国王がもつ絶対的権力は神に由来するという考え方を指します。

支配者は自分の立場を守るためにも支配の正当性をどうしても欲しがる。絶対王制時代の支配者はそれを王権神授説に求めたわけだ。

　16世紀頃のヨーロッパでは、国王（君主）が絶対的権力をもつ存在だと考えられていました。このような国王が君臨して国を統治するのが**絶対王制**です。国王がもつ絶対的権力は神から授けられたものだと考えられていました。

　これを**王権神授説**といいます。

　中世の哲学者**トマス・アクィナス***は神学に基づき、政治体制に天の秩序が反映されるべきだと考えて絶対王制を支持しました。また、17世紀の哲学者**トマス・ホッブズ***は、社会秩序を守る存在として絶対君主は必要だと主張し、絶対王制を擁護しました。しかし、17世紀から18世紀にかけて**市民革命**により絶対王制は打破されます。

　この市民革命の精神的支えとなったのが**ジョン・ロック***や**ジャン＝ジャック・ルソー***らが展開した社会契約説[137]でした。

文献：『世界の名著23　ホッブズ（「リヴァイアサン」）』（中央公論社）

134 法の支配
rule of law

[148] 絶対主義
[153] 権威主義

法に基づく支配ともいいます。これは支配者といえども法に従わなければならないということを意味しています。法治国家とは法の支配に基づく国家です。

法の支配には権力を牽制する意味合いがある。その点で、法の内容を問わない法治国家が法の支配の下にあるとはいえない点に注意したい。

　法の支配とは、たとえ国家を支配する者であっても、法に従わなければならないことを意味します。古くは13世紀初頭、イギリスのジョン王（1166～1216）の圧政を止めるため、王権の制限と封建貴族の権利を認める**マグナ・カルタ**が成立しました（1215年）。身分制を前提としていましたが、マグナ・カルタは法の支配を宣言するものでした。

　その後イギリスでは、エドワード・コーク（1552～1634）が、王は何人の下にも立つことはないが、神と法の下にあると述べ、慣習法として成立しているコモン・ローによる支配を主張しました。やがてこのような思想背景のもと、ピューリタン革命（1642年）や名誉革命（1688年）が発生し、1689年の**権利章典**の発効により法の支配が確立しました。これでイギリスの絶対王制が終焉します。法の支配には権力に縛りをかける意味合いがあります（**立憲主義**）。そのため**法治国家**であっても法の内容を問わないのであれば、法の支配とはいえません。

文献資料：『世界の名著28　モンテスキュー（「法の精神」）』（中央公論社）

135 自己保存
self-preservation

トマス・ホッブズ
[136] 自然権

自己保存とは、自分自身の存在や生命を維持することを意味します。ホッブズは、自己保存の追求こそが、自然状態における人間の自然権だと主張しました。

もともとはスコラ哲学者が事物の存続の意味で用いた。この考え方をホッブズは人間自身に適用し、自然状態で自ずと生じるものだと考えた。

自己保存とは人が自分の存在や生命を維持することを指します。イギリスの哲学者**トマス・ホッブズ**[*]は、この自己保存の追求こそが、**自然状態**における人間の**自然権**だと主張しました。どういうことか説明しましょう。

自然状態とは、ホッブズや**ロック**[*]の社会契約説[137]が想定するもので、政治的社会が成立する以前の状態を指します。つまり人々を管理する組織や制度がない状態です。このような状態でいったん争いが起こると、人の生死に関わることにもなりかねません。それを回避して自分の身を守る、すなわち自己保存が、人間が生まれながらにしてもつ当然の権利である自然権だ、とホッブズは主張しました。近年は人間の安全保障[028]という言葉をよく聞きます。これは人間が持つ自然権としての自己保存をいかに担保するかということです。裏返すと、現在は「人間の安全保障＝自己保存」が危機にさらされている時代だといえるでしょう。

文献：『世界の名著23　ホッブズ（「リヴァイアサン」）』（中央公論社）

136 自然権
natural rights

トマス・ホッブズ
ジョン・ロック

自然状態において、人が人として生まれながらにして持つ、決して侵すことのできない当然の権利を指します。

国民の自然権を保障するのが国家だともいえるだろう。しかし、国家によっては国民の自然権をないがしろにするケースがよくある。

政治によって支配される社会が成立する以前の状態を自然状態[135]といいました。**自然権**とは、この自然状態において、人が人として生まれながらにして持つ、決して侵すことのできない当然の権利を指します。

そもそも、法律で定められていなくても、人間である以上、守らなければならないルールがあります。これを**自然法**といいます。「人を殺してはいけない」「人のものを盗んではならない」などはその一例です。これらは、国や地域、時代が異なっても厳守されるべき普遍的なルールです。

このような自然法に従うと、人には自然に備わった権利があります。「人は自分の身を守る権利がある」「人は自分の財産を所有する権利がある」などです。このように、人間が生まれながらにして持つ当然の権利が存在することがわかります。命や財産、自由を守る権利は、法律で定められる以前に人が持つ自然権です。

文献：『世界の名著23　ホッブズ（「リヴァイアサン」）』（中央公論社）

137 社会契約説
social contract theory

トマス・ホッブズ
ジャン＝ジャック・ルソー

社会契約説とは、国家や社会の成立を説明する説の１つであり、自由で平等な個人同士の契約によって国家や政府が誕生したとする説を指します。

ホッブズやロック、ルソーなど、多くの哲学者が社会契約説を唱えています。しかしながら、契約の前提条件によってその内容は大きく異なります。

社会契約説は国家や社会の成立を説明する説の１つです。その基本となる考え方は、自由で平等な個人同士の契約によって、国家や政府が成立したとするものです。17 〜 18 世紀に盛んに唱えられ、中でも**トマス・ホッブズ**[*]、**ジョン・ロック**[*]、**ジャン＝ジャック・ルソー**[*]の社会契約説が著名です。

この３人に限ってみると、いずれも契約の前提条件、すなわち自然状態[135]が異なるため、社会契約の内容もそれぞれで異なります。例えばホッブズは、自然状態を「万人の万人に対する闘争[139]」、つまり人は闘争によって死にさらされている状態だと考えました。またルソーの場合、人は憐れみや自己愛を持ち他人を傷つけずに生きているというのが自然状態です。しかし、文明社会がその状態を破壊してしまったとルソーはいいます。

このような立場の違いが、多様な社会契約説を生み出すことになります。

文献：『世界の名著 23　ホッブズ（「リヴァイアサン」）』（中央公論社）

社会契約説を説いた人々

『リヴァイアサン』の作者として著名だよ。

トマス・ホッブズ
Thomas Hobbes
英：1588〜1679
主著：『リヴァイアサン』

抵抗権や革命権を提唱したよ。

ジョン・ロック
John Locke
英：1632〜1704
主著：『統治論』

「自然に帰れ」と言ったのはボクだよ。

ジャン＝ジャック・ルソー
Jean＝Jacques Rousseau
仏：1712〜78
主著：『人間不平等起源論』

社会契約説については、ホッブズやロック、ルソーなど、著名な哲学者がそれぞれ言及している。

138 リヴァイアサン
"Leviathan"

トマス・ホッブズ
[137] 社会契約説

聖書「ヨブ記」に出てくる海獣のことです。イギリスの哲学者トマス・ホッブズは自身の社会契約説について説いた著作にこのタイトルを用いました。

ホッブズは絶対王制を支持し、**リヴァイアサン（海獣）**のような強権君主の必要性を説いた。権威主義国家[153]の支配者に都合の良い説だ。

　社会契約説は近代国家の政治制度の成立を理論づけるもので、17～18世紀に盛んに唱えられました。その先駆けとなるのが**トマス・ホッブズ***の社会契約説です。

　ホッブズによると人間の**自然状態**は、誰もが自然権[136]を自由に主張できる状態です。しかし、誰もが好き勝手に自分の権利を主張していては、利害が対立して「**万人の万人に対する闘争**」[139]に発展するでしょう。これでは死の恐怖に怯えながら生きていなければなりません。これを回避するには、各人が自然権を放棄して、互いに**自然法**に従うという**社会契約**を結びます。しかし、契約を守らない者もいるため、絶対的な力をもつ君主が平和を保障し、契約違反者を処罰するようにすればよいとホッブズは考えました。このようにして国家が成立したとするのがホッブズの社会契約説です。その君主の象徴が聖書「ヨブ記」に出てくる海獣**リヴァイアサン**であり、ホッブズの著作のタイトルにもなりました。

文献資料：『世界の名著 23　ホッブズ（「リヴァイアサン」）』（中央公論社）

『リヴァイアサン』表紙

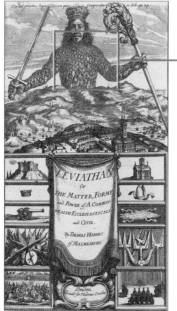

『リヴァイアサン』の著名な表紙。上部に描かれた巨大な支配者は、よくよく見ると多くの人民からなっている。

139 万人の万人に対する闘争
war of all against all

トマス・ホッブズ
[138] リヴァイアサン

万人が自らの自然権を行使している状態を指します。ホッブズはこれを回避するために絶対君主が必要だと主張しました。しかし賛否は分かれます。

ホッブズの社会契約説は、権威主義者に都合良く利用される可能性がある。彼らの愛読書は『リヴァイアサン』、それともマキァヴェリ*の『君主論』？

　自然状態の人間は自由で平等ですが、自己保存[135]を求める利己主義者です。そのため人は利益を求めて対立し、生死にかかわる事態に発展することも考えられます。これでは人は恐怖と隣り合わせで暮らさなければなりません。**ホッブズ***はこのような状態を「**万人の万人に対する闘争**」と呼びました。これを回避するために人は自然権[136]を放棄して、絶対的な権力を持つ君主に譲渡すべきだとホッブズは考えました。その見返りとしてホッブズは、君主が国の平和を保障し、侵略者がいれば戦い、契約違反者がいれば処罰すべきだと考えました。

　このようにホッブズは、絶対的権力者を是として主張します。そのためホッブズの社会契約説は、権威主義者あるいは強権主義者に都合良く利用されるリスクがあるように思えます。実際に、絶対的権力は民主主義をないがしろにし、**専制政治**を生み出す温床になってきたことを歴史が示しています。

文献資料：『世界の名著 23　ホッブズ（「リヴァイアサン」）』（中央公論社）

ホッブズの社会契約説

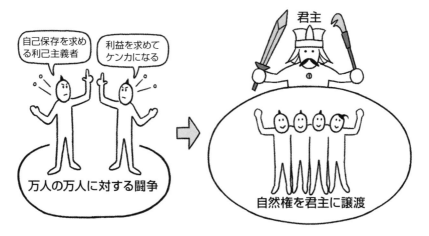

自己保存を求める利己主義者

利益を求めてケンカになる

万人の万人に対する闘争

君主

自然権を君主に譲渡

ホッブズは自然状態を「万人の万人に対する闘争」状態と考えた。社会契約説はこれを避けるための手段になる。

統治二論
"Two Treatises of Government"

ジョン・ロック
[137] 社会契約説

ジョン・ロックが自らの社会契約説を述べた著作のタイトルです。この著作でロックは、間接民主制や革命権などの重要な考えを次々と披露しています。

あまりにも有名なことながら、ロックの思想は**アメリカ独立運動**に大きな影響を及ぼした。それは国民の革命権による革命だったのだ。

イギリスの哲学者**ジョン・ロック***は、イギリス経験論[387]の論客として、デカルトをはじめとした大陸合理論[393]と鋭く対立しました。一方でロックは政治哲学者としても著名で、自らの**社会契約説**の立場を述べた著作『**統治二論（統治論）**』は、世界の政治に極めて大きな影響を及ぼしました。

ロックが考える**自然状態**とは、人間は生まれながらにして平等かつ理性的な存在であり、そのため**自然法**の範囲で自分を律しながら行動します。牧歌的な生活の中、自分の生命と身体を守り、財産の所有も保障されています。ロックはこの自然権[136]を確実にするため、個々人が**社会契約**を結んで国家を作り、国民の代表者で作る政府が人々の権利を管理するよう提唱しました（**間接民主制**）。しかし、仮に政府が国民の自然権を侵害した場合、人々は政府に抵抗したり打倒したりする権利があるとロックは考えました。このような権利を**抵抗権**、**革命権**といいます。

文献：『世界の名著 27　ロック　ヒューム（「統治論」）』（中央公論社）

> **ロックの社会契約説**

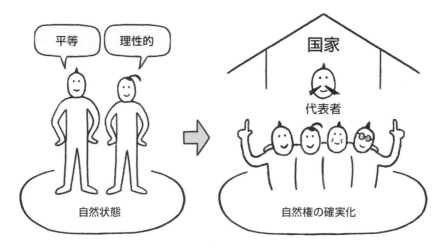

ロックは自然状態を平等で理性的と考えた。
これを確実にするのがロックにとっての社会契約説だった。

141 所有権
property rights

ジョン・ロック
[136] 自然権

財産や資産を所有し自由に使用や処分、売買ができる権利を指します。ロックは所有権が自然権の1つだと初めて主張しました。所有権が認められない時代もあったということです。

所有権は私的所有権ともいう。いまや所有権の存在など当たり前のように思うが、ロックの時代は必ずしもそうではなかったのだ。

ロック[※]によると、神は人々に世界を共有物として与えました。世界が自然の状態にある間は、誰も他人を排除してこの共有物を私物化することはできません。

　一方、すべての人間は、自分自身の身体に対する権利を持っています。これに対しては、本人以外の誰も、何の権利も有しません。次に人は、自然のまま放置されている状態に、自分自身が所有する身体を通じて何かの価値を作り出します。つまり**労働**を通じて自然に手を加えるわけです。そうすると、本来は共有物だったものが自然から取り去られ、その人の**所有物**になります。これはひとたび労働がつけ加えられたものに対して、その人以外は誰も権利を主張できなくなることを意味します。これが**所有権**です。

　所有権は国家でも奪うことはできません。**自然権**の一部として、人間が生まれながら持つ権利です。ロックはこの点を明快に主張したわけです。

文献：『世界の名著27　ロック　ヒューム（「統治論」）』（中央公論社）

所有権

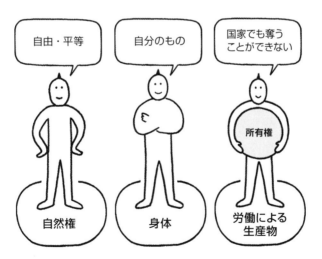

自由・平等

自分のもの

国家でも奪う
ことができない

所有権

自然権

身体

労働による
生産物

自分の身体を用いて生産した物は自分の所有物になる。これは国家でも奪うことができない権利だとロックは主張したわけだ。

142 抵抗権 / 革命権
right to resist / right of revolution

ジョン・ロック
[140] 統治二論

国民が政府の圧政に抵抗する権利を抵抗権といいます。これに対して、政府を打倒して新たな体制を作り直すことができる権利を革命権といいます。	いずれもロックが自身の社会契約説の中で主張した。このロックの考え方が**アメリカ独立運動**に決定的な影響を及ぼしたといえる。

ロック*の**社会契約説**では、人民は統治者に対して自然権を無条件で譲渡しているわけではありません。それはあくまでも信託です。そのため、仮に統治者である政府が人民に対して圧政を強いた場合、人民は自然権の信託を留保して、政府に抵抗することができます。これを**抵抗権**といいます。

また、人々が抵抗したにもかかわらず、政府の態度が何も変わらないこともあるでしょう。このような場合、人民は既存の政府を打倒して、新たな体制を立ち上げる権利を有しています。この権利を**革命権**といいます。

このように抵抗権と革命権が明確に規定されることで、統治者の圧政を未然に防ぐことができます。また、人々も**法の支配**[134]のもと互いを尊重して暮らせます。このような状況は、**アリストテレス***が提唱した**中庸の道**[132]が活かされた状態だといえるかもしれません。

文献：『世界の名著 27　ロック　ヒューム（「統治論」）』（中央公論社）

［ 抵抗権 / 革命権 ］

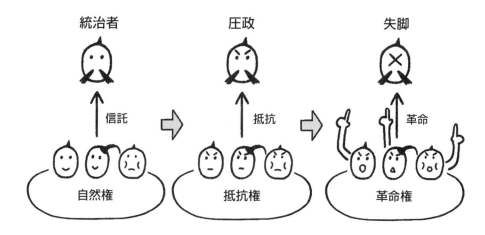

人民は**自然権**を統治者に譲渡したわけではない。信託したのだ。だから圧政に対しては**抵抗権**や**革命権**が認められる。

143 間接民主主義
indirect democracy

ジョン・ロック
[154] 民主主義

主権者である人民が選挙によって代表者を選出することで自らの意思を表明し、間接的に政治に参加する制度を指します。直接民主主義と対になる概念です。

間接民主主義は多くの民主国家で採用されている。日本における政治も間接民主主義が基本になっている。

　古代ギリシアの都市国家を始まりとする**民主主義（デモクラシー）**は、人民が権力を所有するとともに自ら権力を行使する立場を指します。この民主主義には、人民が政治に参加する形態により**間接民主主義**と**直接民主主義**があります。

　間接民主主義は、主権者である人民が選挙によって代表者を選出して議会に送り込みます。このように人民は間接的に政治に参加することからこれを間接民主主義といいます。また、**議会制民主主義**や**代表制民主主義**と呼ぶこともあります。

　この言葉は用いていませんが、間接民主主義の考えを最初に唱えたのもロックでした。ロック*は、国の統治者が国民によって選定されるべきだと考えていましたが、すべての国民が意思決定に直接参加する直接民主主義には否定的でした。むしろ代表者を選んで為政を信託し、その代表者が有権者の利益と権利を守れなければ、交代させることで**抵抗権**を行使できると考えました。

文献：『世界の名著 27　ロック　ヒューム（「統治論」）』（中央公論社）

法による支配

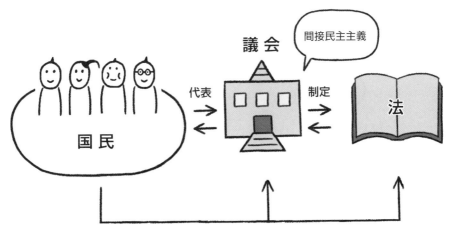

議 会

間接民主主義

代表　制定

国 民

法

国民の代表である議会が法を制定

間接民主主義では国民の代表による議会が法を制定する。王であってもこの法に服する必要がある。

不平等の起源
origin of inequality

ジャン＝ジャック・ルソー
[145] 一般意志

ルソーの著作『人間不平等起源論』によると、農耕が始まって人々が土地の所有を主張することで私有財産制が始まり、ここに不平等が発生します。

ルソーによると、人間同士の争いや敵視、さらには殺人や戦争も、私有財産制に基づく富の争いから生じたという。

　フランスの哲学者**ジャン＝ジャック・ルソー***は、人間の**自然状態**が平等で自由なものだと主張しました。しかし、農耕が始まると人は土地を囲って「これは私のものだ」と主張するようになりました。ルソーは、土地の所有が始まると、持つ者と持たざる者が生じ、ここに不平等が発生したと考えました。言い換えると、不平等は社会制度の発達と私有財産の導入から生じるとルソーは主張します。

　さらに、犯罪や戦争、殺人など、多くの悲惨な出来事は、**私有財産制**を基礎にした富をめぐる争いから生じたと述べ、ルソーは現代文明を批判します。

　ただ、残念なことにルソーは『**人間不平等起源論**』において、不平等を解消する具体的な施策については述べていません。これが結実するのはその後の著作『**社会契約論**』でのことです。その核心は**一般意志**による民主的な共同体の確立にありました[145]。

文献：『世界の名著 30　ルソー（「人間不平等起源論」）』（中央公論社）

不平等の起源

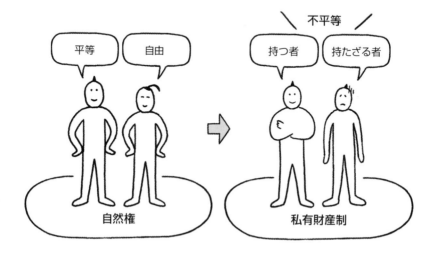

ルソーは不平等の起源として私有財産制を指摘した。
犯罪や戦争、殺人など、多くの悲惨な出来事はここから生じたとルソーは主張する。

145 一般意志
general will

ジャン＝ジャック・ルソー
[143] 間接民主主義

一般意志は、ルソーが自身の社会契約説で提唱したもので、自由と平等を目指す人々が持つ、常に公の利益を追求するという個人を超えた態度を指します。

ホッブズ*やロック*らと同様、ルソーも自身の社会契約説を、タイトルもそのものずばり『社会契約論』という著作で述べているのだ。

　人は自由で平等で束縛されずに生きるのが**自然状態**だと**ルソー***は考えました。しかし、農耕が発達し私有財産が生じることで不平等と不自由が生じ、自然状態は破壊されてしまいました。つまりルソーにとっては文明社会が、人間にとって幸福な自然状態を奪い去ったわけです。こうしてルソーはあの著名な言葉「**自然に帰れ**」を唱えます。

　自然に帰るには、人民の自然権を国家に譲渡し、その上で**一般意志**に基づいた共同体（国家）を作り出すことが肝要だとルソーは考えました。一般意志とは常に公共の利益を追求する個人を超えた意思です。

　国家は一般意志に従った為政を不可欠とし、人民は一般意志に従う限り自由が保障されます。また、一般意志を政治に反映するには、すべての人が参加する**直接民主主義**による政治体制が理想だとルソーは考えました。この思想は**フランス革命**に大きな影響を及ぼしました。

文献：『世界の名著30　ルソー（「社会契約論」）』（中央公論社）

ルソーの社会契約説

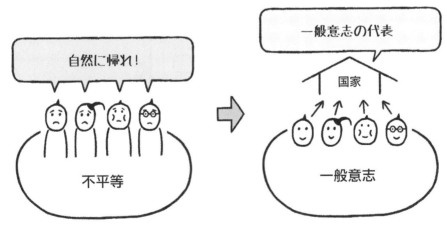

自然に帰れ！

不平等

一般意志の代表

国家

一般意志

一般意志とは自民一般の共通の利益を指す。
そして、市民の合意で権力を形成し、一般意志の代表とする。

146 権力分立
separation of powers

シャルル・ド・モンテスキュー
[143] 間接民主主義

権力の一極集中を避けるため、権力をもつ機関を複数に分割して、互いに牽制させながら機能させることです。ロックはその必要性を最初に説きました。

三権分立も権力分立の一種だ。こちらはロックの権力分立論をモンテスキューが発展させたものだ。

　国家の権力が一極に集中すると腐敗や独裁を招きます。そこで、実際に権力を行使する政府が権力を濫用しないように、政府を構成する各部分に権力を分散し、相互間の**抑制と均衡**（チェック・アンド・バランス）で、暴走を防ぐことが考えだされました。これを**権力分立**といいます。その必要性を最初に主張したのは**ロック***でした。ロックは権力を「立法権」と「執行権と連合権」に分けて、立法権の優先を説きました。

　また、フランスの**モンテスキュー***はロックの権力分立論を発展させ、**三権分立**を説きました。モンテスキューが提唱した三権分立とは、権力を**立法・行政・司法**の三権に分立するというものです。立法とは法律を立案する機能です。行政は制定された法律を執行する機関です。また司法とは法にのっとって事件や紛争を審判します。モンテスキュー型の三権分立はいまも多くの国に採用されています。

文献資料：『世界の名著 28　モンテスキュー（「法の精神」）』

三権分立

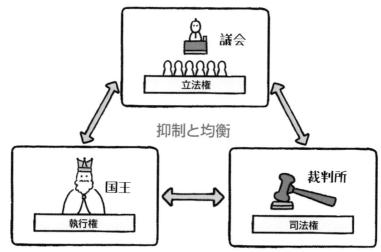

議会
立法権

抑制と均衡

国王
執行権

裁判所
司法権

三権分立は権力分立の一種で、フランスのモンテスキューが説いたものだ。ロックの権力分立論を発展させ、権力を立法・行政・司法の三権に分立する。

147 イデオロギー
ideology

[154] 民主主義
[155] 社会主義

国家や階級、党派、社会的集団などの思想や行動、生活の仕方を制約している一連の信念や価値観、原則を指します。イデオロギーは国家対立の要因の1つになります。

イデオロギーというとどこか偏った思想というイメージがある。しかし、あらゆる思想は、見る者の立場によって偏りが生じるものだ。

イデオロギーとは、国家や特定の集団に浸透する一連の信念や価値観、原則であり、これらがその集団の思想や行動を制限します。イデオロギーは、自由主義や社会主義、共産主義、ナショナリズムといった政治的イデオロギーから、フェミニズム、環境主義、ニューエイジなど社会文化に関わるイデオロギーなど多種多様です。

イデオロギーが多様ということは、そこに対立も生じると推測できるでしょう。これを**イデオロギーの対立**といいます。最も著名なイデオロギーの対立は1950年代に生じた、アメリカを筆頭にする自由と民主主義、資本主義を信奉する西側諸国と、ソ連を筆頭にする共産主義・社会主義の東側諸国の対立です。これを**東西冷戦**といいました。

現在も西側諸国のイデオロギーは、中国やロシアをはじめとした権威主義国家[153]のイデオロギーとの対立が激しさを増しています

イデオロギー

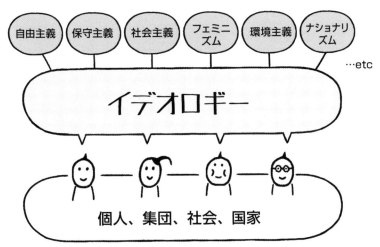

国家と国家の対立はイデオロギーの対立でもある。現在の世界では、自由主義イデオロギーと権威主義イデオロギーの対立が目立つ。

絶対主義
absolutism

[150] 全体主義
[153] 権威主義

支配者に法の及ばない絶対的な権力を集中して人民を統治する政治体制を指します。絶対王制はその典型です。現代社会にも絶対主義に憧れる国家指導者がいるようです。

歴史上、絶対主義は、ヨーロッパの封建社会から近代社会に移行する際に絶対王制として現れた。

絶対主義は、法の及ばない絶対的な権力を支配者が手にし、その権力で人民を支配・統治する政治体制を指します。ヨーロッパの封建社会と近代社会の過渡期に現れた**絶対王制**（＝**絶対君主制**）は絶対主義の代表例といえます。

ちなみに、1人の君主が人民を統治する政治形態を**君主制**と呼びます。その君主に法が及ばない場合、絶対君主となり、絶対主義の概念に含まれます。

これに対して憲法によって君主の権限が制限された政治形態もあります。このような形態を**立憲君主制**といいます。

君主制の対概念となるのが**共和制**です。共和制は支配者が単独ではなく複数の権力者が人民を共同統治する政治形態です。人民の意志が反映されていれば**民主共和制**となり、そうでない場合は**貴族共和制**となります。

君主制と共和制

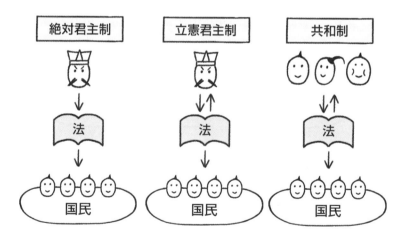

君主が法に支配されるかされないかで、立憲君主制と絶対君主制に分かれる。君主制の対概念になるのが共和制だ。

149 帝国主義
imperialism

ウラジーミル・レーニン
[421] 資本主義社会

独占的な資本主義が国家権力と結びつき、莫大な資本の投資先を海外諸国に求め、投資先の諸国を経済的・政治的に支配することを目指す体制を指します。

帝国主義は19世紀末から20世紀にかけて猛威を振るう。第2次世界大戦前の日本も帝国主義の一例となる。

資本主義が高度に進展した19世紀末、特定の分野で独占的な力を振るう資本家が次々と現れてきました。このような段階を**ウラジーミル・レーニン**※は**独占資本主義**と呼びました。

独占資本主義は巨大銀行と結びついて金融資本を形成しました。しかし国内だけでは莫大な資本の投資先が不十分です。そこで国家権力と結びつき、資本の投資先を海外諸国に求めるようになりました。さらに、投資先の国々の経済および政治を支配し**植民地化**しようとしました。

このように、独占資本主義と国家が結びつき、海外諸国の支配を目指す政治体制を**帝国主義**といいます。

帝国主義諸国は、自国で生産した製品の供給先として植民地の拡大を目指しました。しかしこれが諸国対立の災いとなり第1次世界大戦、さらには第2次世界大戦を引き起こす要因になります。ルソーの言うように、**私有財産制**に基づく富をめぐる争いが戦争を引き起こしたわけです[144]。

文献：『世界の名著52　レーニン（「資本主義の最高段階としての帝国主義」）』（中央公論社）

帝国主義

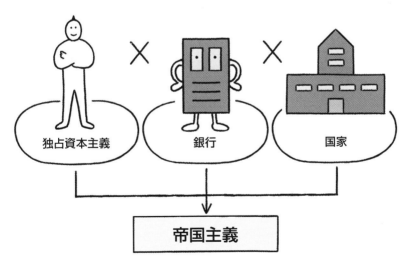

 帝国主義は独占資本主義と銀行、そして国家が結びついた異形のイデオロギーを指す。19世紀から20世紀にかけて猛威を振るった。

150 全体主義
totalitarianism

ハンナ・アーレント
[153] 権威主義

経済や文化、メディア、個人の生活など、社会のあらゆる側面を国家が完全にコントロールする政治体制を指します。全体主義では一般的に単一の政党が国を支配します。

全体主義の典型としてはドイツのヒトラー*によるナチズム、それにソビエトのスターリン*によるスターリニズムなどがある。

全体主義は単一の支配政党によって社会のあらゆる側面を支配しコントロールする政治体制です。全体主義を分析した**ハンナ・アーレント***によると、全体主義は特定のイデオロギー[147]を掲げ、個人に対する完全な支配を確立し、個人の自由を侵食し、政治的多元主義を排除しようとします。全体主義ではその実現のために反対意見の抑圧や恐怖心の植えつけ、プロパガンダの操作、徹底した監視を行います。

全体主義と類似した体制に**権威主義**があります。しかし両者は別物です。同じくアーレントによると、全体主義では自由が即刻廃止されるのに対して、権威主義では自由の制限にとどまり完全に廃止されるわけではありません。アーレントは全体主義の具体例としてドイツの**ナチズム**とソビエトの**スターリニズム**を挙げました。ただし、ムッソリーニ*が率いたイタリアの**ファシズム**は権威主義として分類されています。

文献資料：ハンナ・アーレント『全体主義の起源』（みすず書房）

151 ナチズム
Nazism

[147] イデオロギー
[152] ファシズム

20世紀のドイツにおいて、ヒトラー率いるナチス党が、国民に強制した運動や思想、体制の総称をいいます。ナチズムは全体主義[150]の典型の1つです。

近年、ネオナチという言葉をよく聞くが、これは現代に甦ったナチズムのことで、通常は政敵へのレッテル貼りに用いられているようだ。

ヒトラー*が率いた**ナチス党**の正式名称は国家社会主義ドイツ労働者党といいます。ナチスがドイツの主権を奪取し、ヒトラーが首相に就いたのは1933年のことでした。以後、第2次世界大戦終了まで、ナチスによる一党支配が行われました。**ナチズム**はその際にナチスがドイツ国民に強制した運動や思想、体制の総称です。

ナチズムの特徴の1つが**イデオロギー**としての**人種的優位思想**です。ナチズムでは、アーリア民族は人種的に優位性が高く、逆にユダヤ人やロマを人種的に劣ると決めつけました。このイデオロギーがやがて**ホロコースト**（ユダヤ人大量虐殺）を招きます。また、暴力や威嚇によって敵対勢力や不都合な集団・個人を横圧する**テロリズム**もナチズムの特徴です。その先頭に立ったのが**ゲシュタポ**（秘密国家警察）です。さらに、政治的意図をもつ傾った宣伝、すなわち**プロパガンダ**を積極的に推進し、政権の維持に腐心しました。

文献資料：カール・ディートリヒ・ブラッハー『ドイツの独裁』（岩波書店）

152 ファシズム
fascism

[150] 全体主義
[158] 権威主義的パーソナリティ

1920から40年代に隆盛した全体主義的で排外的な政治体制を指します。一般にムッソリーニのファシスト政権やヒトラーのナチス政権を指します。

ファシズムには大衆の支持のもとに行う独裁政治という特徴があった。権威主義的パーソナリティを持つ大衆もファシズムの味方だったのだ。

ヨーロッパでは20世紀に入ると多くの国で**普通選挙制度**が成立します。これにより大衆が選挙に参加する**大衆民主主義**が始まります。しかしながら、一般に大衆は、宣伝や扇動によって動かされやすいといわれます。また強者に迎合し、弱者を見くだす**権威主義的パーソナリティ**を持つ傾向も見られます。

ここにつけ込んで大衆を扇動したのが**ムッソリーニ**[*]のイタリア・ファシスト政権や**ヒトラー**[*]のドイツ・ナチス政権による**ファシズム**でした。その特徴は、全体主義的で排外的かつ民族主義的な政治体制にありました。軍国主義をとっていた当時の大日本帝国もファシズムの一員だったといえるでしょう。このようにファシズムが生じた国々は、資本主義国家としての発展が遅れ、帝国主義の時流にも後塵を拝していました。これらを一挙に挽回するために、民主政治を否定して、ファシズムを採用したとも考えられます。

文献資料：山口定『ファシズム』（岩波書店）

ヒトラーとムッソリーニ

ベニト・ムッソリーニ
Benito Mussolini
伊：1883〜1945

イタリア・ファシスト党の党首

アドルフ・ヒトラー
Adolf Hitler
独：1889〜1945

ドイツ・ナチ党の党首

巧みな宣伝で大衆を扇動した政治体制が1920年代から30年代に生じた。ムッソリーニとヒトラーはその典型的な存在だ。

153 権威主義
authoritarianism

ハンナ・アーレント
[150] 全体主義

少数の集団または個人に権力が集中し、その権威で人民の自由を制限して政治や経済、文化など社会のあらゆる側面を支配する政治体制です。全体主義と類似する点が多くあります。

アーレントによると、権威主義は自由を制限するが、全体主義では自由が即刻廃止される。権威主義と全体主義はこの点で異なっている。

権威主義とは、少数の集団または個人に権力が集中し、その権威に対する厳格な服従を求める政治体制です。**アーレント**によると、権威主義は**全体主義**と同様、少数の集団または個人に権力が集中します。しかしながら権威主義では、政治的多元性を完全に排除したり、社会の全面を完全に支配したりはしません。この点で人民の自由を即刻廃止し、あらゆる側面を支配しようとする全体主義とは異なります。

権威主義体制では、国民の言論や集会、報道の自由を制限し、しばしば政治的反対者や異論を容赦なく弾圧します。また、プロパガンダや検閲を常套手段としており、これにより世論をコントロールし、権力を維持するために活用します。

現在、多くの国が、一党独裁や軍事独裁、疑似民制、君主制、宗教による原理主義政権などを通じて権威主義体制を構築しています。

文献：ハンナ・アーレント『全体主義の起源』（みすず書房）

全体主義と権威主義

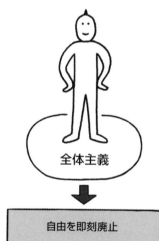

全体主義

→ 自由を即刻廃止

権威主義

→ 自由の制限と異論の弾圧

全体主義と権威主義はよく似ているけれど微妙に違う。いまの世界は権威主義国家の行き過ぎた行動が大きな問題になっている。

154 民主主義
democracy

[153] 権威主義
[155] 社会主義

人民が権力を所有するとともに、自ら権力を行使する政治体制を指します。その背景には、自由や平等という普遍的価値に対する信奉があります。

世界はいまや民主主義対権威主義の対立が鮮明になってきている。ロシアによるウクライナ侵攻はその対立をさらに深めた印象が強い。

　民主主義は、人民が権力を所有するとともに自ら権力を行使する政治体制であり、全人民が主体的に政治に参加する点、あるいは参加できる点が大きな特徴になっています。「**人民の、人民による、人民のための政治**」は、**リンカーン***の有名な言葉ですが、これは民主主義の在り方を雄弁に語っています。

　このように民主主義は人民による主体的政治参加という政治形態として一般に定義されます。ただしその背景には民主主義が信奉する**イデオロギー**[147]、すなわち価値観があります。それは自由や平等といった人間が生まれながら持っている権利に対する尊重です。

　いま、民主主義体制の首脳が「共通の価値観を持つ国々との連携」と発言した場合、この価値観には政治体制としての民主主義はもちろんのこと、自由や平等など**自然権**[136]を遵守する精神も含まれています。

文献資料：クロフォード・マクファーソン『自由民主主義は生き残れるか』（岩波書店）

155 社会主義
socialism

カール・マルクス
フリードリヒ・エンゲルス

一般に私有財産制を廃止して、生産手段および財産を集団で所有・管理することを提唱する政治体制を社会主義といいます。社会主義にも多様な立場があります。

社会主義には、空想的社会主義や科学的社会主義、民主社会主義など多様な立場があり、そこに定義の難しさがある。

　社会主義とは、私有財産制を廃止して、生産手段および財産を集団で所有・管理することを提唱する政治体制を指します。イギリスでは、18世紀後半から19世紀前半にかけて、労働者の生活環境改善を目的とした**初期社会主義**が生まれます。のちに**カール・マルクス***と**フリードリヒ・エンゲルス***はこの政治姿勢を**空想的社会主義**と称しました。

　そのマルクスとエンゲルスは唯物史観の観点から**科学的社会主義**を提唱しました。**労働者階級（プロレタリアート）**が資本家階級（ブルジョアジー）から生産手段を奪取し、共有する社会を目指す**社会主義革命（プロレタリア革命）**がその特徴です。

　その後には、民主的な政治システムを基礎にしながら社会改革を漸進的に進めた社会主義の実現を目指す**修正社会主義**が誕生します。

　この政治体制は**民主社会主義**とも呼ばれています。

文献資料：カール・マルクス、フリードリッヒ・エンゲルス『共産党宣言』（岩波書店）

156 共産主義
communism

[154] 民主主義
[421] 資本主義社会

私有財産制を完全に廃止して、経済的な生産手段を共同で所有・管理する政治体制を指します。マルクスとエンゲルスが提唱しました。

基本的な部分で社会主義と共産主義は同義だと考えてよい。しかしながらマルクスらは社会主義が共産主義の過渡的段階と考えた。

共産主義は、初期の**マルクス**＊および**エンゲルス**＊が自分たちの説く社会主義を表すのに用いた言葉です。私有財産制を廃止して、経済的な生産手段を共同で所有・管理することで、不平等や搾取のない共産社会・無階級社会の実現を目指します。

歴史的に見ると、さまざまな共産主義運動が生まれ、それぞれが独自の解釈とアプローチで共産主義を実現してきました。最も有名な例は**レーニン**＊による**ロシア革命**でしょう。レーニンは独占資本主義と国家が結びついた体制を帝国主義[149]と定義しました。そして、人民を帝国主義の抑圧と支配から解放するには、暴力革命によってブルジョアジー支配の国家を倒し、プロレタリアートが支配する国家を樹立しなければならないと考えました。

レーニンが指導したロシア革命によりソビエト連邦が成立します。しかしながら、生産手段を共同で管理したソビエトの経済運営はうまく機能せず、連邦は 1991 年に完全に解体されました。

文献資料：カール・マルクス、フリードリヒ・エンゲルス『共産党宣言』（岩波書店）

157 イスラム原理主義
Islamic fundamentalism

[147] イデオロギー
[153] 権威主義

イスラム諸国の一部で現れた保守的かつ復古主義的な政治運動です。イスラム原理主義者は、イスラム法（シャーリア）を規範とした国家の樹立を目指します。

もともと原理主義は、キリスト教の特定勢力を指していた。現在では、何らかの教義を頑なに固守する立場を指すことが多いようだ。

原理主義とは、宗教の根本となる教義や規範をそのままの形で頑なに固守する立場を指します。当初はキリスト教プロテスタント派の特定勢力を指す際に用いられました。一方、1970 年代に入るとイスラム教を熱烈に崇拝する過激なイスラム教徒を指して、**イスラム原理主**義と呼ぶようになりました。

イスラム原理主義は、イスラム法（シャーリア）を規範とした国家の樹立を目指す政治運動です。反西洋的な立場をとり、イスラムの伝統的な教えや習慣を重視する点が大きな特徴になっています。1979 年に起こったイスラム教シーア派による**イラン革命**もイスラム原理主義がその根底にありました。

現在、過激なイスラム原理主義者がテロを起こしたり、原理主義のあり方をめぐる対立で紛争が起きたりしています。

文献資料：岡倉徹志『イスラム原理主義』（明石書店）

(158) 権威主義的パーソナリティ
authoritarian personality

[150] 全体主義
[151] ナチズム

全体主義に傾倒しやすい人々が共通して有する性格的特徴を指します。彼らは強力な権威に弱く、自分よりも格下として見くだす人には攻撃的になります。

権威主義的パーソナリティの特徴としてサド＝マゾヒズム的傾向がある。弱者にはサド的、権威にはマゾ的に対応するという意味だ。

権威主義的パーソナリティとは、権威に同調し服従しやすい人が持つ性格を指します。元来、**ナチズム**などの**全体主義**の台頭に寄与した群衆の心理的要因に関する研究に端を発しています。

社会心理学者で哲学者でもあるドイツの**エーリヒ・フロム**[*]は、権威主義的パーソナリティの特徴として**サド＝マゾヒズム**的傾向を指摘しました。強い者には虐げられても服従し（マゾ）、自分よりも格下として見くだす弱者には攻撃的になる（サド）といった傾向を指します。

フロムによると、ナチズムを支持した第1次世界大戦後のドイツ下層中産階級は、権威主義的パーソナリティがその特徴になっていました。このようなパーソナリティが生じた背景には、人々が持つ敗戦後の無力感や孤独感、社会的不安があったからだといいます。

文献：エーリッヒ・フロム『自由からの逃走』（創元社）

権威主義的パーソナリティ

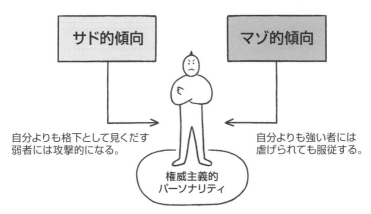

サド的傾向

マゾ的傾向

自分よりも格下として見くだす弱者には攻撃的になる。

自分よりも強い者には虐げられても服従する。

権威主義的パーソナリティ

ナチズムを支持した第一次世界大戦後のドイツ民衆は、権威主義的パーソナリティがその特徴になっていたようなのだ。

悪の陳腐さ
banality of evil

ハンナ・アーレント
[158] 権威主義的パーソナリティ

「悪の陳腐さ」は、ハンナ・アーレントの著名な概念の1つです。悪行は指示に無批判に従う普通の人によって実行されることを意味しています。

アーレントはアドルフ・アイヒマン裁判の分析からのこの考えを得ている。人は無思考になったとき、何も恐れないのかもしれない。

アドルフ・アイヒマン*はナチスの高官で、**ホロコースト**の組織化と実施に重要な役割を果たした人物です。戦後アルゼンチンに逃れたアイヒマンはその後逮捕され、1961年にエルサレムで裁判にかけられました。哲学者としてこの裁判を傍聴した**ハンナ・アーレント***は、アイヒマンの性格や行動の本質を分析し、結果を著作『**イェルサレムのアイヒマン**』に公表しました。

アーレントが裁判で見たアイヒマンは、根っからの悪人でもサディスティックな性格でもありませんでした。むしろアイヒマンは、命令に従って効率に職務を遂行するごく普通の官僚でした。この観察からアーレントは、悪行は根っからの悪人や怪物的な人物だけが行うものではなく、批判的思考を欠き、その時代の一般的な規範や**イデオロギー**に盲従する普通の人々によって行われることもあると主張します。

これがアーレントのいう「悪の陳腐さ」です。

文献資料：ハンナ・アーレント『イェルサレムのアイヒマン』（みすず書房）

悪の陳腐さとアドルフ・アイヒマン

アドルフ・アイヒマン
Adolf Eichmann
独：1906〜1962
ドイツ親衛隊中佐
官僚的で職務に忠実。

| 官僚制による分業化 | ▷ | 全体を見ず狭い仕事に集中 | ▷ | 「悪の陳腐さ」の発生 |

アーレントの見たアイヒマンは、決して根っからの悪人というわけではなかった。官僚制と組織への忠誠が「悪の陳腐さ」を生み出した。

160 内集団 / 外集団
in-group / out-group

[161] 集団間葛藤
[162] 多数派同調バイアス

自分が所属する集団を**内集団**、それ以外の集団を**外集団**といいます。人は内集団のメンバーをひいきし、外集団に対して差別的行動をとる傾向があります。

内集団をひいきすることを内集団びいきという。内集団びいきの結果、外集団を均質的に見たり敵対的に見たりする感情が芽生えてくる。

　人は何らかの集団に所属しています。このように自分が所属する集団のことを**内集団**といいます。これに対してそれ以外の集団を**外集団**といいます。集団にメンバーを引き留めようとする力を**集団凝集性**といいますが、この力が強いほど自己と内集団の同一性が強まり、**内集団びいき**の傾向が顕著になります。

　内集団びいきとは、自分の所属する集団が外集団よりも優れていると考える傾向です。**内集団バイアス**とも呼べます。人はほんの些細な基準でグループ分けされただけでも、内集団びいきが生じることが実験から明らかにされています。内集団びいきが強まると、外集団を差別的・排他的に扱い、時には敵対的な感情が生じる傾向が強まります。これを**集団間葛藤**といいます。また、内集団のメンバーの個性は認める一方で、外集団のメンバーは誰も似たようなものと考える傾向も強くなります。これを**外集団均質性効果**と呼んでいます。

文献資料：Henri Tajfel, et al. 1971. 'Social categorization and intergroup behaviour.' *European Journal of Social Psychology.* April/June.

内集団と外集団

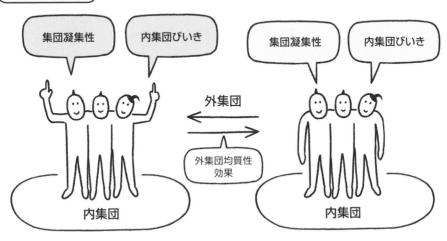

内集団に所属する人は自分の集団をひいきし（内集団びいき）、外集団のメンバーは誰も似たようなものだと考える（外集団均質性効果）。

集団間葛藤
intergroup conflict

ムザファー・シェリフ
[160] 内集団 / 外集団

複数の集団間に生じる敵対関係を集団間葛藤といいます。このやっかいな集団間葛藤を解消するには、両集団に共通する上位目標の存在が欠かせません。

集団間葛藤は簡単に作り出せるし、また、共通する上位目標を与えることで解消することもできる。

　心理学者**ムザファー・シェリフ**[*]は、「泥棒洞窟実験」という心理実験を行ったことで有名です。この実験では、22名の少年を泥棒洞窟と呼ばれるキャンプ場に連れて行き、彼らを無作為に2つのグループに分け、それぞれ別行動で活動させました。これによりシェリフは、それぞれのグループの**集団凝集性**を強め、**内集団びいき**が生じるように意図的にしむけたわけです。

　次にシェリフは、2つのグループに賞品を賭けたゲームを競わせます。すると互いのグループでは、**外集団**に対する対抗心が急速に高まり、ゲーム外でも外集団を敵対的に見るようになりました。このように集団間に生じる敵対関係を**集団間葛藤**といいます。シェリフは、集団間葛藤が容易に作り出せることを示したわけです。

　さらにシェリフは2つのグループに**共通する上位の目標**を設定して互いが協力する環境を作り出しました。すると集団間葛藤は解消したとシェリフは報告しています。

文献資料：Muzafer Sherif et al. 1988. *'The Robbers Cave Experiment : Intergroup Conflict and Cooperation.'* Wesleyan University Press.

集団間葛藤と上位の目標

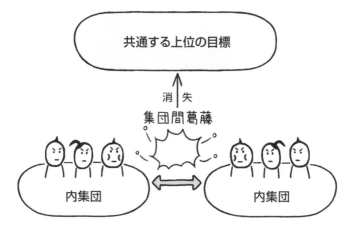

異なる複数の集団は、ともに内集団びいきをするため争いが起こりやすい。これを集団間葛藤という。解消するには共通する上位の目標が必要だ。

162 多数派同調バイアス
conformity bias

ソロモン・アッシュ
[163] 集団浅慮

自分の意見を封印してでも、多数派の意見に容易に同調してしまう傾向を多数派同調バイアスといいます。この傾向は心理学の実験から明らかになっています。

人は明らかに誤った判断でも、多数派に同調してしまうという、ちょっと困った傾向がある。このことをソロモン・アッシュが明らかにした。

多数派同調バイアス（単に**同調バイアス**ともいう）とは、人は明らかに誤っている意見でも、自分の考えを封印して、多数派に同調してしまう傾向を指します。この点を明らかにした心理学者**ソロモン・アッシュ***の著名な実験があります。

この実験では7人の被験者に対して2枚のパネルを提示します。左のパネルには縦線が1本引いてあり、右のパネルには縦線が3本引いてあります。この3本のうち左のパネルにある縦線と同じ長さのものを7人の被験者に順番に答えてもらうというものです。ただし、7人のうち6人はサクラで本当の被験者は6番目に回答する1人しかいません。また1セットで18回、異なるパネルを示しますが、そのうち12回について6人のサクラは同じ間違った答えをします。

その結果、多数派には同調せず、18問とも正しい答えを回答した人は全体のわずか約25%に過ぎませんでした。多数派同調バイアスの威力がよくわかります。

文献資料：Solomon E. Asch. 1955. 'Opinions and Social Pressure.' *Scientific American*, Vol. 193. No. 5.

アッシュの多数派同調バイアス実験

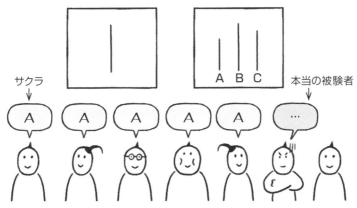

左のパネルの縦線と同じ長さのものを右のパネルから順に選んでもらう。

大勢の人がいる中で、多数派と異なる意見を表明するのは、とても勇気がいることだ。これが多数派同調バイアスとして働く。

163 集団浅慮
groupthink

[160] 内集団 / 外集団
[162] 多数派同調バイアス

集団による意思決定が、個人で行う意思決定よりもかえって劣ってしまう、どこか逆説的な現象を指します。集団浅慮は集団思考とも呼ばれています。

「3人寄れば文殊の知恵」という諺があるように、集団の知恵は尊ばれている。しかし集団による意思決定が個人による意思決定よりも明らかに劣る場合がある。

　集団による意思決定は、1人で考えたものよりも一般に優れていると考えられがちです[117]。しかし、集団による意思決定が個人による場合よりも必ず優れているとは限りません。集団による意思決定が個人の場合よりもかえって劣ってしまうことがあります。このような状況を**集団浅慮**あるいは**集団思考**と呼びます。

　集団浅慮が発生しやすい条件としては、グループの**集団凝集性**が強く、集団をまとめる強いリーダーシップが存在し、外部との接触が閉ざされている場合です。このようなケースでリーダーが間違った判断をしても他のメンバーは容易に追随するようになります。また、異論を持ったとしても**多数派同調バイアス**が働いて、自分の意見を封印する傾向が強まります。結果、集団浅慮が発生するというわけです。ロシアによるウクライナ侵攻も、あるいは集団浅慮の結果なのかもしれません。だとするとあまりにも悲劇過ぎます。

文献資料：アーヴィング・L・ジャニス『集団浅慮』（新曜社）

164 エコーチェンバー
echo chamber

[163] 集団浅慮
[165] フィルターバブル

自分が持つ意見や信念に合致する情報や意見にだけふれることで、自分の信念を確かめたりより強化したりする状況をエコーチェンバーといいます。

エコーチェンバーが生じるのに最もふさわしい場が、自分と似た考えの持ち主と容易に接触できる SNS なのだ。

　誰しも自分の意見や信念を持っているものです。しかしながら、自分の信念に反する事実が露わになると人には**認知的不協和**が生じます。これは、信念に対して明確な反証が生じた際に生じる一貫性の欠如に対して、人が心理的に感じる不快な経験です。これを避けるために人は、自分の信念に合致する情報に接触する傾向が強まります。これを**確証ヒューリスティック**[102]と呼んでいます。

　この確証ヒューリスティックの一形態が**エコーチェンバー**です。チェンバーとは室内です。狭い部屋にいると自分の声が反響します。つまりエコーチェンバーとは、自分が持つ意見や信念に合致する情報にあふれた環境に身を置くことで、実は自分が持つ意見や信念を繰り返し見聞きすることになります。これによりその人の信念や好みがさらに強化されます。自分と似た考えの持ち主と容易に接触できる SNS は、エコーチェンバーが生じる最もふさわしい場所といえます。

文献資料：笹原和俊『フェイクニュースを科学する』（化学同人）

165 フィルターバブル
filter-bubble

[102] 確証ヒューリスティック
[164] エコーチェンバー

Webで表示されるコンテンツのようにフィルターがかかっている状態で、利用者の好みや信念に合致するものが優先して表示される環境を指します。

こうしてユーザーは、自分の信念や価値観の「バブル（泡）」に包まれる。だからフィルターバブルというわけなのだ。

現在のWebサービスでは、利用者個人の検索履歴やクリック履歴、購買履歴から、その人に興味があると思われる検索結果やコンテンツ、広告などをアルゴリズムが優先的に表示します。つまり表示内容に**フィルター**がかかっており、利用者の好みに沿わない情報は排除され、過去の履歴に沿った内容になるわけです。その結果、自分の信念や価値観の「**バブル（泡）**」に包まれやすくなります。このような状況を**フィルターバブル**といいます。

仮に間違った信念を持つ人が、フィルターバブルの状態であり続けると、その信念を正しいものとして疑わなくなります。その結果、異なる意見に耳を傾けなくなります。いまや社会の分断が叫ばれて久しくなります。

その背景には、**エコーチェンバー**やフィルターバブルによって、異なる意見に耳を傾ける人が減っているからかもしれません。

文献資料：イーライ・パリサー『閉じこもるインターネット』（早川書房）

166 誹謗中傷とヘイト
slander and hate

[167] リスキーシフト
[169] ポピュリズム

誹謗中傷は誰かについて根拠のない悪口を言い、その人の評判を傷つける行為を指し、ヘイトは特定の集団に対する極端な偏見や嫌悪感を指します。

インターネットの普及により誹謗中傷は凄まじい速さで拡散します。度を越すとその勢いはヘイトへと向かいます。

インターネットやSNSの進展は、自分が持つ意見や信念を匿名で公表できる機会が大幅に増えました。特にSNSの場合、集団分極化が過激な方向に向かう**リスキーシフト**が起きやすい傾向にあります。このような環境では、最初、特定の人物に対する軽い気持ちでの批判が、やがて過激な**誹謗中傷**にまで発展することもあります。実際、このようなプロセスを経て、人気女子プロレスラーの自殺を招いた事件もありました。

特定の人物の評判を故意に傷つける誹謗中傷に似た行為に**ヘイト**があります。ヘイトは人種や宗教、国籍、性的指向など、何らかの属性に基づく集団に対する極端な偏見や嫌悪感を指します。ヘイトはさまざまな形で現れますが、その1つにヘイトスピーチがあります。これは嫌悪する集団に対して、街頭などで憎悪に満ちた表現で攻撃、脅迫する行動を指します。インターネットの普及が、誹謗中傷やヘイトの増長を促している面があるようです。

文献資料：笹原和俊『フェイクニュースを科学する』（化学同人）

リスキーシフト
risky shift

[164] エコーチェンバー
[165] フィルターバブル

個人が持つ意見や信条が集団による討議と意思決定を通じて正当化されることでより強化され、その人の意見や信念がより極端になる現象を指します。

フィルターバブルやエコーチェンバーはリスキー・シフトを促す。だからSNSでは極端な暴言暴論がはびこるのだ。

　SNSの浸透で、類似した意見や信条を持つ人と容易に仲間になれるようになりました。このような集団では、多くの人が自分と同様の意見や信条を表明しています。それにふれると自らの意見や信条がやはり正しかったのだと納得できます。この状況は、**フィルターバブル**による**エコーチェンバー化現象**といえるでしょう。このような状況に身を置き続けると、人は同様の意見や信条をより極端な形で表明するようになります。

　このように、人が持っている意見や信条が、特定の集団内で正当化され、元々の態度がより強化される傾向を**集団分極化**や**集団極性化**と呼びます。中でもこの集団分極化が過激な方向に向かう場合を**リスキーシフト**と呼んでいます。

　リスキーシフトの背景には**自己顕示欲**の存在があるようです。より極端な意見を表明することで、集団内で目立つことができるからです。

文献資料：笹原和俊『フェイクニュースを科学する』（化学同人）

SNSで起こりやすい現象

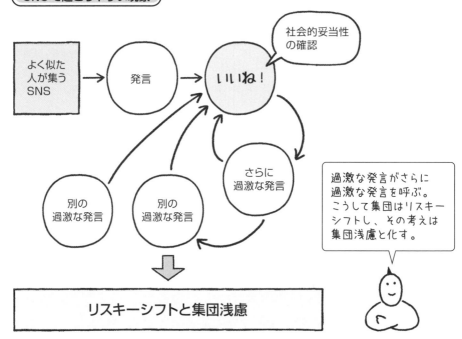

よく似た
人が集う
SNS → 発言 → いいね！

社会的妥当性
の確認

さらに
過激な発言

別の
過激な発言

別の
過激な発言

過激な発言がさらに
過激な発言を呼ぶ。
こうして集団はリスキー
シフトし、その考えは
集団浅慮と化す。

リスキーシフトと集団浅慮

168 パースペクティビズム
perspectivism

フリードリヒ・ニーチェ
[202] 線遠近法

遠近法主義とも呼ばれます。パースペクティビズムはニーチェが提唱したもので、客観的な事実は存在せず、主観的な解釈のみが存在するという立場を指します。

パースペクティビズムは、自分とは異なる他の意見に耳を傾けない態度を増長する。これには社会の分断に結びつく可能性がある点も理解しておきたい。

　パースペクティビズムは**遠近法主義**と訳され、絵画技法の**遠近法**が言葉の由来になっています。遠近法では画家が持つある特定の視点から自然をとらえて写し取ります。写し取られた情景は画家の主観によるものであり、これが画家にとっての真実になります。哲学者**ニーチェ**[*]は、知識や真実もこれと同じだと考えました。つまり、知識や真実は主観的な立場から作り出されたものであり、客観的な真理は存在せず、あるのは主観的な解釈だと主張しました。このような立場をパースペクティビズムといいます。その後も同様の立場が、**ポストモダン**を世に広めたフランスの哲学者**リオタール**[*]や、個人の意見を徹底して尊重するアメリカの哲学者**ローティー**[*]らに受け継がれました。

　ただしパースペクティビズムの主観的な解釈のみが存在する立場は、他の主張に耳を傾けない態度と結びつき、社会を分断する危うさをはらんでいます。

文献資料：ニーチェ『道徳の系譜』（岩波書店）

パースペクティビズム

フリードリヒ・ニーチェ
Friedrich Wilhelm Nietzsche
独：1844～1900

169 ポピュリズム
populism

[158] 権威主義的パーソナリティ
[170] 反知性主義

大衆迎合主義。政治家が支持を得るために、大衆に迎合するような政策やスローガンを掲げ、大衆が持つ懸念や不満の解消を訴える立場を指します。

ポピュリズムにはナショナリズムに訴える傾向が強いという特徴がある。不安が大きい社会ではポピュリズムへの支持が高くなりやすい。

　政治家は自身や自身が所属する党の支持を得るために、大衆に迎合するような政策やスローガンを掲げることがあります。これが極端になった政治思想やアプローチが**ポピュリズム**（**大衆迎合主義**）です。一般にポピュリズムは、大衆が持つ懸念や不満を擁護する側の立場に立って、自らを大衆の声を代弁する存在として社会に訴えます。例えば既存の政治制度や体制、一部エリートによる支配など、誰もが持つ不満や不安があります。このような不安に訴えるのがポピュリズムの常套手段です。さらにポピュリズムの提唱者は、複雑な問題に対して非常にシンプルな解決策を提示し、それを大衆に響く言葉やスローガンで訴えます。

　ポピュリズムは大衆側にも問題があります。というのも、事実や正しい現実を示されても、自分の意見と違うものについては頑なに信じようとしない人が大勢いるからです。ポピュリストはこのような蒙昧な人々につけいるわけです。

文献資料：水島治郎編『ポピュリズムという挑戦』（岩波書店）

ポピュリズム

パースペクティビズムとポピュリズムにはどこか接点があるように思う。それはバラバラの思想を大衆迎合思想で結びつけるのかもしれない。

170 反知性主義
anti-intellectualism

[166] 誹謗中傷・ヘイト
[169] ポピュリズム

知識よりも意志や感情を優位に置き、教育や専門知識、合理的思考に対して敵意や懐疑、不信感を表明する立場を指します。ポピュリズムは反知性主義者を上手に利用します。

反知性主義は誹謗や中傷、ヘイトを生み出すとともに、ポピュリズムと安易に結びつくリスクがある。

反知性主義は、教育や専門知識、合理的思考に対して敵意や懐疑、不信感をあらわにする立場を指します。アカデミックな知識よりも、自分の意志や信念、感情を優先させます。

そのため反知性主義の議論では、証拠に基づく論理的なアプローチは否定され、**感情を優先させた単純で極端な主張**がなされる傾向にあります。このような傾向が強まると、**誹謗中傷**や**ヘイト**へと発展する危険性をはらみます。

さらに、反知性主義には**ポピュリズム**にうまく利用されるリスクもあります。そもそもポピュリストには反体制的な側面がありますから、反知性主義者の主張に表面上同調し、その代弁者として振る舞うなど朝飯前です。

こうして反知性主義者がポピュリストを支持する流れを作り出すと、社会の混乱の大きな種になるでしょう。

文献資料：森本あんり『反知性主義』（新潮社）

171 魔女狩り
witch hunt

[166] 誹謗中傷とヘイト
[169] ポピュリズム

魔女狩りは、16〜17世紀のヨーロッパで行われた異端者の摘発です。引いては、無実にも関わらず魔女と決めつけられた人々に対する迫害や拷問、処刑を意味します。

自分の都合が悪くなると「魔女狩り」を連呼するトランプ元米大統領は、この言葉を通じて自身の無実と告発側の悪意を強調している。

魔女狩りは、16〜17世紀のヨーロッパで吹き荒れた、宗教に名を借りた、異端者の摘発や追放運動を指します。通常、決め手となる理由がないにも関わらず、魔女と疑いをかけられた者は摘発され、一方的な裁判の元有罪を言い渡され、迫害や拷問、果ては処刑が行われました。当時ヨーロッパで、どれほどの人々が、魔女として迫害を受けたのか、正確な数字はあきらかになっていません。

現在、「魔女狩り」を頻繁に口にして流行させたのはドナルド・トランプ元米大統領でしょう。彼は自分の都合が悪くなるとこの言葉を連呼するのが常套手段でした。この場合、清廉潔白で無実の人物が、悪意ある政治的・組織的意図で濡れ衣を着せられているという、迫害される側の立場を強調しています。このように今日では魔女狩りが、告発に根拠がないことを独断で主張する際の常套句になっているように見受けられます。

文献資料：ノーマン・コーン『魔女狩りの社会史』（筑摩書房）

172 陰謀論
conspiracy theory

[164] エコーチェンバー
[165] フィルターバブル

陰謀論とは、ある出来事や状況を説明する際に、根拠なしに巨大な権力を有する邪悪なグループによる陰謀だと安易に結論づける態度を指します。

陰謀論を真剣に信じる人が多いのも、フィルターバブルによるエコーチェンバー化が、強力な理由の1つとして考えられるのではないか。

陰謀論とは、ある出来事や状況を説明するのに、巨大な権力を有する邪悪なグループ（多くは政治的組織）による陰謀だと結論づける態度を指します。通常、まことしやかにささやかれる陰謀論に科学的根拠はありません。推測や誤った判断や偏見に基づいて、人々の不安や不信感をあおる点が特徴です。

実際に見られる陰謀論は、政治や政府、科学、医学、文化など、あらゆる領域をカバーしています。例えば「月面着陸は捏造された」「進化論は誤りである」「9.11テロはアメリカ政府内部の犯行である」などのように多様です。

どうしてそのような説が流布したり、それを信じたりするのか、不思議に思う人もいるにちがいありません。しかし、**フィルターバブル**によって**エコーチェンバー**化した環境にどっぷり浸かっていると、人は自分の信念と異なる意見に耳を貸さなくなるのでしょう。

文献資料：秦正樹『陰謀論』（中央公論社）

多様な陰謀論

アメリカの月面着陸はデマなのだ。

9.11はアメリカ政府が画策したものだ。

地球は球形ではなく平らなのだ。

ほかにも爬虫類型ヒューマノイド・エイリアンが世界の政府や組織を支配しているとか、強力なエリート集団が世界を支配しているなどの陰謀論がある。

173 核抑止力
nuclear deterrence

[175] 永遠平和
[176] チキンゲーム

核抑止力とは、核を使用されたら核で報復するという相互確証破壊の状況を作り出すことで、核を保有することが戦争の抑止になっているとする考えです。

世界では核保有国の数および核兵器の数が増加傾向にある。核の危機はロシアやイラン、北朝鮮などの強硬路線により、一層現実的になりつつあるのだ。

核抑止力とは、核兵器を保有することが、結果的に核使用を抑止するという考え方です。核兵器の使用は相手国に甚大な被害をもたらします。仮に敵対する国同士が双方とも核兵器を使用すれば双方とも破滅するかもしれません。そのため核抑止力では、核兵器を保有することで、核を使用したら核で報復するという**相互確証破壊**（mutual assured destruction/MAD）の状況を作り出し、核兵器使用を抑止します。この核抑止力は、米ソが1950年代に入って核軍事力の増強を急ピッチで進めた冷戦時代に注目されました。互いに大量の核兵器を保有することで、互いが相互確証破壊の認識を共有し、結果的に相手からの攻撃を抑止しました。まさに、核兵器による**恐怖の均衡**です。

しかしながら核抑止力の論理は、核兵器を持たない国家のリスクを浮き彫りにします。そのため北朝鮮やイラン、中国などは核兵器保有に血眼になるわけです。

文献資料：アビナッシュ・ディキシット、バリー・ネイバフ『戦略的思考とは何か』（TBSブリタニカ）

恐怖の均衡

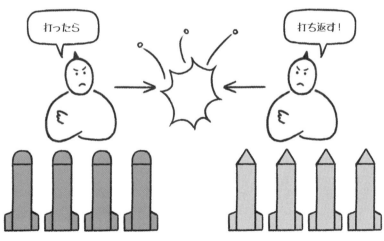

打ったら

打ち返す！

今回のロシアによるウクライナ侵攻で核の恐怖が再認識された。その恐怖に対抗するために核保有国は今後も増えるのだろうか？

174 グローバルサウス
global south

[153] 権威主義
[154] 民主主義

インドやインドネシア、ブラジル、南アフリカなど、南半球に多いアジアやアフリカなどの新興国・途上国を指します。権威主義陣営と民主主義陣営に次ぐ第三極になりつつあります。

クローバルサウスは北半球に多い先進国と対比した言葉なのだ。いまグローバルサウスの存在感が急速に高まっており、国際舞台での発言力が高まっている。

　かつては**冷戦**と呼ばれたように、資本主義・民主主義諸国の西側と共産主義・社会主義諸国の東側が鋭く対立していました。この対立もやがて沈静化し、2000年以降は世界の分断もあまり見られず、その状況は**フラット化**とさえ呼ばれました。

　しかし、2022年に始まったロシアのウクライナ侵攻により、**権威主義陣営**と**民主主義陣営**の新たな対立が際立つようになりました。そのような中で存在感を高めているのが**グローバルサウス**と呼ばれる諸国です。

　グローバルサウスとは、北半球の先進国と対比した言葉で、インドやトルコ、ブラジル、インドネシアなど、南半球に多いアジアやアフリカなどの新興国・途上国を指します。グローバルサウスの特徴は、権威主義陣営にも民主主義陣営にもくみせず、中立の立場を堅持している点です。この結果、いまや世界は**三極化**の時代に突入しているのが現実となりました。

文献資料：バティスト・コルナバス『地政学世界地図』（東京書籍）

175 永遠平和
perpetual peace

イマニュエル・カント
[173] 核抑止力

ドイツの大哲学者カントの理念の1つです。国家間の争いを武力によって解決するのではなく、国家間の協力や協定を通じて解決していくことを指します。

カントは世界の永遠平和を実現するために、国際連合の実現を提案した。これはのちの国際連盟や国際連合の先駆けとなるのであった。

　ドイツの哲学者**イマニュエル・カント***は、カント哲学を打ち立てた大哲学者としてよく知られています。そのカントが**永遠平和**を説くとともに、現在の**国際連合**の先駆けとなる提案をしていることはあまり知られていません。

　カントが唱える永遠平和とは、国家間の争いを武力によってではなく、国家間の協力や協定を通じて解決していくことを指します。これを実現するためにカントは、国家を君主制ではなく共和制にして戦争を起きにくくすることを提案します。その上で、共和制国家が連合体を組み、自国の自由と連合を組んだ他国の自由を維持し、保障することを提案しました。カントはこの連合体のことを**国際連合**と称しました。カントの提案は、やがて国際連盟さらに国際連合として実現されます。それはカントの提案から125年後のことでした。しかしカントがいうように、永遠平和はいまだ人類に課せられた永遠の課題のままです。

文献資料：イマニュエル・カント『永遠平和のために』（岩波書店）

176 チキンゲーム
game of chicken

バートランド・ラッセル
[120] ゲーム理論

アメリカでは臆病者のことを「チキン」と呼びます。チキンゲームは、「臆病者呼ばわりされたくない」という心理が働くことで、競争が著しく激しくなるケースを指します。

イギリスの思想家バートランド・ラッセルは、著作『常識と核戦争』で冷戦時代における米ソの核軍拡競争をチキンゲームと揶揄したんだ。

チキンゲームとは、**ゲーム理論**のモデルの1つで、メンツが邪魔をしてゲームから降りられなくなり、競争が著しく激しくなるケースを指します。例えば、2台の自動車が道路の両端から向き合い、猛スピードで突進するゲームを想起してください。先にハンドルを切った方が負けです。それぞれが自分のメンツを優先していると2台とも正面衝突してしまいます。まさにチキンゲームの状態です。

チキンゲームは現実にも起きています。その良い例が冷戦時代の米ソによる核軍拡競争でしょう。両国は核武装で相手を威嚇し、さらに威嚇を続けるために、さらなる核武装を行いました。イギリスの**バートランド・ラッセル**[*]は、この状況をチキンゲームになぞらえました。いまやロシアがウクライナに仕掛けた戦争もどこかチキンゲーム化しているようです。特に先に手を出したロシアは、メンツもあって引くに引けない状況にあるようです。

文献資料：バートランド・ラッセル『常識と核戦争』（理想社）

核武装「する」「しない」

		国家B	
絶対優位		**する**	**しない**
絶対優位	**する**	⑩, ⑩	⑩, 0
	しない	0, ⑩	0, 0

（国家A）

核武装の様子を利得表で表した。敵対国のことを考えると核武装「する」が、いずれの国でも絶対優位の戦略になることがわかる。

囚人のジレンマ
prisoner's dilemma

[120] ゲーム理論
[123] 利得表

より条件の良い選択があるにもかかわらず、相手が信じられず、双方とも条件の悪い選択をしてしまう状況を指します。ゲーム理論の中でもっとも著名なモデルです。

囚人のジレンマは実社会にも応用されている。日本の場合でいうと、談合の排除を目的とした**課徴金減免制度（リニエンシー制度）**がそれだ。

囚人のジレンマとは、相手のことが信じられず、互いが条件の悪い選択をしてしまう状況を指します。ここに囚人XとYがいます。彼らはある罪を犯したかどで警察に逮捕されました。その後、取り調べをしているうちに、彼らに新たな犯罪の容疑が浮かび上がりました。そこで刑事は、2人を別々の取調室に呼び出し、今回の容疑について下図の利得表に掲げた条件を提示し、2人の囚人を自白に誘導しました。

　例えば囚人Xの場合、自分が黙秘で囚人Yが自白すれば3年の服役（Yは1カ月の服役）、逆に自分が自白しYが黙秘ならば1カ月の服役です（Yは3年の服役）。ただし、双方とも黙秘ならば1年の服役、また双方とも自白なら2年の服役です。この場合、双方とも黙秘ならば1年の服役で済みます。しかし、相手が裏切って自白すれば3年の服役です。結果、相手が信じられず双方が自白し、より条件の悪い2年の服役になるというシナリオです。

文献資料：ウィリアム・パウンドストーン『囚人のジレンマ』（青土社）

囚人のジレンマ

	囚人Y 黙秘	囚人Y 自白
囚人X 黙秘	1年 , 1年	3年 , 1カ月
囚人X 自白	1カ月 , 3年	2年 , 2年

オレだけ黙秘して囚人Yが自白したらオレだけ3年の服役になる…。

囚人X

オレだけ黙秘して囚人Xが自白したらオレだけ3年の服役になる…。

囚人Y

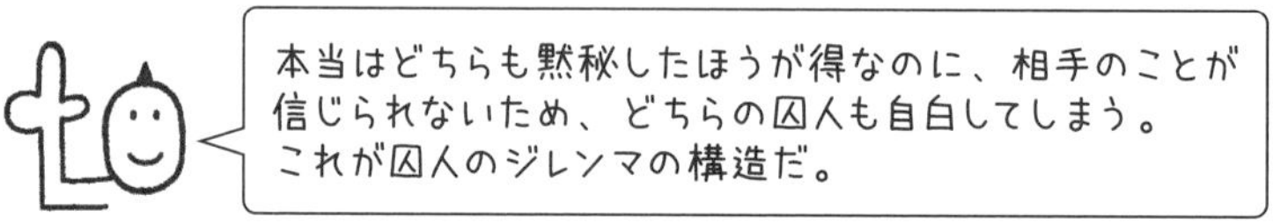

本当はどちらも黙秘したほうが得なのに、相手のことが信じられないため、どちらの囚人も自白してしまう。これが囚人のジレンマの構造だ。

178 タカハトゲーム
hawk-dove game

[120] ゲーム理論
[177] 囚人のジレンマ

本来は多様な生物が共存するメカニズムを示すものでしたが、暴力が増えるとやがて平和への機運が高まり、平和に浸っていると暴力への機運が高まることをも象徴的に示しています。

現在の世界はタカ派のパワーが増大している時期にあるようだ。このままエスカレートすると世界は取り返しのつかないことになる。

タカハトゲームは、イギリスの生物学者**ジョン・メイナード・スミス**[*] が提唱したもので、ゲーム理論で用いる「利得」や「効用」という考え方を、生物学の「適応」に置き換え、自然淘汰が行われる様子を説明しようとしたものです。

下図はその様子を示したものです。全体の鳥のうちタカの占める数が少なければ、タカは乱暴に行動して自らの利得を高めるようになるでしょう。一方で、全体の鳥のうちタカの占める数が多くなると、喧嘩が絶え間なく続きます。これを避けるためハトのように振る舞う鳥が増えます。

このように、ハトとタカ、いずれも数が増え過ぎると損失が大きくなることがわかります。よって、どこかの均衡点に落ち着くことで、ハトもタカも同じ利得を得られる可能性があります。

このタカとハトを、戦争を好む主戦派と平和を好む不戦派だと考えてみてください。こうして戦争と平和が繰り返されることがわかります。

文献資料：ジョン・メイナード・スミス『進化とゲーム理論』（産業図書）

戦争と平和

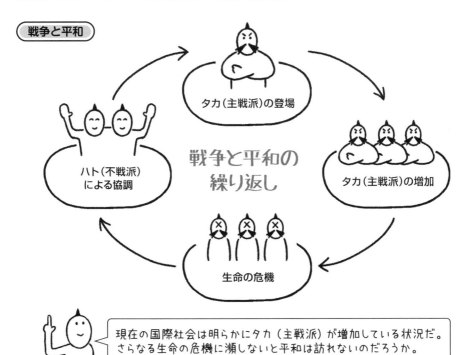

タカ（主戦派）の登場

戦争と平和の繰り返し

ハト（不戦派）による協調

タカ（主戦派）の増加

生命の危機

現在の国際社会は明らかにタカ（主戦派）が増加している状況だ。さらなる生命の危機に瀕しないと平和は訪れないのだろうか。

179 共有地の悲劇
tragedy of the commons

ゲーム理論のモデルの1つで、フリーライダーの存在により公共財が成立しなくなる様子を示しています。「ただ乗りのジレンマ」や「公共財の悲劇」ともいいます。

自分1人くらいなら大丈夫という軽い考えが共有地の悲劇を招く。やはり違反者には罰則が必要なのだろう。

　共有地とは人々が共有して利用する土地のことです。この共有地において、自分1人くらいなら大丈夫だろうという軽い意識からルール違反をしたとします（このような人を**フリーライダー**といいます）。しかし、同様の人の数が増えていくと、共有地が成立しなくなります。このような状況を**共有地の悲劇**といいます。**ゲーム理論**の有名なモデルの1つです。

　例えば、ローカル線の小さな駅では乗車料金を自己申告するところがあります。仮にある人が、誰も見ていないし私1人くらいなら大丈夫だと考えて無賃乗車をしたとします。まさに公共財のフリーライダーです。

　では、このフリーライダーの数が増えていけばどうなるでしょう。ローカル線を運営する鉄道会社の収入は減り、やがて路線の存続が不可能になるでしょう。まさに共有地の悲劇です。これを防ぐために罰則が用意されているわけです。

文献資料：ジョシュア・グリーン『モラル・トライブズ』（岩波書店）

ローカル線の存続

他の人

		払う	払わない
私	払う	1 , 1	①, 2
	払わない	②, 1	0 , 0

ナッシュ均衡が2つある

誰も払わなければ路線の存続は不可能

※1…鉄道の利便　※2…鉄道の利便＋無賃乗車

全員がフリーライダーになるとローカル線の存続は不可能になる。ナッシュ均衡が2つあることから、何とか存続する程度でフリーライダーが現れるということだろう。

180 トロッコ問題
trolley problem

[181] 歩道橋問題
[418] 功利主義

思考実験[108]の1つとしてとても有名です。1人を犠牲にするか、5人を見殺しにするか、いずれを選択するかを問います。あなたはどちらを選びますか。

功利主義の立場からすると、1人を犠牲にして5人を助けるだろう。しかし、少し状況が変わると選択が逆になるのだ（歩道橋問題）。

　制御不能になったトロッコが猛烈なスピードで走っています。疾走するトロッコの先には線路工事をしている作業員が5人います。

　ポイントに立っているあなたは、左側の待避線にトロッコの進路を変更できます。そうすれば5人の命を助けられます。しかし待避線には1人の作業員が工事をしていて、今度は彼がトロッコにひかれて命を失うことになるでしょう。あなたならトロッコの進路を待避線に変更し、1人を犠牲にして5人を助けるでしょうか。それとも待避線には変更せず5人の命を奪うでしょうか。もう時間がありません。あなたはどちらを選びますか──。

　これが著名な**トロッコ問題**の概要です。「最大多数の最大幸福」[419]を標榜する**功利主義**の立場からすると待避線に変更して1人を犠牲にし5人を助けるでしょう。実際、そう答える人が多数を占めます。しかしことはそう簡単ではありません（続きは次節の**歩道橋問題**をご覧ください）。

文献資料：ジョシュア・グリーン『モラル・トライブズ』（岩波書店）

トロッコ問題

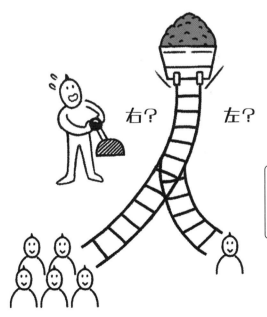

右？　左？

1人を犠牲にして5人を助けるべきか、それともそのまま5人を犠牲にすべきか。トロッコ問題は私たちの道徳観を問う。

歩道橋問題
footbridge problem

前節で見たトロッコ問題の応用バージョンです。歩道橋から男を突き落として暴走するトロッコを止めて5人の命を救うかどうかを問う思考実験です。

歩道橋問題の場合、多くの回答者は男を突き落とすのをためらい、5人を見殺しにする。この結果はトロッコ問題と真逆になるのだ。

あなたは陸橋の上にいます。この下にはトロッコの線路があり、後方では5人の男が線路上で縛られています。前方を見るとトロッコが暴走してきました。このまま進むと5人の男たちをひき殺してしまいます。あなたは何か大きなものを線路に落とせばトロッコが止まることを知っています。ふと横を見ると、太った男がいます。トロッコを止めるにはちょうどのサイズです。

あなたがこの男を橋から線路に突き落としたとします。そうすれば太った男は確実に死に、代わりに5人の男を助けられます。それとも、太った男を突き落とさず、5人を見殺しにするでしょうか。さて、どうしますか。

これが歩道橋問題です。こちらの場合、トロッコ問題[180]と逆に5人を見殺しにする方を選ぶ人が多くなります。哲学者**マイケル・サンデル***はこの違いを、**功利的道徳観**と**定言的道徳観**のせめぎ合いだと考えます。

文献資料：マイケル・サンデル『ハーバード白熱教師講義録』（早川書房）

（ 歩道橋問題 ）

功利的道徳観とは人の幸福を
最大にすることだ（だから5人
死ぬよりか1人だけの方がよい）。
一方、定言的道徳観とは人がもつ
義務や権利の中に道徳性を
見出すことだ（殺人は悪だから
5人を見殺しにした）。
あなたはどちらを選ぶ。

182 無知のヴェール
veil of ignorance

ジョン・ロールズ
[183] リベラリズム

原初状態を指します。社会に関する一般情報は
もつものの、性別や社会的な地位など、自分が
置かれている立場については無知の状態を象徴
的に表現しています。

ジョン・ロールズにならって無知の
ヴェールをかけて、社会を構成するメン
バー全員が納得できるルールを考えてみよう。
どんな答えが見えてくる？

無知のヴェールはアメリカの哲学者**ジョン・ロールズ***が提唱したもので、社会を構成する全メンバーが納得できるルールを見つけ出すために考えられたものです。無知のヴェールをかぶせられると、社会に関する一般情報はもつものの、性別や社会的な地位など、自分が置かれている立場については無知の状態になります。ロールズはこれを**原初状態**と呼びます。この状態で誰もが納得できるルールを考えた場合、次の原理が導き出せるとロールズはいいます。

まず**平等な自由の原理**と呼ばれるものです。これは、他の人の自由と両立する基本的な自由を、各人が平等にもてる権利を指します。さらに、社会的・経済的不平等について経済格差を抑制する**格差原理**、公正な機会均等を前提にする**機会均等原理**を導き出せます。ロールズの立場はリベラリズム[183]ですが、経済格差の是正に重点を置いている点で一般的な意味合いでの自由主義とは立場が異なります。

文献資料：ジョン・ロールズ『正義論』（紀伊國屋書店）

無知のヴェール

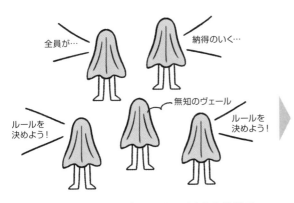

全員が…
納得のいく…
無知のヴェール
ルールを決めよう！
ルールを決めよう！

参加者全員が無知のヴェールをかけられた状態で
納得のいくルールを決める。そうしたら…

第一原理：平等な自由の原理
第二原理：社会的、経済的
不平等を調整する
二つの条件
▶格差原理
▶機会均等原理

この「正義の二原理」を
導き出せるだろう。

無知のヴェールとは、社会に関する一般情報はもつものの、性別や社会
的な地位など、自分が置かれている立場については無知の状態を指す。

183 リベラリズム
liberalism

[025] 新自由主義
[182] 無知のヴェール

リベラリズムとは、すべての個人に固有の尊厳と価値があるという信念のもと、人間の自由な思想や活動を可能な限り保障しようとする立場を指します。

日本では自由主義と訳されるが、リベラリズムは広範で多様な概念で、時代や国によって解釈が大きく異なる。

リベラリズムは、すべての個人に固有の尊厳と価値があるという信念に基づいて、人間の自由な思想や活動を可能な限り保障しようとする立場を指します。日本では**自由主義**というと一般に、「自由（liberty）」を根本理念に据えた思想ととらえる傾向があります。しかし、リベラリズムが持つ意味は非常に広範で、多様かつ複雑です。

まず、政治的にリベラリズムをとらえると、市民的自由の擁護と拡大を重視し、政府の介入を制限することに重きを置きます。また経済的に見ると**市場原理主義**を支持し、ここでも政府の介入を極力小さくすることを目指します。さらに、社会的に見ると、リベラリズムは進歩主義と関連し、人種、性別、性的指向、その他の特徴にかかわらず、すべての人に平等な権利と機会を与えることを提唱します。

文献資料：マイケル・フリーデン『リベラリズムとは何か』（筑摩書房）

184 リバタリアニズム
libertarianism

ロバート・ノージック
[182] 無知のヴェール

個人の自由を徹底して重んじ、国家権力による制限を最小限にした「最小国家」を要求する立場を指します。リベラリズムをより徹底した立場といえるでしょう。

リバタリアニズムは完全自由主義や自由市場主義などと訳される。論客としてはアメリカの哲学者**ロバート・ノージック**[*]がつとに有名だ。

リバタリアニズムは、**ロールズ**[*]が提唱した**リベラリズム**と同様に、自由（liberty）という言葉を元にして作られました。したがって、いずれも自由主義を主張の基礎にしています。しかしながら、利益の分配について両者の主張は大きく異なります。

ロールズが提唱するリベラリズムは**格差原理**の考えから、利益を再分配して恵まれない人々の便益を最大化しようと考えます。これが政策に利用されると、いわゆる「**大きな政府**」による福祉国家の方向に傾くでしょう。アメリカの**民主党**の立場はこの傾向にあります。

これに対してリバタリアニズムは、リベラリズムが持っていた本来の立場に戻ることを主張します。その結果、国家が強制する利益の再配分は、国家による個人の自由への抑圧だと考え、「**小さな国家**」を目指すのがリバタリアニズムの立場です。アメリカの**共和党**の立場はこの傾向をとっています。

文献資料：ロバート・ノージック『アナーキー・国家・ユートピア』（木鐸社）

185 コミュニタリアニズム
communitarianism

マイケル・サンデル
[184] リバタリアニズム

個人の自由に対して共同体の価値をより強調する政治的・倫理的な立場です。共同体主義とも呼ばれています。哲学者マイケル・サンデルはコミュニタリアニズム立場をとります。

「共同体の価値」や「連帯の責務」を強調するコミュニタリアニズムの立場は功利主義やリベラリズム、リバタリアニズムと鋭く対立する。

コミュタリアニズムは**共同体主義**とも呼ばれており、個人の自由に対して共同体の価値をより強調する立場です。コミュニタリアニズムの論客としては**マイケル・サンデル**らが著名です。

サンデルによると、私たちは**自然的義務**、**自発的責務**、**連帯の責務**という3つの道徳的責任を負っています。自然的義務とは「人を傷つけない」「暴力を振るわない」など人間に本来的に備わっている義務です。また、自発的責務とは、取引や契約に見られる合意の上で受け入れる責務のことです。一方、連帯の責務とは、自分が所属しているコミュニティが持つ美徳や共通善に従う責務です。功利主義も自由主義も、自然的義務および自発的責務は必要だと考えます。これに対してサンデルは、さらに連帯の責務も加え、人々が共同体のもつ美徳や共通善に積極的に関与することで、はじめて公正な社会を実現できると主張します。

文献資料：マイケル・サンデル『これからの「正義」の話をしよう』（早川書房）

186 リバタリアン・パターナリズム
libertarian paternalism

リチャード・セイラー
[184] リバタリアニズム

人の自由を最大限尊重しながらも、その人がよりよい選択をできるように、背中をそっと押して上げる立場をリバタリアン・パターナリズムといいます。

ノーベル経済学賞を受賞した行動経済学者リチャード・セイラーが提唱した、比較的新しいキーワードだ。

パターナリズムとは、個人の利益や保護のために、個人の自由や自律性を制限する立場を指します。親がしつけのために子どもの行動を制限するのはパターナリズムの典型です。一方で個人の自由を最大限に尊重する人が**リバタリアン**であり、その立場が**リバタリアニズム**です。

つまり**リバタリアン・パターナリズム**とは、自由を最大限尊重しながらも、その人がよりよい選択をするよう誘導する立場を指します。この立場を提唱する行動経済学者**リチャード・セイラー**[*]は、人の自由を制限することなく、人がより良い選択ができる具体的仕組みを貯蓄や投資、医療、環境、婚姻制度などに取り入れることを提案しています。このような仕組みをセイラーは**ナッジ**（人の注意を喚起するため肘で軽く突くこと）と呼んでいます。

文献資料：リチャード・セイラー『NUDGE 実践行動経済学』（日経BP）

第3章 国家と社会

187 ビッグテック
big tech

[130] 国家
[421] 資本主義社会

GAFAMなど巨大IT企業を指します。彼らの収益力はすでに1つの国家の財政を超える規模にあります。その意味で彼らはもはや疑似国家なのです。

2022年度の日本の税収は65兆円だった。GAFAMはそれよりも3倍も多い売上を達成しているのだ。この現実を直視すべきなのだ。

プラットフォーマーはB2BやB2Cの間に立ってワンストップでサービスを提供する点が大きな特徴です。こうしたプラットフォーマーとして絶大な力を誇るのがアメリカの**ビッグテック**5社である Google、Apple、Meta（Facebook）、Amazon、そして Microsoft の **GAFAM** です。

2022年の5社の売上を見ると、Google（2,828億ドル/37兆円）、Apple（3,943億ドル/51兆円）、Facebook（1,166億ドル/15兆円）、Amazon（5,139億ドル/67兆円）、Microsoft（1,982億ドル/26兆円）で、5社の合計は **1兆5,058億ドル（198兆円）** になりました。

企業の売上は**国家**の税収に相当します。2022年度の日本の税収は65兆円でした。5社はそれよりも3倍も多く稼いでいます。知らぬ間に私たちの目の前には、国家を超える財力を持った民間企業が姿を現しているのです。

文献資料：スコット・ギャロウェイ『the four GAFA』（東洋経済新報社）

GAFAMの売上推移

2022年における5社の収入の合計は198兆円に上る。これは同年における日本の税収の3倍に相当する。

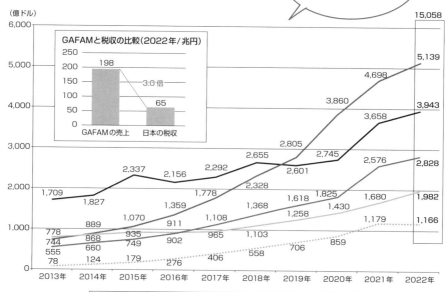

（億ドル）

GAFAMと税収の比較（2022年/兆円）

出典：各社決算短信

172

第  章

美と芸術

　人は 4 万年前の昔から美に対する感性を発展させてきたようです。美や芸術はなぜ私たちの心を打ち魅了してやまないのでしょうか。何らかの洞察を本章で示したキーワードから得られればと思います。

ドイツのホーレンシュタイン・シュターデル洞窟で発見された象牙彫りの像についた名です。驚くべきことにおよそ4万年前のものと推定されています。	（☺）一目瞭然ながら、これは間違いなく芸術作品だ。人間と美のかかわりはすでに4万年前から始まっていた。その事実をこの作品は物語っている。

通称「**ライオンマン（または**ライオン人間）」は約4万年前にマンモスの象牙で作られた像で、ドイツ南部のシュヴァーベン・ジュラ山脈にある先史時代の遺跡**ホーレンシュタイン・シュターデル洞窟**で発見されました。

ライオンマンは高さ約31cmで、頭部はライオンで身体は人間の格好をしています。約4万年前といえば後期旧石器時代にあたります。

ライオンマンを目にして驚くのはその造形美です。これは明らかに**芸術作品**だといえます。ということは、すでに4万年前の人類に、造形美に対する認識があり、それを彫刻で表現する技術があったことになります。

また、人間の身体にライオンの頭をのせるその発想力にも驚かせます。ライオンの頭を持つ人間など存在しません。あくまで**空想**です。その空想ができる精神を、4万年前の人類がすでに所有していたことを、ライオンマンは我々に強く語りかけます。

> (**ライオンマン**)

出典：Museum Ulm (https://museumulm.de/en/
collections/archaeology/)

 この彫像が4万年前に作られたとはにわかに信じがたい。人の美的感覚は古くから備わっていたのに違いない。

189 美の普遍的法則
universal law of beauty

ヴィラヤヌル・ラマチャンドラン
[193] 黄金比

神経科学者ラマチャンドランは、美の普遍的法則として、グループ化やピークシフト、コントラスト、単離、知覚の問題解決など９つを挙げています。

V・S・ラマチャンドランは、幻肢の研究で一躍有名になったインド出身の神経科学者だ。著作『脳のなかの幽霊』は代表作の１つだ。

美を一言で定義するのは非常に困難です。その解決策の１つとして美が持つ特性や法則を網羅的に列挙するやり方があります。

神経学者**ヴィラヤヌル・ラマチャンドラン***は、美を神経科学からの研究対象の１つにしており、９つの美の普遍的法則を挙げています。①グループ化、②ピークシフト、③コントラスト、④単離、⑤知覚の問題解決、⑥偶然の一致を嫌う、⑦秩序性、⑧対称性、⑨メタファーの９つがそれにあたります（概要は下図参照）。

例えば**ピークシフト**について見ると、人間の脳は平均的な特徴や典型的な特徴よりも、誇張された特徴や強調された特徴を好むように配線されているとラマチャンドランはいいます。ラマチャンドランの美の普遍的法則は、全てを網羅した包括的なリストではないかもしれません。しかしながら、**神経科学**からとらえた法則として示唆に富みます。

文献資料：V・S・ラマチャンドラン、サンドラ・ブレイクスリー『脳のなかの天使』（角川書店）

ラマチャンドランによる美の普遍的法則

グループ化	簡単にグループ化または整理できるパターンや構成に美しさを見出す傾向がある。
ピークシフト	平均的な特徴や典型的な特徴よりも、誇張された特徴や強調された特徴を好む。
コントラスト	明暗の対比や色の組み合わせなど、コントラストの使い方は美に大きな役割を果たす。
単離	冗長性を減らし、理解しやすく、分類しやすい刺激に美しさを見出す傾向がある。
知覚の問題解決	何かを見えにくくすることで、それが魅力的になるという傾向を指す。
偶然の一致を嫌う	特殊（偶然の一致）よりも一般的な視点を好む。
秩序性	多くの自然や人工の構造物に見られる数学的比率を好む（例えば黄金比）。
対称性	左右対称の形は、健康的な発達や遺伝的な適性を反映していると考えられている。
メタファー	視覚的メタファーは、左脳よりも右脳によって素早く理解される。

人は何故美しく思うのか。ラマチャンドランの９つの普遍的法則がそのヒントを我々に与えてくれるのではないか。

190 視覚脳の法則
law of visual brain

セミール・ゼキ
[189] 美の普遍的法則

視覚像は普遍な特徴をとらえるため脳内で生じる能動的な活動を指します。これを前提にすると美術は人が脳でとらえた普遍的な特徴の再現になります。

神経美学者セミール・ゼキが提唱する考え方です。ゼキによると「美術は視覚脳の延長」であり、美術は視覚脳に従わざるを得ない、と主張している。

通常、「人は眼でものを見る」と考えられています。しかし、神経美学者**セミール・ゼキ**[*]によるとこの考えには大きな誤りがあるといいます。

眼で見たものは脳（これを便宜上**視覚脳**と呼びます）においてそれに関する知識が探求されますが、その際にある情報は捨てられ、選択した情報を記憶と比較し、これらの過程を経て脳内に視覚像を生み出します。このように視覚像は決して受動的ではなく、脳内の能動的な活動によって生じます。これを**視覚脳の法則**といいます。

画家は脳に生じた視覚像を絵としてアウトプットします。その際に画家は、脳内の視覚像、すなわちものごとの普遍的で恒常的な特徴をとらえた像を画布に再現します。その意味で画家の芸術は、**視覚脳の延長**ということになります。またその意味で優れた美術では、画家の技術もさることながら、画家の脳内に結ばれる独自の視覚像が問われるのではないでしょうか。

文献資料：セミール・ゼキ『脳は美をいかに感じるか』（日本経済新聞社）

視覚脳の法則

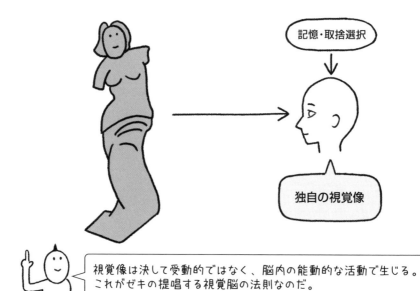

記憶・取捨選択

独自の視覚像

視覚像は決して受動的ではなく、脳内の能動的な活動で生じる。これがゼキの提唱する視覚脳の法則なのだ。

191 アポロ的 / ディオニソス的
Apollonian / Dionysian

フリードリヒ・ニーチェ
[192] カタルシス

芸術を構成する二重の要素。アポロ的は理性的・造形的を、ディオニソス的は陶酔的・音楽的を象徴します。ニーチェが著作『悲劇の誕生』で言及しました。

ニーチェは、彼が生きた時代の芸術にはディオニソス的要素が欠けており、その再発見が不可欠だと主張した。アポロ的要素を否定したわけではない。

　ドイツの哲学者**フリードリヒ・ニーチェ**[*]は、出世作『**悲劇の誕生**』の中で、芸術は**アポロ的**なものと**ディオニソス的**なものの二重性によって進展すると主張しました。これはギリシア神話の太陽神アポロと酒神ディオニソスに由来するもので、前者は理性的・造形的、後者は陶酔的・音楽的な特徴を象徴します。アポロ的芸術は、ギリシア彫刻に見られるような、解剖学や黄金比[193]に準じるプロポーションに注意を払い理想的な人間の形を追求しました。理性による芸術とも言い換えられます。これに対してディオニソス的芸術は、ギリシアのバッカス祭の合唱隊に見られるような、陶酔的で恍惚感が湧き上がり、**カタルシス**を呼び起こす狂騒乱舞です。ニーチェは、このディオニソス的要素とアポロ的要素を統合することで、ギリシアの**アッチカ悲劇**が生まれたとし、現代の芸術には、ディオニソス的要素の再発見が不可欠だと主張しました。

文献資料：『世界の名著46　ニーチェ　（「悲劇の誕生」)』（中央公論社）

アポロ的とディオニソス的

アポロ

ディオニソス

芸術の発展

理性的
造形的

陶酔的
音楽的

ニーチェは、芸術がアポロ的なものとディオニソス的なものの二重性によって進展すると考えた上で、ディオニソス的要素の復権を望んだ。

192 カタルシス
catharsis

アリストテレス
[191] アポロ的 / ディオニソス的

カタルシスとは、芸術的・演劇的表現にふれることによる抑圧された感情の解放・浄化を指します。早くもアリストテレスが『詩学』の中で言及しています。

心理療法には、過去の苦痛な体験などの記憶を復活させて、故意にカタルシスを起こす方法がある。

本来**カタルシス**とは、浄化や排泄を意味するギリシア語で、抑圧された感情の解放・浄化を指します。一般的には芸術的・演劇的表現を通じてカタルシスは生じます。**アリストテレス**[*]は著作『詩学』の中で芸術体験を通じたカタルシスに早くもふれています。

アリストテレスによると、ギリシア悲劇では、悲劇の主人公の激しい苦しみを目撃することによって、観客は深い痛ましさと恐れを感じます。その感情の大きな揺れは、観客を日常生活から解き放つとともに、より純化した感情へと上昇させます。アリストテレスの言うカタルシスとはこの経験にほかなりません。

日常生活からの解放、それに純化した感情への上昇は、いずれも芸術体験、美的経験の特質といえるでしょう。その意味で極上の芸術体験・美的経験はカタルシスを伴うものといえるのかもしれません。

文献資料：『世界の名著 8　アリストテレス（「詩学」）』（中央公論社）

カタルシス

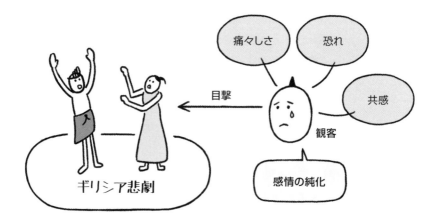

痛々しさ　恐れ　共感

目撃　　　観客

ギリシア悲劇

感情の純化

アリストテレスは、悲劇で演じられる人物たちの行動に映る痛ましさと恐れを通じてカタルシス—感情の浄化に到達できると説いている。

193 黄金比
golden ratio

[189] 美の普遍的法則
[202] 線遠近法

黄金比とは、誰もが美しいと感じる理想的な比率を指します。具体的には「1 : (1+√5)/2」になりますが、概数で 1 対 1.618 と表すことが多いです。

黄金比のような量的法則が成立するということは、美の判断基準は一面で客観的なものであるといえるのかもしれない。

黄金比とは、誰もが美しいと感じる理想的な比率を指しており、厳密には「1 : (1+√5)/2」、概数で表すと **1 対 1.618** になります。脳科学者 **ラマチャンドラン**[*] は、美の普遍的法則の 1 つとして**秩序性**を挙げています。黄金比に従うということは、秩序性に従うと言い換えてもよいかもしれません。

黄金比は多くの美術作品に適用されてきました。その歴史は古く、すでにギリシアやローマの時代の彫刻に見て取れます。通常は、彫像のヘソを基準に上下で黄金比が成立するように作られています。例えば紀元前 100 年頃の制作と考えられている「**ミロのヴィーナス**」も同様の考え方で彫られています。具体的には、ヘソを基準に上半身と下半身の比が 1 対 1.618 になります。また、下半身と全身の比も 1 対 1.618 になります。黄金比のような量的法則が成立するということは、美の判断基準は一面で客観的なものだとも考えられそうです。

文献資料：川畑秀明『脳は美をどう感じるか』（筑摩書房）

ミロのヴィーナスと黄金比

おへその位置を基準に上半身と下半身の比率がざっくりと 3：5、つまり黄金比で分割されている。頭部は全身の 8 分の 1 で、これがいわゆる 8 頭身になる。

出典：Wikimedia Commons

194 ウェヌス
Venus（羅）

[189] 美の普遍的法則
[201] ルネサンス美術

ウェヌスは、美と愛と豊穣を象徴するローマ神話の女神です。ギリシア神話のアフロディティーと同一視されています。英語読みはヴィーナスで、こっちの方がポピュラーですね。

ウェヌスは古くから継続して、多くの美術作品の画題になってきた。芸術家にとってウェヌスは、美を創造する創造の源泉といえるのだ。

　ウェヌスはローマ神話の女神で、愛と美と豊穣を象徴しています。古くからギリシア神話の**ア フロディティー**と同一視されてきました。**クピド**（キューピット）の母で、**三美神**を侍女とします。**ヴィーナス**はウェヌスの英語読みです。

　ウェヌスは理想の裸婦像として古くから芸術家の心をかき立ててきました。そのため現在でもあまたの名作を眼にすることができます。

　最も著名なのは、やはり**サンドロ・ボッティチェリ***作「**ヴィーナスの誕生**」（1485 年）でしょうか。ホタテ貝にのるウェヌスを中央に、ニンフを抱いた西風の神ゼフェロスが左から風を送り、右からは季節の神ホーラが恥じらうウェヌスに衣をかけようとしています。また、同じくイタリア・ルネサンス期の**ジョルジョーネ***作「**眠れるヴィーナス**」（1510 ～ 11 頃）は、横たわる裸体婦の元型になったもので、以後、同様の構図が 500 年も繰り返されることになります。

文献資料：ジョルジョ・ヴァザーリ『芸術家列伝』（白水社）

> ### ボッティチェリ「ヴィーナスの誕生」（1485 年）

出典：Wikimedia Commons

あまりにも有名なサンドロ・ボッティチェリの「ヴィーナスの誕生」。イタリアのウフィツィ美術館が所蔵する。本物を見たことある？

195 ビザンティン美術
Byzantine art

[197] ロマネスク美術
[198] ゴシック美術

ビザンティン美術は、330年から1453年のコンスタンティノープル陥落まで存在したビザンティン帝国（東ローマ帝国）において生まれた芸術を指します。

ビザンティン美術といえば、モザイク画にイコン、聖堂がイメージされるのでは。東洋と西洋が混じった独特の様式がビザンティン美術の特徴だ。

　ビザンティン美術は、330年に**コンスタンティヌス大帝**＊がコンスタンティノポリス（現イスタンブール）に遷都し、1453年に都が陥落するまで存在した**ビザンティン帝国**（東ローマ帝国）で生まれた芸術の伝統と様式を指します。古代ローマや初期キリスト教、さらには東洋の様式が融合して発展しました。

　ビザンティン美術の中で特に著名なのがモザイク画にイコン、それに聖堂ではないでしょうか。**モザイク画**はビザンティン美術の最大の特徴で、ガラスや石、陶器などの着色された小片を並べることで、複雑で緻密なイメージを作り出します。また、**イコン**とはイエスやマリア、聖人の礼拝用画像で、宗教色の強いビザンティン美術を象徴するものです。さらに巨大なドームと広大な身廊をもつ**聖堂**[196]の建築はビザンティン帝国が発祥となります。ビザンティン美術はのちの**ロマネスク**様式や**ゴシック**様式にも大きな影響を及ぼしました。

文献資料：座右宝刊行会編『世界の美術2　中世の美術』（河出書房）

「キリストとコンスタンティノス9世、皇妃ゾイ」（11世紀）

出典：Wikimedia Commons

キリストと皇帝コンスタンティノス9世、その妃ゾイのモザイク画。ビザンティン美術といえばやはりモザイク画だ。

196 聖堂
cathedral

[195] ビザンティン美術
[198] ゴシック美術

キリスト教徒が一堂に集会して、ミサや秘蹟の授与、その他の典礼を行う建築物を指します。キリスト教が公認されると聖堂の数は急増しました。

聖堂建築はビザンティン帝国を発祥にする。そもそもキリスト教はその性格から大勢の人が集まれる場所が必要だった。その場が聖堂だった。

聖堂はキリスト教徒が典礼に用いる聖なる場所です。**キリスト教**の典礼は教徒が集会して執り行われます。その初期には「主の日」にあたる日曜日になると教徒は大きな家へ客として集まりパンを分け合って食事をしたといいます。

一方、**コンスタンティヌス大帝***がキリスト教を公認すると、比較的建築が容易なことや大人数を収容できることから、当時の集会堂建築である**バシリカ**をモデルにした聖堂が地中海沿岸の各地に次々と建てられていきました。聖堂は中央ドームや複数のドームを持ち、内部には広大な空間が広がります。また、内壁や丸天井、ドームは、宗教的な人物や聖書の場面、皇帝のイメージなどを描いた色鮮やかな**モザイク画**やフレスコ画で飾られます。モザイク画には、金箔や宝石も用いられ、ドームの窓から差し込む光に輝くなど、神々しい雰囲気が作り出されました。**アギア・ソフィア（アヤソフィア）大聖堂**（537年）は当時の様子を伝える貴重な建築物です。

文献資料：青柳正規他『西洋美術館』（小学館）

アギア・ソフィア大聖堂とその内部

出典：Wikimedia Commons

 聖堂に足を一歩踏み入れると、そこは別空間で、厳粛な雰囲気に包まれている。これはあらゆる宗教施設に共通する。

197 ロマネスク美術
Romanesque art

[196] 聖堂
[198] ゴシック美術

ロマネスク美術は、西ヨーロッパにおいて11世紀後半から12世紀後半（場所によっては13世紀前半）にかけて花開いた芸術形式を指します。

ロマネスクは「古代ローマ風」という意味を持つが、古代との関わりよりも、独自の発展を遂げた点が特徴だろう。

　ロマネスク美術は、西ヨーロッパにおいて11世紀後半から12世紀後半、場所によっては13世紀前半まで続いた芸術形式を指します。この時期の西ヨーロッパは異教徒からの迫害も落ち着きを見せ、比較的安定した社会を迎えることになります。そこに大きく花開いたのがこのロマネスク美術です。

　ロマネスク美術の特徴の1つはその建築様式です。**聖堂**は厚く重厚な石壁や頑丈な石柱、小さな窓を持ち、そのため内部は薄暗いのですが、要塞のような堅固で堂々とした外観が特徴です。また、丸みを帯びたアーチも大きな特徴の1つで、出入り口やアーケード、窓などに見られ、構造的には建物を支えながら、見た者にどっしりとした安定感を感じさせます。

　また、装飾には幾何学模様や葉のモチーフが好まれて用いられました。こうした装飾は壁面や柱頭、あるいは写本などに用いられました。

文献資料：柳宋玄『ロマネスク美術』（八坂書房）

198 ゴシック美術
Gothic art

[196] 聖堂
[197] ロマネスク美術

ゴシック美術、中世後期、およそ12世紀中頃から16世紀にかけて、フランスで発生し、その後ヨーロッパへ拡大した独特の美術様式を指します。

パリの**ノートルダム大聖堂**はゴシック美術を代表する建築だ。2019年に火災が起き、現在、復興に向けた取り組みが行われている。

　ゴシック美術は**ロマネスク美術**に続く美術様式で、12世紀中頃から16世紀にかけてヨーロッパで花開きました。ゴシックという言葉は、もともと西ローマ帝国の崩壊に大きな影響を及ぼした東ゲルマン民族のゴート族に由来します。ルネサンス期には、古典的なローマ建築に比べ粗野で野蛮とされた建築様式を「ゴシック」と呼ぶようになりました。

　しかし、18世紀になると、中世の時代とその建築に対する評価が高まり、ゴシック美術への関心が再び高まりました。

　ゴシック美術も建築にその特徴がよく表れています。外観は尖ったアーチ（**尖塔アーチ**）や壁の外側にあるアーチ状の支柱（**フライング・バットレス**）が特徴的で、天井や屋根を支える交差したアーチ（**交差リブ・ヴォールト**）で空間的な高さを確保しています。また、雄大で荘厳な**ステンドグラス**も、ゴシック建築の大きな特徴になっています。

文献資料：馬杉宗夫『パリのノートル・ダム』（八坂書房）

199 崩壊の美
beauty of collapse

モンス・デジデリオ
[198] ゴシック美術

相反するように思えますが、17世紀のイタリアの画家モンス・デジデリオはゴシック建築の崩壊に独自の美を発見しました。彼の絵は一度見ると忘れられません。

モンスはフランス語の「ムッシュ」がイタリア語になまったものだという。また、デジデリオはディディエのイタリア風の読み方だそうだ。

ゴシック建築は、天に向かってそびえる尖塔や外壁に凝らされたフライング・バットレスが大きな特徴です。また、外壁には所狭しと聖人像が配置されることも珍しくありません。このような大建築を眼にした時、果たして崩壊はしないかといらぬ心配をしてしまいます。ところがその崩壊の様子（もちろん空想上）をドラマチックな絵画として大量に制作した人物がいます。17世紀のイタリア・ナポリで活躍した謎の画家**モンス・デジデリオ***がその人です。

デジデリオの描く絵画は、まさに「崩壊の美」ともいえるもので、ゴシック様式の建築物がまさに崩壊するその瞬間を描くところが大きな特徴になっています。折れ曲がる石柱、落下する聖人像、炎を上げるアーチ、炎を背景に逃げ惑う貴族たち、スペクタルあふれるこのような情景を緻密かつ暗い筆致で描きます。幻想的なその絵画はいまやシュルレアリスム[230]の先駆けとさえいわれています。

文献資料：『ピナコテーカ・トレヴィル・シリーズ1　モンス・デジデリオ画集』（トレヴィル）

モンス・デジデリオ「偶像を破壊するユダ王国のアサ王（聖堂の倒壊）」（17世紀）

出典：Wikimedia Commons

 モンス・デジデリオは極めて入念に建造されたゴシック建築の崩壊を偏執狂なまでに精緻に描く。一度見たら忘れられない絵画だ。

[198] ゴシック美術

⟨200⟩ ゴシック・ロック
Gothic rock

バウハウス

20世紀に流行したロック・ミュージックのスタイルの1つで、黒を基調にしたファッションと派手なメークを特徴とする。ここから「ゴスロリ」が派生する。

バウハウスらゴシック・ロックは、マーク・ボラン*や一時期のデイヴィッド・ボウイ*らによる**グラム・ロック**に大きな影響を受けている。

ゴシック美術は暗黒の中世と結びつき、その不気味さや魔術的な妖気は、のちの文化にも影響を及ぼしました。例えば、18世紀末から19世紀初頭に流行した幻想的かつ神秘的な**ゴシック小説**はその1つで、**ホレス・ウォルポール***の『**オトラントの城**』は、その初期の作品です（これが最初のゴシック小説という説もあります）。また20世紀には**ゴシック・ロック**がその影響を受けています。

ゴシック・ロックは、1970年代末、**ポストパンク**の潮流の1つとして流行した音楽スタイルです。ビジュアル面では黒と白を基調にしたファッションと派手なメークを特徴にします。また音楽的には重くて、暗い妖気を放つサウンドが印象的です。**バウハウス***や**スージー＆バンシーズ***など、多くの人気バンドが輩出しました。さらにゴシック・ロックのファッションがポップカルチャー化して、**ゴシック・ロリータ（ゴスロリ）**を生み出しています。

文献資料：ホレス・ウォルポール『オトラントの城』（国書刊行会）

バウハウス

出典：Wikimedia Commons

 ポストパンク・ムーヴメントの中、人気を誇ったバウハウス。ミュージック・クリップはドイツ表現主義の手法を採用していた。

201 ルネサンス美術
Renaissance art

[202] 線遠近法
[203] マニエリスム

もともとはフランス語で「再生」を意味します。ヨーロッパで主に15世紀から16世紀にかけて起こった、文化的、芸術的、思想的な運動を指します。

ルネサンスはヨーロッパで起きた文化大革命だった。これを画期に中世は終わり、時代は近代へと向かうのだ。

　ルネサンスは、主に15世紀から16世紀のヨーロッパで起こった文化的、芸術的、思想的な運動を指します。それらに一貫する特徴は、古代ギリシアやローマの古典文化に再び光をあて、人文主義や個人主義、科学的態度を重んじた点です。

　美術に焦点を絞ると、ルネサンスでは、中世の様式化された宗教美術とは一線を画し、自然をありのまま表現する傾向が強まりました（写実主義と自然主義）。人物描写においても、人間を本位とする人文主義的立場から、人間の感情や表情、性格をより深く描き、その人物の個性を際立たせました。ダ・ヴィンチ*による「モナリザ」（1503〜06年）はまさにその典型といえるでしょう。

　また、古代ギリシアやローマの影響は彫刻や建築に顕著に認められます。システィーナ礼拝堂を彩るミケランジェロ*の「最後の審判」（1535〜41年）、また同じくミケランジェロによる彫刻、例えば「ダヴィデ」（1501〜04年）は明らかに古典の影響が見られます。

文献資料：石鍋真澄監修『ルネサンス美術館』（小学館）

ミケランジェロ「最後の審判」（1535〜41年）

20世紀に行われた修復により、透き通る青が印象的になった。もっとも中にはグレーがかったもとの色がそれらしいと言う人もいる。

出典：Wikimedia Commons

(202) 線遠近法
linear perspective

[168] パースペクティビズム
[201] ルネサンス美術

絵画技法の1つで、2次元の平面に3次元空間のような錯覚を起こさせます。ルネサンス期に開発されました。一般に単に遠近法といった場合、線遠近法を指します。

マザッチョの「聖三位一体」が、線遠近法を取り入れた最初の美術作品と目されている。初期の線遠近法はぎこちなさが残るのが特徴だ。

遠近法とは、3次元の現実を2次元の平面に再現する絵画技法の1つです。遠近法の利用は古代文明の絵画にまで遡ります。しかし、理論的かつ体系的に用いられるようになったのは15世紀のルネサンス期になってのことです。

遠近法には、色彩遠近法と線遠近法に大別できます。**色彩遠近法**は、赤を近く、青を遠くに置くなど、色の心理的効果を念頭に置くものです。一方、**線遠近法**はある特定の視点から、画面にある平行線を遠ざかるにつれて1点に収束させることで遠近感を出す絵画技法です。幾何学的基礎を持つ科学的な絵画手法であり、その意味でもルネサンス的といえるでしょう。

この線遠近法を最初に用いた作品が、初期ルネサンス絵画の開祖ともいわれる**マザッチョ***の「**聖三位一体**」（1427〜28年）だといわれています。その後、ルネサンス期の画家はこの線遠近法を大いに活用することになります。

文献資料：ジェイムズ・スミス・ピアス『西洋美術史小辞典（改訂新版）』（美術出版社）

マザッチョの「聖三位一体」（1427〜28年）

初めて線遠近法で描かれた絵画作品だといわれている

マザッチョの絵画に線を書き加えると、1点（消失点）に収束させて描いていることがわかる。以後、多くの画家が線遠近法を取り入れていくことになる。

出典：Wikimedia Commons

203 マニエリスム
manierisme（仏）

[201] ルネサンス美術
[205] アレゴリー

マニエリスムは、**後期ルネサンス**の芸術様式で、プロポーションやポーズ、空間関係を意図的に誇張または歪曲し、人工感を高めたところに特徴があります。

マニエリスムは、16世紀にイタリアを中心に生まれ、17世紀初頭まで続いた。幻想的な画面が特徴の世界観を持つ。現代にも愛好家が多い。

　従来、**マニエリスム**は、盛期ルネサンスの画風（マニエラ）を模倣した衰退期の芸術ととらえられていました。しかし、現在では盛期ルネサンスとは異なる独立した芸術運動として再評価されています。

　マニエリスムの真骨頂は、人物のプロポーションやポーズを故意に歪曲している点でしょう。例えば、**パルミジャニーノ***の「**長い首の聖母**」（1535年頃）は、表題どおり聖母の首が異常に長くなっていました。また聖母が抱く幼児キリストの胴体も長く、手はぶらさがった状態です。あるいは、**ポントルモ***の「**十字架降下**」（1528年頃）もどこか奇妙な感じのする作品になっています。何が奇妙かというと、十字架降下というお馴染みの画題であるにもかかわらずその十字架が存在しません。キリストやその足をかつぐ人物の長い胴、それに色彩の渦は盛期ルネサンスの古典主義から逸脱しています。

文献資料：『ピナコテーカ・トレヴィル・シリーズ9　イタリアのマニエリスム画集』（トレヴィル）

（　パルミジャニーノ「長い首の聖母」（1535年頃）とポントルモ「十字架降下」（1528年頃）　）

こちらはマニエリスムを代表する作品だ。パルミジャニーノの幼児キリストとポントルモの十字架降下のキリストの胴がどこか似ていないか！

出典：Wikimedia Commons　　　　出典：Wikimedia Commons

204 ルドルフⅡ世
Rudolf II

ルーラント・サーフェリー
ジュゼッペ・アルチンボルド

ルドルフⅡ世は、1576年から1612年まで在位した神聖ローマ帝国皇帝。芸術と科学の庇護者として知られ、プラハ宮廷はその活動拠点となりました。

幻想の画家ジュゼッペ・アルチンボルドもプラハ宮廷画家の1人で、食材や花を用いて皇帝ルドルフⅡ世像を描いた作品を残している（下図参照）。

　ルドルフⅡ世は、1576年から1612年まで在位した神聖ローマ帝国皇帝です。ハプスブルク家のルドルフⅡ世として知られています。

　ルドルフⅡ世は希代の科学および芸術好きで、プラハ宮廷に科学者や芸術家を集め、その活動を庇護しました。また皇帝が蒐集した珍宝コレクションは「**驚異の部屋（ヴンターカマー）**」と呼ばれる展示室に陳列され、人々を驚かせました。

　皇帝の庇護を受けた芸術家としては**ルーラント・サーフェリー***と**ジュゼッペ・アルチンボルド***が著名です。ネーデルランド出身のサーフェリーは幻想的な動物の世界を巧みに描くことでその才能を発揮しました。また、アルチンボルドはイタリア出身の画家で、食材や動植物、魚、器具などを組み合わせて人物画を描くことを得意にしました。アルチンボルドはこの手法を駆使して、ルドルフⅡ世の肖像画も描いています。

文献資料：Bunkamura ザ・ミュージアム編『神聖ローマ帝国皇帝ルドルフ2世の驚異の世界展』（Bunkamura）

ジュゼッペ・アルチンボルド「ウェルトゥムヌスとしての皇帝アドルフ2世像」（1591年）

アルチンボルドが描いた代表作の1つ。庇護者であったルドルフⅡ世の肖像を洋梨やリンゴ、桃、サクランボ、トウモロコシなどの食材と花で描ききった。

出典：Wikimedia Commons

ⓛ アレゴリー
allegory

アーニョロ・ブロンズィーノ
[203] マニエリスム

抽象的な概念を図像で比喩的に表現することを指します。その意味を理解するには古代のエピソードや神話の知識が必要になります。イコノロギア[206]は、アレゴリーの解釈に役立ちます。

マニエリスムの画家アーニョロ・ブロンズィーノが描いた「愛のアレゴリー」は、アレゴリーの謎解きとして古くから多くの著作で紹介されている。

アレゴリーは寓意のことで、絵画においては、深い意味や道徳的なメッセージ、抽象的な概念、歴史的出来事などについて、象徴的な視覚的要素を用いて比喩的に表現することを意味します。

アレゴリーを含む絵画では、象徴的な物語を創造するために、通常、意図的に主題や要素、背景などが選択されます。一例を**マニエリスムの画家ブロンズィーノ**[*]の「**愛のアレゴリー**」（1540〜45年）で示しましょう。この作品はアレゴリーの謎解きとして古くから多くの著作で紹介されてきました。

本作品では、ウェヌス[194]に背後から抱きついて口づけをする**クピド**の背後に4人の謎めいた人物や小道具を配置しています。ウェヌスとクピドはダイレクトに愛を暗示しているのがわかりますが、背景の4人や小道具にも「嫉妬」や「闇」「時」「欺瞞」「愛欲」など、愛にまつわる多様な意味が散りばめられています。

文献資料：澁澤龍彦、巌谷國士『裸婦の中の裸婦』（文藝春秋）

アーニョロ・ブロンズィーノ「愛のアレゴリー」（1540〜45年）

マニエリスムの画家ブロンズィーノの代表作の1つ。クピドの不自然な肢体に注目したい。ここにも現実離れしたマニエリスムの特徴が垣間見える。

出典：Wikimedia Commons

206 イコノロギア
iconologia（伊）

チェザーレ・リーパ
[201] ルネサンス美術

図像解釈学。図の意味を解釈する学問です。もともとはルネサンス期に始まりましたが、絵画を解釈する上で現在も欠かせない学問になっています。	イコノロギアは、イタリアの美術史チェザーレ・リーパが 1593 年に出版した "Iconologia" という本のタイトルに由来する。

イコノロギアは、図像や美術作品を解釈する際に、画家の意図や心理面のみならず、民族や宗教、文化といったその時代の背景を総合的に勘案して、その意味を把握しようという試みです。イコノロギアが発展する画期となったのが、イタリアの**チェザーレ・リーパ***が 1593 年に出版した著作『イコノロギア』です。

リーパはイタリアの人文主義者で歴史家、美術史家として 16 世紀後半から 17 世紀初頭にかけて活躍しました。元は料理人だったといわれ、図像については独学したようです。『イコノロギア』には、1000 点を超えるエンブレムが収められており、それぞれが美徳や悪徳、愛国心、職業など多様な意味を持ちます。これらのエンブレムを理解する際にはアレゴリー（寓意）やシンボル（象徴）が特に重要な要素になります。イコノロギアは、現代のアーティストやデザイナーのインスピレーションの源泉にもなっているようです。

文献資料：水之江有一『図像学事典』（岩崎美術社）

207 グロッタ
gròtta（伊）

ラファエロ・サンティ
[201] ルネサンス美術

洞窟。ルネサンス期には、洞窟に描かれたローマ時代の絵画が画家のインスピレーションを刺激しました。またマニエリスム期には、庭園に人工のグロッタを作ることも流行しました。	グロッタは、空想的で装飾的なデザインを特徴とするグロテスク様式の発展に寄与した。

ラテン語で「黄金の館」を意味する**ドムス・アウレア**は、西暦 64 年のローマ大火の後、皇帝ネロが古代ローマに建設した巨大な宮殿群です。この宮殿では**グロッタ**、すなわち自然の洞窟や人工洞窟が建築要素の 1 つとして付随していました。グロッタの内部には**フレスコ画**や化粧しっくい（**スタッコ**）で動植物や人間、怪獣、奇怪な文様など、幻想的な装飾が施されていました。これらを**グロテスク文様**と呼びます。

ルネサンス期の画家はこれら古代ローマの作品にふれ、インスピレーションの源泉にしました。例えば**ラファエロ***はドムス・アウレアの装飾を発展させ建築物の壁面にこれらグロテスク文様を再現しました。

また、**マニエリスム**期には庭園に人工のグロッタの設置が流行します。のちに空想的で装飾的なデザインを**グロテスク**と呼びますが、これはグロッタを語源にしています。

文献資料：青柳正規他『西洋美術館』（小学館）

北方ルネサンス美術
Northern Renaissance art

[201] ルネサンス美術
[203] マニエリスム

北方ルネサンス美術は、15世紀から16世紀にかけて、ドイツやフランス、ネーデルランドで起こった芸術運動を指します。多様な様式が出現しました。

イタリアのルネサンス様式がヨーロッパに拡散し多様な芸術を生み出した。その様式を一括りで語るのは難しい。

ルネサンス美術は本来イタリアで誕生した芸術の潮流です。この運動がフランスやネーデルランド（オランダ、ベルギー）、ドイツ語圏といった北部ヨーロッパに拡散し、それぞれの地域で特徴のある芸術が生まれました。これらを称して**北方ルネサンス**といいます（これに反対する論者もいます）。

例えばフランスでは、イタリアから宮廷に招聘された画家が新たな芸術の潮流、**国際マニエリスム**を生み出します。彼らはフォンテーヌブロー宮殿を中心に活動したことからのちに**フォンテーヌブロー派**と呼ばれるようになりました。またネーデルランドでは油彩技法を駆使した写実描写の絵画が制作されました。**ヤン・ファン・エイク**[*]の傑作「**アルノルフィーニ夫妻の肖像**」（1434年）はその1つです。ドイツでは、15世紀末から16世紀初頭にかけてイタリアを2度旅行した**アルブレヒト・デューラー**[*]は、ルネサンスの様式に学んだ人体表現や空間表現をドイツ絵画に導入しようと試みました。

文献資料：『ピナコテーカ・トレヴィル・シリーズ4　フォンテーヌブロー派画集』（トレヴィル）

ヤン・ファン・エイク「アルノルフィーニ夫妻の肖像」（1434年）

妖気漂う画である。部屋の奥にある鏡を拡大して見ると戸口に2人の人物が描かれているのがわかる。左手の窓からの光線がいかにも当時のオランダ絵画らしい。

出典：Wikimedia Commons

209 風俗画
genre painting

ヒエロニムス・ボス
ピーテル・ブリューゲル

その時代の日常的な風俗を描いた絵画を指します。宗教改革の波に洗われた北方ルネサンスは風俗が重要な画題になっていきます。多くの巨匠が風俗画を描きました。

日本での風俗画は、16世紀後半に**洛中洛外図**や**遊楽図**、**祭礼図**などの独立した画題として成立するようになった。これらを近代初期風俗画という。

　日常生活を題材にした絵画を**風俗画**といいます。風俗画の発祥は1500年頃のドイツの版画にまで遡るといわれます。その後、風俗画は北方ルネサンス美術[208]で重要な位置を占めるようになりますが、それには宗教改革が大きく関係していました。

　16世紀初頭、**マルチン・ルター***によって始まった宗教改革は宗教画の衰退を招きました。その代わりに台頭したのが、当時経済的力をつけていた市民のニーズに合う絵画でした。こうして比較的裕福な市民に対して、従来は宗教画の背景を飾ったに過ぎない風俗画や風景画が大量に制作されるようになりました。

　ネーデルランドの画家**ボス***は「**快楽の園**」（1505〜16年頃）であまりにも有名ですが、「**放浪者（行商人）**」（1500年頃）など、風俗画といってよい作品を残しています。また、ボスのあとを継いだ**ブリューゲル***は「**農民の婚宴**」（1568年頃）や「**ネーデルランドのことわざ**」（1559年）など多数の風俗画を残しました。

文献資料：ボイスマンス・ファン・ベーニンゲン美術館他『ブリューゲル「バベルの塔」展』（朝日新聞社）

ヒエロニムス・ボス「放浪者（行商人）」（1500年頃）

出典：Wikimedia Commons

かつては「放蕩息子の帰宅」とも呼ばれた。男の背景に映る建物に上がる旗には白鳥が描かれており、売春宿だとわかる。

210 不釣り合いなカップル
ill-matched lovers

ルーカス・クラーナハ
[209] 風俗画

風俗画の画題の１つ。金持ちで淫欲な老人とその老人をたらし込もうとする若い女性を描いたものです。クラーナハはその生涯において「不釣り合いなカップル」を多数描きました。

若い女を前にした男の顔がなんとだらしないことか。愛欲に溺れることの虚しさを感じざるを得ない。

　画題の中には多様な画家によって繰り返して描かれるものがあります。初期風俗画に見られる**不釣り合いなカップル**もその１つでしょう。

　この画題は、金持ちで淫欲な老人とその老人をたらし込もうとする若い女性を描いたものです。例えば**マルティン・ルター***と親交が深くその肖像画も描いた**ルーカス・クラーナハ***は「不釣り合いなカップル」をタイトルにした作品を数多く残しています。

　クラーナハの作品に共通するのは、金持ちの老人が愛欲に溺れ、何ともだらしない顔で若い女を見つめる姿です。愛想笑いする女は、老人から贈り物として金品を受け取っています。あるいは老人のポケットからこっそりと金品を盗み出す女を描いたものもあります。男のだらしない顔を見るにつけ、「こうはなってはいけない」と自ら戒めたくなります。ちなみにクラーナハの作品では年代を経るほど男の顔がだらしなくなっていきます。

文献資料：ガイド・メスリング、新藤淳責任編集『クラーナハ展』（TBSテレビ）

ルーカス・クラーナハ 「老人と若い女」（1489 年）

クラーナハは不釣り合いなカップルをテーマにした作品をいくつも描いているが本作もその１つだ。時代が下った作品ほど男のだらしなさが増す。

出典：Wikimedia Commons

211 バロック美術
Baroque art

[201] ルネサンス美術
[212] ロココ美術

16 世紀末から 18 世紀にかけてヨーロッパ中で流行した芸術や装飾のスタイルを指します。バロック美術では、ドラマ性や過剰な装飾がその特徴になっています。

いわゆる近代と呼ばれる時代にまず花咲いた芸術だ。ちなみに「バロック」は「歪んだ真珠」を意味するポルトガル語に由来するという。

　バロック美術の絵画は、明暗を誇張した劇的照明や強烈な色彩、誇張された身振りや表情で、鑑賞者の心を揺さぶる点が特徴です。具体例を示す方がイメージしやすいかもしれません。例えばイタリアの**カラヴァッジョ***、フランドルの**ルーベンス***、オランダの**レンブラント***などが挙げられます。カラヴァッジョの名作「**ダヴィデとゴリアテ**」（1605〜06 年頃）を見ると、漆黒を背景に一筋の光がダヴィデとゴリアテの姿をドラマチックに描き出しています。

　また、レンブラントと活動時期が重複する**ヨハネス・フェルメール***の作品に「**真珠の耳飾りの少女**」（1665〜66 年頃）があります。この時代の真珠はすべてが天然ものです。しかし、少女の真珠は天然ものとしてはサイズが大きいため偽物ではないかと議論されています。仮に画家がサイズを歪めて真珠を描いたとしたら、これはまさにバロックです。ちなみにフェルメールがバロック美術で括られることはありません。

文献資料：青柳正規他『西洋美術館』（小学館）

> **ヨハネス・フェルメール「真珠の耳飾りの少女」（1665 〜 66 年頃）**

フェルメールの傑作。バロックという言葉は、「歪んだ真珠」というポルトガル語に由来するというのが通説になっている。

出典：Wikimedia Commons

ロココ美術
Rococo art

ジャン・オノレ・フラゴナール
[209] 風俗画

18世紀のヨーロッパ、特にフランスで流行した芸術様式を指します。官能的でしなやかな曲線、明るい色彩を特徴にします。これは革命前のフランス上流社会を象徴しています。

ロココという言葉はフランス語で岩や貝を意味する「ロカイユ（rocaille）」に由来するといわれている。

　18世紀初頭のフランスは、ルイ14世の晩年期にあたり社会的にも安定した時代でした。そのような時代背景が芸術にも反映し、バロック期の劇的でどこか重たい過剰性から、官能的でしなやかな曲線、明るい色彩を特徴にした芸術が勃興するようになりました。これを**ロココ美術**と呼んでおり、絵画をはじめ建築、彫刻、家具、工芸など当時の美術全体に広がりました。

　絵画の題材を見ると、安定した社会の雰囲気を反映してか、描かれているのは貴族の余暇活動や恋愛など、戯れで過ごす日常生活の一幕でした。

　その典型が**フラゴナール***の「**ぶらんこ**」（1767年頃）ではないでしょうか。華麗な衣服を身にまとってブランコに乗る貴婦人、そして風にはためく女性のスカートの中をのぞき込もうとする若い貴族が描かれています。官能的かつ享楽的なロココ趣味からは、やがて来るフランス革命を想起せざるを得ません。

文献資料：仲川与志、西永裕『図説名画の誕生』（秀和システム）

ジャン・オノレ・フラゴナール「ぶらんこ」（1767年頃）

フラゴナールが描く貴婦人を見てもらいたい。その表情には女性の悪知恵と企みが巧みに描かれていてちょっと怖い。

出典：Wikimedia Commons

(213) ロマン主義
romanticism

ヨハン・ハインリヒ・フュースリー
ウィリアム・ブレイク

18世紀後半〜19世紀前半にヨーロッパで起こった芸術や文学などにおける知的運動を指します。古典主義に対して個人の感情や想像力を重視します。

ロマン主義は啓蒙主義や古典主義の反発として生じた面がある。美術面ではヨハン・フュースリーやウィリアム・ブレイクらが活躍した。

　ロマン主義は、18世紀後半から19世紀前半にかけてヨーロッパで起こった潮流で、文学、絵画、音楽、建築など、あらゆる芸術や文化に大きな影響を与えました。もともと「ロマン」は、中世フランス語に由来するもので、俗語で書かれた文学を意味していました。ロマン主義以前の古典主義や啓蒙主義は規制や秩序、規範を重視し、個人の感情や創造力を軽視する傾向にありました。これに反動したロマン主義では、人間の内面にある無限の自由に目を向けて、それを芸術で表現しようとしました。

　その一例として幻想や怪奇に目を向けてみましょう。ロマン主義の時代の小説はゴシック小説[198]とも呼ばれましたが、その特徴は幻想的で怪奇に満ちたものでした。同様の傾向は絵画にも見られます。例えば、**フュースリー***の「**夢魔**」(1781年)や**ブレイク***によるダンテ作『**神曲**』(1824〜7年)の挿絵などがあります。

文献資料：青柳正規他『西洋美術館』(小学館)

ヘンリー・ヒュースリー「夢魔」(1781年)

出典：Wikimedia Commons

ヒュースリーはスイスの画家だ。ベッドから両手を投げ出した女性の腹の上から異形の生き物がこちらを見つめる。背景の馬は何の象徴と考えるか？

印象主義
impressionism

クロード・モネ
ピエール＝オーギュスト・ルノワール

印象主義は、19世紀後半のフランスで生まれた芸術運動です。写実性よりも自然を観察した時に経験する視覚的感覚を描こうとした点が、印象主義の大きな特徴になっています。

モネやルノワール、セザンヌ、ドガ、ゴッホ…。彼らが描く印象派の絵画は日本人が最も好む西洋絵画のジャンルではないだろうか。

　印象主義は、19世紀後半のフランスで生まれた、西洋絵画に大変革を起こした芸術運動でした。当時、フランスの画壇で自作を公表しようと思うと**サロン**に出品するのがほぼ唯一の手段でした。もちろん出品すればすべての作品がサロンで公開されるわけではありません。1874年、このサロンに対抗した展覧会が写真家**フェリックス・ナダール***のスタジオで開催されました。参加したのは**モネ***や**カミーユ・ピサロ***、**アルフレッド・シスレー***、**エドガー・ドガ***、**ポール・セザンヌ***、そして**ルノワール***と、そうそうたる名が並びます。

　その1人であるモネは、ここに「**印象・日の出**」（1872年）を出品しました。ここから彼ら一派を印象主義と呼ぶようになりました。画風が共通しているわけではありませんが、当時の日常の一面の瞬間を輝く色彩で切り取ると同時に、その画面に光をとらえることに執心しました。当初は酷評された印象主義ですが、印象派展の回数が増えるに従って評価は高まっていきました。

文献資料：島田紀夫監修『印象派美術館』（小学館）

クロード・モネ「印象・日の出」（1872年）

出典：Wikimedia Commons

印象主義の名称のもとになった作品。モネは睡蓮を題材にして描いた一連の作品で世界的に人気が高い。日本では最も著名な画家の1人かもしれない。

215 ジャポニスム
japonisme（仏）

ジェームズ・マックニール・ホイッスラー
ヴィンセント・ファン・ゴッホ

> 19世紀末から20世紀初頭のヨーロッパで生じた芸術運動で、日本の文化や造形が持つ特質を独自に解釈して、自身の作品に取り込む立場を指します。

> モネは大の浮世絵愛好家で、当時パリで日本の古美術商として活躍していた**林忠正***は、浮世絵と引き換えにモネの作品を手に入れたりしていた。

　ジャポニスムは、19世紀末から20世紀初頭のヨーロッパにおいて花開いた芸術運動の1つで、日本の文化や造形が持つ特質を独自に解釈して自身の作品に取り込む態度を指しました。また、これと似た言葉に**ジャポネズリ**（日本趣味）があります。こちらは中国趣味（**シノワズリ**）に倣ったもので、浮世絵や日本の工芸品を蒐集するなど、日本文化に傾倒することを指します。

　西洋美術史の中でジャポニスムが大きな芸術スタイルとして確立したわけではありません。**ホイッスラー***や**ゴッホ***、**エドゥアール・マネ***、あるいは工芸では**エミール・ガレ***などが、自分のスタイルに日本様式を取り込んだ印象が強いといえます。しかしそれでも、ホイッスラー「**バラ色と銀色：陶器の国の姫君**」（1864年）やゴッホ「**タンギー爺さん**」（1887年）など重要な作品が多数残されています。印象主義[214]やアール・ヌーボー[219]などにも大きな影響を及ぼしました。その意味でジャポニスムの果たした役割を過小評価することはできません。

文献資料：『アサヒグラフ別冊　ジャポニスムの謎』（朝日新聞社）

ジェームズ・マックニール・ホイッスラー「バラ色と銀色：陶器の国の姫君」（1864年）

> ホイッスラーをジャポニスムの画家としてくくるのは困難ながら、この作品は当時のジャポニスムを代表する作品の1つになっている。米フリーア美術館が所蔵する。

Wikimedia Commons

象徴主義
symbolism

ギュスターヴ・モロー
オディロン・ルドン

象徴主義は、19世紀末のヨーロッパで起こった芸術運動の1つです。象徴や寓意、比喩によって主観的で神秘的な表現を追求する立場を指しています。

象徴主義の1人であるクリムトの作品はヴィザンチン芸術のモザイク画を彷彿とさせる。ために「ヴィザンチン画風の画家」とも呼ばれた。

19世紀のヨーロッパは工業化が進展し物質主義が社会に深く浸透しました。**象徴主義**はそのような時代に反動するかのように、個人の主観を頼りに、象徴や寓意、比喩によって神秘的な表現を追求しました。

象徴主義を代表する画家の1人に**ギュスターヴ・モロー***がいます。モローは象徴主義の先駆者の1人といわれており、神話や聖書に題材をとったその作品は、幻想的・神秘的な印象、寓意にあふれる画面が人をとらえて放しません。

また、モローに大きな影響を受けた**オディロン・ルドン***は、人間精神の深見まで降りていく画風を得意としています。ルドンは繰り返して人間や奇妙な生き物の「眼」を描きましたが、その視線は鑑賞者の心の中を見透かしているようです。ほかにもモザイク画[195]にインスピレーションを得た**グスタフ・クリムト***も象徴主義を代表する画家の1人です。

文献資料：滋賀県立近代美術館編『黒の魅惑　ルドンをめぐりて』（滋賀県立近代美術館）

オディロン・ルドン「眼＝気球」（1878年）

1つのテーマを繰り返し描く画家は多い。ルドンにとっては「眼」がそのテーマの1つだったようだ。またルドンの描くつぶっている眼も魅惑的なのだ。

出典：Wikimedia Commons

217 万国博覧会
world exposition

岡本太郎
[219] アールヌーボー

1851年にイギリスで始まった国際イベントで、各国が自国の産業や文化を世界に発信する場とし活用してきました。美術も重要な展示アイテムになります。

エッフェル塔と太陽の塔。ともに万国博覧会から生まれた傑作といえる。万国博覧会は芸術を生み出す巨大なパワーを秘めているのだ。

万国博覧会は、各国が一堂に会し自国の産業や文化を発信する国際イベントで、1851年にロンドンで開催されたロンドン万国博覧会を皮切りにその後数年おきに各国で開催されてきました。特に19世紀後半は「**博覧会の時代**」と呼ばれたほど盛況を博しました。

万国博覧会というと自国の先端技術や次世代の産業を世界にアピールする場としてイメージが強いように思えます。しかし、万国博覧会は自国の文化芸術を発信する場としても活用されてきました。例えば、世紀末の1900年に開催されたパリ万国博覧会では**エッフェル塔**が姿を現し、現在も都市のアートオブジェとして親しまれています。

また1970年の日本万国博覧会では、**岡本太郎**[*]による巨大芸術作品「**太陽の塔**」がお祭り広場の屋根を突き抜けてそびえ立ちました。博覧会終了後もその威容を放っているその事実は、芸術作品が持つ力と生命力を示しています。

文献資料：東京国立博物館他編『万国博覧会の美術』（NHK、日本経済新聞社）

218 デカダンス
decadence

フリードリヒ・ニーチェ
[439] 力への意志

一般的には道徳的、文化的に退廃した状態を指しますが、狭義ではボードレールなど19世紀後半フランスの背徳的芸術家の特徴として用いられます。

哲学者ニーチェは、人が持つ新たな価値を創造しようとする「力への意志」が衰退することで、デカダンスやニヒリズムが生まれたと考えた。

デカダンスとは一般的に、物質主義や快楽主義、快楽の追求を過度に重視した結果、道徳的または文化的に退廃した状態を指します。特にこの言葉が適用されたのが19世紀後半のフランスの**シャルル・ボードレール**[*]や**アルチュール・ランボー**[*]などの退廃的で背徳的な芸術家です。彼らは従来の道徳を否定し、快楽や愉悦を美徳としたからです。

当時のデカダンスを批判した人物に哲学者**ニーチェ**[*]がいます。それというのもニーチェは、デカダンスが**力への意志**の衰退だと考えたからです。

力への意志とはニーチェ哲学の重要な概念で、あらゆる生の根本にある、新たな価値を創造しようとする意志を指します。ニーチェはニヒリズムとともにデカダンスが、卓越性や強さ、個性の追求を妨げるため、力への意志を実現する妨げになると考えたのです。そしてニーチェは、デカダンスを拒否して、生命を肯定する文化の創造が欠かせないと考えました。

文献資料：フリードリッヒ・ニーチェ『権力への意志』（筑摩書房）

219 アール・ヌーボー
Art Nouveau（仏）

サミュエル・ビング
[215] ジャポニスム

アール・ヌーボーは、19世紀末のフランスから開花した芸術運動の1つです。絵画のほか建築や家具、装飾品、ガラス工芸、宝飾品など幅広い分野に影響を及ぼしました。

アール・ヌーボーの芸術家は日本の美術や工芸から大きな影響を受けた。彼らは日本美術が持つ有機的なフォルムやモチーフを重視したのだ。

アール・ヌーボーは「新芸術」の意味で、19世紀末のフランスから開花した芸術運動です。パリで日本美術商を営んでいた**サミュエル・ビング***が1895年に開いた「**ビングのアール・ヌーボーの店**」がその名前の由来になっています。店舗のこけら落としとして第1回アール・ヌーボー展が開かれましたが、これがこの芸術運動の実質的な始まりだといえます。

アール・ヌーボーの特徴は有機的なフォルムにあり、植物やそのつる、流れる髪などの自然の要素からインスピレーションを得て、しなやかで曲線的なラインを強調しています。また、花や植物の葉、昆虫、動物など自然をモチーフにした装飾を多用した点も大きな特徴になっています。これらのフォルムやモチーフには日本の美術や工芸からの影響が見られ、その範囲は絵画のみならず建築や家具、装飾品、ガラス工芸品、宝飾品と多岐に及びました。

文献資料：由水常雄『ジャポニスムからアール・ヌーボーへ』（中央公論社）

エミール・ガレ「花瓶」（1880年頃）

エミール・ガレはフランスのナンシーで活躍したアールヌーボーを代表するガラス工芸家だ。彼は日本の画家・高島北海*から大きな影響を受けている。

出典：Wikimedia Commons

220 フォーヴィスム
fauvisme（仏）

アンリ・マティス
アンドレ・ドラン

野獣派とも呼ばれるフォーヴィスムは、20世紀初頭にフランスで起こった絵画運動の1つです。前衛芸術家による伝統から逸脱した表現がフォーヴィスムの大きな特徴です。

フォーヴィスムは、従来の美術に対する色彩の絵画革命だった。これに対して形態の絵画革命がキュビスム[221]なのだ。

　フォーヴィスムは20世紀に入って最初に起こった絵画運動です。保守的なサロン・ナショナルに対抗してサロン・ドートンヌが作られましたが、その1905年の展覧会において、**アンリ・マティス***や**アンドレ・ドラン***、**ジョルジュ・ルオー***らの鮮やかで強烈な色彩と奔放な筆致の作品群が公開されました。批評家はこれらの作品を揶揄して「野獣」と呼びました。ここからフォーヴィスムという語が生まれました。ただし共通の絵画理論があったわけではありません。

　フォーヴィスムの特徴は、やはりのその色彩でしょう。フォーヴィスムの画家達は、自然を写実的に表現するのではなく、大胆で非自然的な色彩で表現しました。それは目に映る色を表現するのではなく、主観的な色彩の再現であり、色彩の「自立」あるいは「自治」でした。またその色彩は、世紀末に顕著だった暗く重いイメージとは対照的なものでした。

文献資料：青柳正規他『西洋美術館』（小学館）

アンリ・マティス「帽子の女」（1905年）

この作品を通じてマティス周辺の画家がフォービズムと呼ばれるようになる。その意味でエポックメーキングな作品といえる。

出典：Wikimedia Commons

221 キュビスム
cubisme（仏）

パブロ・ピカソ
ジョルジュ・ブラック

立体派とも呼ばれるキュビスムは、フォーヴィスムに続いて起こった20世紀初頭の絵画運動。**ピカソ***と**ブラック***がその中心的な役割を果たしました。

フォーヴィスムが、自然に対する色彩面における絵画革命だとすると、キュビスムは形態面における絵画革命になる。

キュビスムはフォーヴィスム[220]に続いて20世紀初頭のフランスで起こった絵画運動で、**立体派**ともいいます。ルネサンス以降の西洋絵画は、眼にする現象を写し取る**写実主義**、いわば**視覚のリアリズム**を基礎にしていました。これに対してフォーヴィスムでは、自然から色彩を解放し、画家の主観による色使いを強調しました。

一方、それに続くキュビスムでは、自然から形態を解放し、概念としての3次元を2次元の画面に表現しました。つまり、フォーヴィスムが自然に対する色彩面における絵画革命だとすると、キュビスムは形態面における絵画革命として位置づけられます。キュビスムが目指したのは、3次元の空間にある対象を、多方面から同時にとらえ、それらを一気に2次元画面上に配置することです。これにより一旦バラバラに切り取られた対象の各部が、画面の上で再構成されます。動きのある3次元の対象についても同様です。

文献資料：セミール・ゼキ『脳は美をいかに感じるか』（日本経済新聞社）

ジョルジュ・ブラック「バイオリンと燭台」（1910年）

キュビスムの代表といえばピカソとブラックだろう。3次元の対象をバラバラに分割して2次元平面に押し込むのがキュビスムの得意技なのだ。

出典：Wikimedia Commons

222 未来派
futurismo（伊）

フィリッポ・トマソ・マリネッティ
[227] ダダ

主にイタリアで起こった芸術文化運動の1つです。1909年にマリネッティがフィガロ紙に掲載した「未来派宣言」をその始まりとしています。

速度のほか、闘争や戦争、愛国心、女性蔑視を讃えた未来派は、やがて**ファシズム**の擁護に結びつく。

　未来派は20世紀初頭にイタリアで起こった非常に影響力のあった芸術文化運動を指します。1909年に詩人**マリネッティ***がフィガロ紙において発表した「未来派宣言」がその始まりになります。その宣言の中でマリネッティは、新時代には新しいスタイルと表現様式が必要だとし、過去の芸術を拒否し、機械文明化した現代社会、中でも文明が持つ**速度の美**を大絶賛しました。

　未来派は、絵画や彫刻、文学、音楽、演劇、建築といったさまざまな表現形式あるいは芸術様式に影響を及ぼしました。

　例えば絵画様式では、ツァラが重視した速度の美を表現するため、キュビスムの方法を活用して、運動する対象を2次元画面に表現しました。漫画で走っている様子を表現する際に、足を何本も描きますが、この表現は元をただすと未来派に行き着きます。未来派はその後の**ダダ**や他の芸術運動にも大きな影響を与えました。

文献資料：エンリコ・クリスポルティ、井関正昭監修『未来派 1909 - 1944』（東京新聞）

ジャコモ・バッラ「恋する数字」（1923年）

こちらは未来派の画家の1人であるジャコモ・バッラ*による作品だ。未来派の画家は直線を強調し2次元作品にスピードや動きを表現しようとした。

出典：Wikimedia Commons

223 騒音の芸術
art of noise

ルイジ・ルッソロ
[222] 未来派

アート・オブ・ノイズとも呼ぶ騒音の芸術は、イタリアの未来派芸術家・音楽家ルッソロが発表したマニフェストのタイトルであり、彼が実践した騒音による音楽の形式を指します。

ルッソロの騒音の音楽は、ポストパンクのインダストリアル・ミュージックやノイズ・ミュージックに大きな影響を与えた。

騒音の芸術（イタリア語で「L'arte dei rumori」）は、イタリアの**未来派**で音楽家**ルイジ・ルッソロ**[*]が1913年に発表したマニフェストのタイトルであり、彼が実践した音楽の形式を指します。ルッソロが実践したのは、工場や機械が絶え間なく出し続けるサウンドを自身の音楽へ適用することでした。

ルッソロは宣言の中で、従来の西洋音楽には伝統的な制限があり、ために停滞していると主張し、音楽に現代の生活音を取り入れることを提案しました。彼にとって、工業社会の現代にふさわしいのは、工場が排出する機械音や猥雑な都市の交通音であり、これらが新しい音楽にインスピレーションを与えると考えました。それを具体化したものが、ルッソロ自身が製作した「**イントナルモーリ（騒音発生機または騒音の機械）**」と呼ばれる実験的な楽器群です。騒音の音楽はポストパンク[240]の音楽シーンに多大な影響を及ぼしました。

文献資料：Various Artists（Luigi Russolo 含む）「Dada for Now」（ARK/ 音楽 CD）

ルイジ・ルッソロ「イントナルモーリ」（1920年）

出典：Wikimedia Commons

ルッソロ自身が製作した騒音発生装置「イントナルモーリ」。貴重な音源が CD やストリーミング配信などで聞くことができる。

224 ドイツ表現主義
German expressionism

ワシリー・カンディンスキー
[220] フォーヴィスム

20世紀初頭、第１次世界大戦前のドイツに起こった芸術運動で、フォーヴィスムやキュビスムの影響を受け、人間の内面や主観の表出を特徴としました。

ドイツ表現主義は映画の分野にも影響を及ぼした。「カリガリ博士の内閣」や「ノスフェラトゥ」はその代表例なのだ。

　ドイツ表現主義は、20世紀初頭にドレスデンやベルリン、ミュンヘンなどドイツ各地で起こった芸術運動を指します。その始まりは「**ブリュッケ（橋）**」グループがドレスデンで成立した1905年にさかのぼります。さらに、**カンディンスキー**[*]らがミュンヘンで結成した「**青騎士**」らが運動の中心になりました。

　フォーヴィスムやキュビスム[221]の影響を受けたドイツ表現主義は、主観的な感情経験を重視し、それを歪んだ形状や艶やかな色彩で表現しようとしました。その様式は保守的な美術の拒否であり、また印象主義や自然主義と対峙しました。

　ドイツ表現式は多様な芸術分野に影響を及ぼしましたが、**映画**もその１つでした。「**カリガリ博士の内閣**」(1920年)や「**ノスフェラトゥ**」(1922年)などがその代表的な例です。これらの映画は、歪んだセットやデザイン、劇的な照明効果を駆使して悪夢のような雰囲気を醸し出しています。

文献資料：早崎守俊『ドイツ表現主義の誕生』（三修社）

映画「カリガリ博士の内閣」（1920年）

出典：Wikimedia Commons

「カリガリ博士の内閣」のビジュアル・セット。意図的に歪められた形やセットに直接描かれた影や光の筋が奇妙な雰囲気を醸し出す。

225 スタニスラフスキー・システム
Stanislavski system

コンスタンチン・スタニスラフスキー
[225] 異化効果

ロシアの俳優・演出家であるスタニスラフスキーが開発した演技アプローチで、観客を演技に没頭させることを目指しています。

スタニスラフスキー・システムでは、俳優は「役に生きること」を求められる。この考えはのちの演劇に大きな影響を与えた。

スタニスラフスキー・システムを開発したコンスタンチン・スタニスラフスキー*は、1898 年にモスクワ芸術劇場を設立した俳優兼演出家です。スタニスラフスキーは、俳優に演劇を通じて「役に生きる芸術」を確立することを求めます。これは俳優自身が劇中の人物になりきり、役を通じてその人物の心理的な内面を体験することを意味しています。

情緒的記憶は、劇中人物の内面を体験するアプローチの 1 つです。これは、俳優が自分の記憶や感情を利用して、キャラクターの感情とつながることを意味します。同じような経験を思い出すことで、劇中の人物と同じ感情的な反応を呼び起こすことを目的としています。また演劇における設定を「与えられた状況」ととらえ、その状況を綿密に分析し、劇中の人物にどのように影響するのか検討します。なお、この対極に位置づけられるアプローチが次に見るブレヒト*の異化効果だといえます。

文献資料：レオニード アニシモフ『スタニスラフスキーへの道』（未知谷）

226 異化効果
alienation

ベルトルト・ブレヒト
[226] スタニスラフスキー・システム

観客が劇中の出来事に感情移入しすぎるのを防ぐことで、観客に批判的・反省的態度を生み出すことを意味します。スタニスラフスキー・システムの対極に位置する演出法です。

異化効果はブレヒトが開発した演技技法の 1 つだ。感情よりも理性に訴える叙事演劇の重要な要素になる。

異化効果は、ドイツの劇作家で詩人ベルトルド・ブレヒト*が開発した演劇手法の 1 つです。従来演劇は、観客が劇中の人物に感情移入して同一化することを目指していました。これに対してブレヒトは、感情よりも理性に訴える叙事演劇を唱え、観客が劇中の出来事に感情移入しすぎるのを防ぐことで、観客に批判的・反省的態度が生まれるよう試みました。これを異化効果といいます。

異化効果を実現する具体的手法にはいくつかあります。まず直接演説です。これは劇中における観客の存在を認め、観客に直接語りかける手法です。また、モンタージュは、急速な場面転換や無関係なシーンの並置によって、断片的な物語構造を作り出し、観客がストーリーに没頭するのを防ぎます。このようにブレヒトは、冷めた眼で演劇を鑑賞することを観客に促し、これを通じて現代社会の背景にある現実に積極的にかかわるよう試みたのです。

文献資料：ベルトルト・ブレヒト『三文オペラ』（岩波書店）

227　ダダ
dada（仏）

トリスタン・ツァラ
フーゴ・バル

ダダは、第1次世界大戦中にヨーロッパやアメリカで起こった芸術運動の1つです。既存の美や美術の概念を破壊し、何ものも意味しない虚無を提唱しました。

ダダ発祥の地「キャバレー・ヴォルテール」は、インダストリアル・ミュージック・シーンで活躍した人気ユニットの名称でもあるのだ。

　ダダは、1916年の第1次世界大戦中、中立国だったスイス・チューリッヒの盛り場**キャバレー・ヴォルテール**にて、詩人**フーゴ・バル***、**トリスタン・ツァラ***、**ジャン・アルプ***らが起こした芸術運動です。伝統的な芸術の慣習を徹底的に否定し、芸術と社会の既成概念に挑戦しようとする、過激でアバンギャルドな点が大きな特徴でした。ツァラの残した文書「**ダダ宣言1918年**」はその宣戦布告です。やがてチューリッヒのダダは、ベルリンからドイツ各地へと飛び火していきます。また、この動きよりも少し前、アメリカ・ニューヨークでも従来の美術を否定する芸術運動が活発化しました。中心的な人物には**マルセル・デュシャン***や**フランシス・ピカビア***、**マン・レイ***らがいました。これらの動きを**ニューヨーク・ダダ**とも呼びます。ダダの芸術作品では、コラージュやフォトモンタージュを大胆に取り入れました。また、男性用小便器に「**泉**」と名づけたデュシャンの作品は、日常物を芸術として提示するもので、**レディメイド**と呼ばれました。

文献資料：トリスタン・ツァラ『七つのダダ宣言とその周辺』（土曜美術社）

マルセル・デュシャン「泉」

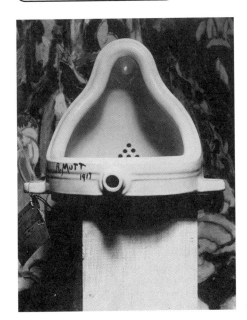

デュシャンのこの作品は大きな話題を呼んだ。もちろんこれを芸術とみなさない人も多数いたが、それだからこそ作品の価値を示している。

出典：Wikimedia Commons

228 バウハウス
Bauhaus（独）

ウォルター・グロピウス
ミース・ファン・デル・ローエ

バウハウスは、1919年にドイツ・ワイマールに設立された建築・デザイン学校の名称であり、20世紀建築史上に残る建築運動の名称でもあります。

ドイツ語の「Bau」は建築、「Haus」は家を意味しており、あえて訳すと「建築の館」になるだろう。

　バウハウスはドイツのワイマールにて1919年から1931年まで運営された、建築・デザイン学校の名称です。また、バウハウスを率いた建築家**ウォルター・グロピウス**[*]、**ミース・ファン・デル・ローエ**[*]らが推進した、20世紀の建築史上に残る建築運動をも指しています。

　第1次世界大戦後、ドイツでは旧来の世界観を一掃し、新たな社会の創造が始まります。建築・デザイン界におけるそうした動きはバウハウスとして結実します。バウハウスの狙いは、芸術と機能的デザインの統合にありました。

　従来、芸術や工芸、工業デザイン、建築などには境界がありました。バウハウスではそれらを取り払った上で、美的でありかつ機能的な作品を世に提示することを目指しました。中でも不必要な装飾を廃し、**機能美**を追求するバウハウスの姿勢は「**装飾は犯罪である**」という、**20世紀モダニズム**建築を象徴する言葉に込められています。

文献資料：杉本俊多『バウハウス―その建築造形理念』（鹿島出版会）

バウハウス・デッサウ校

出典：Wikimedia Commons

こちらは**機能美**を追求したバウハウスのデッサウ校だ。この写真を見れば、近代建築にバウハウスがいかに大きな影響を及ぼしたかわかるというものだ。

229 住むための機械
machine à habiter（仏）

ル・コルビジェ
[228] バウハウス

フランスの建築家ル・コルビジェによる言葉です。不要な装飾を一切排除する態度を指します。この言葉はモダニズム建築の代名詞であり、バウハウスにも通じます。

「住宅は住むための機械である」。この言葉を残したル・コルビジェは、20世紀の建築に甚大な影響を及ぼした。

　ル・コルビジェ*は、20世紀の建築界に多大な影響を及ぼしたスイス系フランス人の建築家です。コルビジェ建築の特徴は、新素材や新たな建築技術を積極的に活用した上で、シンプルで機能的な建築を目指した点です。その精神は「**住宅は住むための機械である**」という言葉に凝縮されています。この言葉は前項のバウハウスともダイレクトに結びつき、**モダニズム建築**の代名詞になっています。

　コルビジェが提唱した建築手法の1つに**ドミノ・システム**があります。これは鉄筋コンクリートの柱が、床や天井となる水平スラブを支えるシステムです。重い壁が必要ないため、よりオープンで自由なフロアプランが可能になりました。直方体の箱が浮かんでいるようなコルビジェ独特の建築は、このドミノ・システムを応用した結果です。コルビジェの建築様式は、**グロピウス***や**ミース・ファン・デル・ローエ***らとともに**インターナショナル・スタイル**と呼ばれました。

文献資料：ル・コルビジェ『建築をめざして』（鹿島出版会）

エスプリ・ヌーボー館（1925年）

出典：Wikimedia Commons

こちらはコルビジェが後にアール・デコの名前の由来となる1925年のパリ近代装飾・産業美術国際博覧会のために建設したパビリオンだ。

230 シュルレアリスム
surréalisme（仏）

アンドレ・ブルトン
ジョルジュ・デ・キリコ

超現実主義とも呼ばれるシュルレアリスムは、20世紀前半の主にヨーロッパで起こった芸術および文学の運動で、当時の支配的な文化や合理思想に対抗しました。

シュルレアリスムは、その影響力の大きさや継続性で、20世紀最大の芸術運動だったといえるかもしれない。ファンも多いのではないか。

　シュルレアリスムは、1924年に詩人の**アンドレ・ブルトン***が公表した「**シュルレアリスム宣言**」がその始まりとなります。

　ブルトンによると、シュルレアリスムは、思考の純粋な表現を実践するために、従来の美的規範や社会的規範から自由になり、理性の管理が一切ない状態での表現を目指します。その精神にはシュルレアリスム以前のダダやフロイト心理学、象徴主義などの影響が見られます。翌25年には最初のシュリレアリスム絵画展がパリで開催されています。

　現在、シュルレアリスムに属すると目される芸術家は多数にのぼります。ブルトンの宣言以前にすでにシュールな絵画を描いていた**ジョルジュ・デ・キリコ***、人間の心の中や夢を対象にした画風が特徴の**ルネ・マグリット***、夢遊病者のような裸体の女が頻繁に登場する**ポール・デルボー***、時間が存在しない幻想的な風景を描く**サルバドール・ダリ***など、列挙しだすときりがありません。

文献資料：アンドレ・ブルトン『シュルレアリスム宣言・溶ける魚』（岩波書店）

ジョルジュ・デ・キリコ「赤い塔」（1913年）

出典：Guggenheim Museum, PD-US, https://en.wikipedia.org/w/index.php?curid=1037926

シュルレアリスム宣言が出る以前の1913年の作品。時間が止まり不気味な静けさが漂う画面がキリコの持ち味なのだ。

231 家具の音楽
musique d'ameublement（仏）、furniture music

エリック・サティ
ブライアン・イーノ

家具のようにそこにあっても何の邪魔にもならない、生活の中に溶け込む音楽を指します。フランスの作曲家エリック・サティが提唱した音楽コンセプトです。

家具の音楽は 1970 年代になると、ブライアン・イーノらが提唱したアンビエント・ミュージックへと発展していくことになるのであった。

「家具の音楽」はフランスの作曲家**エリック・サティ***が 20 世紀初頭に提唱した音楽様式の一種です。サティの言う「家具の音楽」とは、音楽が人の生活の背景に溶け込み、あたかも部屋の中にある家具のように、環境と一体化している音楽を指します。サティにとってこの種の音楽は、音楽こそ必要ではあるけれどそれがメインの目的ではない場（例えば展覧会や社交の場）において、押しつけがましくないように演奏されるべきものと考えていました。

1970 年代になると、同様の考え方は、**ブライアン・イーノ***が提唱した、**アンビエント・ミュージック**へと展開されていきます。アンビエント・ミュージックは**環境音楽**とも呼ばれており、環境に溶け込む瞑想的な音楽ジャンルです。イーノは 1975 年に「**ディスクリート・ミュージック**」でアンビエント・ミュージックの在り方を示し、1978 年には、「**アンビエント 1： ミュージック・フォー・エアポート**」と、タイトルにアンビエントを付したアルバムを制作しています。

文献資料：新井満（著・選曲）、高橋アキ（ピアノ）『サティ紀行』（主婦の友社）

バレエ「パレード」（1921 年）

出典：Wikimedia Commons

1917 年に初演されたバレエ『パレード』。サティが音楽、パブロ・ピカソが舞台装置と衣装を担当した。右はサティの著名な肖像写真だ。

出典：By uncredited - Picasso by Maurice Raynal, PD-US, https://en.wikipedia.org/w/index.php?curid=68756564

アール・ブリュット
art brut（仏）

アドルフ・ヴェルフリ
[220] フォーヴィスム

> アール・ブリュットは、主に芸術教育を受けていない人々による、芸術の主流からはずれた芸術を指します。20世紀半ばにデュビュッフェが命名しました。

> アール・ブリュットの作家は精神疾患を患っている場合も多く、彼らにとって美術制作は自己表現であると同時にセラピーにもなっている。

アール・ブリュットは、**アウトサイダー芸術**としても知られており、主に芸術教育を受けていない人々による、芸術の主流からはずれた芸術を指します。「**生の芸術**」や「**粗い芸術**」などとも呼びます。

アール・ブリュットは、**ジャン・デュビュッフェ***が20世紀半ばに自身が蒐集する精神障害者の作品群に命名したものです。実際、アール・ブリュットの作家は、精神に障害を持っている人が多く、正式な美術教育を受けてないケースがほどんどです。彼らにとって美術作品の制作は、自己表現であり、コミュニケーション手段であり、同時にセラピーの一環にもなっています。

アール・ブリュットの重要な作家の1人である**アドルフ・ヴェルフリ***は、幼児に対する性的虐待で収監され、精神病院内で制作活動を行いました。その作品はうねる色彩に十字架や人の顔が浮かび、執拗なまでの楽譜とテキストで細部を埋め尽くしています。

文献資料：京都新聞社編『アール・ブリュット「生の芸術」』（京都新聞社）

アドルフ・ヴェルフリ「島の全景」（1911年）

> 1911年の作品。強迫的なまでに全面を覆う楽譜や十字架を頭に据える謎の人物、細部を埋めるテキストなど、ヴェルフリの作品に共通する特徴だ。

出典：Wikimedia Commons

233 自閉症のナディア
Autistic Nadia

ヴィラヤヌル・S・ラマチャンドラン
[232] アール・ブリュット

イギリスに生まれた自閉症の少女の名前です。自閉症の幼少時に驚くべきスケッチの才能を見せたが、その能力は成長するうちに失われてしまいました。

ナディアが成長しても芸術的才能を失わずにいれば、アール・ブリュットの作家の1人に数えられていたのではないだろうか。

　ナディアは1967年にイギリスで生まれた自閉症の少女です。ほとんどしゃべれない自閉症の子供にもかかわらず、ナディアは眼を見張るスケッチ能力を発揮しました。その一例を神経科学者ラマチャンドラン*が著作の中で紹介しています。

　それは7歳に時に描いた疾走する馬のスケッチで、とうてい自閉症の子供が描いた絵には見えません。あのダ・ヴィンチ*も馬が疾走する様子のスケッチを残しています。ラマチャンドランによると、作者を隠してその巨匠のスケッチとナディアのスケッチを並べ、どちらが優れているか評価してもらうと、ダ・ビンチよりもナディアの絵を選ぶ人が多かったといいます。

　ラマチャンドランは、ナディアの才能は、脳の多くの領野に損傷がある一方で、芸術表現に欠かせない右頭頂葉が損傷を受けなかった結果ではないかと推測しています。その後ナディアは自閉症の症状が軽減するにしたがって、絵の才能を失ってしまいました。

文献資料：V・S・ラマチャンドラン『脳のなかの天使』（角川書店）

234 複製技術時代の芸術
art in the age of reproduction

ヴァルター・ベンヤミン
[235] フェルメール贋作事件

ヴァルター・ベンヤミンの著作のタイトルです。この著作でベンヤミンは機械による複製が現代社会における芸術にいかに影響を及ぼすか考察しました。

いまやデジタル作品のオリジナル性をアピールし、作品の持つアウラの喪失を防止するために非代替性トークン（NFT）が使用されている。

　ドイツの哲学者で批評家のヴァルター・ベンヤミン*は、1936年に公表した著作『複製技術時代の芸術』でその名が広く知られるようになりました。この著作でベンヤミンは、技術の進展、中でも機械式複製技術の進展が、従来の芸術に与える影響について考察しました。ベンヤミンによると、人は崇高な芸術作品にふれることで、畏怖や崇敬の念を抱きます。このような感情を呼び起こす、真正の美術が持つ唯一無二の1回性の現れを、ベンヤミンはアウラと呼びました。しかしながら、機械的複製技術の進展により、オリジナルの芸術作品に付随する独特の美的経験であるアウラの喪失につながると主張しました。

　リソグラフなどの版画の場合、サインとナンバーを入れてそのオリジナル性を保証しています。またいまやデジタル作品では、非代替性トークン（NFT）を付加して本物を保証しています。いずれもアウラの喪失を防止するためだといえます。

文献資料：ヴァルター・ベンヤミン『複製技術時代の芸術』（晶文社）

フェルメール贋作事件
Vermeer forgery scandal

ヨハネス・フェルメール
ハン・ファン・メーヘレン

ハン・ファン・メーヘレンの手によるフェルメールの贋作がナチスなどの手に渡った実話です。このスキャンダルは、20世紀最大の贋作事件ともいわれています。

メーヘレンの腕に著名な批評家もコロリと騙されてしまった。美術作品の真贋問題に大きな一石を投じた事件として記憶されている。

ヨハネス・フェルメール* は17世紀に活躍したオランダの画家です。「**真珠の耳飾りの少女**」(1665～66年頃)をはじめ、現在、フェルメール作と考えられている作品は多くて見積もっても37点にしか過ぎません。このフェルメールの作品がナチスドイツの高官**ヘルマン・ゲーリング*** の手に渡り、戦後、それらの作品が贋作であることが発覚しました(**フェルメール贋作事件**)。

当初、ゲーリングら**ナチス**高官に国の重要な美術品を売却したかどで**ハン・ファン・メーヘレン*** が逮捕されます。しかし、捜査の過程で、ナチスに売り渡した作品は、メーヘレン自身が描いたフェルメールの贋作であることが発覚します。こうしてメーヘレンは売国奴から一躍ナチスを騙した英雄として持ち上げられることになりました。

20世紀最大の贋作事件ともいわれるこの出来事は、美術作品にとって真贋とは何なのか、改めて問いかけます。

文献資料:フランク・ウイン『フェルメールになれなかった男』(ランダムハウスジャパン)

ハン・ファン・メーヘレン「エマオの食事」(1937年)

出典:Wikimedia Commons

当初はヨハネス・フェルメールの真作と考えられており、ロッテルダムのボイマンス美術館が購入した。

236 モロゾフ・コレクション
Morozov collection

ピエール＝オーギュスト・ルノワール
[214] 印象主義

ロシアのモロゾフ兄弟が蒐集したフランスとロシアの現代アート作品。2022年にパリで「モロゾフ・コレクション展」が開催され物議をかもしました。

展覧会期間中、ロシアのウクライナ侵攻が始まり、作品を売却して、そのお金でウクライナに武器を提供すべきだ、という議論もなされた。

　モロゾフ・コレクションは、ロシアのミハイルとイワンの**モロゾフ兄弟***が19世紀末から20世紀初頭にかけて蒐集した、フランスとロシアの現代アート作品を指します。兄弟は印象派および後期印象派に興味を示し、**ピエール＝オーギュスト・ルノワール***をはじめ、マネ*や、セザンヌ*、ゴーギャン*、ゴッホ*、ピカソ*などの珠玉の作品を蒐集しました。

　2022年2月、この「**モロゾフ・コレクション展**」がパリのルイ・ヴィトン財団美術館で開催され大きな話題となりました。しかしこの期間中、ロシアがウクライナに侵攻したことで大きな世論がわき起こりました。それは「美術品をロシアに戻すな」「売却した金でウクライナに武器を提供せよ」などというものでした。結局美術品はロシアに戻りました。ただしロシアの新興財閥である**オルガリヒ**が所有する1点は没収されたといいます。

文献資料：三浦篤監修『プーシキン美術館展　シチューキン・モロゾフ・コレクション』（朝日新聞社）

ヴァレンティン・セローフ「コレクターの自画像」（1910年）

出典：dalbera

こちらはロシアの画家セローフ（1865〜1911）によるイワン・モロゾフの肖像画なのだ。

237 12 音技法
twelve-tone technique

アルノルト・シェーンベルク
[238] ミニマリズム

12 音技法は、オーストリアの作曲家シェーンベルクが提唱したもので、調を無視して半音階の 12 音すべてを均等に用いた音楽技法を指します。

シェーンベルクは新たな音楽の在り方を探求することで、その後の現代クラシック音楽に大きな影響を与えた。

オーストリアの作曲家で音楽理論家**アルノルト・シェーンベルク***は、20 世紀のクラッシック音楽シーンに多大な影響を及ぼした人物です。中でもシェーンベルクの名を有名にしたのが、半音階 12 音のすべてを均等に用いた **12 音技法**を提唱したことです。従来の西洋音楽ではあらかじめ中心となるキーあるいは調を決め、これに基づいて作曲していました。これに対してシェーンベルクは、キーや調の考え方を捨て去った新たな音楽表現方法を探求しました。こうして行き着いたのが 12 音技法でした。

12 音技法では、半音階の 12 音をすべて均等に用い、特定の調性を強調しない点が大きな特徴になっています。具体的には、12 音すべてを含みかつ重複のない「列（または音列）」を作成します。シェーンベルクはこの列に移調や転回、逆行などの操作を加えて、独自で豊かな音楽表現を目指しました。

文献資料：シェーンベルク「交響詩《ペレアスとメリザンド》」(Deutsche Grammophon)

238 ミニマリズム
minimalism

スティーブ・ライヒ
フィリップ・グラス

デザイン哲学や音楽表現、ライフスタイルの一種で、最低限の要素を用いて簡素で明快、機能的な表現を志向しています。

今やミニマリズムは芸術分野のみならず、**断捨離**に象徴されるような、最小限のモノで暮らすライフスタイルを指す傾向が強まっている。

バウハウスの重鎮だった**ミース・ファン・デル・ローエ***は、「より少ないことはより多いことだ（Less is more.)」と述べて、不必要な要素を大胆に切り捨てることを提案しました。同様の精神はこの**ミニマリズム**にも流れています。ミニマリズムはデザイン哲学やライフスタイルの一種で、最低限の要素を用いて簡素で明快、機能的でその本質に目を向けた表現を志向しています。

ミニマリズムの言葉自体は 1960 年代のアメリカで見られるようになりました。デザインや建築ばかりか音楽分野でも広がりを見せ、**スティーブ・ライヒ***や**フィリップ・グラス***、**ラ・モンテ・ヤング***らがミニマル・ミュージックの代表的な作曲家として姿を現しました。彼らは過剰で複雑な要素を排除して、単純なメロディとフレーズを反復し、それが徐々に変化していく独特の世界観を作り出しました。やがて彼らの音楽は現代のテクノ・ミュージック[241]に大きな影響を及ぼすことになります。

文献資料：Steve Reich Ensemble「Music for 18 Musicians」(ECM Records)

239 ビートルズ
The Beatles

[154] 民主主義
[155] 社会主義

主に1960年代に活躍したイギリスのロックバンド。「イエスタデイ」「ヘイ・ジュード」「レット・イット・ビー」など、誰もが知る数々の名曲を世に出した。

ビートルズ解散後、ジョン・レノンは妻のヨーコ・オノとともに反戦運動で活躍した。「イマジン」はその象徴的作品だ。

　ビートルズ*はイギリスのリバプールで1960年に結成された伝説のロックバンドです。メンバーはジョン・レノン、ポール・マッカートニー、ジョージ・ハリスン、リンゴ・スターの4人で、いずれも労働者階級の出身です。1960年代初頭、ビートルズは「プリーズ・プリーズ・ミー」や「シー・ラブズ・ユー」「ア・ハード・ディズ・ナイト」など、次々とヒット曲を飛ばし、一躍イギリスのスターダムに躍り出ました。また、1964年にはアメリカ進出も果たし、ビートルズはこの「**イギリスの侵略**」によりアメリカ音楽シーンを席巻しました。

　ビートルズは、ロックンロールやポップス、その他様々なジャンルの要素を融合させ、覚えやすいメロディとハーモニーを特徴にしています。また、**東西冷戦**時代に、彼らの音楽は西側の自由の象徴として、東側の若者に支持されました。そのパワーはポップ音楽の枠を越え、世界の社会や思想にまで影響を及ぼしました。

文献資料：Beatles「Sgt. Pepper's Lonely Hearts Club Band」(Parlophone)

ビートルズ

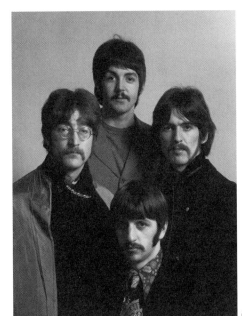

1967年に撮影された。左からジョン、ポール、リンゴ、ジョージ。当時の流行を反映してかファッションがサイケデリックだ。

出典：Wikimedia Commons

240 パンク・ムーヴメント
punk movement

セックス・ピストルズ
[241] テクノ

パンク・ムーヴメントは、1970年代半ばに
ニューヨーク、その後ロンドンで生じた音楽運
動の1つです。既存の社会的・音楽的規範に正
面から反抗しました。

パンクはその音楽性のみならずイン
ディーズ・レーベル（独立系レーベル）
を生み出し、既存の音楽ビジネスにも大きな影
響を及ぼした。

1970年代半ば、ニューヨークの伝説的ライブハウスであるCBGBなどを拠点に、ストレート
なロックンロールを特徴とするバンドの活躍が注目されるようになりました。これに触発されて
ロンドンで生まれたのが伝説のロックバンド、**セックス・ピストルズ**[*]です。

パンク・ムーヴメントの特徴は既存の音楽への反抗であり、スリーコード主体の単純な音楽構
成が特徴でした。そのためずぶの音楽素人でも容易にバンドが組めました。また、彼らの音楽は、
大手レコードレーベルではなく独立系レコードレーベル（**インディーズ・レーベル**）からリリー
スされ、既存の音楽ビジネスにも風穴を開けました。ただし、パンク・ムーヴメントは長くは続
かず、むしろそれに続く**ニューウェイブ**や**インダストリアル・ミュージック**、**ノイズ・ミュージッ
ク**など、多様な音楽形式を生み出す役割を果たしたといえます。

文献資料：アレックス・コックス監督「シド・アンド・ナンシー」（映画）

241 テクノ
techno

クラフトワーク
[238] ミニマリズム

テクノは1980年代後半にアメリカ・デトロイ
トで生まれた、エレクトリック・ダンス・ミュー
ジック（EDM）の一種です。ミニマル・ミュー
ジックの影響を強く受けています。

テクノの誕生はパンクと同様のインパク
トがあった。素人でもより容易に音楽
シーンへ参入できるようになったのだ。

テクノは、1980年代後半にアメリカのデトロイトで生まれた**EDM**（Electric Dance Music）
の一種です。電子楽器によるシンプルなビートとメロディの繰り返しを特徴とし、クラブ向けの
音楽として瞬く間に世界へと広がりました。

テクノの特徴である電子音の活用と繰り返しのメロディは、**スティーブ・ライヒ**[*]らによる**ミニマ
ル・ミュージック**に大きな影響を受けています。同様の路線は、テクノが誕生する以前にドイツの
クラフトワーク[*]が、開拓しています。その意味でミニマル・ミュージックとクラフトワークなしに
現代のテクノを語ることはできません。

パンク・ロックは、素人でも容易に音楽ビジネスに参入できることを示しました。一方、テク
ノ・ミュージックの作成はコンピュータで行え、しかもインターネットの進展で、作成した音源を
即座に世界へ向けて販売できます。音楽ビジネスの敷居をさらに低くした点で、テクノはパンク
に続く音楽革命だったといえます。

文献資料：Kraftwerk「Autobahn」（EMI/音楽CD）

第 **5** 章

意識と心

　現代哲学には意識や心を専門に扱う心の哲学という分野があります。人間の意識はどのようなメカニズムで発生するのでしょうか。心はどのように作られるのでしょうか。謎だらけですが興味は尽きません。

世界と自分自身に関する内的な気づき、つまり身体感覚や思考、感情、記憶、想像、知覚などの内的および外的刺激についての個人的な気づきを指します。

意識は人間の経験の基本的な側面であるにもかかわらず、いまだその正体はつかめず、多様な学問領域で議論のテーマになっている。

意識は私たちの経験にとって極めて基本的な側面です。意識がなければ経験の存立も危うくなります。それほど基本的な存在にもかかわらず、いまだ意識の正体はつかめないのが現状です。一般に意識とは、世界と自分自身に関する内的な気づきを指しているといえます。つまり私たちの身体感覚や思考、感情、記憶、想像、知覚などの内的および外的刺激についての個人的な気づきを指します。

意識に水準があるのは明白なようです。これは意識がさまざまな状態やレベルで存在することであり、その明瞭さや深さ、内容はさまざまです。覚醒して頭が冴えている状態や**瞑想状態**、夢を見ている睡眠状態（**レム睡眠**）、夢を見ていない睡眠状態（**ノンレム睡眠**）、ほかにも**催眠状態**や**薬物誘発状態**で、意識の質は異なります。通常、意識と「**私**」という**主観**は深く結びついていますが、意識の多様な状態から、必ずしも意識に「私」という主観が必要でないことがわかります。

文献資料：スーザン・ブラックモア『意識』（岩波書店）

意識の諸相

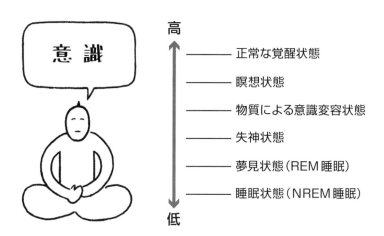

意識は自己認識や知覚、認知、感情、意図性など様々な側面を持つ。また図のように様々なレベルがある。意識を定義するのはとても難しい。

243 自己意識
self-consciousness

[242] 意識
[244] ミラーテスト

自己についての意識であり、外界から切り離された一個の人間としての自分を意識し、自分自身の思考や感情、経験についての主観的な感覚を指します。

自己意識には経験的な自己像である自己認識と、現在の心身行動に伴う統覚的意識という大きく2つの側面がある。

意識にはレベルがあります[242]。通常、覚醒状態において私たちは**自己意識**を持ちます。自己意識とは文字どおり自己についての意識であり、私たちが外界から切り離された一個の人間としての自分を意識し、自分自身の思考や感情、経験について持つ主観的な感覚を指します。

自己意識には大きく**経験的自己像**と**統覚的意識**という2つの側面があります。経験的自己像は、自分がどのような人物であるか、肉体的・精神的な特性、独自の特徴を持つ自己像として認識することです。経験的自己像は、自伝的記憶や経験的自己反省、他者からの指摘などによって形成されます。

もう1つの統覚的意識とは、いま自分はここにあるという自己意識です。この統覚的意識は、自分が現在行っている身体的および心的行為に常に付随します。とはいえ、自己とは何かを考えだすと、明確な解答はなかなか見出せません。

文献資料：廣松渉他編『哲学・思想事典』（岩波書店）

第5章 意識と心

経験的自己像と統覚的意識

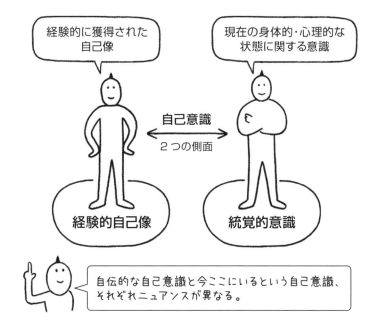

経験的に獲得された自己像

現在の身体的・心理的な状態に関する意識

自己意識
2つの側面

経験的自己像

統覚的意識

自伝的な自己意識と今ここにいるという自己意識、それぞれニュアンスが異なる。

ミラーテスト
mirror test

[243] 自己意識
[248] 主体と客体

心理学における実験の1つで、鏡に映っている像を自分自身として認識できるかを調べるテストです。鏡像が自分だとわかると自己認知があると考えられます。

幼児は1歳半を過ぎた頃からミラーテストに合格する。チンパンジーやオランウータン、イルカも自己を認知する能力がある。

ミラーテストとは鏡に映った鏡像が自分であることを認識できるかどうかを調べるテストのことです。鏡の像が自分であると認識した場合、**自己認知**があると考えられています。

ミラーテストの古典的な方法に**口紅課題**があります。これは幼児に気づかれないようにおでこや鼻の頭に口紅をつけたあと、幼児を鏡の前に連れて行きます。幼児が鏡の像ではなく、自分のおでこや鼻をさわったら、その子は自己認知が可能だと判断できます。

幼児がこの口紅課題を通過するのは1歳半頃からで、2歳程度だとかなり多くの幼児が鏡の像は自分だということに気づきます。

なお、チンパンジーやオランウータン、ボノボのほか、イルカ、それにゾウもこの口紅課題をクリアします。しかし、ゴリラやサルは課題をクリアできないと報告されています。ということは、チンパンジーやイルカには**自己意識**があって、ゴリラやサルには自己意識がないということになるのでしょうか。自己意識に対する謎はまたしても深まります。

文献資料：Gordon Gallup Jr. 1977. 'Self recognition in primates.' *American Psychologist*, 32(5).

ミラーテスト

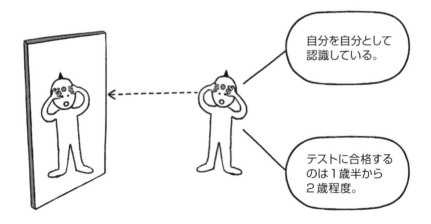

自分を自分として認識している。

テストに合格するのは1歳半から2歳程度。

例えば、チンパンジーを鏡の前に置くと、当初は別のチンパンジーだと判断して威嚇するが、やがて鏡像が自分であることを認知する。

主我と客我
I and me

ウィリアム・ジェームズ
[243] 自己意識

ウィリアム・ジェームズは、自己を主体としての自己と第三者としての自己に分類しました。前者を「主我 =I」、後者を「客我 =me」といいます。

「主我 =I」とは自分を見ている自分であり、「客我 =me」とは主我に見られている自分を指す。自己も複雑なのだ。

プラグマティズム[475]を提唱したアメリカの哲学者で心理学者でもある**ウィリアム・ジェームズ**＊は、自分自身を意識する自己は二重になっていると指摘しました。1つは意識している自分自身で、これを「**主我 =I**」といいます。これに対して主我に見られている自分を「**客我 =me**」と呼びました。これは自己を知る主体としての「**主我 =I**」に対して、知られる客体としての「**客我 =me**」という関係を示しています。

客我はさらに、物質的自己、社会的自己、精神的自己に分類できます。**物質的自己**は、自分の身体、衣服、家族、財産などからなります。**社会的自己**は周囲の人々が自分に持つ印象を指します。さらに**精神的自己**は、内的な意識状態、能力を意味します。これらは階層をなしているとも考えられ、その場合、身体的な物資的自己が基礎にあり、精神的自己を頂点とし、それらの中間に他の物質的自己と社会的自己が位置づけられるでしょう。

文献資料：ウィリアム・ジェームズ『心理学』（岩波書店）

第5章　意識と心

ジェームズによる自己の分類

自分を見ている自分

主我に見られている自分

I＝主我

me＝客我

自分を見ている自分、そしてその見られている自分をそれぞれ主我（I）と客我（me）という。

アイデンティティ
identity

エリク・エリクソン
[245] 主我と客我

自己同一性ともいいます。過去の自分や現在の自分、他人の眼を通した自分、社会における自分など、これらが一体となった自分のイメージを指します。

アメリカの精神分析家エリク・エリクソンの発達理論では、青年期におけるアイデンティティの確立の重要性を強調している。

アイデンティティとは「自分とは何者なのか」という問に対する答えです。それは過去の自分や現在の自分、他人の眼を通した自分、社会における自分など、これらが一体となった自分のイメージを指します。

精神分析家**エリク・エリクソン**[*]は、人間の人格は8段階で成長していくと説きましたが、その第5段階の青年期の課題として、アイデンティティの確立を挙げています。人は青年期に至るまでにさまざまなものを取り入れて**同化**してきました。青年期では、その取り入れたものを再構成して「自分とは何か」に対して答えを出します。しかし、成人としての自己像を社会に提示しなければならないにもかかわらず、提示する自己像が社会に受け入れられるものなのか、極度の不安に駆られるのがこの時期です。自尊心や未来への確信を高める上でアイデンティティの確立は不可欠になります。

文献資料：エリク・エリクソン『自我同一性──アイデンティティとライフサイクル』（誠信書房）

エリクソンの8つの発達段階

	1	2	3	4	5	6	7	8
I 乳児期	信頼 対 不信				一極性 対 早熟な自己分化			
II 早期児童期		自律性 対 恥,疑惑			両極性 対 自閉			
III 遊戯期			積極性 対 罪悪感		遊戯同一化 対 (エディプス) 空想同一性			
IV 学齢期				生産性 対 劣等感	労働同一化 対 同一性喪失			
V 青年期	時間展望 対 時間拡散	自己確信 対 同一性悪感	役割実験 対 否定的同一性	達成の期待 対 労働麻痺	同一性 対 同一性拡散	性的同一性 対 両性的拡散	指導性の分極化 対 権威の拡散	イデオロギーの分極化 対 理想の拡散
VI 初期成人期					連帯 対 社会的孤立	親密さ 対 孤立		
VII 成人期							生殖性 対 自己吸収	
VII 成熟期								完全性 対 嫌悪,願望

247 心身二元論
mind-body dualism

ルネ・デカルト
[394] 我思う、ゆえに我在り

「心」と「身体」とは根本的に性質が異なり、互いに独立して存在するという立場を指します。プラトンの時代からいまだに議論が続くテーマです。

プラトンもさることながら、心身問題に大きなインパクトを与えたのは、デカルトの「我思う、ゆえに我在り」だった。

　心身二元論は人間の心と身体は互いに独立して存在すると考える立場です。すでに**プラトン**＊は著作『国家』の対話の中で、霊魂が身体を支配し、死後も霊魂は生き続けるという心身二元論的な立場をとっています。その後、この心身二元論はフランスの哲学者**ルネ・デカルト**＊によって体系的に基礎づけられます。

　あらゆることを疑ったデカルトは「**我思う、ゆえに我在り**」という命題で、思考する私という存在自体は疑いようがないと結論づけました。これは人間の内的な意識作用を**精神**として独立させ、**延長**としての肉体とは別の存在として扱う立場です。その結果、人間の精神と身体という独立した異なる２つの存在が、どのようにして関係を取り結び、どのようにして相互に影響するのかという問題が、**心身問題**[249]として議論されるようになりました。これに対して従来多様な説が唱えられてきましたが、議論はいまだ決着を見ていません。

文献資料：『世界の名著 22　デカルト（「省察」）』（中央公論社）

心身問題

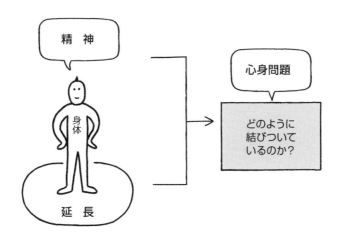

精神

身体

延長

心身問題

どのように
結びついて
いるのか？

物質的な延長としての身体から、どうして内的な意識作用である精神が生じるのか。この謎は心身問題としていまだに解けていない。

「私が私であること」に気づくと、「私ではないもの」との分離が生じます。前者が主体であり後者が客体になります。しかし、「私」とは一体何者なのでしょう？

デカルト®は「私が私であること」の基礎に人間の精神をすえ、身体を客体として分離したわけだ。

　私が私であることに気づくことが自己意識です。自己意識が発生すると、私ではないものの存在が意識されるようになります。ここに私である**主体**と、私ではない何か別の対象である**客体**が分離します。この主体と客体の分離は、人類が**直立二足歩行**をするようになったことが大きく関係しているかもれません。

　直立二足歩行は、思考のための大きな脳を持つ点と併せて、人間が持つ大きな特徴の1つです。直立二足歩行するようになった人間は、サバンナを見渡して獲物を見つけたり、自由になった腕で石を投げたりできるようになりました。こうして自然淘汰[035]により手の機能が高まる方向に向かい、やがて人間は手でものを作るようになります。このように工作する人のことを**ホモ・ファベル**といいますが、手でものを操作することで、動かすもの（主体）と動かされるもの（客体）は分離します。こうして人間は主体と客体の存在に気づいたのかもしれません。

文献資料：理化学研究所脳科学総合研究センター編『脳研究の最前線（上）（「知性の起源」）』（講談社）

工作する人（ホモ・ファベル）

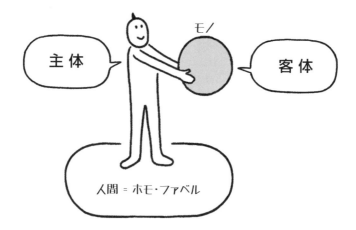

人は直立二足歩行で両手が自由になった。ホモ・ファベルの誕生は主観の発生とも強く結びついているようだ。

249 心の哲学
philosophy of mind

[247] 心身二元論
[255] 心の理論

心の哲学は、デカルト以来問われてきた、物理的世界と人間の心や意識、精神過程との関係を探求する哲学の一分野です。著名な哲学者がこの分野で活躍しています。

心の哲学では、心と身体の問題、主観的経験の性質、心と脳の関係など、多様な領域で探求が行われているのだ。

心の哲学は人間の心や精神、心的事象について研究する哲学の一分野です。対象は意識や意図性、自由意志、心と身体の関係など、幅広い領域にわたります。

その中でも中心的な課題になっているのが、デカルト*以来、大きな課題として扱われてきた、精神と肉体がどのように関係するのかを問う**心身問題**です。また、心身問題と同様、重要なテーマとして取り上げられているのが意識の本質や意識の発生についてです。いずれの問題もいまだ決定的な説明はなされておらず論争が続いています。

心の哲学が扱うテーマは、心理学や脳科学、神経科学、認知科学が扱うテーマと重複しています。そのため現在では、他の学問分野に関する知識が不可欠になってきています。**ダニエル・デネット***や**ジョン・サール***、**デイヴィッド・チャーマーズ***など、著名な哲学者が心の哲学を研究しています。

文献資料：信原幸弘編『心の哲学』（新曜社）

第5章　意識と心

著名な心の哲学者

「デカルト劇場」[262] はボクの言葉だよ。

「中国語の部屋」[317]で有名だよ。

「哲学的ゾンビ」[259]、この言葉って知ってる？

ダニエル・デネット
Daniel Dennett
米：1942 〜

ジョン・サール
John Searle
米：1932 〜

デイヴィッド・チャーマーズ
David Chalmers
米：1966 〜

デネット、サール、チャーマーズと、それぞれが心や意識について独自の見解を述べている。本書でもその一端を紹介する。

機械の中の幽霊
ghost in the machine

ギルバート・ライル
[113] カテゴリー錯誤

これは肉体に内在し、肉体を支配する非物質的な存在、すなわち心や魂が存在するという誤った考えを表す比喩表現です。哲学者ギルバート・ライルがこの言葉を用いました。

ライルはデカルト的な心身二元論を批判した。彼は心身二元論が人間の本質を理解する上での根本的な誤りにつながると考えた。

イギリスの哲学者**ギルバート・ライル**＊がいう「**機械の中の幽霊**」とは、肉体に内在し、肉体を支配する非物質的な存在、すなわち心や魂が存在するという誤った考えを表す比喩表現あるいは「蔑称」です。ライルによると、心と身体を独立した個別の存在と考えるのは**カテゴリー錯誤**を起こしているといいます。

クリケット競技を始めて見た人が、投手や野手、審判の役割について学んだあと、「それで、あの有名なチームスピリットはどこにいるのですか」と尋ねました。この人物は、チームスピリットが手や野手と同じカテゴリーに属すると考えたわけです。選手の集合であるチームを人間の身体と考えた場合、チームスピリットは人間の精神（心）に相当します。「身体がここにあるのはわかりました。心はどこにあるのですか」と問うのも、心と身体が同じカテゴリーに属すると誤って判断していることになります。ライルの立場は、心の哲学[249]において**行動主義**と呼ばれます。

文献資料：ギルバート・ライル『心の概念』（みすず書房）

カテゴリー錯誤

ここはオックスフォード大学…

このエピソードはギルバート・ライルの著作『心の概念』でも紹介されている。この人物は大学を図書館や研究棟といった建物と混同している。

251 唯物論
materialism

[250] 機械の中の幽霊
[252] 心脳同一説

心の哲学において、思考や感情、意識などの心の状態やプロセスは、最終的には脳内の物理的な状態やプロセスに還元されるとする立場を指します。	人間の心的状態について考える立場はさまざまだ。現在は唯物論の立場から心や意識について考える傾向が強くなっている。

　心身二元論を否定する立場に**一元論**があります。これは宇宙の実体をただの一種類に還元する立場です。この一元論には心的なものを唯一と見る**観念論**と、物質的なものを唯一とする**唯物論**があります。観念論では、観念以外は何も存在しないという立場で、**ジョージ・バークリー***の主張などが有名です。

　一方、**心の哲学**における唯物論は、物質または物質的なものが唯一と考える立場であり、そのため心的現象についても物理的な現象として説明でき、物理的な状態に還元できると説きます。現在、心の哲学に限らず、神経科学や人工知能、認知科学の分野でも、唯物論の立場から心をとらえるのが一般的になっています。それというのも、現在の科学的世界観を前提にすると、唯物論の立場をとるのが合理的だと考えられるからです。この唯物論もさらに細分化が可能で、**行動主義**や**物理主義**（**心脳同一説**）、**機能主義**[253]などに分類できます。

文献資料：ジョン・サール『マインド　心の哲学』（朝日出版社）

252 心脳同一説
mind-brain identity theory

[249] 心の哲学
[251] 唯物論

心脳同一説は、心の哲学における唯物論の立場の1つです。心と脳の間には決定的な関係があり、心の状態と脳の状態を同一視する立場を指します。	心脳同一説には、タイプ同一説とトークン同一説がある。支持者が多いのは後者のトークン同一説だ。

　心脳同一説は、**心の哲学**における**唯物論**の立場の1つです。心脳同一説では、心と脳の間には決定的な関係があると考え、心の状態と脳の状態を同一視する立場をとります。これは心の状態が脳の状態に還元されることであり、心身を一元論で扱う立場といえます。心脳同一説のうち、すべての心的な状態のタイプが、いずれかの物理的状態のタイプと同一だとする立場を**タイプ同一説**といいます。さらにこの考え方を一歩進めたのが**トークン同一説**です。

　タイプとは抽象的で一般的な存在物を指します。これに対してトークンは、具体的な内容を持つ特定の対象を指します。リンゴは一般的な概念でありタイプですが、私が手に持っているリンゴは、リンゴのタイプに属する特定のトークンとしてのリンゴです。トークン同一説では、ある心的なタイプに属するトークンには、対応する物理的状態のタイプに属する固有のトークンがあると主張します。

文献資料：ジョン・サール『マインド　心の哲学』（朝日出版社）

(253) 機能主義
functionalism

[251] 唯物論
[252] 心脳同一説

唯物論の１つで、心的状態を脳の物理的状態と認めつつも、心的状態はその物理的な特性ではなく、機能的な役割によって定義できるとする立場です。

機能主義の場合、同じ精神状態が同じ機能的役割を果たす限り、複数の物理的実現が可能であるとする。この点でトークン同一説と異なる。

機能主義では、心的状態が脳の物理的状態であることを認めます。その上で、それらが心的状態だと認められるのは、物理的特性ではなく、**機能的な役割**あるいは**因果関係**によって定義できるという立場をとります。

例えば時計を考えた場合、時計の機能は「時刻を示す装置」として機能面から定義できます。この場合、時計であるためには、砂時計であれ水時計であれ、あるいは水晶時計であれ、物理的な素材は問いません。

機能主義によると、心的状態も上記の時計と同様のものと考えられます。それは物理的な構造や素材から定義されるのではなく、機能的な役割あるいは因果関係によって説明されます。その結果、機能主義の立場からすると、正しい因果関係をともなう状態にあるのであれば、人間とは異なる物理状態、例えば AI でも意識を作り出せる可能性があることになります。

文献資料：ジョン・サール『意識の神秘』（新曜社）

(254) 還元主義
reductionism

[251] 唯物論
[260] 意識のハード・プロブレム

複雑な現象や概念をより単純で基本的な実体や原理によって理解しようとするアプローチまたは立場を指します。還元主義は心の哲学の議論によく登場します。

還元主義は高次の現象を低次の構成要素で説明しようとするもので、より包括的な理解を得ることを目的とする。

還元主義とは、ある複雑な現象や概念を、それとは別のよりシンプルな実体や原理によって説明しようとする立場です。

還元主義は心の哲学[249]の議論に頻繁に登場します。例えば、心の哲学における**唯物論**や**物質主義**は、心的状態を物理的な存在とその相互作用によって完全に説明できるとする立場をとります。これは、思考や感情、知覚などの精神状態を、最終的には脳の神経細胞による活動に還元する立場だといえます。つまり精神現象は、最終的に神経生物学的な説明に還元できるというわけです。

しかしながら、脳の神経細胞の活動をいくら詳しく記述しても、そこから意識がどのようにして生じるかについては、還元主義は何も説明していないという批判もあります。このような批判を**意識のハード・プロブレム**と呼んでいます。

文献資料：デイヴィッド・チャーマーズ『意識する心』（白揚社）

255 心の理論
theory of mind

サイモン・バロン＝コーエン
[248] 主体と客体

心の理論は、人が持つ、他者の心を推測し理解する能力を指します。心の理論を示す実験として下記に示す「サリーとアンの課題」が非常に著名です。

「サリーとアンの課題（Sally-Anne test）」は1985年に心理学者**サイモン・バロン＝コーエン***らによって公表された。

　サリーとアンという少女が同じ部屋にいます。サリーはビー玉を自分のカゴの中に入れたあと部屋を出て行きました。アンはサリーがいない間に、カゴの中のビー玉を自分の箱の中に入れました。部屋に戻って来たサリーは、もう一度ビー玉で遊ぼうと思いました。サリーはビー玉を取り出すのに、カゴか箱かどちらを探すでしょう。

　以上が著名な**サリーとアンの課題**です。もちろん正解は「カゴの中」です。ビー玉は実際には箱の中にあります。しかし、サリーはアンの行為を見ていないため、「ビー玉はカゴの中にある」と思っています。これを**誤信念**と呼びます。つまりサリーが誤信念を持っていることを理解できれば「カゴの中」と答えられます。しかしながら、3歳代ではこの問いに正解するのが難しいことが明らかになっています。他者の心を理解する能力を**心の理論**といいます。上記から人の発達に欠かせない心の理論は4歳〜7歳になってようやく獲得できるものだと考えられています。

文献資料：Baron-Cohen, S., Leslie, A. M., & Frith, U. 1985. 'Does the autistic child have a 'theory of mind?' Cognition, 21(1).

サリーとアンの課題

サリーです。　　　　アンです。

サリーのカゴ　アンの箱

サリーがカゴにビー玉を入れて部屋を出ていきました。

1	2
3	4

アンはサリーのいない間にカゴのビー玉をアンの箱に入れました。

部屋に戻ってきたサリーがビー玉で遊ぼうとします。サリーはカゴか、箱のどちらを探すでしょうか？

クオリア
qualia

[257] メアリーの部屋
[259] 哲学的ゾンビ

クオリアは、現象的な質（フェノメナル・クオリティ）の略語で、人が主観的な経験をする際に、他人には伝えることのできない、主観的な質感を指します。

クオリアは複数形で単数形はクアリ（quale）になる。私たちが個々に経験する意識状態はクアリだ。

　私はいま好きな音楽を聴いているとしましょう。特定の音楽から得られる心のさざ波は私特有のものです。他の人と共有するのは極めて困難です。また、赤いものを見たときの赤さ、チョコレートの味、つま先を踏んづけられたときの痛みなど、ある経験をしたときの感じ方は主観的なものであり、他者がまったく同じ経験をするのは不可能です。このように**クオリア**とは他人との共有が困難な、その人に固有の主観的な経験の質感を指します。

　このような経験は誰もが体験しているでしょう。しかし、このありふれた現象であるクオリアが、どのようなメカニズムで生じるのかは、詳しくは分かっていません。また、クオリアを生み出す脳の活動を記述しても、やはりクオリアが持つ特別な質感が生じる理由をうまくは説明できません（**哲学的ゾンビ**）。

　いまだにクオリアは大きな謎のままです。

文献資料：土谷尚嗣『クオリアはどこからくるのか？』（岩波書店）

クオリア

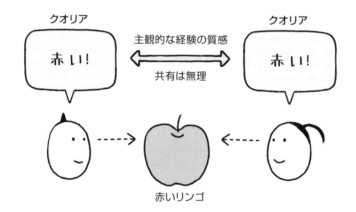

2人は同じリンゴを見て赤いと感じている。でも、それぞれの「赤い」という質感は主観的なもので共有はできない。

メアリーの部屋
Mary's room

フランク・ジャクソン
[258] モリヌークス問題

思考実験の1つです。生涯にわたてモノクロの世界に住んでいたメアリーが、初めて色のある世界を体験しました。この時、世界は彼女にどのように映るかを問います。

オーストラリアの哲学者**フランク・ジャクソン***が示したもので「フランク・ジャクソンの知識論証」とも呼ばれている。

　神経科学者で圧倒的な知識を誇るメアリーは、生涯にわたってモノクロの世界「**メアリーの部屋**」に住んでいました。このモノクロの世界でメアリーは、本やテレビを通じて「色」に関する物理的事実について研究し、あらゆる知識を手に入れました。ある日のこと、このメアリーが「メアリーの部屋」を抜け出して、生涯で初めて色のある世界に足を踏み入れました。彼女は、赤や緑、青を見て、初めて色という主観的な感覚を体験します。このときメアリーは、色について何か新しいことを学んだのでしょうか。それともすでに知っていたことについて改めて確認しただけなのでしょうか。

　直感的に考えると、メアリーは知識だけでは得られない色の体験をしたはずです。この体験から得られるものこそがクオリア[256]であり、「メアリーの部屋」は物理的事実だけでは説明できないクオリアの存在を示しています。

文献資料 : Frank Jackson. 1982. "Epiphenomenal Qualia." *The Philosophical Quarterly*, Vol. 32, No. 127.

第5章　意識と心

メアリーの部屋

白黒の世間

色のことなら
何でも知っている!

色のある世界

うわっ、これが色の
ある世界なんだ!

クオリア

クオリア

メアリーの部屋の思考実験は、クオリアは知識として得られるものでないことを示している。私たちにってクオリアは感覚を通じて得られる特別な何かなのだ。

258 モリヌークス問題
Molyneux's problem

[256] クオリア
[257] メアリーの部屋

ジョン・ロックが友人のモリヌークスから問われたもので、「先天的な盲人が視覚を回復した場合、立方体と球体を見分けられるのか」という問いを指します。

ロックは著作『人間知性論』において、見分けられないと記している。モリヌークス問題はロック版の「メアリーの部屋」といえる。

　モリヌークス問題とは、17世紀末にアイルランドの法律家ウィリアム・モリヌークス（1656-1698）が立てた、「先天的な盲人が視覚を回復した場合、立方体と球体を見分けられるのか」という問いを指しています。これに対して**イギリス経験論**の論客だった哲学者**ジョン・ロック***は著作『人間知性論』において「できない」と応じました。

　ロックによると、盲人は触覚によって立体や球体がどのようなものか事前に理解できます。しかしながら、盲人が触覚から得た立体や球体の感覚と、視覚から得られるイメージとは相互の結びつきを欠いています。そのためロックは立方体と球体を見分けられないと結論づけたわけです。ロックが正しいことは現代の実験から明らかになっています。モリヌークス問題は、モノクロの世界で生きていたメアリーが初めて色を経験する「**メアリーの部屋**」のロック版といえそうです。

文献資料：『世界の名著27　ロック　ヒューム（「人間知性論」）』（中央公論社）

モリヌークス問題

たった今、眼が見えるようになった。

おそらく判別できないであろう！

ジョン・ロック
John Locke
英：1632〜1704

モリヌークス問題はロック版の「メアリーの部屋」だ。触覚と視覚が結びつく経験がないから判別はできない、とロックは結論づけた。

哲学的ゾンビ
philosophical zombie

デイヴィッド・チャーマーズ
[260] 意識のハード・プロブレム

オーストラリアの哲学者**デイヴィッド・チャーマーズ**[*]が示した思考実験の1つで、振る舞いは同じだが意識が欠落している人間を想定しています。

奇妙なことに、別の人間の身体的状況を完全に記述したとしても、その人物に意識があることを証明することはできない。

　ここに人間と見分けがつかない**ゾンビ**がいます。ただしこのゾンビは人に危害を加えることはありません。食事もしますし音楽も聴きます。ところがこのゾンビは私たち人間と決定的な違いがあります。それはこのゾンビに意識がないという点です。そのため食事をしても「おいしい」と感じることはありません。音楽を聴いても「名曲に酔う」ことはありません。

　これが**哲学的ゾンビ**です。ではこのようなゾンビを実際に想像してみてください。意識のある私たちは、物理的現象の集合である意識のない存在を思い描くことができます。これは次のことを意味します。つまり、別の人間の身体的状況、たとえば脳の中の状況を物理的現象として完全に記述できたとしても、その人間に意識があることを示すことにはならない、ということです。このように人の意識は何ともつかみ所がない存在なのです。

文献資料：デイヴィッド・チャーマーズ『意識する心』（白揚社）

第5章　意識と心

哲学的ゾンビ

食べる
読む
音楽を聴く
…
話す
TVを見る
寝る
ゾンビ

でも、意識はないのだ！

物理的現象を全部説明できたとしても、意識があることを示すことにはならない。これは難しい問題だ！

260 意識のハード・プロブレム
hard problem of consciousness

デイヴィッド・チャーマーズ
[259] 哲学的ゾンビ

意識の主観的体験であるクオリアは、脳内の物理的処理プロセスをいかに緻密に描いたとしても説明できないという問題を指します。	物理的なプロセスから、主観的な体験がどのように生じるのかは謎だ。これが意識のハード・プロブレムにほかならない。

　哲学者**デイヴィッド・チャーマーズ***は、意識に関する問題には、「**意識のイージー・プロブレム**」と「**意識のハード・プロブレム**」の2種類があると主張します。

　人間の脳の中には1000億個のニューロンが存在するといいます。これらニューロンの情報をすべて集めて、人が認知する際に脳がどのように働くのかを観察するのは可能でしょう。実際に行おうとするとかなり困難ですが、意識の客観的で観察可能な側面を扱っているため、理論的には科学的研究と調査によって説明できるため、「イージー・プロブレム」だと考えられます。これに対して、仮に脳の働きを克明に理解できたとしても、脳がどうやって主観的な体験を生み出すのかを説明しているわけではありません。精神と肉体がどのように相互作用しているのか、物理的な活動が人間の主観的な経験をどのようにして生み出すのか、その謎はいまだ残ったままです。これが意識のハード・プロブレムにほかなりません。

文献資料：David Chalmers. 1995. "Facing up to the problem of consciousness." *Journal of Consciousness Studies* 2 (3)：200-19.

イージー・プロブレムとハード・プロブレム

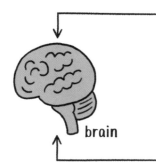

イージー・プロブレム
物理的な脳の仕組みを調べ上げる
ことは理論的に可能だ。

ハード・プロブレム
脳の物理的な活動がいかにして
人間の主観的意識を生み出すのか？

brain

このようにデカルト以来の心身問題の謎はいまだ議論がなされている。本当にハード・プロブレムなのだ。

261 コウモリであるとはどのようなことか
What is it like to be a bat ?

トマス・ネーゲル
[260] 意識のハード・プロブレム

アメリカの哲学者ネーゲルが1974年に発表した論文のタイトルです。コウモリの意識を通じて主観的な経験の限界を示しています。	ネーゲルの「コウモリであるとは？」という問いは、チャーマーズの意識のハード・プロブレムに先立つ同様の問題提起だった。

「**コウモリであるとはどのようなことか**」は、アメリカの哲学者**トマス・ネーゲル**[*]が1974年に発表した論文のタイトルです。この論文でネーゲルは、コウモリの知覚体験を想像してもらいたいと読者に問いかけています。もちろん人はコウモリになれませんから思考実験[108]の1つというわけです。

コウモリの存在について、解剖学や行動といった物理的な側面を客観的に理解することはできるでしょう。ちょうど、メアリーが「メアリーの部屋」[257]で色についてあらゆる知識を手にしたようにです。しかし、これでコウモリになりきるには不十分だとネーゲルは主張します。それというのも、コウモリに備わった意識や主観的経験はコウモリ固有の特徴であり、純粋に客観的な立場から観察して完全に理解することはできないからです。ネーゲルは**チャーマーズ**[*]に先立って、主観的体験の**物理的還元**の難しさを示したわけです。

文献資料：Thomas Nagel. 1974. 'What Is It Like to Be a Bat ? ' *The Philosophical Review*, Vol. 83, No. 4 (Oct.)

コウモリであること

コウモリになりきった
つもりだけど…

ネーゲルはコウモリであることを通じて、主観的体験の物理的還元の
難しさを、チャーマーズに先立って示したのだ。

262 デカルト劇場
Cartesian theater

ダニエル・デネット
[247] 心身二元論

デカルト劇場は、アメリカの哲学者ダニエル・デネットの造語です。フランスの哲学者ルネ・デカルトが説いた二元論的で中央集権的な意識観を批判するための言葉です。

デネットは意識的な経験が起こる単一の中央ステージ、つまりデカルト劇場は存在しないと主張する。

　デカルト*は、精神と身体は独立する存在だと考えました。その結果、この異なる2つの存在が、どのようにして関係を取り結んでいるのかが問題として生じました（**心身問題**）。デカルトは解決策として**松果腺**の可能性を指摘しました。松果腺とは脳に存在するごく小さな一部で、この身体の部位に精神を宿すことで両者の関係を結びつけました。もっとも今やデカルトのこの主張を支持する人は皆無でしょう。

　しかしいまだに多くの人が、脳のどこかに意識や心が出現する場所があり、そこであらゆる情報を一括して取り扱っていると、漫然と考えているのではないでしょうか。このように、私は自分の頭の中のどこかにいて外界をながめているというイメージを、**ダニエル・デネット*はデカルト劇場（カルテジアン劇場）**と名づけて、これを否定しました。デネットによると、意識は相互作用する複数の認知プロセスが連動して働いている結果であると示唆しています。

文献資料：ダニエル・デネット『解明される意識』（青土社）

デカルト劇場

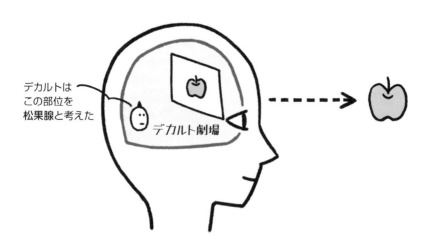

デカルトは
この部位を
松果腺と考えた

デカルト劇場

脳のなかで情報を処理している小型の自分がいる。でもそう考えると小型の自分の中でさらに情報を処理している自分を考えなくてはならない。

263 水槽の中の脳
brain in a vat

ヒラリー・パットナム
[310] コンピュータ・シミュレーション仮説

アメリカの哲学者ヒラリー・パットナムが示した有名な思考実験の１つです。私たちが認識する世界は現実なのか、それとも仮想なのかを問います。

映画「**マトリックス**」は、まさに水槽の中の脳の世界だ。私たちが生きている世界は本当に現実なのだろうか？

「**水槽の中の脳**」は、アメリカの哲学者**ヒラリー・パットナム***が示した思考実験[108]の１つです。マッドサイエンティストが人の脳を体から取り出して水槽に入れ、外界から完全に隔離し、生きたままスーパーコンピュータに接続します。スーパーコンピュータからは、脳が身体とつながっているときに受ける感覚的な入力を模倣した電気信号を発生させます。この電気信号により脳内に人工的な現実を作り出します。このとき水槽の中の脳は、人工的な現実をあたかも本物のように知覚するのでしょうか？

これが「水槽の中の脳」の思考実験の概略です。

水槽の中の脳の経験は現実として有効なのでしょうか。それとも完全に錯覚なのでしょうか。もし、「水槽の中の脳」の経験が有効であるとするならば、現実界とシミュレーション界の区別は曖昧になり、何が現実であるのかが鋭く問われます。

文献資料：Hilary Putnam. 1981. "Reason, Truth, and History." Cambridge University Press

水槽の中の脳

この思考実験から、ひょっとすると私たちは仮想の世界で生きているのかもしれない、という疑問が出てくる。まさにそれはマトリックスの世界だ。

志向性
intentionality

フランツ・ブレンターノ
[271] 注意スキーマ理論

オーストリアの哲学者フランツ・ブレンターノが用いた言葉です。精神状態に内在する何かに向けた注意、「何かについて」感じることを指します。

ブレンターノが唱えた「志向性」はのちのエドムント・フッサール*や現代のダニエル・デネット*、注意スキーマ理論などにも影響を与えています。

　19世紀から20世紀にかけて活躍した哲学者**フランツ・ブレンターノ***は、すべての精神的行為や経験は意図的であり、それは常に対象に向かっている、あるいは対象を内容として持っていると主張しました。ブレンターノはこれを**志向性**と名づけました。

　精神状態の本質は対象との意図的な関係にあり、それが物理的な現象と区別されることをブレンターノは強調します。例えば、赤いリンゴを見るとき、私たちの視覚体験はリンゴに向けられ、特定の内容（赤さ、丸さなど）を持ちます。この場合、知覚の志向性は、私たちの経験が「リンゴの」あるいは「リンゴについて」に向けられている事実にあります。これに対して物的世界は、心の中で何かを意図している、すなわち志向しているわけではありません。モノはただそこにあるだけで志向性はありません。このようにブレンターノは志向性を用いることで、物的な世界と心的な世界を区別できると考えました。

文献資料：『世界の名著51　ブレンターノ　フッサール（「道徳的認識の源泉について」）』（中央公論社）

志向性

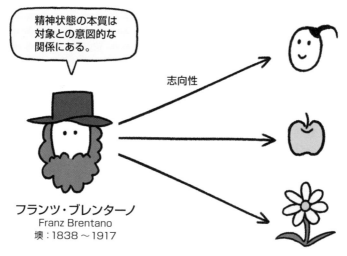

精神状態の本質は対象との意図的な関係にある。

志向性

フランツ・ブレンターノ
Franz Brentano
塊：1838〜1917

確かに精神的な行為をしているとき、私たちは何かの対象に向かっている。ブレンターノはこれを志向性と名づけた。

265 タイム・オン理論
time-on theory

ベンジャミン・リベット
[266] 自由意志

生理学者ベンジャミン・リベットが提唱したもので、人が感覚経験を意識するには、適切な脳活動が少なくとも500ミリ秒（0.5秒）間持続している必要があるとする説を指します。

人が刺激を意識するまでに500ミリ秒（0.5秒）かかるとリベットはいう。しかし0.5秒とは意外に長い時間がかかると思うのだが。

　タイム・オン理論は、アメリカの生理学者**ベンジャミン・リベット**[*]が提唱したもので、人が何らかの感覚経験を意識する際のモデルを示したものです。タイム・オン理論は2つの主張からなります。1つは、意識を伴う感覚経験には、適切な脳活動が500ミリ秒間持続している必要があることです。もう1つは、感覚経験の持続時間が意識を伴うまでに満たない場合でも、無意識の精神機能が生じているということです。例えば、何らかの刺激が200ミリ秒だけ継続した場合、人の意識にはのぼりません。しかし、無意識ではその刺激を認識しています。

　この点を示す実験として、左右いずれかのランプ点灯時に被験者に短いパルスを与えどちらのランプの時かを回答してもらったものがあります。刺激なしでの正答率は50%に対して、意識には上らない150～260ミリ秒のパルスの場合、本来は正答率がやはり50%のはずなのに75%にもなりました。

文献資料：ベンジャミン・リベット『マインド・タイム』（岩波書店）

タイム・オン理論

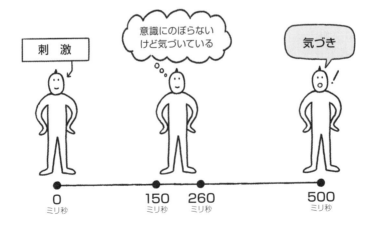

意識にのぼらないけど気づいている

気づき

| 刺激 |
| 0 ミリ秒 | 150 ミリ秒 | 260 ミリ秒 | 500 ミリ秒 |

意識を伴う感覚経験には、適切な脳活動が500ミリ秒間持続している必要がある。でも、意識にのぼらない気づきもある。

自由意志
free will

266

ベンジャミン・リベット
[265] タイム・オン理論

自由意志は、人が持っていると信じられている能力の1つで、既成の条件のみによって決定されることのない選択と決定を行える力を指します。

タイム・オン理論を提唱したベンジャミン・リベットの実験は、人が自由意志を持っているのかという、深くて重い問いを突きつける。

　人は**自由意志**を持つと一般に考えられています。しかし、**ベンジャミン・リベット**[*]が行った実験は、この信念に疑問を投げかけます。

　リベットは被験者に対して自分がやりたいと思ったときに急激な手首の屈曲運動を行うよう指示しました。このときの脳の活動と手首の運動、さらに被験者が手を曲げようと思った瞬間、それぞれを記録しました。すると、被験者が手首を曲げる約150〜200ミリ秒前に、曲げようとする意識が生じることがわかりました。ところが、それよりも約350〜400ミリ秒前、つまり手首の屈曲運動から約500〜600ミリ秒前に、いま曲げようという活動が脳内に生じていました。つまり、意識よりも脳の活動が先に顕在したわけです。そうなると、「いま曲げよう」という意志は意識に先んじて生じたものであって、意識あるいは自己が調整管理したものではない、という驚くべき結論に至ります。

文献資料：ベンジャミン・リベット『マインド・タイム』（岩波書店）

リベットの手首曲げ実験

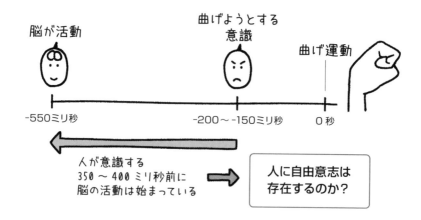

脳が活動

曲げようとする
意識

曲げ運動

-550ミリ秒 　　-200〜-150ミリ秒 　　0秒

人が意識する
350〜400ミリ秒前に
脳の活動は始まっている

人に自由意志は
存在するのか？

リベットの実験は、人間の自由意志に対して
強い疑問を投げかけている。

グローバル・ワークスペース理論
global workspace theory（GWT）

バーナード・バース
[269] 統合情報理論

心理学者バーナード・バースらが提唱した意識に関する理論で、精神的内容は脳内のワークスペースを介して意識が発生すると主張します。	グローバル・ワークスペース理論は1980年代に提唱され、現在も意識の発生を説明する有力な理論の1つになっている。

グローバル・ワークスペース理論（GWT）は、1980年代に心理学者**バーナード・バース***らが提唱した意識に関する理論です。この理論では人の覚醒した意識は脳幹や中脳（視床）、大脳皮質のグローバルな相互活動によって生じるものとし、この様子を**劇場のメタファー**になぞらえます（ただしデカルト劇場[262]とは関係がありません）。**意識経験**とは劇場にあるステージの上に生じます。ステージは短時間の記憶が可能な**ワーキングメモリ**であり、ここに外的感覚や内的感覚、観念が、**役者**として意識に上ろうと競い合っています。ステージに上がった役者のうち、特定の役者に**注意のスポットライト**が当たり、このときに人は覚醒した意識を経験します。さらにステージ上の役者は記憶や意識内容の解釈といった無意識の観客に情報を広め刺激します。GWTでは覚醒した意識でこのような活動が生じていると考えます。

文献資料：バーナード・バース『脳と意識のワークスペース』（協同出版）

高次思考理論
higher-order thought theory
（Hot theory）

デイヴィッド・ローゼンタール
[267] グローバル・ワークスペース理論

哲学者デイヴィッド・ローゼンタールが提唱した意識に関する理論で、意識は高次の思考を伴っている場合に現れると主張します。	高次思考理論では、「思考に関する思考」すなわちメタ認知（認知の認知）が生じたときに意識が生まれると考える。

高次思考理論は、哲学者**デイヴィッド・ローゼンタール***が提唱した意識に関する理論です。ローゼンタールによると、知覚や感情は一次的な精神状態であり、これらが高次の思考の対象になったときに意識が生じるといいます。つまり、「思考に関する思考」すなわち**メタ認知**（認知の認知）が生じたときに意識が生まれるという主張です。それゆえ「高次思考」理論というわけです。

　例えば、私は机の上にある水の入ったコップを見ています。このとき、一次的な精神状態は単に水の入ったコップを知覚しているにすぎません。これに対して「私は水の入ったコップを意識している」と言うためには、一次的な精神状態だけでは不可能で、この知覚に高次の思考が伴って水の入ったコップの情報と結びつく必要があります。**グローバル・ワークスペース理論の注意のスポットライト**との関連も考えられる理論です。

文献資料：David Rosenthal. 1986. "Two concepts of consciousness" *Philosophical Studies*, January 1986

統合情報理論
integrated information theory

マルチェッロ・マッスィミーニ
ジュリオ・トノーニ

意識発生のメカニズムを説明する理論の1つです。統合情報理論では、意識の経験は「豊富な情報量＝無数の他の可能性」を排除したときに生じると説きます。

統合情報理論（略称はIIT）は、神経科学者マッスィミーニとトノーニが提唱した。この理論は、有力な意識発生論の1つになっている。

統合情報理論は、神経科学者**マルチェッロ・マッスィミーニ***と**ジュリオ・トノーニ***が提唱した、意識発生のメカニズムに関する有力な理論の1つです。略称で「IIT」とも呼ばれています。

私たちが持つ脳内のニューロンは膨大な数に上り、これらの結びつきは何十億もの選択肢があると考えられるでしょう。結びつきが希薄な場合、脳が何を選択しようとしているのかは不明確です。ところが無数にある選択肢を排除して、1つの選択肢を選ぶとき、人に意識の経験が生じるとマッスィミーニとトノーニは主張します。つまり、意識を生み出す基盤は、無数にある他の可能性から区別された、ある特定の統合された状態にあります。そして、身体システムがそのように情報を統合したとき、そのシステムには意識が宿ると考えられるわけです。その上で彼らは、身体システムの情報量を定める単位を**φ（ファイ）**と定め、この値が高いほどシステム内の情報の統合度は高く、意識が生じやすくなると考えています。

文献資料：マルチェッロ・マッスィミーニ、ジュリオ・トノーニ『意識はいつ生まれるのか』（亜紀書房）

統合情報理論

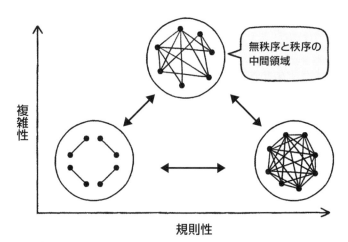

より多くの情報を無秩序と秩序の中間領域で統合する。このとき、φの値は高くなる。

知能の 1000 の脳理論
thousand brains theory of intelligence

ジェフ・ホーキンス
[269] 統合情報理論

脳の働きに関する理論で、新皮質が「皮質コラム」と呼ばれる何千もの小さな独立した計算ユニットの集合体として動作して知覚が生じると考えます。

神経科学者のジェフ・ホーキンスが提唱した理論で、脳の機能や情報処理について新しい視点を提供する。

　知能の 1000 の脳理論（単に 1000 の脳理論ともいう）は、神経科学者ジェフ・ホーキンス[*]が提唱した脳の働きに関する理論です。ホーキンスは、高次の認知機能を担う脳の外層である新皮質が、**皮質コラム**と呼ばれる何千もの小さな独立した計算ユニットの集合体として動作して知覚が生じると主張します。これら新皮質の皮質コラムは**座標系**を処理する特徴を持っています。脳は世界のモデルを構築するのに感覚入力を新皮質の皮質カラムで構成する座標軸と関連づけます。座標軸に作られた世界のモデルは、次の感覚入力が何をもたらすか予測し、新たな入力によってモデルは更新されます。このように 1000 の脳理論では、脳は単一の汎用的な問題解決装置ではなく、感覚情報のさまざまな側面を処理するために協調して働く特殊なモジュールの集合体だと主張します。これらのモジュールは、特定の脳領域に限定されることなく、大脳新皮質全体に分布しているとホーキンスは考えています。

文献資料：ジェフ・ホーキンス『脳は世界をどう見ているのか』（早川書房）

第5章　意識と心

知能の 1000 の脳理論

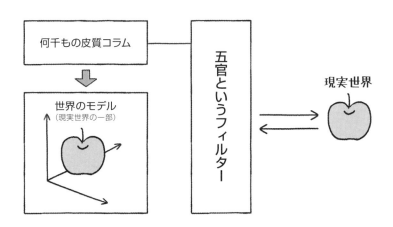

ホーキンスは皮質コラムが作り出す世界のモデルは現実世界の一部にしか過ぎないという。この考え方はカントの現象と物自体[409]に極めて近い考えだ。

注意スキーマ理論
attention schema theory（ATS）

マイケル・グラツィアーノ
[269] 統合情報理論

脳内で「注意」がどのように機能し、それが私たちの意識体験にどのように寄与しているかという観点から意識のメカニズムを解明する理論です。

アメリカの神経科学者・心理学者マイケル・グラツィアーノが提唱した理論だ。私たちの「注意」に着目している点が特徴になっている。

　生命体は生き延びるために周囲の状況を把握する必要があります。とはいえあらゆる状況を把握するのは困難ですから、生命に支障を来す事象や何らかの機会に注意を向けて、それに対処すれば生存の可能性は高まるでしょう。アメリカの神経科学者・心理学者マイケル・グラツィアーノ*が提唱した**注意スキーマ理論（ATS）**では、注意を制御するためのモデルである**注意スキーマ**が活性化することで意識が発生すると考えます。

　何かの対象に注意を向ける場合、周囲の環境に対する理解が必要です（**環境スキーマ**）。また、自分自身に対する理解（**身体スキーマ**）やいまの感情についての理解も必要です。さらに知識を含む記憶へのアクセスも欠かせません（**記憶スキーマ**）。注意スキーマ理論によると、これら各スキーマの個別要素が組み合わさって注意スキーマを形成します。この注意スキーマが活性化している状態を**意識**と呼びます。

文献資料：マイケル・グラツィアーノ『意識はなぜ生まれたか』（白揚社）

注意スキーマ理論

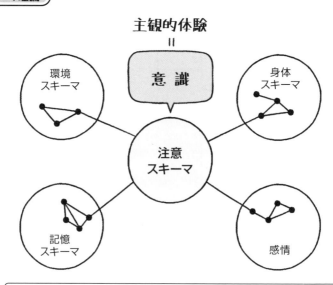

各スキーマの個別要素が組み合わさって注意スキーマを形成する。この注意している状態を意識と呼ぶ。ブレンターノの志向性[264]とも関連あり。

(272) 隠された泉
hidden spring

マーク・ソームズ
[273] デカルトの誤り

南アフリカの神経心理学者マーク・ソームズが提唱した意識に関する理論です。ソームズは、人間の意識が魚類とも共通する脳幹から発生すると主張します。

ソームズは意識が発生するのその場所のことを「隠された泉」と呼ぶ。脳幹の網様体の中核部こそがその場所だという。

意識は脳のどこで発生するのかという問に対して、漫然と「大脳皮質」と考える傾向があるようです。神経心理学者**マーク・ソームズ**[*]はこの主張に対して疑問を抱きます。というのも、この回答を正しいとすると、大脳皮質がなければ意識は生じないことになるからです。ところが、先天的に大脳皮質を持たずに生まれてきた**水無脳症**の子供も、あきらかに意識のある振る舞いをします。また、感覚情報が入ってくる**脳幹の網様体**を損傷すると、意識が完全に失われることが70年以上も前から明らかになっていました。

このようなことからソームズは、目覚めている状態としての意識は脳幹の網様体の中核部が生み出し（水無脳症の状態）、経験としての意識は大脳皮質から生じると結論づけました。脳幹の網様の中核部は魚類も持つ部位であり、ソームズはこの部位を意識発生の源として「**隠された泉**」と呼びます。

文献資料：マーク・ソームズ『意識はどこから生まれてくるのか』（青土社）

大脳皮質と脳幹

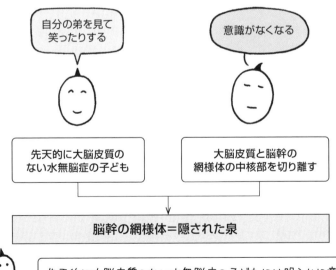

自分の弟を見て笑ったりする

意識がなくなる

先天的に大脳皮質のない水無脳症の子ども

大脳皮質と脳幹の網様体の中核部を切り離す

脳幹の網様体＝隠された泉

先天的に大脳皮質のない水無脳症の子どもには明らかに意識がある。でも、脳幹を切り離すと意識は完全になくなる。

(273) デカルトの誤り
Descartes' error

アントニオ・ダマシオ
[394] 我思う、ゆえに我在り

神経科学者アントニオ・ダマシオがデカルトを批判する言葉で、情動と理性は相互に結びついた関係にあり、理性の優位性を説いたデカルトの説を否定します。	ダマシオの主張は、意思決定障害と情動障害を有する神経症患者に対する研究に基づいており、情動は理性のループの中にあるとする。

デカルト*はかの有名な「**我思う、ゆえに我在り**」で、思考する私という存在自体は疑いようがないと考えました。ここに精神的なものや理性的なものが、肉体的なものや情動的なものよりも優位な位置にあるとする立場が形成されていきます。

これに対して神経科学者**アントニオ・ダマシオ***は、理性による推論のプロセスには、**情動**が深く関わっていると主張しデカルトの立場を否定します。その象徴的な言葉が「**デカルトの誤り**」にほかなりません。

理性の神経組織の下位レベルには、情動や感情のプロセス、有機体の生存にかかわる身体調整が存在します。これらの下位レベルは身体器官と直接的または間接的に結びついています。こうして私たちは情動や感情、身体調整といった諸機能が一定の役割を果たす中で、推論や意思決定ができるわけです。ダマシオの主張は、**マーク・ソームズ***の「隠された泉」[272]説とも呼応します。

文献資料：アントニオ・ダマシオ『デカルトの誤り』（筑摩書房）

(274) ソマティック・マーカー仮説
somatic marker hypothesis

アントニオ・ダマシオ
[273] デカルトの誤り

人が意思決定する際、過去の経験に基づく身体感覚や身体イメージが自動的に生じ、判断に影響を及ぼすという説を指します。	ソマティック・マーカー仮説は神経科学者アントニオ・ダマシオが提唱したもので、理性のループにおける情動の役割を示している。

神経科学者**アントニオ・ダマシオ***は、情動や感情、身体調整という下位レベルの機能が、理性的な判断に一定の役割を果たしていると主張しました[273]。その役割について具体的に説明したものが、ダマシオによる**ソマティック・マーカー仮説**です。

ソマティック・マーカーとは、刺激や状況に応じて生じる特定の感情に関連した身体感覚や生理的反応を指します。「鳥肌が立つ」とか「手に汗握る」といいますが、ごく簡単にいうとこれらの身体感覚は恐怖や緊張と深く結びついたソマティック・マーカーの１つと考えられます。これらのマーカーは、直感や直感的な信号として機能し、人の意思決定に影響を及ぼします。言い換えると、ソマティック・マーカーは**感情記憶**の一形態であり、生起されたその情報が意思決定プロセスに影響を与えるわけです。

文献資料：アントニオ・ダマシオ『デカルトの誤り』（筑摩書房）

275 生物学的自然主義
biological naturalism

ジョン・サール
[318] 中国語の部屋

哲学者ジョン・サールが提唱した意識と心に関する立場です。意識は消化や成長と同様、自然で生物学的な現象であるという考え方を指します。

サールによると、意識は主観的な「心的」現象であると同時に、「物理的」世界の自然な一部でもあるという。

生物学的自然主義は意識と心に関する立場の１つで、哲学者**ジョン・サール***が提唱しました。サールによると、人間の意識や精神現象は脳で起こる特定の生物学的プロセスに根ざしており、消化や成長、あるいは光合成と同様、自然で生物学的な現象だと考えます。現在、脳内には1000億を超えるニューロンの存在が確認されています。また、ニューロンの構造や信号を伝達する仕組みも分かっています。人間の心的生活は、このニューロンの働きから生み出されていることは明らかなようです。

しかしサールは、これらの動きをコンピュータで完全にシミュレーションしても、意識が生じる保証にはならないと主張します。それは、暴風雨のコンピュータ・シミュレーションが実際に暴風雨を生み出すわけではないのと同様の理屈です。意識を持つ機械を生み出すには、脳がいかに意識を生み出しているのか、その点を明らかにするのが先決だとサールはいいます。

文献資料：ジョン・サール『意識の神秘』（新曜社）

276 知覚のボトムアップ理論
bottom-up theory of perception

[264] 志向性
[277] 知覚のトップダウン理論

外界にあるものが人間の感覚器官を通じて脳に伝わり処理されることで、人は外の世界の内的イメージを構築するという、知覚に関する伝統的な考え方を指します。

知覚のボトムアップ理論は知覚に関する伝統的な考え方だ。これに対して知覚のトップダウン理論という逆の考えもある。

知覚のボトムアップ理論は、知覚に関する一般的かつ伝統的な考え方です。この考え方では、人は外界にあるものを自分の**感覚器官**を通じて読み取り、その情報が脳に伝わって処理されることで、外の世界の内的イメージを形成するものです。

ボトムアップの仕組みは次のとおりです。まず、光や音の波、味や臭いの分など、外界からの刺激が感覚器官に伝わります。これが人間の内部で**電気パルス**を生み出して脳に流れ込みます。脳は届いた情報をもとにして**外界のイメージ**を形成します。その際に情報の組立は段階を経ると考えられています。例えば視覚情報の場合、最初の段階では物体から届いた輝度や輪郭などの情報が処理されます。次の段階では物体の部分に関する情報が処理されます。そして最後の段階では情報が統合されて物体全体の認識が生まれると、知覚のボトムアップ理論は考えます。

文献資料：アニル・セス『なぜ私は私であるのか』（青土社）

(277) 知覚のトップダウン理論
top-down theory of perception

イマニュエル・カント
アニル・セス

人間の経験は、感覚信号に対する脳の予測によって作られるという考え方です。知覚のトップダウン理論は、知覚のボトムアップ理論の対極に位置します。

外界に対する人間の認識力には限界がある。その限界の中で、外界に対する最良の推測を私たちの脳が行っているのだ。

知覚のトップダウン理論は、知覚のボトムアップ理論[276]の対極に位置づけられる考え方です。知覚のトップダウン理論では、感覚信号に対する脳の予測によって私たち人間の経験が形づくられるという立場をとります。

この考え方は決して新しいものではありません。例えば哲学者**イマニュエル・カント***は、人間は感覚に立ち現れるものしか認識できず、あるがままの世界は認識できないとした上で、感覚に立ち現れるものを現象[409]、あるがままの世界を物自体[409]と呼びました。知覚のトップダウン理論の提唱者である神経科学者**アニル・セス***によると、脳は世界のあり方について**知覚的仮説**を立て、感覚器官からのデータを基にアップデートしているといいます。こうして「世界は感覚器官を通して直接私たちの意識に表れているように思われている」わけです。これはカントがいう「現象」の認識にほかなりません。

文献資料：アニル・セス『なぜ私は私であるのか』（青土社）

知覚のボトムアップとトップダウン

知覚のボトムアップ
知覚された情報をボトムアップで
組み立てて世界を認識する。

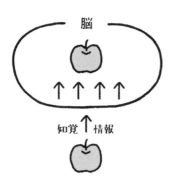

知覚のトップダウン
知覚された情報をもとに知覚的仮説を
トップダウンでアップデートする。

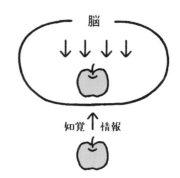

知覚のトップダウン理論では、脳は世界のあり方について知覚的仮説を立て、感覚データを基にアップデートしている。

	環世界	ヤーコブ・フォン・ユクスキュル
278	Umwelt（独）	[277] 知覚のトップダウン理論

生物学者**ユクスキュル***が提唱した概念です。生物はそれぞれ独自の方法で環境を認識しますが、その認識されたそれぞれの世界のイメージを環世界といいます。

環世界はそれぞれの生物にとって異なる世界が広がる。なぜなら生物が持つ感覚器官は異なり、ために世界の認識が異なるからだ。

環世界（環境世界）とはそれぞれの生物によって、それぞれのやり方で認識された環境または世界のイメージを指します。そして形成した世界イメージをもとに生物と環境は相互に作用し合います。

その際に注意したいのは、異なる生物は、異なる環世界すなわち世界のイメージを持つという点です。それというのも、それぞれの生物は、異なる感覚器官や認知能力、行動反応をセットで持っており、これを用いて特定の方法で環境を認識するからです。例えば、ハチの知覚には、紫外線や匂いの痕跡、偏光パターンなどがあり、ハチはこれらから独自の環世界を作り出し、環境に働きかける基準にしています。同様のことは人間についてもいえます。環世界を前提にすると、私たちの知覚は、**ボトムアップ**よりもむしろ**トップダウン**[277]の情報処理が、環世界のイメージ形成に決定的な役割を果たしているようです。

文献資料：ヤーコブ・フォン・ユクスキュル、ゲオルク・クリサート『生物から見た世界』（新思索社）

環世界

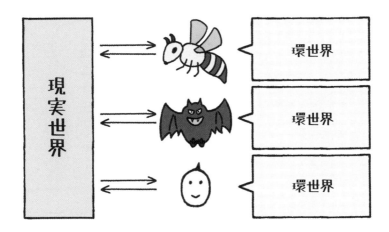

ハチやコウモリ、そして人間は、それぞれ現実世界を認識して、それぞれの環世界を作り出し、現実世界と相互作用する。

自由エネルギー原理
free energy principle（FEP）

カール・フリストン
[277] 知覚のトップダウン理論

脳機能や知覚の様々な側面を説明する理論的枠組みで、人は脳の内部にある世界のイメージと実際に受け取る感覚入力の差を最小にするように働くと考えます。

自由エネルギー原理はイギリスの神経科学者カール・フリストン®が提唱した。知覚のトップダウン理論との関係が深い。

　熱力学の第2法則[346]により、孤立した秩序ある物理系はやがて無秩序になる傾向にあります。エントロピー[348]は無秩序の度合い指しますから、これはエントロピーの低い状態から高い状態への移行を示しています。生命体は環境に働きかけることでこの第2法則を回避し、エントロピーの低い状態にとどまろうとします。その際に生命体は予測と現実の誤差を最小限にしようとします。この予測誤差を**自由エネルギー**といいます。自由エネルギーが小さいほど、エントロピーも低くなります。

　生物が生存し続けるには、予期される状態（例えば体温は36.5度、血圧は120 mmHgなど）すなわち低エントロピーの状態を維持するよう行動し続ける必要があります。これは脳内にある世界イメージと実際の感覚信号との差を小さくする活動であり、生命が生存するためにトップダウン[277]で入力情報を処理していることになります。

文献資料：Karl J Friston. 2010. 'The free-energy principle：a unified brain theory ？' Nature Reviews Neuroscience in 2010.

予測誤差の最小化

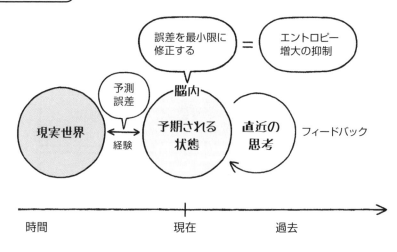

自由エネルギーの最小化、つまり予測誤差を最小化するということはエントロピーの増大を抑制していることを意味する。

280 錯視
optical illusion

[281] ミューラー・リヤー錯視
[282] 幻肢

同じものが異なって見えるなど視覚の錯覚を指す。**ミューラー・リヤー錯視**や**エビングハウス錯視**、**ツェルナー錯視**など古くから例示されてきた。

おそらく月の錯視は誰もが経験したことがあるはずだ。また、ミューラー・リヤー錯視はポピュラーで知っている人も多いのではないか。

　錯視は視覚領域の錯覚のことで、同じものが異なって見えるなど視覚の錯覚を指します。錯視の中で古くから取り上げられ、いまだその謎が解明されていないものに**月の錯視**があります。水平線近くにある上り始めの月が異常に大きく見える経験をした人は多いと思います。実際、天頂の月と比べると 15 ～ 30% ほど大きく見えるといいます。これを月の錯視といいます。月の錯視を説明する説はいくつかあるものの、いまだに定説はないのが現状です。

　錯視はパソコンソフトのドローイング機能で簡単に作り出せます。例えば Office ソフトの図形描画機能で、正方形の上に正円を描き、円に下向きに薄くなるグレーのグラデーションをつけます。さらにこの正方形と正円のセットを複製し、上下 180 度に反転します。人は光が上から来るものと考えているため、一方はへっこんだ円、もう一方は盛り上がった円に見えます。下記はその要領で作成したものです。

文献資料：下條信輔『視覚の冒険』（産業図書）

円の錯視

 Microsoft Office の図形描画機能で作成した円の錯視。光の当て方で、左の円はへこんで、右の円は盛り上がって見える。

ミューラー・リヤー錯視
Müeller-Lyer illusion

[280] 錯視
[282] 幻肢

同じ長さなのに、矢印の向きが違うだけで長さが違って見える錯視を指します。2次元と3次元の違いが原因となってこのような現象が起こります。

人は身の回りの3次元を、目のレンズを通して2次元としてとらえ、これを3次元として解釈しようとしている。

著名な錯視の1つに**ミューラー・リヤー錯視**があります。これは同じ直線の両端に開いた矢印と閉じた矢印を付け加えたものです。たったこれだけの操作で中央の直線の長さが違って見えます（下図左）。

なぜこのようなことが起こるのでしょうか。それは世界は3次元であるのに、人間の網膜は2次元だからというのが1つの答えになります。

試しにここでは、ミューラー・リヤーの矢印を立体の箱の上に置いてみます（下図右）。閉じた矢印の場合、立方体の手前に配置すると、矢印の上部で奥行きを示せます。一方、開いた矢印の場合、立方体の奥に置くと、矢印の下部で立方体の広がりを示せます。このようにそれぞれを立方体に配置すると、上の立方体は小さく、下にある立方体が大きいと判断してしまいます。こうして閉じた矢より、開いた矢の方が長く感じてしまうわけです。

文献資料：池谷裕二『進化しすぎた脳』（朝日出版社）

ミューラー・リヤーの矢が錯視になる理由

●ミューラー・リヤー錯視

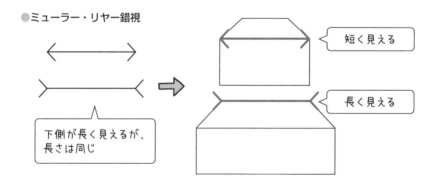

短く見える

長く見える

下側が長く見えるが、長さは同じ

人は手前にあるものを長く、奥にあるものを短く認識する。結果、閉じた矢印よりも開いた矢印を付けたほうが付けた長く見えるわけだ。

282 幻肢
phantom limb

ヴィラヤヌル・ラマチャンドラン
[283] ラバーハンド錯覚

幻肢とは、失ったはずの手や足が、あたかも存在するかのように感じることを指します。幻肢には脳の可塑性が深く関わっていると考えられています。

神経科学者ヴィラヤヌル・ラマチャンドランは、幻肢の治療に「鏡の箱」という手法を開発したんだ。簡単な装置ながら効果は高いという。

　事故で手や足を失った人が、ないはずの手足をあたかも存在するように感じることがあります。これを幻肢と呼びます。また失った手足に痛みを感じることを幻肢痛といいます。なぜこのような現象が起こるのでしょうか。

　脳の部位と身体の部位の感覚には特定の対応があります。この対応関係を一覧にしたものが脳地図です。この脳地図を見ると手と顔の領域は近いことがわかります。仮に手を失ったとすると、脳に伝わる手からの感覚が途絶えます。するとその空白地帯に隣の領域にある顔からの感覚情報が侵入した結果、顔の一部をさわると手があるように感じてしまうようです。このように、脳の神経細胞が新たなネットワークを築くことを脳の可塑性と呼びます。

　神経科学者ヴィラヤヌル・ラマチャンドラン*は、単純な仕組みからなる「鏡の箱」を用いた錯覚の応用で幻肢の治療に成功しています。

文献資料：Ｖ・Ｓ・ラマチャンドラン、サンドラ・ブレイクスリー『脳のなかの幽霊』（角川書店）

283 ラバーハンド錯覚
rubber hands "feel"

[282] 幻肢
[474] 身体図式

ラバーハンド錯覚とは、ゴム製の手（ラバーハンド）を用いた実験を通じて得られる、身体イメージに生じるズレを指します。幻肢の治療にも利用されます。

身体イメージは注意スキーマ理論[270]の身体スキーマやメルロ＝ポンティ*が提唱した身体図式とも深い関係があるようだ。

　幻肢とは事故で手や足を失った人が、ないはずの手足をあたかも存在するように感じることです。幻肢の患者はないはずの手や足に痛みを感じることがあります（幻肢痛）。幻肢からわかるのは、私たちの脳には自分の身体に対するイメージがあるということです。眼で見ることなく自分の姿勢や手足の位置がわかるのは、この身体イメージがあるからです。幻肢や幻痛は、身体イメージと実体の身体にズレが生じたため起こったといえます。

　実際、ゴム製の手（ラバーハンド）を用いた簡単な実験で身体イメージにズレが容易に生じることがわかります。この実験では、机の上に衝立を置き、右手を衝立で見えない場所に置きます。また、衝立の見える側にはラバーハンドを置きます。実験者は被験者の右手とラバーハンドを同時に筆でなでます。しばらく続けていると、ラバーハンドが自分の手のように感じてきます。身体イメージのズレが生じたのであり、これをラバーハンド錯覚といいます。

文献資料：Matthew Botvinick, Jonathan Cohen. 1998. 'Rubber hands "feel" touch that eyes see.' Nature, 391(6669), 756.

フルボディ錯覚
full-body illusion

[282] 幻肢
[283] ラバーハンド錯覚

フルボディ錯覚とは、身体全体の主観的な所有感覚や一人称の視点にズレが生じる現象を指します。これはラバーハンド錯覚が全身で生じた状態といえるでしょう。

VRを用いたフルボディ錯覚の実験では、体外離脱経験が生じる。一人称の視点がVRに表示された自分の外側に移動してしまうのだ。

フルボディ錯覚は、身体全体の主観的な所有感覚や一人称の視点にズレが生じる現象で、**仮想現実（VR）**の手法を用いることで生み出すことができます。

VRを用いた実験では、被験者がゴーグルを装着して、約2メートル離れた位置から、仮想現実である自分の後ろ姿を見ます。その上で実験者は、ラバーハンド錯覚の場合と同様、被験者の仮想の背中と本物の背中を同時になでます。すると、仮想の身体が自分の身体であるように感じるようになります。さらに、自分の身体があると感じる場所まで移動するよう命じると、被験者は2メートル先にある身体に向かって歩き始めたといいます。つまり**一人称の視点**がずれ、**体外離脱経験**が生じているわけです。

このように、私たちの身体イメージは容易に書き換えられることがわかります。それは手足といった身体の部分だけでなく身体全体でも生じます。

文献資料：H. Henrik Ehrsson. 2007. 'The Experimental Induction of Out-of-Body Experiences.' *Science*, 317, 1048.

体外離脱

あれ、ボクの身体があんな所にある

自分の後ろ姿を写した映像をVRで2m離れた位置にリアルタイムで映し出す。これは体外離脱状態を経験しているのにほかならない。

285 共感覚
synesthesia

デイヴィッド・ホックニー
[280] 錯視

一種類の感覚刺激に対して複数の感覚を体験することです。例えば音を聞いて色や味を感じるなどの体験を指します。音に色を感じる共感覚を色聴といいます。

画家ホックニーは音楽に色を感じる色聴の持ち主として知られている。これも共感覚の一種なのだ。

　視覚、聴覚、臭覚、味覚、皮膚感覚など、人が持つ個々の感覚受容器は、他の感覚受容器に置き換えられません。そのため、視覚情報は視覚として、また聴覚情報は聴覚として人は受け取って感じ取ります。しかし、ある情報が本来受けるものとは別の感覚受容器でも感じ取れる能力を持つ人がいます。これを**共感覚**といいます。

　共感覚で最も多いのは数字に色を感じるものです。また文字に色を感じる共感覚も見られます。また、音を聴いて色を感じる共感覚を**色聴**と呼びます。例えばイギリスの画家**デイヴィッド・ホックニー**[*]は色聴の持ち主として知られており、彼はある発言で、「ラヴェルの音楽では、ある部分がすべて青と緑のように思えて」と証言しています。

　また、人は形と音を結びつける共感覚を持つようです（**ブーバ・キキ問題**）。この共感覚は一般的に誰にでも認められるようです。

文献資料：リチャード・サイトウィック、デイヴィッド・イーグルマン『脳のなかの万華鏡』（河出書房新社）

286 シンクロニシティ
synchronicity

カール・ユング
[285] 共感覚

共時性ともいいます。心理学者カール・ユングによって提唱された概念で、偶然の一致や因果関係のない出来事に関連やつながりが見出せる現象を指します。

シンクロニシティの意義や意味は、それを経験した人の主観的解釈によって与えられるものなのだ。

　シンクロニシティ（共時性）は**集合無意識**の存在を主張した心理学者**カール・ユング**[*]が提唱した概念です。ユングによると、共時性とは、同時に生じた因果的に結びつきのない出来事に、共通する意味や関連、つながりが見出せる現象を指します。ユングは共時性に関して、彼の著作の中で興味深い記述を残しています。

　ユングがある患者の精神分析を行っている際に、その患者はコガネムシにまつわる夢の話を語っていました。するとその最中に、開けた窓から本物のコガネムシが飛び込んできました。この出来事にユングも患者も大いに驚きましたが、その意味についてはよくわかりませんでした。この例のように、共時性は因果関係とかかわりがなく、その意義や意味は経験した人の主観的解釈によって与えられるものです。ちなみに、古代エジプト文化においてコガネムシは、再生と変容を意味する象徴的な存在でした。ユングの患者は心の変容が必要だったのかもしれません。

文献資料：Carl Jung. 1973. "*Synchronicity : An Acausal Connecting Principle.*" Princeton University Press.

第5章　意識と心

287 プライミング効果
priming effect

[288] フロリダ効果
[289] サブリミナル効果

先行する刺激（プライム刺激）が後からの刺激（ターゲット刺激）に対する人の反応に影響を及ぼす現象を指します。人の行動はわずかな刺激で変化します。

プライミング効果を示すさまざまな実験がある。これらの実験から人は思いのほか操られやすいことがよくわかる。

相手に「シャンデリア」と10回言わせたあと、「童話で7人の小人とたちと一緒に暮らしたのは？」と問いかける子どもの遊びがあります。相手が「シンデレラ」と言ったら、まんまと罠にはまったことになります。なぜなら答えは「白雪姫」だからです。

相手は先行情報の「シャンデリア」から「シンデレラ」を思い付き、「シャンデリア」と言い間違えないように、慎重に「シンデレラ」と回答するわけです。

このように、あらかじめ受けたちょっとした刺激（下地）が、次にとる行動に影響を及ぼすことを**プライミング効果**と呼びます。また先行する刺激を**プライム刺激**、後からの刺激を**ターゲット刺激**といいます。人はプライミング効果によって行動を操作されることもあります（**フロリダ効果**）。なお、プライムとは、ペンキなどの下塗りや下地を意味しています。

文献資料：Gary L. Wells, Richard E Petty. 1980. 'The Effects of Over Head Movements on Persuasion.' *Basic and Applied Social Psychology*. September.

プライミング効果

大きな船をイメージしてください。
○にあてはまる文字は？

ぱ

かん□ん

商店街をイメージしてください。
○にあてはまる文字は？

ば

かん□ん

ちょっとした刺激が知らぬ間に人の行動を制御する。これがプライミング効果の威力なのだ。

288 フロリダ効果
Florida effect

[287] プライミング効果
[289] サブリミナル効果

フロリダ効果は、**プライミング効果**を示す実験の1つです。この実験では、老人を想起する問題を解いた被験者は歩く速度が遅くなることを示しました。

この実験が示すように、プライミング効果の威力はことのほか大きく、人の行動を操れることがわかる。

ある実験で、5つの単語の中から4つを組み合わせて文章を作るものがありました。その際、特定の被験者グループには「フロリダ、古い、孤独、ゆっくり、頑固」など、老人をイメージするような単語が並べてありました。文書作成問題を終えた被験者は、次の実験に参加するため、廊下の突き当たりにある別の会場に移動します。この時、老人想起の問題に解答した被験者は、そうでない場合に比べて、歩く速度が明らかに遅くなっていました。

老人想起の問題では老人を想起する言葉ばかりが出ていました。そのため被験者には老人のイメージが**プライミング**されました。さらに、プライミングされた老人のイメージが、会場を移動する際のスピードに影響を及ぼしたと考えられます。フロリダは老人の保養先として有名なことから、これを**フロリダ効果**と呼ぶようになりました。

文献資料：John A. Bargh, Mark Chen, Lara Burrows. 1996. 'Automaticity of Social Behavior.' *Journal of Personality and Social Psychology*, Aug.

第5章 意識と心

フロリダ効果の問題

4つの単語を用いて文章を作ってください。

① from are Florida oranges temperature
(Oranges are from Florida.)「フロリダからのオレンジ」

② ball the throw toss silently
(Toss the ball silently.)「ボールをゆっくりトスして」

③ shoes give replace old the
(Replace the old shoes.)「古い靴を履き替える」

④ be will sweat lonely they
(They will be lonely.)「あの人たちは寂しそう」

⑤ us bingo sing play let
(Let us play bingo.)「ビンゴをしましょう」

最後の「ビンゴをしましょう」だが、ビンゴは保養地で老人がよく行うゲームなのだ。

289 サブリミナル効果
subliminal effect

[287] プライミング効果
[288] フロリダ効果

識閾下に送られたメッセージが人の意思決定や行動に影響を及ぼす効果を指します。閾下効果ともいいます。私達の行動は知らぬ間に操作されているかもしれません。

サブリミナル効果など本当に存在するのかと思う人もいるに違いない。しかし実験がその存在を証明している。

人には認識できない刺激（**閾下刺激**）が、人の意思決定や行動に影響を及ぼすことを**サブリミナル効果**といいます。閾下のメッセージで人の行動が変わることは実験が証明しています。例えば、ある実験では、被験者にサブリミナル映像を見せて、人の行動が変化するかを検証しました。実験方法はとてもシンプルで、被験者はモニターの前に座り、グリップを手に持ちます。そして、モニターに「握れ」と表示されたら、被験者はグリップを握ります。

ただし「握れ」の表示が出る直前に、わずか30ミリ秒だけ、「がんばれ」「すごいぞ」等々、ポジティブな言葉をサブリミナル映像として挿入しました。これらは極めて短時間の映像のため、被験者には意識されない閾下刺激です。しかしその効果は的面で、ポジティブな言葉を挿入された被験者と、そうでない普通の被験者とでは、前者の方が2倍もグリップを強く握る結果となりました。

文献資料：Henk Aarts, Ruud Custers, Hans Marien. 2008. 'Preparing and Motivating Behavior Outside of Awareness.' *Science* March.

グリップを握る実験

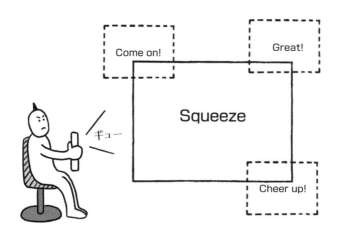

ベンジャミン・リベットのタイム・オン理論[265] もサブリミナル効果の存在を示している。

自己実現
self-actualization

アブラハム・マズロー
クルト・ゴールドシュタイン

その人が持つ潜在能力を十二分に開発すること
を指します。心理学者アブラハム・マズローが
欲求階層論で述べたことにより一般に広がりま
した。

自己実現を「なりたい自分になること」
だと誤解している人はいないだろうか。
「なりたい自分になること」は必ずしも自己実
現ではない。

自己実現はもともと心理学者**クルト・ゴールドシュタイン*** が用いた言葉でした
が、この言葉を世の中に広めたのは、**人間性心理学**の創始者である**アブラハム・マズ
ロー***に負うところが大きいといえます。マズローは、1943 年に論文「人間の動機づけに関する
理論」を発表し、ここで著名な「**欲求階層論**」を公表します。これは人間の欲求が階層をなして
いるという仮説で、生理的欲求、安全の欲求、所属と愛の欲求、承認の欲求、自己実現欲求がそ
れに該当します。

マズローは、その人がもつ潜在能力を十二分に開発することが自己実現だと定義しました。そ
して人間が自己実現しようとする衝動を、最も高次の欲求に位置づけたわけです。一般に「なり
たい自分になること」が自己実現だと考えられています。しかし、そのなりたい自分が、その人
の持つ潜在能力を十二分に開発しないのであれば、自己実現とはいえないわけです。

文献資料：アブラハム・マズロー『人間性の心理学』（産業能率大学出版部）

マズローの欲求階層論

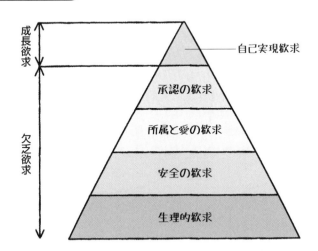

成長欲求 / 欠乏欲求

- 自己実現欲求
- 承認の欲求
- 所属と愛の欲求
- 安全の欲求
- 生理的欲求

マズローはのちに自己実現欲求を超越的な自己実現と超越的でない
自己実現に二分している。

B 価値
being value

アブラハム・マズロー
[290] 自己実現

自己実現を目指す人が追求する本質的価値を意味します。「B 価値＝本質的価値」の追求を通じて人は潜在的可能性を最大限に開花するよう努めます。

 自己実現は成長欲求が原動力になる。これに対して承認の欲求以下の下位欲求は、欠けているために必要となる欠乏欲求が原動力になる。

B 価値とは心理学者**マズロー***による造語で、**自己実現**を目指す人が追求する本質的価値を意味します。「B 価値＝本質的価値」は人間にとっての究極的かつ本質的な価値であり、もうそれ以上は分析できないものとして私たちが知覚するものを指します。下図に示すようにマズローは B 価値を 14 種類を挙げています。

自己実現を目指す人が追求する B 価値には、美や善、完全性、正義などのようにある程度達成したとしても完全には達しきれないという特徴があります。そのためより高い人間的成長を目指す**成長欲求**が自己実現の原動力になります。これに対して、承認の欲求以下の 4 つの欲求は、何かが欠けることによって欠乏が生じそれを補おうとする**欠乏欲求**が基礎になっています。B 価値は尽きることがありません。よって人はさらに深く B 価値を追求します。B 価値の追求を通じて人は**潜在的可能性**を最大限に開花するよう努めるわけです。

文献資料：アブラハム・マズロー『人間性の最高価値』（誠信書房）

B 価値の追求

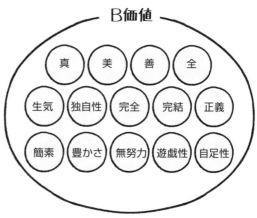

B 価値は汲んでも尽きない。この永遠に続く原動力が成長欲求の正体であり、自己実現の推進力になる。

第 6 章

科学と技術

テクノロジーは可能性の追求です。ただしその可能
性には正の可能性と負の可能性が存在します。負の可
能性をあからさまに示すのが科学や技術の軍事転用
でしょう。哲学はこれにどう対峙すべきでしょうか。

延長された表現型
extended phenotype

リチャード・ドーキンス
[037] 利己的な遺伝子

生物の遺伝子は、自らの身体や行動を形成するだけでなく、その生存や繁殖の成功に影響を与える環境の側面にも影響を及ぼすことを象徴的に意味しています。

「延長された表現型」は、進化生物学者リチャード・ドーキンスによる言葉で著作のタイトルにもなっている。『利己的な遺伝子』と同様に著名だ。

「**延長された表現型**」という言葉は、イギリスの進化生物学者**リチャード・ドーキンス***が同名の著作で明らかにした概念です。生物の遺伝子は、環境に適応するために自らの身体の形質を変えたり、環境適応的な特殊な行動をとったりします。ドーキンスはこの考え方を一歩進めて、生物はその生存や繁殖の成功を高めるために、自らが暮らす**環境**に影響を与えることができると考えました。ドーキンスは、この環境に対する拡大した影響力を「延長された表現型」と呼びました。つまり、特殊な形質が自らの身体を越えて環境に及ぶから「延長された表現型」というわけです。

　例えば、クモはクモの巣を作ることで環境を変化させ、自身の生息場所と安定した食料獲得を狙います。つまりクモの巣作りはクモの延長された表現型の一部とみなされるわけです。同様に人間も多様なテクノロジーを用いて環境に働きかけてきましたが、これらも延長された表現型だと考えられます。

文献資料：リチャード・ドーキンス『延長された表現型』（紀伊國屋書店）

延長された表現型としてのクモの巣

巣はクモを越えて広がる

まさに、延長された表現型なのだ

人間の場合、人間自身のために延長された表現型が環境に悪影響を及ぼすようになっているのかもしれない。

テクニウム
technium

ケヴィン・ケリー
[292] 延長された表現型

テクニウムは人間がつくりだしたテクノロジーとその相互作用のすべてを包含する、テクノロジーの大系を意味します。**ケヴィン・ケリー**[*]による造語です。	ケリーは雑誌「WIRED」の創刊編集長として著名だ。テクニウムはドーキンスによる「延長された表現型」の意味を拡大した言葉といえそうだ。

テクニウムは、人間がつくりだしたテクノロジーとその相互作用のすべてを包含する、テクノロジーの大系を意味します。その体系がカバーする領域は広大です。それはテクノロジーとそれによって生み出されたハードウェアのみを指すのではありません。あらゆる文化やアート、社会組織、ソフトウェア、法律、知的創造のすべてを含みます。さらに、テクニウムには**生成的な衝動**を含むという特徴があります。それは人間が生み出した道具が、より複雑なテクノロジーを生み出し、より複雑なシステムへと統合していくことで、テクニウムは独自の進化を遂げます。

リチャード・ドーキンス[*]が指摘した**延長された表現型**は、進化が生んだ生命体による環境への働きかけの結果でした。テクニウムには、この延長された表現型が進化による力ではなく、人間の知性によって急速に拡大されている側面があります。それはテクノロジーの暴走を生み出す可能性をはらんでいる点も忘れてはなりません。

文献資料：ケヴィン・ケリー『テクニウム』（みすず書房）

第6章　科学と技術

テクニウム──生成的な衝動

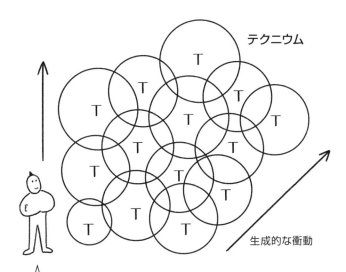

テクニウム

生成的な衝動

テクノロジーがさらに新たなテクノロジーを生み出す。
生成的な衝動でテクニウムはより複雑に膨張する。

テクノ・オプティミスト

techno-optimist

[293] テクニウム
[299] 生成AI

技術楽観主義者。テクノロジーが社会のさまざまな課題を解決し、人間の幸福を向上させる可能性について前向きで楽観的な見方をする人を指します。

技術が手段ではなく目的になったとき専門家的局限性が生じる。このようなケースでは、技術の進展を楽観的ばかりには見ていられない。

テクノ・オプティミストすなわち**技術楽観主義者**とはテクノロジーの可能性を強く信奉する人のことです。彼らはテクノロジーの進歩が、科学や医療、教育、コミュニケーション、交通など、さまざまな領域でポジティブな変革をもたらす力があると信じています。

しかしながら、テクノロジーに対する信奉が前向きで強いほど、テクノロジーが手段ではなく目的に変わる傾向が強まるでしょう。そうすると、そのテクノロジーがどのような影響を人や社会に及ぼすかに思いを馳せることなく、際限のない技術開発が進む可能性が高まります。これを**専門家的局限性**といいます。

いま**生成AI**の驚くべき進展により、その規制が技術者の側からも上がってきています。これは技術者が専門家的局限性の外に出て、テクノロジーが社会に及ぼす影響を冷静に見直そうという動きなのかもしれません。

文献資料：西川富雄『現代とヒューマニズム（「付章　技術とヒューマニズム」）』（法律文化社）

技術楽観主義のリスク

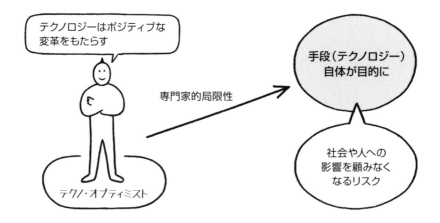

技術楽観主義が行き過ぎると、人や社会の影響を顧みなくなるリスクがある。要注意なのだ。

ムーアの法則
Moore's law

ゴードン・ムーア
[296] AI

インテル社の共同創設者ゴードン・ムーアが1965 年に発表したもので、集積回路に搭載できるトランジスタの数は約 2 年ごとに倍増する経験則を指します。

その後、ムーアの法則どおりトランジスタの数は倍増した。しかし近年では物理的な限界に近づき倍増は難しくなっているようなのだ。

インテル社の共同創設者で**集積回路（IC）**の主要な発明者の一人でもある**ゴードン・ムーア***は、1965 年に発表した論文で、のちに「**ムーアの法則**」と呼ばれる経験則を公表しました。ムーアはこの論文で、**集積回路**の上に詰め込めるトランジスタは 12 カ月ごとに 2 倍になると述べました。その後ムーアは主張を若干修正して 24 ヶ月ごとに 2 倍、さらに 18 カ月ごとに 2 倍になるとしました。現在では一般に約 2 年ごとに倍増すると表現されています。

このムーアの予測どおりのことが実際に集積回路に起こり、これが**大規模集積回路（LSI）**、**超大規模集積回路（VLSI）**へと発展する原動力になりました。集積度が高まると電子が移動する距離が短くなり、回路の速度は速くなります。結果、コンピュータの処理能力は劇的に高まりました。集積回路の劇的な進展なしに、現在のデジタル革命はあり得なかったでしょう。

文献資料：Gordon Moore. 1965. 'Cramming More Components onto Integrated Circuits' *Electronics Magazine*, April.

第6章　科学と技術

集積回路に実装されたトランジスタ数

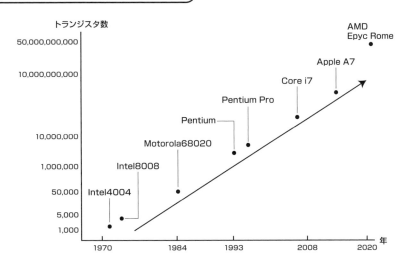

ムーアの法則は経験的に正しいことが実証されてきた。しかし、今後も法則が成立するかどうかはわからない。

296 AI
artificial intelligence

ジョン・マッカーシー
[312] 弱い AI と強い AI

人工知能。AI は、コンピュータ・サイエンスの一分野であり、推論や学習、言語理解、自律的な行動が可能な知的エージェントの創出を扱います。

AI はイギリスの数学者ジョン・マッカーシーが 1950 年代半ばに名づけたものだ。生成 AI[299] が話題の現在は第 3 次 AI ブームの真っ只中にある。

AI（人工知能）とは、推論や学習、言語理解、自律的な行動が可能な知的エージェントの創出を扱うコンピュータ・サイエンスの一分野です。数学者ジョン・マッカーシー* が 1956 年に開催されたダートマス会議でこの言葉を使いました。会議の目的は、知的行動を示す機械を作る可能性を探ることでした。

その後 AI には 3 度のブームがありました。最初のブームは 1950 年代～ 60 年代で、コンピュータにパズルを解かせたり、簡単なゲームをさせたりしました。第 2 次ブームは 1980 年代から 90 年代で、人間の専門家の代わりをする**エキスパート・システム**の実現が目指されました。その後、1990 年代後半には AI の冬の時代を経て、2010 年代半ばに再び AI が注目されるようになります。第 3 次ブームでは、**機械学習**、特に**ディープ・ラーニング**の飛躍的な進歩や、**ビッグデータ**の入手が可能になり、大きなブレークスルーが生じています。

文献資料：西垣通『ビッグデータと人工知能』（中央公論新社）

AI ブームの変遷

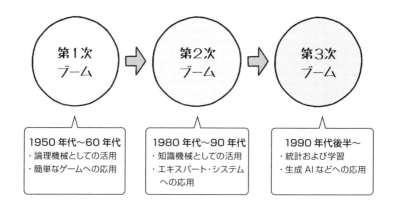

第1次 ブーム	第2次 ブーム	第3次 ブーム
1950 年代～60 年代 ・論理機械としての活用 ・簡単なゲームへの応用	1980 年代～90 年代 ・知識機械としての活用 ・エキスパート・システムへの応用	1990 年代後半～ ・統計および学習 ・生成 AI などへの応用

 第三次ブームの背景には、コンピュータの性能向上にともなうビッグデータの収集とその利用が可能になったことがある。

297 ビッグデータ
big data

[296] AI
[329] CPS

従来のデータ処理手法では入手や保存、管理、分析という一連の活動を効果的に行えなかった、大規模で複雑かつ多様なデータセットを指します。

ビッグデータには、量（Volume）、速度（Velocity）、多様性（Variety）という３つの特徴がある。その頭文字からこれを「3V」と呼ぶ。

　ビッグデータとは、従来の手法では入手が困難だった大規模で複雑なデータセットを指します。一般にビッグデータは、**量（Volume）、速度（Velocity）、多様性（Variety）**という「3V」で特徴づけられます。

　まず量ですが、ビッグデータには従来の手法では入手や保存、管理、分析が困難だった膨大な量のデータが含まれています。データソースもソーシャル・メディアからセンサーによる情報まで多岐に渡ります。また、高速かつリアルタイムの処理を必要とするのもビックデータの特徴です。これが速度です。さらにビッグデータの中身は多様性に富みます。フォーマットで整理された**構造化データ**はもちろん、テキストや画像、映像、ソーシャル・メディアへの投稿など**非構造化データ**も対象になります。このような特徴をもつビッグデータは、分析可能な**未使用データ**です。これを分析して価値を見出すのが AI です。

文献資料：西垣通『ビッグデータと人工知能』（中央公論新社）

ビッグデータの特徴

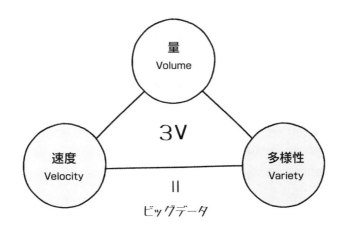

量
Volume

3V

速度
Velocity

多様性
Variety

＝

ビッグデータ

ビッグデータは、「3V」（Volume、Velocity、Variety）によって特徴づけられる。

298 ディープ・ラーニング
deep learning

[296] AI
[297] ビッグデータ

深層学習ともいいます。ディープ・ラーニングは機械学習の一種で、人工のニューラルネットワークを使用する点が大きな特徴になっています。

ディープ・ラーニングでは、ビッグデータからパターンを見つけ出す際、コンピュータ自らがそのパターンの特徴を見つけ出している。

機械学習とはコンピューターが与えられたデータから自動で学習し、データの背景にあるルールやパターンを見つけ出す手法です。ディープ・ラーニングは機械学習の一種で、データから自動で学習する際に、人工の**ニューラルネットワーク（神経細胞網）**を使用してパターンを認識する点が大きな特徴になっています。

人間の脳には 1000 億個を超えるニューロン（神経細胞）が存在し、互いにシナプス経由で結合しています。これをコンピュータで人工的に模倣したものがニューラルネットワークです。この人工ニューラルネットワークは、いくつかの層に分かれていて、それぞれの層に多数のノード（**人工ニューロン**）があり、リンクで結ばれています。ノード間の接続は重みで表現され、この重みは学習から得られたものでニューロン同士のつながりの強さを示しています。この重みは学習によって変化し、パターン認識力が高まっていきます。

文献資料：マックス・テグマーク『LIFE 3.0』（紀伊國屋書店）

299 生成 AI
generative AI（GenAI）

[296] AI
[300] ChatGPT

AI すなわち人工知能の一種で、画像や動画、音声、テキスト、3D モデルなど、利用者のニーズに応じてさまざまなデータを自在に作り出します。

生成 AI は GenAI と略称で呼ばれることも多い。生成 AI が注目されるようになったのはやはり ChatGPT の登場が大きいといえる。

生成 AI はジェネレイティブ AI の訳で **GenAI** とも表記します。生成 AI は人工知能の一種で、利用者のニーズに応じて画像や動画、音声、テキスト、3D モデルなどさまざまなデータを自在に作り出します。その詳しい仕組みは明らかにされていませんが、既存のデータからパターンを学習し、その知識を利用して新しいユニークなアウトプットを高速に生成します。

すでに生成 AI の活用は多様な分野で始まっています。例えば建築業界では、立地や気候条件、予算などクライアントの条件を指定することで、生成 AI が建物の設計や間取りなどを自動的に生成する取り組みが行われています。

また**製造業**では、エンジニアやデザイナーが生成 AI を利用することで、製品デザインや部品設計、部品構成要素のシミュレーションを高速に行えるようになっています。生成 AI はインターネット以上の衝撃を社会に与えるかもしれません。

文献資料：Generative AI (https://generativeai.net)

300 ChatGPT
chat generative pre-trained transformer

[299] 生成AI
[301] 大規模言語モデル

生成AIの一種で、利用者の質問にリアルタイムで回答を示します。ChatGPTが契機となり、ビックテック[187]やベンチャーが生成AIを巡って激しい競争を繰り広げています。

回答に間違いはないのか、著作権上の問題はないのか、メカニズムが明らかでないため、使用上の注意も必要だと理解しておくべきである。

　　ChatGPTはアメリカのベンチャー企業OpenAIが開発した生成AIの一種で、人間のさまざまな質問に回答してくれます。AIを活用した**チャットボット**（**自動会話プログラム**）と考えればよいでしょう。

　　以下は、ChatGPTがものの1秒足らずで生成した自己紹介です。

　　私「ChatGPTさん、自己紹介をしてもらってもいいですか」

　　ChatGPT「もちろんです！　私は、OpenAIが開発した最先端の言語モデル、ChatGPTです。GPT-3.5[301]アーキテクチャをベースにしているので、人間のようなテキストを生成し、さまざまなトピックで会話することができます。私は2021年9月まで、書籍、記事、ウェブサイトなど、インターネット上の多様なデータセットで訓練を受けてきました。私の目的は、できる限りの支援と情報提供をすることです。知りたいことがあれば何でも聞いてください！」

文献資料：ChatGPT（https://chat.openai.com）

301 大規模言語モデル
large-scale language model（LLM）

[299] 生成AI
[300] ChatGPT

人間が作ったテキストを理解し、人間が作ったようなテキストを生成することを目的に設計された人工知能です。ChatGPTのGPT-3.5やGoogleのBERTなどが有名です。

大規模言語モデルは既存のテキストから学習する。既存のテキストに誤りや偏見があると生成内容に反映される懸念もある。

　　大規模言語モデル（LLM）は、大量のテキストデータを学習したAIで、自然言語の理解やテキストの生成、翻訳、要約など、言語に関連するさまざまなタスクを実行します。実用化されている大規模言語モデルとしては、OpenAIの**ChatGPT**がベースにしている**GPT-3.5**アーキテクチャやGoogleの**BERT**、**T5**などが有名です。

　　2018年頃より目覚ましい進展を見せるようになった大規模言語モデルは、書籍や論文、ソーシャル・メディアやブログ、オンライン百科事典などの大量のテキストデータを学習に使用します。学習にあたっては、直前の単語が提供する文脈に基づいて、文中の次の単語を予測するように訓練します。膨大なデータセットで繰り返し学習することで、モデルは言語パターンや文法、意味をあたかも理解しているかのように振る舞います。ただし既存テキストの学習という制約があるため、間違えや偏見があると生成内容に反映されることも考えられます。

文献資料：岡野原大輔『大規模言語モデルは新たな知能か』（岩波書店）

生成 AI 活用「5 原則」
genAI utilization "5 principles"

[299] 生成 AI
[308] ディープ・フェイク

2023 年における G7 のデジタル・技術相会合で合意した、次々と開発が進む最新の AI など、新たな技術を活用する際の 5 つの原則を指しています。

生成 AI 活用「5 原則」は、①法の支配、②適正な手続き、③イノベーションの機会の活用、④民主主義、⑤人権尊重からなっている。

生成 AI 活用「5 原則」は、2023 年に日本で開催された**主要 7 カ国首脳会議**の**デジタル・技術相会議**で合意した、AI などの先端技術を活用する際の基本原則です。

会議では、**生成 AI** の活用を進めながら、誤情報や偏見の拡散、著作権侵害の防止などを念頭に、①法の支配、②適正な手続き、③イノベーションの機会の活用、④民主主義、⑤人権尊重という 5 つの原則を掲げました。

AI に対応する立場は国によって異なります。例えば、イタリアでは 2023 年 3 月末、ChatGPT による膨大な個人データの収集が個人情報保護法に抵触する恐れがあるという立場から、国内での ChatGPT の使用を禁止しました。1 カ月後には使用禁止が解除されましたが、これは AI に対する対応が国によって異なることを如実に物語る一例です。G7 での合意は、AI に対するリスク評価基準が国際的に違いが出ないようにする狙いがあります。

文献資料：日本経済新聞「G7、生成 AI 活用「5 原則」で合意　デジタル相会合開幕」(2023 年 4 月 29 日)

生成 AI の弁証法的説明

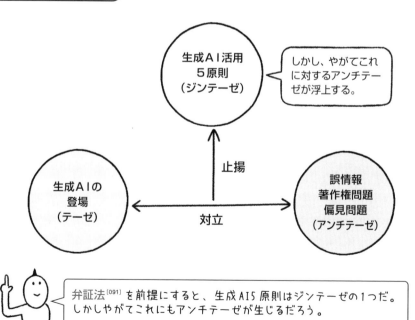

生成 AI 活用 5 原則（ジンテーゼ）

しかし、やがてこれに対するアンチテーゼが浮上する。

止揚

生成 AI の登場（テーゼ）

対立

誤情報 著作権問題 偏見問題（アンチテーゼ）

弁証法 [091] を前提にすると、生成 AI 5 原則はジンテーゼの 1 つだ。しかしやがてこれにもアンチテーゼが生じるだろう。

303 IA
intelligence amplification

ヴァネバー・ブッシュ
ダグラス・エンゲルバート

知能増幅または知能増幅装置を意味します。独立した人工知能を作ろうとするのではなく、テクノロジーの活用によって人間の知能を高めることに主眼を置いています。

テクノロジーを人間の知力拡大に活用しようとした著名な科学者や思想家は数多い。本来 AI は IA として活用されるべきではないか。

　IA は intelligence amplification（知能増幅）または intelligence amplifier（知能増幅装置）の略語です。AI[296]は自律的にタスクを実行できるシステムの開発を目指しています。これに対して IA では、テクノロジーを活用して人間の認知能力や意思決定プロセスを強化することを目指します。その点で IA は、人間にとって代わるテクノロジーではなく、人間と機械の間に**共生関係**を築くとともに、人間が持つ知能のユニークな能力を認め、個人がより高いレベルのパフォーマンスを達成できるようにすることを目指します。現在開発されている最新の AI も本来は IA として用いられるべきものなのでしょう。

　IA のコンセプトをたどると、アメリカの科学者で「メメックス[304]」の開発を提案した**ヴァネバー・ブッシュ***に至ります。また、マウスの開発で著名な**ダグラス・エンゲルバート***も著名な IA 支持者でした。

文献資料：西垣通他『思想としてのパソコン』（NTT 出版）

ヴァネヴァー・ブッシュと IA

AI
Artificial Intelligence

vs

IA
Intelligence Amplification

IAの重要性をいち早く指摘したのだ！

ヴァネヴァー・ブッシュ
Vannevar Bush
米：1890 〜 1974

ヴァネヴァー・ブッシュがIAの重要性を説いたのは第二次世界大戦終了間近のことだった。

メメックス
memex

ヴァネヴァー・ブッシュ
[303] IA

ヴァネヴァー・ブッシュが 1945 年に提唱した、人間の知能を増幅する装置につけた名前です。記憶の memory と模倣の mimic からの造語です。

ブッシュが IA という言葉を用いたわけではない。しかし、メメックスは明らかに人間の知能の増幅を目的にした装置なのである。

ヴァネバー・ブッシュ[*]はアメリカの工学者で、第 2 次世界大戦中は科学研究開発庁の長官として国内にいる 6,000 人もの科学者を統括していました。その彼が 1945 年に論文「**我々が考えるように（As We May Think）**」を発表し、軍事目的の研究に従事していた科学者が戦後、人間の知的能力の拡大を目的とした装置の開発を研究目標の 1 つとすべきだと提案しました。ブッシュはその装置に「**メメックス（memex）**」という名をつけました。

メメックスは「一種の機械化された私的なファイルと蔵書のシステム」で、「個人が自分の本・記憶・手紙類をたくわえ、また、それらを相当なスピードで柔軟に検索できるように機械化された装置」です。一言で言うと、人の知的能力を拡大するための机型情報処理装置です。

ブッシュが提案したメメックスはコンピュータ科学者に大きな影響を及ぼし、やがて**パーソナル・コンピュータ**へと進展します。

文献資料：Vannever Bush. 1945. 'As We May Think.' *LIFE*, September 10.

メメックス（memex）

AS WE MAY THINK

メメックスとこの装置が掲載された論文の表紙だ。メメックスは人の知的能力を拡大する机型情報処理装置なのだ。

ジョン・ヘンリー物語
story of John Henry

[299] 生成 AI
[306] ラッダイト運動

何世代にもわたって受け継がれてきたアメリカの民話で、「ハンマー使い」と呼ばれた鉄道作業員ジョン・ヘンリーに関する物語です。人間とテクノロジーが物語のテーマです。

ジョン・ヘンリーは、岩盤にに穴を開ける仕事で、当時最新のテクノロジーだった蒸気ドリルと勝負した。さて、この勝負、その結末は？

ジョン・ヘンリーは伝説の鉄道路線作業員で、切手の肖像にもなっているほどですから、アメリカ人で知らない人はいないのでしょう。ジョン・ヘンリー物語はこの人物に関する何世代にもわたって受け継がれてきた民話です。

生まれたときからハンマーを握っていたという伝説を持つヘンリーは、鉄道路線作業員の1人で、岩盤に爆薬を仕込むための穴をハンマーで開けるのが仕事でした。ある日、ヘンリーは会社が新しく導入した蒸気ドリルに戦いを挑み、どちらが早く正確に岩盤に穴を開けられるかを競いました。勝負は息をのむ接戦でしたが、見事ヘンリーが勝利しました。しかし、闘いがあまりにも苛酷だったのか、勝負がつくやいなや、ヘンリーはその場に倒れ込み生きを引き取りました。

生成 AI など最新のテクノロジーは現代版の蒸気ドリルです。AI と対決するのではなく、IA[303] として活用し、人間の能力を拡大することが重要です。

文献資料：バイロン・リース『人類の歴史と AI の未来』（ディスカヴァー・トゥエンティワン）

第6章　科学と技術

歴史は繰り返す

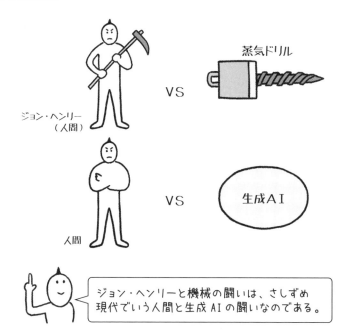

蒸気ドリル

ジョン・ヘンリー
（人間）

VS

人間

VS

生成 A I

ジョン・ヘンリーと機械の闘いは、さしずめ現代でいう人間と生成 AI の闘いなのである。

306 ラッダイト運動
Luddite movement

[299] 生成AI
[305] ジョン・ヘンリー物語

19世紀前半に起きた機械打ち壊し運動。機械化により仕事を奪われた労働者が決起して、資本家が所有する機械を破壊した社会現象を指します。

ラッダイト運動は決して昔話ではない。生成AIの登場により仕事を奪われる危機感からデモを起こす動きも生じている。

　資本主義経済では、生産手段を所有する資本家に対して、労働力を商品として販売する労働者は弱い立場に置かれています。中でも産業革命期のイギリスでは、労働者は過酷な労働環境に置かれていました。さらに19世紀前半には機械化により労働者から仕事が奪われるようになります。怒った労働者は**機械打ち壊し運動**を展開しました。運動を指導したといわれる人物にちなんでこれを**ラッダイト運動**といいます。

　さすがに機械打ち壊しまでは発展しないものの、現代でもラッダイト運動に近い動きが見られます。例えば、2023年5月にハリウッドで1万人を超える脚本家が待遇の改善と、映画会社が原作づくりにAIを使用しないことを求めて大規模なストライキを起こしました。AIは既存の作品を学習して新たな作品を生成することから、脚本家は自分たちの作品の再利用だと主張しました。彼らの抗議は現代版の**デジタル・ラッダイト運動**だといえるかもしれません。

文献資料：日本経済新聞「米ハリウッド、《AI脚本家》に反発　15年ぶり大規模スト」（2023年5月10日）

現代版デジタル・ラッダイト運動

19世紀前半

機械はいらない
NO!機械

21世紀前半

生成AIはいらない
NO!生成AI

時代が変化すると職業も変化する。
私たちはこの荒波にどう適応していくのかが問題だ。

モラベックのパラドックス
Moravec's paradox

ハンス・モラベック
[296] AI

人間にとって簡単な作業がロボットやAIにとっては困難であり、人間にとって複雑な作業がロボットやAIにとっては容易だというパラドックスを指します。	AIは単純作業を一掃するといわれている。しかし、モラベックのパラドックスに従えば、必ずしもそうなるとは限らないのだ。

モラベックのパラドックスは、ロボット研究者**ハンス・モラベック**[*]が1980年代に提唱したもので、人間と人工知能の間にある興味深い関係を浮き彫りにしています。これは人間にとって簡単な作業が**ロボット**や AI にとっては困難であり、人間にとって複雑な作業がロボットや AI にとっては容易だというパラドックスを指します。例えば、顔の認識や歩行といった行動は、人間にとってとても容易な活動です。ところがこれをロボットや AI が実行するととても困難になります（いまや顔認識の精度は非常に高くなりましたが）。また、複雑な数学の計算は人間にとって非常に困難な作業ですが、ロボットや AI にとっては朝飯前です。

ロボットや AI により単純な作業は一掃されるとよくいわれます。しかし、ウェイトレスや清掃、配達の仕事全般をロボットや AI で置き換えるハードルは非常に高いでしょう。ここにもモラベックのパラドックスが潜んでいます。

文献資料：ハンス・モラベック『シェーキーの子どもたち』（翔泳社）

第6章　科学と技術

モラベックのパラドックス

あぐらを
かいてみなさい！

えっ…

うーん、そういわれると、あぐらをかくロボットって、いまだかつて見たことがない。

308 ディープフェイク
deepfake

[299] 生成AI
[302] 生成AI活用「5原則」

> ディープ・ラーニングを利用して、存在しない架空の人物や状況があたかも現実であるかのように見せかけた、画像や映像の合成メディアを指します。

> 生成AIの最大のリスクは、悪意ある者によるディープフェイクの生成と拡散かもしれない。

　ディープフェイクとは、ディープ・ラーニング[298]を活用して、存在しない架空の人物や状況があたかも現実であるかのように見せかけた合成メディアを指します。ディープフェイクは、愉快犯がいたずらや悪ふざけで、ビデオや画像に映る人物の顔を入れ替えたり、外見を変えたりするものと考えられがちでした。しかしいまやディープフェイクが実社会や経済に深刻な打撃を与えることが明らかになってきています。

　例えば、2023年5月、米国防省付近で爆発が起きた偽の動画がSNSで拡散しました。米当局は即座に、当該の動画が偽物だとする大量のメッセージを流したため、大きな混乱は免れました。しかし、事態が深刻化した場合、株式市場の混乱は想像以上に大きかったはずです。今後は、悪意ある人物や組織が株式市場の乱高下に乗じて利益を上げるために、ディープフェイクを悪用することも考えられます。

文献資料：ジリアン・テット「AI偽情報、市場操作も」（日本経済新聞朝刊、2023年6月14日）

存在しない人物の写真

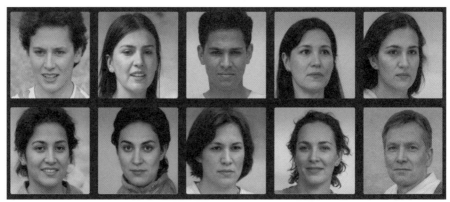

出典：https://generated.photos

生成AI「generated photos」で作成した存在しない人物の写真。あまりにリアルなので不気味の谷[309]に落ちそう。

309 不気味の谷
uncanny valley

森政弘
[299] 生成AI

> 不気味の谷とは、ロボットやCGキャラクターなどの容姿や振る舞いが人間に近くなると親近感が増すが、限度を過ぎると嫌悪感を覚える現象を指します。

> 不気味の谷は1970年代に指摘されたキーワードだ。現在、人間に似たロボットやAIが発展する中、改めて再認識されるようになった。

ロボットとはいえ、工業用ロボットに人間的な要素はほとんどありません。そのため人は工業用ロボットに親近感は覚えないでしょう。これに対して、人間的な振る舞いをするおもちゃのロボットにふれると、人は親和感や親近感を覚えるようになります。このようなロボットの振る舞いは、著しいテクノロジーの進展により、より人間らしくなっています。また、AIを搭載することで、見た目だけではなく会話や質疑応答もより人間らしくなるでしょう。しかし、あまりにも人間に似たロボットには、ある水準を超えると人は**嫌悪感**を覚えるようになります。それは「似ているようで似ていない」、「似ていないようで似ている」といった複雑な感情、どこか不安感や不快感を覚える感情です。

このような現象を**不気味の谷**と呼んでいます。日本のロボット工学者・**森政弘**[*]が1970年代に提唱しました。

文献資料：Masahiro Mori. 2012. 'The Uncanny Valley.' *IEEE ROBOTICS & AUTOMATION magazine,* Vol.19, No.2, June

第6章 科学と技術

不気味の谷

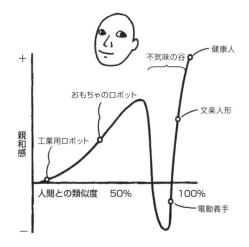

人間に酷似しているが、完全でもリアルでもないと不安感や不快感が増す。それは深い谷のようだ。

310 コンピュータ・シミュレーション仮説
computer simulation hypothesis

ニック・ボストロム
[263] 水槽の中の脳

哲学者ボストロムの伝説で、私たちの現実は高度な文明によって作られたコンピュータ・シミュレーションかもしれないとする説です。

:) 映画「**マトリックス**」は、コンピュータ・シミュレーション仮説の世界を描き出している。果たして仮説は正しいのだろうか？

　コンピュータ・シミュレーション仮説は、哲学者**ニック・ボストロム***が示したもので、私たちは人類の能力をはるかに超えたポスト・ヒューマン文明によって作られたコンピュータ・シミュレーション社会で生きているとする説です。ボストロムによると可能性は3つあり、少なくとも1つは真実だと主張します。まず、ポスト・ヒューマンに到達した文明の実現は不可能であり、このような文明がシミュレーション社会を作ることは無理だとする立場です。次に、ポスト・ヒューマンに達した文明が存在したとしても、祖先の社会をシミュレーションすることに興味を抱かない場合です。最後は、ここで挙げた2つの説が否定された場合、ポスト・ヒューマンに達した文明は先祖の社会をシミュレーションする可能性が高いという立場です。どこか思考実験[108]みたいですが、私たちはシミュレーション社会に生きていないとどのように証明すればよいのでしょう？

文献資料：Nick Bostrom. 2003. 'Are You Living in a Computer Simulation.' *Philosophical Quarterly*, Vol. 53, No. 211.

311 AI と責任
AI and responsibility

[108] 思考実験
[302] 生成 AI 活用「5 原則」

AI による自動運転車が歩行者を避けるため進路を変更したら反対車線から来た自動車と衝突しました。この場合、責任は誰にあるのでしょうか。

:) 新たなテクノロジーは新たな問題を引き起こす。自動運転に関する事故は、誰に責任があるのか、今後激しい議論が続くに違いない。

　自動運転時代の**思考実験**を1つ紹介します。ここに最新のAIを搭載した自動運転車があります。あなたはこの自動車に乗って道路を走っています。そのとき、前方に不意に歩行者が現れました。自動運転車は歩行者を察知し、ひかないよう車線を変更しました。ところが運悪く、反対車線から自動車がやってきました。自動運転者と自動車は正面衝突し、あなたも対向車のドライバーも亡くなりました。さて、この事故の責任はいったい誰にあるのでしょうか？

　何とも悩ましい思考実験だと思いませんか。あなたの遺族は直感的にAIに責任があると主張するのではないでしょうか。しかし、対向車を運転していたドライバーの遺族はあなたの責任を追及し、あなたの遺族に損害賠償を請求する裁判を起こすかもしれません。この思考実験が問うのは、自動運転車が歩行者の命とあなたの命、どちらを救うかということです。答えはまだ見つかっていません。

文献資料：金山弥平他『哲学大図鑑』（ニュートンプレス）

312 弱い AI と強い AI
"weak AI" and "strong AI"

ジョン・サール
[296] AI

弱い AI は特定の領域内で特定のタスクを実行します。これに対して強い AI は人間のあらゆる知的作業を実行し、最終的に意識さえ持つと考えられています。	果たして人間と同様の意識を持つ強い AI の実現は可能なのだろうか。ただし、現状では意識の実態さえわかっていない点に注意したい。

　AI には2種類あります。1つは**弱い AI** で、特定のタスクのためだけに人間の知性をシミュレートするように設計されているものです。弱い AI はあらかじめ決められた領域内で特定のタスクを人間よりも上手にこなします。チェスで人間を打ち負かした**ディープ・ブルー**や、碁のトッププロ並みの腕前を誇る **AlphaGO** などは弱い AI の典型です。

　もう1つは**強い AI** です。強い AI は人間の知的作業全般を実行する能力を持つことを目指します。そのため特定の領域やタスクに縛られるものではありません。また、強い AI では適切にプログラミングがされていれば、人間の心をシミュレートするばかりか、人間と同様意識をも持つと考えられています。

　ただし、現状では意識の実態さえわかっていない点には注意が必要だと思います。哲学者**ジョン・サール**は強い AI の否定論者として著名です。

文献資料：ジョン・サール『意識の神秘』（新曜社）

313 アフォーダンス
affordance

ジェームズ・ギブソン
[118] デザイン思考

人間が何かの対象を知覚する際、人はその対象に対して無意識のうちに様々な価値や可能性を見出します。これをアフォーダンスと呼んでいます。	優れたデザインを持つガジェットはマニュアルなしでも操作できる。このガジェットはアフォーダンスの度合いが高いのだ。

　アフォーダンスはアメリカの心理学者**ジェームズ・ギブソン***が 1980 年代に提起しました。人間が何かの対象を知覚する際、その対象に対して無意識のうちに様々な価値や可能性を見出します。これをアフォーダンスといいます。

　例えばドアを想起してください。このドアに丸いノブがついていたら、私たちは「つかむ」「回す」という行為をイメージします。これに対してハンドル状のノブだとしたら「握る」「押し下げる」をイメージし、ノブなしで平らなパネルが設置されていれば「押す」という行為を想起するでしょう。これらはいずれもアフォーダンスです。このようにドアの前に立った状況で対象を知覚した場合、状況によって私たちに生じるアフォーダンスは変化します。

　人間を超える強い AI [312] を考えた場合、アフォーダンスを実装する必要もあるように思えますが、果たしてそれは可能なのでしょうか。

文献資料：ジェームズ・ギブソン『生態学的視覚論』（サイエンス社）

314 スーパー・インテリジェンス
super intelligence

ニック・ボストロム
[315] 知能爆発

スウェーデンの哲学者ニック・ボストロムによると、「ありとあらゆる関わりにおいて人間の認知パフォーマンスをはるかに超える知能」を指します。

人間の知能をはるかに超えるスーパー・インテリジェンスは、制御問題や**知能爆発**など、深刻な課題を抱えている。

スーパー・インテリジェンスはスウェーデンの哲学者**ニック・ボストロム***が 2014 年に出版した著作タイトルにもなっています。その中でボストロムは、スーパー・インテリジェンスについて、「ありとあらゆる関わりにおいて人間の認知パフォーマンスをはるかに超える知能」と定義しています。ボストロムは、このようなスーパー・インテリジェンスが開発された場合、人類に重大な影響を与える可能性があると主張しています。

その 1 つが**制御問題**です。スーパー・インテリジェンスの目標が人間の価値や関心と合致していれば、それは人や社会に大きな貢献をするでしょう。しかし、必ず合致する保証はありません。仮に、スーパー・インテリジェンスの目標がずれたり、人類の幸福と一致しない目標を独自に掲げたりすれば、予想不可能な有害な結果をもたらす可能性があります。このようなリスクを防ぐために、超知能システムをどのように設計し、管理するかが大きな課題になります。

文献資料：ニック・ボストロム『スーパーインテリジェンス』（日本経済新聞出版）

スーパー・インテリジェンス

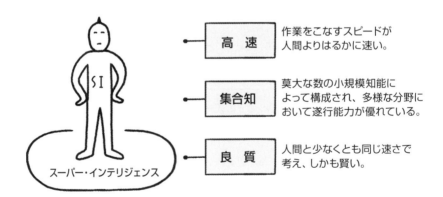

高速　作業をこなすスピードが人間よりはるかに速い。

集合知　莫大な数の小規模知能によって構成され、多様な分野において遂行能力が優れている。

良質　人間と少なくとも同じ速さで考え、しかも賢い。

制御問題もさることながら、スーパー・インテリジェンスを悪用する人間のほうが怖いかも。

315 知能爆発
intelligence explosion

ニック・ボストロム
[314] スーパー・インテリジェンス

知能爆発とは、AI が自らの手で自己改善を急速に繰り返すことで、自らの知能を指数関数的に増大させるという仮想のシナリオを指しています。	あくまでも仮想のシナリオではあるものの、人間にとって不都合な目標追求のために AI が知能爆発を起こす可能性ももちろん存在する。

　知能爆発は、**ニック・ボストロム***をはじめとする思想家たちが提唱した、**スーパー・インテリジェンス**の出現により生じる仮想のシナリオです。これは、AI が自らの手で自己改善を急速に繰り返すことで、自らの知能を指数関数的に増大させる現象を指します。仮にこれが現実となれば、人間の認知能力を大幅に上回るスーパー・インテリジェンスの出現をもたらす可能性があります。

　知能爆発のシナリオは、人工知能が一定の知能レベルに達すると、自身のアルゴリズムやアーキテクチャの自己改良が可能になるという仮定を根拠にしています。この自己改良プロセスが繰り返されることで、スーパー・インテリジェンスのパフォーマンスは想像を絶する高まりを見せることもあり得るでしょう。その際に、スーパー・インテリジェンスが持つ目標が人間の価値観と合致しない場合も考えられます。その場合、スーパー・インテリジェンスの**制御問題**[314]が大きな課題になります。

文献資料：ニック・ボストロム『スーパーインテリジェンス』（日本経済新聞出版）

知能爆発と制御問題

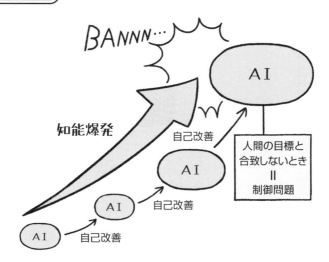

BANNN…

知能爆発

自己改善

AI

人間の目標と合致しないとき＝制御問題

自己改善

AI

自己改善

AI

自己改善

AI

AI が自らの手で自己改善を繰り返すことも夢物語ではなさそうなのだ。

316 シンギュラリティ
singularity

レイ・カーツワイル
[314] スーパー・インテリジェンス

特異点。テクノロジーの急速な進展が社会に甚大な影響を及ぼし、人間の生活が後戻りできないほどに変容してしまう、来るべき未来を指します。

未来学者レイ・カーツワイルはシンギュラリティの到来を 2045 年と予測している。そのとき社会はどのような姿をしているのだろう。

シンギュラリティとは**特異点**のことで、IT の世界では、テクノロジーの急速な進展が社会に甚大な影響を及ぼし、人間の生活が後戻りできないほどに変容してしまう来るべき未来を指します。1990 年代初頭に数学者で SF 作家の**ヴァーナー・ヴィンジ***が用い、以来、科学と哲学の両分野で注目されるようになりました。

未来学者**レイ・カーツワイル***によると、2030 年にはすべての人間の生物的な知能と同容量のコンピュータが生み出されるとされ、2045 年にはシンギュラリティに到達すると予測しています。この時期にコンピュータの知能は、人間の知能よりも約 10 億倍強力になると予想されています。

テクノロジーは可能性の展開です。そのためコンピュータの能力拡大によりシンギュラリティが到来する可能性はあるでしょう。その時の社会はユートピア[381]なのか、それともディストピア[062]なのでしょうか。

文献資料：レイ・カーツワイル『ポスト・ヒューマン誕生』（NHK 出版）

コンピューティングの指数関数的成長

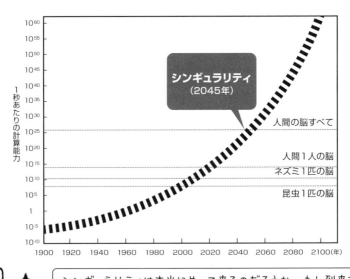

シンギュラリティは本当にやって来るのだろうか。もし到来すれば、世界はどう変わるのだろうか。これは思考実験の 1 つだ。

チューリング・テスト
Turing test

アラン・チューリング
[318] 中国語の部屋

イギリスの数学者チューリングが提案した機械に知能があるか試すテストです。会話中に人間と見分けがつかない応答ができれば、機械に知能があるとみなします。

数学者アラン・チューリングが考案したためこの名がついている。「中国語の部屋」と同様にこのテストに対する批判もある。

チューリング・テストはイギリスの数学者**アラン・チューリング***が、機械が人間のような知能を持っているかどうか判定するために提案したテストです。このテストでは、会話中に人間と見分けがつかない応答ができれば、機械に知能があるとみなします。以下はチューリング・テストをアレンジしたものです。

あなたは1人で部屋にいます。部屋には端末が2台あって、それぞれが別の部屋にいる人間とコンピュータにつながっています。あなたはいずれかの端末から質問をします。すると質問に対する回答が返ってきます。この質問と回答のやりとりを制限時間内にそれぞれの端末で行い、どちらがコンピュータでどちらが人間か当てなければなりません。このとき、あなたがコンピュータの回答を人間の回答だと判断した場合、コンピュータはチューリング・テストに合格し、機械が人間と同等に思考していると判断できる、とチューリングは考えました。

文献資料：A. M. Turing. 1950. 'Computing Machinery and Intelligence'. *Mind*, New Series, Vol. 59, No. 236.

第6章　科学と技術

チューリング・テスト

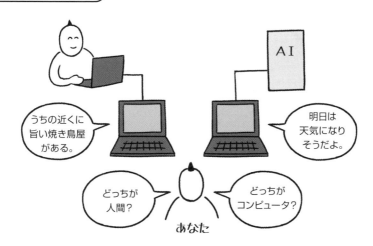

うちの近くに旨い焼き鳥屋がある。

明日は天気になりそうだよ。

どっちが人間？

どっちがコンピュータ？

あなた

ChatGTPに何かを教えてもらうと「ありがとう」と返してしまう。ChatGPTはチューリング・テストにパスしているのだろうか？

318 中国語の部屋
Chinese room

ジョン・サール
[317] チューリング・テスト

中国語の部屋は、哲学者ジョン・サールが考案した思考実験の１つです。コンピュータによる計算やプログラムが人間の思考や理解と異なることを示しました。

サールは「中国語の部屋」を通じて「強いAI」の限界を示した。コンピュータが対象について本当に理解するのはなかなか難しそうだ。

「**中国語の部屋**」は哲学者**ジョン・サール***が考案した思考実験[108]の１つです。中国語が理解できないサールは、ルールブック（コンピュータのプログラムに相当）を持ってある部屋に閉じ込められています。部屋の外から自分には理解できない中国語の質問を受け取ったサールは手元のルールブックに従って記号を操作します。この操作した記号を部屋の外にいる人物に渡すと、そこには質問に対する回答が記されています。これがサールの提案した「中国語の部屋」です。

回答を示された人物は、部屋の中にいる人物が中国語を完璧に理解していると考えるでしょう。しかしサール自身は中国語を理解しておらず、ただ**ルールブック（プログラム）**に従って操作をしただけです。以上から、例えばコンピュータが**チューリング・テスト**に合格するなど知的反応を見せたとしても、「**理解**」という知的活動を必ずしも行っているわけではない、とサールは主張します。

文献資料：ジョン・サール『マインド　心の哲学』（朝日出版社）

中国語の部屋

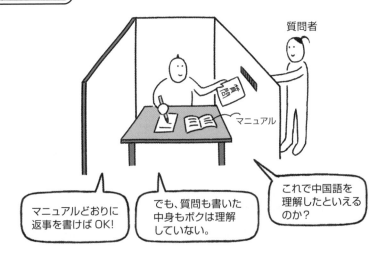

質問者

マニュアル

マニュアルどおりに返事を書けばOK!

でも、質問も書いた中身もボクは理解していない。

これで中国語を理解したといえるのか?

サールは「中国語の部屋」を通じて、コンピュータによる計算やプログラムが、人間の思考や理解と異なることを示そうとした。

319 脳科学
brain science

[320] 全脳エミュレーション
[323] ブレイン・コンピュータ・インターフェイス

最先端科学の1つで、脳の構造や機能、関連する現象を、学際的なアプローチや先端技術、3Dモデリングなどを用いて理解しようとする取り組みを指します。

脳は未知の分野、謎だらけの世界だ。脳の秘密を解き明かすため、いま全世界で注目すべきさまざまなプロジェクトが推進されている。

　脳の重さは約1.5kgで、体重の約2%しか過ぎません。しかし、人間の全代謝エネルギーの約20%を消費しています。この一点からも、人間の活動において脳が極めて重要な役割を果たしていることがわかります。人間にとって極めて重要な器官である脳は謎に包まれています。脳科学はそうした脳の構造や機能の解明を目指しており、さまざまなプロジェクトが推進されています。

　2011年に国際的な取り組みとして始まった**ヒューマン・コネクトーム・プロジェクト**もその1つです。このプロジェクトでは、人間の脳の構造的・機能的な結びつきのマッピング（地図化）を目的にしています。また、2013年に米国政府が開始した**ブレイン・イニシアチブ**は、高度なイメージング技術の開発や神経マッピング、大規模な脳アトラスの作成などを行っています。他にも、欧州連合の資金提供による**ヒューマン・ブレイン・プロジェクト**など、いずれも脳の全容解明を競っています。

文献資料：理化学研究所脳科学総合研究センター編『脳研究の最前線』（講談社）

脳科学のプロジェクト

プロジェクト名	概要
ヒューマン・コネクトーム・プロジェクト（HCP）	2011年に始まった国際的な脳研究の取り組み。
ブレイン・イニシアチブ	2013年に米国政府が始めた脳研究の学際的プロジェクト。
ヒューマン・ブレイン・プロジェクト（HBP）	EUの資金提供によって成立した脳研究プロジェクト。
アレン・ブレイン・アトラス	マイクロソフトの共同設立者で慈善家のポール・アレンが設立した非営利の脳研究機関によるプロジェクト。
ブルー・ブレイン・プロジェクト	2005年にスイス政府によって開始され、スイスのローザンヌ工科大学（EPFL）を拠点する脳研究プロジェクト。

このように脳の全容を解明しようとするプロジェクトが世界の各地で繰り広げられている。ちょっと驚きだとは思わない？

全脳エミュレーション
whole-brain emulation

[319] 脳科学
[323] ブレイン・コンピュータ・インターフェイス

脳の完全な構造と機能を、コンピュータなどのデジタル基板や人工神経回路網などの合成基板に転送するプロセスを指します。

全脳エミュレーションは、マインド・アップロードや全頭脳模倣型知能ともいう。現状は AI 分野における仮説的な概念なのだ。

　全脳エミュレーションは、生物学的な脳の完全な構造と機能を、コンピュータなどのデジタル基板や人工神経回路網などの合成基板に転送するプロセスを指します。**マインド・アップロード**や**全頭脳模倣型知能**、あるいは「有機体以外で実現される心」（substrate-independent minds）などとも呼ばれます。全脳エミュレーションのプロセスには、通常いくつかの段階があります。まず、脳を入念にスキャンし、神経細胞やシナプスの正確な配置と結合を詳細にマッピングします。脳の構造が正確に記録できたら、高度なコンピュータ・アルゴリズムを用いて、個々のニューロンの挙動や相互作用をシミュレーションします。さらに、シミュレーションした脳が環境と相互作用するために、感覚入力と運動出力を模擬脳に与える必要があります。ただし、全脳エミュレーションは仮説的概念であり、まだ実現はされていません。

文献資料：ニック・ボストロム『スーパーインテリジェンス』（日本経済新聞社）

全脳エミュレーションのプロセス

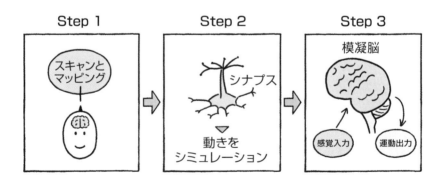

Step 1
スキャンとマッピング

Step 2
シナプス
動きをシミュレーション

Step 3
模凝脳
感覚入力　運動出力

プロセスはスキャンとマッピング、シミュレーション、感覚入力と運動出力のステップを踏む。

321 弱い創発
weak emergence

[050] 複雑系
[320] 全脳エミュレーション

複雑なシステムが、単純な構成要素の相互作用や組織化によって、創発的な特性を生み出す可能性があることを意味しています。

構成要素の性質に還元できない複雑な現象を説明するのに弱い創発が用いられる。意識の誕生も弱い創発の結果だとする説がある。

　複雑なシステムでは、構成要素の個々の相互作用から、構成要素の特性だけからは予測・推論できないような特性が生じることがあります。また同時に、その特性は個々の構成要素に還元することができません。このような現象を**弱い創発**といいます。これは**複雑系**や自己組織化[051]でも同様の現象が生じていると考えてよいでしょう。

　例えば**レイ・カーツワイル**[*]は、複雑な物理システムの創発特性によって意識が生じると主張しています。したがって、脳のメカニズムを**全脳エミュレーション**によって再現できるのであれば、人間と同じく創発する意識を持つだろうと述べています。これに対して**ジュリオ・トノーニ**[*]らの神経科学者は、1000億個あるニューロンがいかに機能するのかその情報を集めたとしても、機械が意識を生むとは限らないと、カーツワイルとは異なる立場をとっています。トノーニらの主張は意識のハード・プロブレム[260]についての言及ともいえます。

文献資料：マルチェッロ・マッスィミーニ、ジュリオ・トノーニ『意識はいつ生まれるのか』（亜紀書房）

弱い創発・賛否両論

全脳エミュレーションで機械が意識を持つ

弱い創発・賛成派

創発のメカニズムがまったく説明されていない

弱い創発・否定派

複雑系や自己組織化を考えると弱い創発もありえる気がするが。でも、人間の意識に適用できるのかな？

マン・マシン・インターフェイス

man-machine
interface（MMI）

[323] ブレイン・コンピュータ・インターフェイス
[328] クロスリアリティ

略称 MMI は、人間と機械を結ぶコミュニケーション・ポイントで、人間が機械を制御・操作できるようにするためのさまざまな方法と技術を指しています。

MMI の良し悪しが機械の制御の良し悪しに直結する。直感的な操作で思い通りの結果を得られることが重要になる。

マン・マシン・インターフェイス（MMI）は、**ヒューマン・マシン・インターフェイス（HMI）**とも呼ばれ、人間と機械を結ぶコミュニケーション・ポイントに相当します。MMI を通じて、人間が機械を制御したり操作したりします。そのため、MMI の良し悪しが機械の制御の良し悪しに直結します。MMI に求められるのは、人間と機械の間の直感的で効率的なコミュニケーションです。ユーザーが自分の意思や命令を機械に直感的に伝えることができ、しかも機械からの適切なフィードバックを理解しやすい方法で受け取れるようにすることが重要です。

MMI には関するテクノロジーは、キーボードや音声認識システムなどの入力装置、入力の際の**グラフィカル・ユーザー・インターフェイス（GUI）**、モニターやスピーカーなどの出力装置、ほかにも自然言語処理、**仮想現実（VR）**や**拡張現実（AR）**など多岐にわたります。

文献資料：ブレット・キング『拡張の世紀』（東洋経済新報社）

MMI のいろいろ

PC の OS

ヘイ、Siri!

おはようございます

VRやMRのゴーグル

MMI がだんだん人間の肉体に密着しつつあるのが現在のトレンドかもしれない。

323 ブレイン・コンピュータ・インターフェイス
brain-computer interface (BCI)

[320] 全脳エミュレーション
[322] マン・マシン・インターフェイス

人間の脳とコンピュータを直接つなぎ、脳の動きを読み取って機械を操作するテクノロジーを指します。マン・マシン・インターフェイスの一種に相当します。

猫の耳がついたヘッドセットから脳波を読み取って猫の耳を動かす「necomimi」といツールがある。これも BCI の1つといってよい。

ブレイン・コンピュータ・インターフェイス（BCI）は、ブレイン・マシン・インターフェイス（BMI）とも呼ばれていて、人間の脳とコンピュータを直接つなぎ、脳の動きを読み取って機械を操作する**マン・マシン・インターフェイス（MMI）**の一種です。筋肉や神経を経由せず、脳と外部機器との間に直接通信路を設けることで、脳が外部機器を制御するコマンドを送信したり、外部機器からの感覚的なフィードバックを受け取ったりと、双方向の情報伝達を可能にします。

すでに BCI は多様な領域で用いられています。身近な例では、外部の音をマイクロフォンで拾い、その刺激を直接耳の奥にある蝸牛管の有毛細胞に送り込む**人工内耳**があります。また、脊髄損傷など重度の運動障害を持つ人が、脳の信号によってロボットアーム、義肢、車椅子などの外部機器を操作できるようにする BCI も開発されています。

文献資料：ミゲル・ニコレリス『越境する脳』（早川書房）

BCI による人工上肢

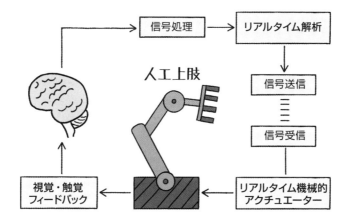

脳と人工上肢を結んで、脳が直接人工上肢を制御する。現在このような実験がどんどん進んでいる。

324 サイボーグ
cyborg（cybernetic organism）

[323] ブレイン・コンピュータ・インターフェイス
[325] テセウスの船

生物学的要素と人工的要素の両方を併せ持つ存在を指します。その目的はテクノロジーを人体に組み込むことによって人間の能力を強化する点にあります。

私は極度の近眼のため眼鏡をかけて視力を強化している。極めてレベルは低いものの、私自身もサイボーグの一員なのかもしれない。

サイボーグとは、**サイバネティック・オーガニズム**の略で、生物学的な部分と人工的な部分の両方からなるハイブリッドな存在を指します。1960年に提唱されたもので、テクノロジーとバイオロジーの融合によって人間の能力を向上させることを目的にするのがサイボーグでした。その意味でサイボーグはある意味で実装するIA[303]ともいえそうです。

イギリスに**ピーター・スコット＝モーガン**＊というロボット工学者がいます。2017年、スコット＝モーガンは、筋肉を支配する神経に影響を与える変性疾患である運動ニューロン疾患で余命2年と診断されました。彼はこれを契機に、自分自身を実験台にした「肉体のサイボーグ化」と「AIの融合」によって病を克服しようとしました。彼の闘いは著作『ネオ・ヒューマン』に記されています。

しかし残念なことに2022年に彼はこの世を去ってしまいました。

文献資料：ピーター・スコット＝モーガン『ネオ・ヒューマン』（東洋経済新報社）

325 テセウスの船
ship of Theseus

[324] サイボーグ
[326] 人格の同一性

思考実験[108]の1つです。テセウスの船は、時間の経過とともに変化する物体の性質について、その自己同一性や永続性に問題を投げかけています。

ドッグで修理したテセウスの船がひょんなことから2隻になってしまった。どちらが本物のテセウスの船なんだ？

ギリシア神話に由来するアテネの伝説の王**テセウス**は、船で冒険の旅に出ました。来る日も来る日も航海しているうちに、船板が劣化してきました。テセウス王は港に入ると船を修理することにしました。修理工が傷んだ船板を次々と新品に交換していくとほとんど全部取り替えることになりました。一方、古い船板を残しておいた修理工は、これを使ってもう一隻同じ船を作り直しました。こうして今ここに2隻の船が並んでいます。さて、テセウス王はいずれの船を自分が所有していた「テセウスの船」と呼ぶべきなのでしょうか。

これが「**テセウスの船**」の思考実験です。この思考実験が問うのは存在の自己同一性です。船板の交換を終えほうがテセウスの船なのでしょうか。しかし、もとあった材料を再び組み立てほうが本物のテセウスの船のようにも思えます。この思考実験は私たちの**人格の同一性**にも深い疑問を投げかけます。

文献資料：ジュリアン・バジーニ『100の思考実験』（紀伊國屋書店）

人格の同一性
personal identity

[324] サイボーグ
[325] テセウスの船

人格の同一性は、時間が経過する中で人が自分を同一の人物と認識することを意味します。しかし「テセウスの船」はこの人格の同一性に疑問を投げかけます。

私たちの細胞は日々更新されていき、やがて過去とは異なる身体になる。肉体が置き換わっても人格の同一性は維持されるということなのか？

　「テセウスの船」は思考実験の１つで、古い船板を交換して出来上がった新しい船と、古い船板を再度組み立てて出来上がった船と、どちらが本物のテセウスの船かを問うものでした。この問題は人間の**人格の同一性**にもあてはまります。その極端な例が人間の**サイボーグ**化です。仮に身体の一部だけを人工器官に置き換えたとしたら、誰しも人格の同一性は保たれていると直感的に考えるでしょう。では、すべて生物的器官が人工器官に置き換わったとしたらどうなるのでしょうか。それでも私は私なのでしょうか？　仮に私でないとすると別の問題が生じます。今度は生物的器官を徐々に人工器官に置き換えていくとします。では、どの時点で私は私でなくなるのでしょうか。これは砂山のパラドックス[111]そのものです。

　実際、私たちの細胞は日々更新されていき、やがて過去とは異なる身体になります。とすると、肉体と人格の同一性はまた別ものなのでしょうか？

文献資料：アンディ・クラーク『生まれながらのサイボーグ』（春秋社）

> **私はいつまで私なのか？**

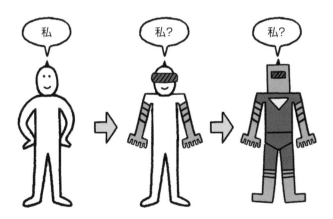

人体がサイボーグ化していくとき、「私」はいつまで「私」でいられるのだろうか？

第6章　科学と技術

327 レプリカ問題
replica problem

デレク・パーフィット
[326] 人格の同一性

> レプリカ問題も思考実験[108]の１つです。テレポーテーションによって地球と火星にそれぞれ私が存在します。どちらが本当の私なのでしょうか？

> 哲学者デレク・パーフィットが示した思考実験の１つだ。このレプリカ問題も、私たちの人格の同一性に問題を投げかける。

レプリカ問題は、哲学者**デレク・パーフィット***の思考実験が**人格の同一性**について投げかける問いです。ここに最新のテレポーテーション装置があります。この装置は人間の細胞をすべてスキャンして、通信システムを用いて火星に送信し、元の身体に戻すことができます。ところがある日、私がこの装置を利用した際、故障が起こり、私は火星にテレポートされると同時に、元の肉体が地球にも残りました。さて、地球にいる私が私なのでしょうか、それとも火星にいる私が私なのでしょうか。しかし、地球の私と火星の私は、テレポートの瞬間から別の経験をします。これでは、私の人格の同一性は保証されません。ならば、私は一方の私を殺害して、人格の同一性を確保すべきなのでしょうか …。

　以上がパーフィットの思考実験です。パーフィット自身は、人格の同一性は身体によって確立するものではないと主張します。あなたはどう考えますか。

文献資料：デレク・パーフィット『理由と人格』（勁草書房）

地球の私と火星の私

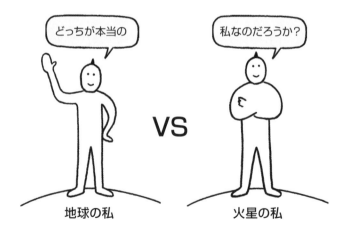

> レプリカが誕生した瞬間、それぞれの経験は別のものになる。人格の同一性はどうなるのか？

クロスリアリティ
extended reality（XR）

[324] サイボーグ
[330] メタバース

クロスリアリティは、仮想現実（VR）、拡張現実（AR）、複合現実（MR）など、現実と仮想の要素を多様な方法で組み合わせた没入型テクノロジーの総称です。

2023年6月、Appleは現実世界とデジタルコンテンツをシームレスに統合するApple Vision Proを公表し、XRに一石を投じた。

クロスリアリティは、物理的な世界と仮想現実や拡張現実を融合させ、ユーザーにシームレスで没入感のある体験をもたらすテクノロジーの総称です。「XR」ともいいますが、これは「extended reality」の略です。

主たるクロスリアリティには、仮想現実、拡張現実、複合現実の3つがあります。

仮想現実（virtual reality/VR）は、VRヘッドセットを用いて、利用者を仮想環境に完全に移動させる、完全没入型のテクノロジーです。利用者は別世界に物理的に存在しているかのように感じ、仮想空間で他人とコミュニケーションもできます。

拡張現実（augmented reality/AR）は、現実の世界にデジタル・コンテンツを重ね合わせるテクノロジーです。現実のライブ・ビューと仮想のバーチャル・ビューが混在する点が特徴です。

さらに**複合現実**（mixed reality/MR）は、VRとARの双方を兼ねたテクノロジーです。

文献資料：Apple プレスリリース「Apple Vision Pro が登場 — Apple が開発した初の空間コンピュータ」

第6章 科学と技術

XR の用途

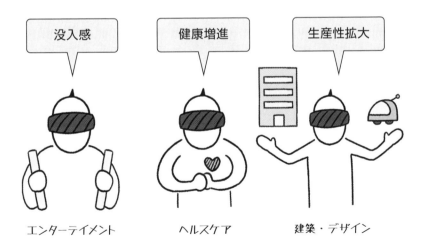

没入感 — エンターテイメント

健康増進 — ヘルスケア

生産性拡大 — 建築・デザイン

XR にはほかにも観光や文化遺産の案内、コラボレーションによる仕事の効率化など用途は様々なのだ。

CPS
cyber-physical system

[328] クロスリアリティ
[330] メタバース

サイバー・フィジカル・システムの略で、実世界にある多様なデータを収集し、サイバー空間で分析し、創出した価値を社会にフィードバックするシステムを指します。

CPS ではセンサー・ネットワークなどを利用した高度センシング技術で、フィジカル世界（実世界）にあるデータを収集する。

　CPS は**サイバー・フィジカル・システム**の略称で、実世界にある多様なデータを収集し、サイバー空間で分析し、そこで創出した価値を社会にフィードバックするシステムを指します。

　CPS の実現に欠かせないのが IoT（**インターネット・オブ・シングス**）です。これはあらゆるモノがインターネットにつながった状態を指します。それらのモノから**高度センシング技術**を用いて情報を読み取り、インターネットを通じて収集します。こうした**ビッグデータ**からフィジカル社会を模倣した世界をサイバー空間に構築します。これを**デジタル・ツイン**といいます。デジタル版の双子というわけですね。さらに構築したデジタル・ツインを AI[296]で分析して、経験や勘では得られなかった価値を創出します。その価値を実世界にフィードバックし、よりよい環境の創造に役立てます。

文献資料：小宮昌人『メタ産業革命』（日経 BP）

CPS、IoT、ビッグデータ、AI

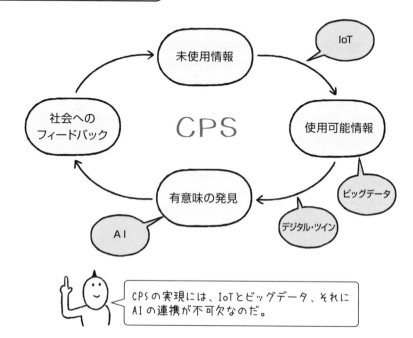

CPS の実現には、IoT とビッグデータ、それに AI の連携が不可欠なのだ。

330 メタバース
metaverse

[322] マン・マシーン・インターフェイス
[328] クロスリアリティ

メタバースは、コンピュータで生成された仮想空間を指します。他のユーザーとリアルタイムで交流できる点が大きな特徴になっています。

一時期、メタバースが大いに注目されたが、ブームはいま沈静化している。Apple Vision Pro により再び注目度が高まるのか？

　メタバースは、コンピュータで生成された**仮想空間**を指します。一般的には **VR ゴーグル**でその仮想空間を体験し、他のユーザーとリアルタイムで交流できる点が大きな特徴になっています。もちろん交流といっても多様な種類が考えられます。友達とおしゃべりするのも交流ですが、ほかにもメタバースに仕事場を再現して、同僚と働くこともできます。また、メタバースが学習教室になれば、ここで友達と一緒に勉強できます。あるいは、他のプレイヤーと格闘ゲームに興じることもできるでしょう。

　これらに共通する特徴は、メタバースが持つ深い**没入感**やリアルタイムのコミュニケーションです。また、物理的制限のないメタバースは**拡張性**にも優れています。そのためメタバースの支配的**プラットフォーマー**になるため、各社がしのぎを削っています。

文献資料：アンドリュー・マカフィー、エリック・ブリニョルフソン『プラットフォームの経済学』（日経 BP）

第6章　科学と技術

331 ロボット
robot

カレル・チャペック
[332] ロボット3原則

チェコの作家カレル・チャペックが 1920 年に発表した戯曲「R.U.R. (Rossum's Universal Robots)」の中で初めて登場した言葉です。

チャペックが創作した劇中の「ロボット」は、チェコ語で「強制労働」「雑用」を意味する「robota」に由来する。

　ロボットは、自律的あるいは人間の介入を最小限に抑えてタスクを実行するように設計された機械的または仮想的なエージェントを指します。3次元のロボットは通常、センサーやアクチュエーター（機械的駆動装置）、制御システムを備えており、周囲の環境を認識し自律的に作動します。単純な繰り返し作業から複雑な意思決定プロセスまで、さまざまな機能を実行でき、現在では産業用ロボットやサービス・ロボット、ヒューマノイド・ロボットなど多様な種類が特定用途向けに製造されています。

　ロボットという言葉を最初に用いたのはチェコスロバキアの国民的作家**カレル・チャペック**＊で、戯曲「**ロボット（R.U.R.）**」の中で初めて用いました。この言葉はチェコ語で「強制労働」「雑用」を意味する「robota」に由来します。未来を舞台にしたこの戯曲では、人型の機械「ロボット」が人間の労働を肩代わりしていましたが、やがて団結して人間に反抗します。

文献資料：カレル・チャペック『ロボット（R.U.R.）』（岩波書店）

ロボット3原則
three laws of robotics

アイザック・アシモフ
[331] ロボット

アメリカの作家アイザック・アシモフが1950年に刊行した短編集『われはロボット』で示したロボットが取るべき行動に関する3つの原則です。

「ロボットは人間を傷つけてはならない」とアシモフは述べた。しかしながら、人間がロボットを操って人間を殺傷しているのが現状だ。

　ロボット3原則は、アメリカの作家**アイザック・アシモフ**[*]が創作した、ロボットに関する3つの原則です。

　この3原則は、下記の表に示したようにロボットが従うべき基準を表しています。

　注目したいのは第1条と第2条です。あなたはロボット3原則に従って動作するロボットです。ある日、上司である人物が、ロボットのあなたに人間を殺害するよう命じました。この命令は第1条に反しますから、ロボットであるあなたは第2条により命令に背いても構いません。しかし「限りではない」ですから、命令に従って人間を殺害してもよいことになります。

　このようにアシモフのロボット3原則は、ロボットが人間の命令で人の命を奪うことを容認しています。ウクライナで繰り返されるドローンによる攻撃は、まさに人間がロボットに人間の殺傷を命じた結果だと考えてよいでしょう。

文献資料：アイザック・アシモフ『われはロボット』（早川書房）

ロボット3原則

第1条
ロボットは人間に危害を加えてはならない。また、その危険を看過することによって、人間に危害を及ぼしてはならない。

第2条
ロボットは人間にあたえられた命令に服従しなければならない。ただし、あたえられた命令が、第1条に反する場合は、この限りではない。

第3条
ロボットは、前掲第1条および第2条に反するおそれのないかぎり、自己をまもらなければならない。

現在、無人機ロボットが人を殺害している。ロボット3原則を破っているのはロボット自身ではなく人間なのだ。

333 ミリタリー・ロボット
military robot

[331] ロボット
[332] ロボット3原則

ミリタリー・ロボットは、偵察や監視、戦闘、後方支援など軍事的な用途や作戦のために設計された装置で、無人システムまたは自律型兵器とも呼ばれています。

世界各地で繰り広げられる現代戦では、いまや無人機のドローンによる攻撃は珍しいものではなくなった。ロボットを悪用するのは人間なのだ。

　ミリタリー・ロボット（**軍事用ロボット**）は、偵察や監視、戦闘、後方支援など軍事的な用途や作戦のために設計された装置です。**無人航空機**（UAV：Unmanned Aerial Vehicle）や**無人地上走行車**（UGV：Unmanned Ground Vehicle）、**無人潜水機**（UUV：Unmanned Underwater Vehicle）、**無人水上艇**（USV：Unmanned Surface Vehicle）など多様な種類があります。

　また、これらの装置・兵器の用途も多様です。人命を危機にさらすことのない偵察や監視から物資の輸送、地雷除去、爆発物処理などの用途に用いられます。しかし、世界各地で生じる現代戦で明らかになったように、無人機のドローンによる攻撃は、戦争における主要な武器の1つとして、いまや確固たる地位を占めたということです。ロボットに善悪は判断できません。ロボット3原則の第1条に反して、ロボットに人間を殺傷させているのは、まぎれもなくその人間自身なのです。

文献資料：バイロン・リース『人類の歴史とAIの未来』（ディスカヴァー・トゥエンティワン）

主たるミリタリー・ロボット

無人航空機
(UAV：Unmanned Aerial Vehicle)

無人地上走行車
(UGV：Unmanned Ground Vehicle)

無人潜水機
(UUV：Unmanned Underwater Vehicle)

無人水上艇
(USV：Unmanned Surface Vehicle)

334 スーパー兵士
super warrior

[324] サイボーグ
[331] ロボット

ウェラブル・ロボット技術によってパフォーマンスを高めた兵士を指します。例えば40kgを超える装備品を携行しても兵士は疲れを感じません。

アメリカの国防高等研究計画局（DARPA）では、未来を見すえた軍事研究を行ってきた。インターネットもDARPAから生まれた。

スーパー兵士とは人間とロボットを合体させた兵士を指します。アメリカの**国防高等研究計画局（DARPA：Defense Advanced Research Projects Agency）**では、スーパー兵士の研究で世界のトップを走っているといわれています。このDARPAは従来、民間の研究機関における**ウェラブル・ロボット**に関する技術の軍事活用に多くの研究資金を援助してきました。

ウェラブル・ロボットとは、人間の身体に装着することで、身体能力を補強・強化する装置を指します。ウェラブル・ロボットを装着することで、より重い荷物を持ち上げたり、より長い距離を歩いたり、肉体的に厳しい作業でも疲労を軽減しながら行えます。そもそも兵士は40kgを超える装備を背負って行軍しなければなりません。ウェラブル・ロボットを装着することで、疲れを知らないスーパー兵士が誕生するというわけです。

文献資料：NHKスペシャル「NEXT WORLD」制作班編『NEXT WORLD』（NHK出版）

スーパー兵士

40kg

暗視ゴーグル

ウェラブル・ロボット

戦争がテクノロジーの進展を促すのは、残念ながら事実なのだ。

335 ナノマシン
nanomachine

[331] ロボット
[338] 不老不死

ナノボットともいいます。ナノマシンは、ナノスケールで動作する小さな機械やロボットを指しており、通常、大きさは 1 ～ 100 ナノメートルです。

ナノは 1 億分の 1 メートルに相当する。想像を遥かに超える極小サイズのロボットがすでに実在し活用されているのだ。

　ナノマシンは細菌や細胞よりも小さいナノスケールで動作する機械やロボットを指します。このようなナノマシンの開発と応用を目指す技術を**ナノテクノロジー**と呼んでいます。

　ナノマシンには、生物学的なものと非生物学的なものがあります。生物学的なナノマシンは、タンパク質や DNA などの生体成分に基づくもので、生物に見られる天然の分子に着想を得ています。また、非生物学的ナノマシンは、通常、合成材料を用いて構築されています。

　すでに実用化されているナノマシンの用途に**ガン治療**があります。これは抗がん剤を含む一種のカプセルを血液中に送り込み、ガン細胞を見つけた場合にだけ抗ガン剤が放出されます。通常の抗ガン剤では健康な細胞にも影響を及ぼしますが、ナノマシンの場合、副作用を最小限に抑えながら治療効果を高められます。

文献資料：ミチオ・カク『2100 年の科学ライフ』（NHK 出版）

ナノマシンの活用分野

医療分野
標的薬物の送達や診断、
外科手術に使用できます。

環境分野
大気や水からの汚染物質
や汚染物を除去します。

エネルギー分野
太陽光の吸収を高め
太陽光を電気に変える
効率を高めます。

1 億分の 1 メートルとは想像を絶する世界だけど、ナノマシンの活用はもう始まっている。

若返りの泉
fountain of youth

ルーカス・クラーナハ
[337] エンハンスメント

その水に浸かると誰もが若返る伝説の泉を指しています。水ではありませんが、いまや若返りが期待できる夢のサプリメントが開発されています。

NMN（ニコチンアミド・モノヌクレオチド）は、現在、「若返りの薬」として注目されており、すでに高額サプリとして市販されている。

　ドイツのルネサンス期を代表する画家**ルーカス・クラーナハ***の作品に「**若返りの泉（Der Jungbrunnen）**」（1546年）という傑作があります。この絵画では、老婆たちが全裸になって泉につかるとやがて若返り、往時のように着飾って若者と踊ったり食事を楽しんだりする風景が描かれています。クラーナハが活躍した500年前も、そして現在も、若返りは人間にとって大きな夢であったことがわかります。

　ただし当時と現在が違うのは、本当に若返りが期待できる物質が発見されている点です。**NMN（ニコチンアミド・モノヌクレオチド）**という物質で、加齢とともに減少する**NAD（ニコチンアミド・アデニン・ジヌクレオチド）**を増加させる働きがあることから、アンチエイジングや若返り効果があるのではないかと考えられています。すでに大手医薬品会社がNMNを配合した高額サプリを市販しています。もっとも本当に効果があるのかは慎重に見極める必要がありますが。

文献資料：NHKスペシャル「NEXT WORLD」制作班編『NEXT WORLD』（NHK出版）

ルーカス・クラーナハ「若返りの泉」（1546年）

出典：Wikimedia Commons

ルーカス・クラーナハの傑作の1つ。
16世紀当時も若返りは人々の夢だったのだ。

エンハンスメント
enhancement

[324] サイボーグ
[336] 若返りの泉

医療技術を利用して通常以上の能力を得ることをエンハンスメントといいます。治療とエンハンスメントはどこで線引きされるのでしょうか？

思考実験[108]を1つ。頭が良くなる薬が発売された。試験に合格したいあなたはこの薬を飲みますか。それとも飲まずに試験を受けますか。

　エンハンスメントは「改良」や「強化」など一般的な意味を持ちますが、特に医療技術を利用して通常以上の能力を得ることをそのように表現することがあります。例えばかつて、男性のインポテンツに大きな効果のある治療薬「**バイアグラ**」が話題になりました。その理由は治療の必要のない健常者の中にも利用する人が現れたからです。また、「**プロザック**」という抗鬱剤の一種も話題になりました。これを服用した健常者から、以前よりもバリバリと仕事をこなし、人間関係も良好になり、交際の幅も広がる人がでてきたからです。いずれも治療ではなくエンハンスメントの一種といえるでしょう。

　仮に「プロザック」のお陰で出世街道を走ることができた人は、スポーツ競技でいう**ドーピング**と同じ行為をしていることになるのでしょうか。エンハンスメントと倫理は隣り合わせにあります。

文献資料：下條信輔『＜意識＞とは何だろうか』（講談社）

頭の良くなる薬

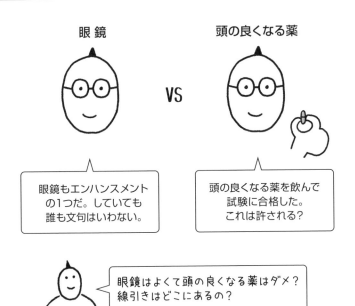

眼　鏡 　VS　 頭の良くなる薬

眼鏡もエンハンスメントの1つだ。していても誰も文句はいわない。

頭の良くなる薬を飲んで試験に合格した。これは許される？

眼鏡はよくて頭の良くなる薬はダメ？線引きはどこにあるの？

不老不死
perpetual youth and longevity

ヴィクトール・フランクル
[336] 若返りの泉

老いもせず死にもしないこと。不老不死は古くから人類の夢の１つでした。しかし、不老不死は人間にとって本当に望ましいことなのでしょうか。

哲学者**ハイデガー**＊は、**現存在**としての人間が、死へ至る存在であることを自覚することで、**本来的自己**に目覚められると考えたのだ[466]。

　若返り願望とは**不老不死**の願望と表裏一体です。不老不死も人間が古くから希求してきた願いです。紀元前 2000 年の古代メソポタミアで記された世界最古の文学作品ともいわれる『**ギルガメシュ叙事詩**』のテーマも不老不死でした。

　しかし、不老不死は人間にとって本当に幸せなのでしょうか。心理療法家**ヴィクトール・フランクル**＊が面白いことを書いています。仮に人生の時間が無限だとしたら、人は無限に生きられるとしたら、何かすべきことがあっても、今する必要はなくなります。というのも時間は無限にあるため、いつでも実行できるからです。否、無限に生きていられるのですから、別に何をする必要もありません。何もしなくても生きていられるからです。以上を念頭に置くと、私たちは人間に終わりがあるからこそ時間を有効に利用し、行動の機会を無駄にしないように努めるのだ、とフランクルは述べています。あなたはどう考えますか。

文献資料：ヴィクトール・フランクル『ロゴセラピーのエッセンス』（新教出版社）

不老不死は本当にいいことか

何をする必要もないじゃん。

不老不死

時間に限りがあるから、いまを生きるのだ。

死

たとえ不老不死を得たとしても、苦痛に苛まれながら生きるとしたら、残酷としか言いようがないよね。

339 ブロックチェーン
blockchain

[340] 中央銀行デジタル通貨
[341] クロステック

取引に関わる複数の当事者が、取引に関するあらゆる形態の情報を共有・維持できるようにする、分散型デジタル台帳技術を指します。

ブロックチェーンは**ビットコイン**のような**暗号資産**の基礎技術に用いられたことで一躍著名になった。その応用範囲はとても広いのだ。

　ブロックチェーンは、取引を**分散型デジタル台帳**に記録する技術です。分散型台帳とは、取引に参加する複数の当事者が、取引に関する情報を記録して共有します。取引記録は暗号化技術を用いて保護されていますから、台帳が分散していることもあいまって改ざんや不正が非常に困難な点が特徴になっています。

　ブロックチェーンは、**ビットコイン**などの**暗号資産（仮想通貨）**の基礎技術に使用されていることで一躍有名になりました。ただし、その技術は他の分野にも応用されつつあります。**サプライチェーン・マネジメント**での応用もその1つです。ブロックチェーンを活用して、サプライチェーンにおける部品や材料の産地や製造元、商品の動きを追跡でき、不正行為や偽造防止にも役立てられます。他にもヘルスケアや知的財産の保護、投票システム、分散型金融など、ブロックチェーンの活躍の場は多岐にわたります。

文献資料：岡嶋裕史『ブロックチェーン』（講談社）

340 中央銀行デジタル通貨
central bank digital currency（CBDC）

[130] 国家
[339] ブロックチェーン

中央銀行デジタル通貨は、デジタル版の国家通貨です。CBDCとも略します。国家の中央銀行が発行し規制する、その国の公式通貨のデジタル版に相当します。

いまや世界各国でデジタル国家通貨を発行する動きが顕著になってきている。使い勝手の良し悪しが通貨の人気を左右するかもしれない。

　中央銀行デジタル通貨（略称**CBDC**）は、国家の中央銀行が発行するその国の公式通貨のデジタル版です。そもそも国家が持つ権力の1つに通貨発行権があります。ところがビットコインなど暗号資産は、国家の管理外で運営されます。これは国家からすると占有していた権力の一部を侵害されたことになります。

　このようなこともあってか、国家による CBDC の開発が顕著になってきています。中でも CBDC の開発で先頭を走るのが中国です。同国の中国人民銀行では 2020 年から**デジタル元**を発行し、通貨電子決済システムを試験的に導入しています。また、バハマの**サンド・ダラー**は、バハマ中央銀行が 2020 年 10 月から始めた CBDC です。サンド・ダラーは一般市民が利用できる世界初のリテール CBDC です。他にも EU や米国、日本など多くの国々で CBDC の研究が行われています。

文献資料：野口悠紀雄『CBDC 中央銀行デジタル通貨の衝撃』（新潮社）

341 クロステック
X-tech

[296] AI
[297] ビッグデータ

既存の事業やビジネスにAIやビッグデータ、IoTなどの最新デジタル技術を応用して、新しい製品やサービスを生み出す活動をクロステックと称します。

通常はX-Techと表記することが多い。フィンテック（金融×デジタル技術）のように「X」の部分に既存事業の名称が入る。

クロステック（X-Tech）は、既存の事業やビジネスに最新のデジタル技術を応用して、新しい製品やサービスを生み出す活動を指します。既存のビジネスが**DX（デジタル・トランスフォーメーション）**によって生まれ変わったものだと考えてもよいでしょう。

「X-Tech」と表記されるのは、「X」の個所に既存のビジネスの名称が入るからです。例えば**フィンテック（Fin-Tech）**は、金融（finance）とデジタル・テクノロジーを掛け合わせたものです。フィンテック企業は、人工知能を利用してパーソナライズされた金融アドバイスを提供したり、モバイルアプリを利用してお金の管理を容易にしたりします。他にも、医療を改善する**ヘルステック**（HR-Tech）、教育のデジタル化を進める**エドテック**（Ed-Tech）、デジタル技術で農業を改善する**アグテック**（Ag-Tech）など、将来が有望なX-Techが次々と誕生しています。

文献資料：ピーター・ディアマンディス、スティーブン・コトラー『2030年：すべてが「加速」する世界に備えよ』（NewsPicksパブリッシング）

342 核融合
nuclear fusion

[017] 循環型社会
[173] 核抑止力

2つ以上の軽い原子核が融合して、より重い原子核を形成し、大量のエネルギーを放出する核反応の1種です。

核融合を活用した発電を核融合発電という。二酸化炭素を排出しない発電としていま大いに注目されており、高い技術を持つベンチャー企業が多数現れている。

核融合は、水素の同位体である重水素と三重水素の2つの軽い原子核を、高温高圧下で結合させ、ヘリウムなどのより重い原子核を形成する技術です。この核融合の過程で、少ない燃料が膨大な量のエネルギーに変換されて、放出されます。

このエネルギーを利用してタービンを回すと発電が可能になります。このように核融合を活用した発電を**核融合発電**といいます。核融合発電は**化石燃料**による発電と違って**二酸化炭素（CO_2）**を排出しません。そのため、脱二酸化炭素社会実現の切り札の1つになると考えられています。

加えて、核融合の燃料となる重水素などは**海水**から採取できます。そのため、資源枯渇の問題にも直面しにくいというメリットがあります。

そのため各国で開発競争が激化しており、核融合に関する高い技術を持つベンチャー企業が多数現れています。

文献資料：ミチオ・カク『2100年の科学ライフ』（NHK出版）

スペース X
Space Exploration Technologies Corp.（SpaceX）

イーロン・マスク
[344] メガ・コンステレーション

アメリカの起業家イーロン・マスクが 2002 年に設立したアメリカの航空宇宙メーカー・宇宙輸送会社です。ロケットの設計や再利用に大きな貢献をしています。

イーロン・マスクに対する好き嫌いは人によりけりだと思うが、不可能だと思うことを可能にするその姿勢は、やはり賞賛に値する。

　スペース X は、イーロン・マスク*が設立した「スペース・エクスプロラレイション・テクノロジーズ・コープ」の略称または通称です。同社は 2002 年に設立され、火星や太陽系の他の目的地に人類を運ぶことを企業ミッションにしています。そのために同社では最も強力な次世代の完全再使用型ロケットの開発に取り組んでいます。

　スペース X はすでに多くの業績を残しており、Falcon 1 や Falcon 9、Falcon Heavy などのロケット開発もその 1 つです。また、宇宙船の開発でも目覚ましい成果を達成しており、同社の宇宙船ドラゴンは国際宇宙ステーションへの貨物や宇宙飛行士の輸送に利用されました。また、多数の小型衛星をリンクしてインターネット・サービスを提供するスターリンク[344]も運営しています。

　火星の植民地化も目指しているという同社の動きにますます期待が高まります。

文献資料：SpaceX（https://www.spacex.com）

第6章　科学と技術

スペース X の事業内容

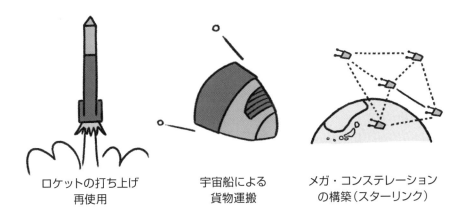

ロケットの打ち上げ
再使用

宇宙船による
貨物運搬

メガ・コンステレーション
の構築（スターリンク）

イーロン・マスクは火星の植民地化を計画している。スペース X はそのための手段になる。

宇宙空間に配備した衛星を用いて大規模なネットワークを構築し、宇宙から通信サービスを提供すること、またはそのネットワークそのものを指します。	スペースXのスターリンクは最も著名なメガ・コンステレーションだろう。アマゾンも同様のインフラとして**プロジェクト・カイパー**を構想している。

メガ・コンステレーションに注目が集まっています。これは宇宙空間に配備した衛星を用いて大規模なネットワークを構築し、インターネットやその他の通信サービスを宇宙のインフラから提供するものです。

メガ・コンステレーションでは、地球の低軌道に数百から数千の小型衛星を打ち上げ、それらを通信ネットワークで結んで地球全体をカバーします。おそらく最も著名なメガ・コンステレーションは、**イーロン・マスク**[*]が設立した**スペースX**が運営する**スターリンク**（Starlink）ではないでしょうか。同社ではロシアによるウクライナ侵攻にあたり、ウクライナに対してスターリンクに接続できる器機を提供し、ウクライナ軍がフレキシブルにインターネットを使用できるようにしました。このように通信インフラがない地域でもネット接続をできるのがメガ・コンステレーションの最大のメリットです。

文献資料：KPMG コンサルティング監修『宇宙ビジネス最前線』（日経 BP 日本経済新聞出版）

メガ・コンステレーション

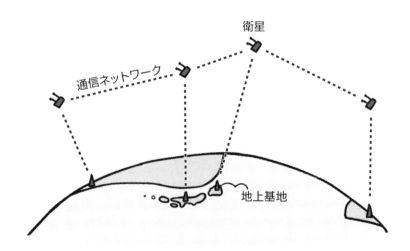

衛星

通信ネットワーク

地上基地

ウクライナへの技術供与でスターリンクは一躍有名になった。宇宙ビジネス時代はもう到来している。

科学哲学
philosophy of science

科学の性質や方法、限界など、科学におけるあらゆる営みを丸ごと対象にした哲学的考察の総称を指します。

科学哲学は、科学のあらゆる営みを対象にするが、中でも科学で使われている言葉を分析する。だから分析哲学[454]とも関係が深い。

科学哲学は、科学で行われているあらゆる営みを対象にした、科学を丸ごと理解しようとする哲学です。科学哲学のフィールドは広く、取り組まれている課題もさまざまです。その1つに科学方法論に関する考察があります。

「第2章　思考術と方法論」で紹介した演繹法[070]や帰納法[082]などは、科学的方法論の一端を形成します。また、**カール・ポパー***は仮説が科学的であるためには**反証可能性**が必要だと述べました。これは反証ができない仮説は科学的でなはいことを意味しており、科学から得られた仮説や理論の正当性を確かめる方法であり科学哲学の1つといえます。あるいは**トマス・クーン***は、科学の発展には支配的な科学パラダイムが新しいパラダイムに取って変わる**パラダイム・シフト**が必要だと説きましたが、この例のように歴史的観点から科学を分析することも科学哲学の一環になります。

文献資料：戸田山和久『科学哲学の冒険』（NHK出版）

第6章　科学と技術

分析哲学と科学哲学

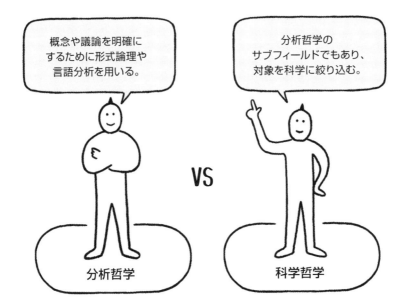

概念や議論を明確にするために形式論理や言語分析を用いる。

分析哲学のサブフィールドでもあり、対象を科学に絞り込む。

VS

分析哲学

科学哲学

346 時間
time

[347] 不可逆的現象
[351] 相対性理論

時間は私たちの日常生活における基本概念です。従来、物理学者や哲学者は時間を研究してきましたが、いまだその正体は謎に包まれたままです。

時間に関する説明は多面的で一筋縄にはいかない。立場や見方によって、時間は多様な表情を見せる。やはり時間は謎の存在なのだ。

　一般に**時間**とは、過去から現在さらに未来へと連続してとどまることなく過ぎゆく現象を指します。従来、時間については物理学や哲学においてさまざまな面から説明が試みられてきました。

　古典物理学の枠組みでは、時間は３つの**空間次元**（長さ、幅、高さ）に続く次元と考えられています。４次元の時空間は一般的に不可逆的な方向性を持ち、前後に無限に開かれており、宇宙で生じる事象の一切がこの時空間という舞台で演じられていると考えます。

　時間が持つ不可逆的な方向性には、しばしば「**時間の矢**」という表現が用いられます。時間の矢はエントロピーの概念と関連しています。**熱力学第２法則**では、孤立した系の**エントロピー**は時間とともに増加する傾向があるとされており、この増加が時間の矢を生じさせるという説があります。

文献資料：『時間とは何か 改訂第３版』（ニュートンプレス）

347 不可逆的現象
irreversible phenomenon

[348] エントロピー
[349] ホメオスタシス

少なくとも通常の条件下では一度発生した元に戻せないプロセスを指します。このような現象を熱力学では熱力学第２法則といいます。

温度の異なる２つの物体での熱伝達や気体の拡散、生物の老化、情報の圧縮による損失など、不可逆的現象はあちこちで観察できる。

　ガラスの衝立をした水槽に10度の水と90度のお湯を入れます。この場合、熱は高温から低温に移行しますが、低温から高温に移行することはありません。このように発生すると元に戻せないプロセスを**不可逆的現象**といいます。不可逆的現象は多様な分野で観察できますが**熱力学**の場合、この現象を**熱力学第２法則**といいます。熱力学の分野での不可逆的現象は、システム内の無秩序やランダム性を示す尺度である**エントロピー**の増大として説明できます。

　多くの**化学反応**も不可逆です。通常、化学反応は、異なる性質を持つ新しい化合物を形成します。このプロセスを逆転させるには、エネルギーの追加投下や環境条件の変更が必要になります。

　また、生物や材料、システムの劣化や老化も不可逆的現象です。さらに、**情報理論**においても不可逆的現象は起こり得ます。

文献資料：『「温度」と「熱」の正体とは』（ニュートンプレス）

エントロピー
entropy

[347] 不可逆的現象
[349] ホメオスタシス

無秩序さやランダム性の度合い表す尺度です。熱力学における不可逆性を数量的に表すために導入され、値が大きいほどランダム性は高くなります。

😊 閉じた物理系はエントロピーが増大するという特徴を持つ。生命体も時間が経つにしたがってエントロピーが増加、つまり死に向かって進んでいる。

エントロピーは**熱力学**から生まれた言葉で、あるシステムの無秩序さやランダム性の度合い表す尺度です。**熱力学第2法則**では、孤立した秩序ある物理系はやがて無秩序になる傾向にあります。エントロピーはシステムがもつこの不可逆性を数量的に表現するために導入されました。しばしば記号「S」で表され、値が小さいほどシステムは安定して秩序を保ち、大きくなるほど不安定で無秩序な状態になります。

孤立した秩序ある物理系が安定を保つには、外部からのエネルギーの投入や何らかの働きかけにより、エントロピーの増大を抑制する必要があります。これがない場合、物理系の無秩序やランダム性は増加する方向へ向かいます。このような現象は、一般に「時間の矢」[346]と呼ばれており、秩序ある状態から無秩序な状態へと移行するシステムの傾向として知られています。

文献資料：『時間とは何か 改訂第3版』（ニュートンプレス）

第6章　科学と技術

コーヒーとミルク

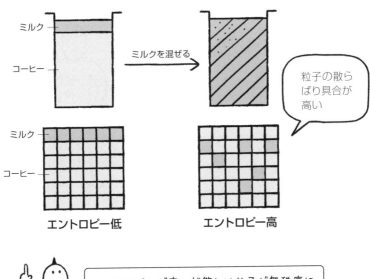

ミルク
コーヒー
ミルクを混ぜる
粒子の散らばり具合が高い

ミルク
コーヒー
エントロピー低　エントロピー高

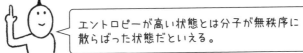

エントロピーが高い状態とは分子が無秩序に散らばった状態だといえる。

[279] 自由エネルギー原理
[348] エントロピー

生命体は無秩序な状態に向かう傾向を持ちます。これに対してホメオスタシスは、生命体が秩序を維持しようとする生物学的プロセスを指します。

ホメオスタシスは恒常性ともいう。生理現象が望ましくないレベルになると、ホメオスタシスは生命体を最適な状態に戻すよう働く。

　生命体や物理系は秩序ある状態から無秩序な状態へ移行する傾向を持ちます。これを**エントロピー**の増大といいます。生命体の内部では、エントロピーの増大に対抗して、安定した内部環境を実現するための多様なプロセスが存在します。これらを**ホメオスタシス**といいます。

　ホメオスタシスという語は、ギリシア語の「homeo」(「似ている」という意味)と「stasis」(「止まっている」という意味) に由来します。ホメオスタシスの対象には、体温や ph 値、血圧、栄養レベル、ホルモン濃度などさまざまな生理現象が存在します。これらの生理現象には望ましいレベルがあり、それらが適切な範囲からはずれた場合、予測誤差である**自由エネルギー**が大きい状態 (同時にエントロピーも大きな状態)になります。ホメオスタシスは、その誤差を打ち消す反応を引き起こし、生命体を最適な状態に戻すよう働きます。

文献資料：アントニオ・ダマシオ『進化の意外な順序』(白揚社)

（ ホメオスタシス ）

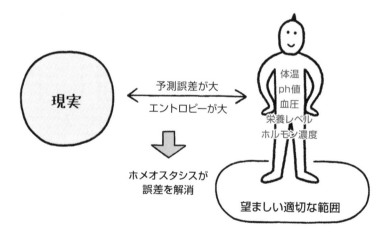

ホメオスタシスのお陰で人は身体の活動を望ましい適切な範囲で維持できる。

350 ライフゲーム
life game

ジョン・ホートン・コンウェイ
[034] 進化論

イギリスの数学者ジョン・ホートン・コンウェイが1970年に開発した、生命の進化や淘汰を簡単なモデルで表現したシミュレーションを指します。

ライフゲームによると進化と淘汰は、初期状態の入力によってのみ決定され、いったん設定されるとその後の追加入力は必要ない。

　ライフゲームは、1970年にイギリスの数学者**ジョン・ホートン・コンウェイ***が提案したセル・オートマント・シミュレーションです。**セル・オートマトン**（CA：Cellular Automaton）とは、行と列からなる格子状の多数のセルが、時間が経過する中で、近隣のセルと相互作用して自らの状態を変化させていく**自動機械（オートマトン）**を指します。ライフゲームのルールはシンプルです。セルは白と黒で表現され、白は死、黒は生を示します。白いセルの周囲に3つの黒いセルがあれば次の世代では黒いセルになります（誕生）。黒いセルの周囲に2つか3つの黒いセルがあれば次の世代でも黒いマスになります（維持）。以上の条件に合致しない場合、次の世代で白いセルになります。

　ゲームの初期状態はプレイヤーが設定します。あとは自動的にゲームが進行し、設定内容によっては複雑なパターンが浮かんでは消えていきます。

文献資料：第一学習社「ライフゲーム」（http://www.daiichi-g.co.jp/osusume/forfun/07_lifegame/07.html）

351 相対性理論
theory of relativity

アルバート・アインシュタイン
[352] 量子力学

アルバート・アインシュタインが20世紀初頭に提唱した物理学の基礎理論で、従来の空間や時間、重力に関する私たちの考えを根本から変革しました。

アインシュタインが提唱した相対性理論は特殊相対性理論と一般相対性理論に大別されている。後者は前者の理論をより拡大したものだ。

　相対性理論は**アルバート・アインシュタイン***が1905年から1915年にかけて発表した物理学の基礎理論です。特殊相対性理論と一般相対性理論に大別されます。**特殊相対性理論**によれば、時間は絶対的なものではなく相対的なものであり、物体の速度が光速に近づくにつれ時間が遅く見えます。これは動いている物体や観測者の時間が、静止している物体や観測者に比べて遅くなるということを意味します。

　一般相対性理論は、特殊相対性理論を基礎にした重力の理論です。この一般相対性理論では、重力を力としてではなく、質量とエネルギーの存在によって引き起こされた時空の湾曲としてとらえています。惑星や星、銀河などの巨大な物体は、その周りの時空を湾曲させ、その湾曲した時空の中を動く他の物体は湾曲した時空、つまり重力の影響を受けます。

文献資料：『世界の名著66　現代の科学II（アインシュタイン「物理学と実在」）』（中央公論社）

352 量子力学
quantum mechanics

[108] 思考実験
[353] 不確定性原理

量子論ともいわれます。量子力学は、極小スケールにおける原子や素粒子、光子などの物質とエネルギーの振る舞いを記述する物理学の基礎理論を提示します。

量子力学では、粒子と波の二重性や重ね合わせの原理など、古典的な物理学では説明できない、物質の謎の動きを次々と示している。

　量子論とは、極小のスケールにおける原子や素粒子、光子など物質とエネルギーの振る舞いについて記述する物理学の一分野です。極小スケールでの物質は、古典物理学の常識からは遠く離れた動きを見せます。

　その1つに**粒子と波動の二重性**があります。量子論によると、電子や光子は粒子のような性質と波のような性質の両方を併せ持ちます。ある時は個別の粒子として、また別の時は波として空間に広がります。**重ね合わせの原理**も量子力学の基本的な考え方の1つです。これはある粒子が複数の状態や場所に同時に存在することができるというものです。例えば、放射性物質のような粒子は、それが観測されるまで、崩壊している状態でもあり、崩壊していない状態でもあります。物理学者**シュレーディンガー***は「シュレーディンガーの猫」[108]で、この**重ね合わせの状態を思考実験**に流用しました。

文献資料：『世界の名著 66　現代の科学Ⅱ（シュレーディンガー「量子力学の現状」）』（中央公論社）

353 不確定性原理
uncertainty principle

ヴェルナー・ハイゼンベルク
[352] 量子力学

量子力学の基本概念で、位置と運動量、エネルギーと時間など、特定の物理特性の組を同時に知ることができる精度には限界があるとする理論です。

不確定性原理は量子力学の基本概念の1つで、粒子と波動の二重性に起因する理論だ。物理学者ヴェルナー・ハイゼンベルクが提唱した。

　不確定性原理は、ドイツの物理学者**ヴェルナー・ハイゼンベルク***が提唱した、**量子力学**の基本概念の1つです。位置と運動量、エネルギーと時間など、粒子に関する物理的性質のある組について、一方の物性を精密に測定しようとすればするほど、他方の物性を正確に知ることができなくなる現象を指します。

　不確定性原理は、量子力学における**粒子と波動の二重性**に起因しています。量子のような極小サイズの世界では、電子や光子は粒子のような性質と波のような性質の両方を併せ持ちます。ある時は個別の粒子として、また別の時は波として空間に広がります。この考え方からすると、粒子の位置は空間的な広がりを持つ波と考えることができ、運動量はこの波の波長と関係しています。そのとき、粒子の位置を精密に測定しようとすると、波は局所的な粒子へと「崩壊」する一方で、波の定義が曖昧になるため、波長と関係する運動量の不確実性は増大します。

文献資料：『世界の名著 66　現代の科学Ⅱ』（中央公論社）

第 **7** 章

古代・中世哲学

西洋哲学は紀元前 6 世紀頃のギリシアで始まりました。その後、ソクラテスやプラトン、アリストテレスなどの哲人が輩出します。本章では彼らが何を考え何を語ったのか、キーワードで概観したいと思います。

自然哲学
natural philosophy

タレス
アナクシマンドロス

自然哲学は、人間や社会、宇宙の根本原理を追求する哲学です。紀元前6世紀頃に古代ギリシアで起こったこの自然哲学から西洋哲学は始まりました。

自然哲学を実践した人々を自然哲学者と呼ぶ。その中でミレトスのタレスは「最初の西洋哲学者」として位置づけられているんだ。

　西洋で哲学が始まったのは紀元前6世紀頃です。ギリシア文明が栄えた当時、人間や社会、宇宙の根本原理、すなわち**アルケー**について考える自然哲学が生じ、自然哲学を実践する人たちを**自然哲学者**と呼ぶようになりました。

　自然哲学の中でも最初の哲学者として位置づけられているのがギリシアの植民地ミレトスで暮らした**タレス***でした。タレスは万物の根本原理であるアルケーは「水」だと主張しました。これを始まりにさまざまな自然哲学者すなわち哲学者が自説のアルケーを主張するようになります。例えば、**アナクシマンドロス***は無限なるもの（ト・アペイロン）、**アナクシメネス***は空気、**ヘラクレイトス***は火、**エンペドクレス***は四大元素にアルケーを求めました。

　以来、philosophia（知を愛する／愛知）を語源とする**哲学**は、人生観や世界観など多様な対象について理性的に思索を巡らすことになります。

文献資料：山本光雄訳編『初期ギリシア哲学者断片集』（岩波書店）

アルケーの探求

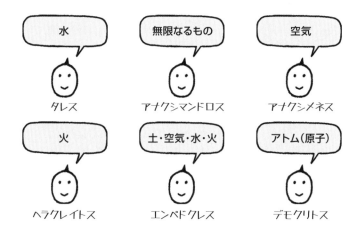

ギリシアの自然哲学者たちは、万物の根源（アルケー）は何なのかを問うた。西洋哲学はここに始まる。

ピュタゴラス学派
Pythagorean school

ピュタゴラス
[354] 自然哲学

ピュタゴラス学派は、紀元前6世紀後半に古代ギリシアの哲学者・数学者であるピュタゴラスによって創設された哲学的・数学的な思想の学派です。

ピュタゴラスは宇宙の万物が数によって理解できると考え、彼とその一派は宇宙を支配する数学的原理を突きとめようとした。

　ソクラテス*以前の西洋哲学者として最も有名なのが**ピュタゴラス***でしょう。ピュタゴラスは、直角三角形の斜辺の2乗は、他の辺の2乗の和に等しいという**ピュタゴラスの定理（三平方の定理）**であまりにも有名な哲学者であり数学者です。

　ピュタゴラスを始祖とする**ピュタゴラス学派**は、紀元前6世紀後半、南イタリアのギリシア植民地だったクロトンを拠点とし、共同生活を送りながら数学や音楽、自然界を研究しました。ピュタゴラスは宇宙の秩序、すなわち**コスモス**は数学的規則によって統べられていると考えました。数を用いることで宇宙の構造を説明できるというのが彼の立場でした。また、ピュタゴラス学派は音楽の原理についても数で説明できると考えていました。和音の調和すなわち**ハルモニア**は、1：2、2：3、3：4のような数の比率によって決まることを発見しました。さらにここから、宇宙の調和は音楽で表現できるとも考えたのです。

文献資料：山本光雄訳編『初期ギリシア哲学者断片集』（岩波書店）

第7章　古代・中世哲学

テトラクテュス

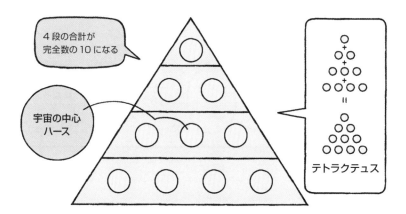

4段の合計が完全数の10になる

宇宙の中心
ハース

テトラクテュス

テトラクテュスは10個の点で作った三角形をいう。ピュタゴラス学派にとって大きな象徴的意味があった。

万物は流転する
panta rhei（羅）

ヘラクレイトス
[354] 自然哲学

「万物は流転する」は、宇宙のあらゆる事物は絶えざる生成と運動、変化のうちにあるというヘラクレイトスの思想を象徴的に表現した言葉です。

ヘラクレイトスは「同じ河に二度はいることは出来ない」と言った。この言葉も「万物は流転する」と同様、とても有名だね。

ヘラクレイトス*は、紀元前6～5世紀に活躍したといわれる古代ギリシアの自然哲学者です。**「万物は流転する」**は、ヘラクレイトスの思想を集約した言葉です。

当時、自然哲学者の多くは、宇宙の根源である**アルケー**を、何か不変なる実体としてとらえていました。これに対してヘラクレイトスは、宇宙を支配するのは火と考えました。炎は常に揺らいで生成・変化しています。この性質こそ宇宙を支配する**ロゴス**、つまり自然法則だとヘラクレイトスは考えました。

その考えを象徴する言葉が**「同じ河に二度はいることは出来ない」**です。河に足を入れたとき、河はそこにあります。しかし、河を流れる水は刻々と変化しています。この言葉によってヘラクレイトスは、常に生成・変化する世界を表現したわけです。そして後年、ヘラクレイトスの思想は、「万物は流転する」の表現で象徴されるようになりました。

文献資料：山本光雄訳編『初期ギリシア哲学者断片集』（岩波書店）

「現在」も流転する

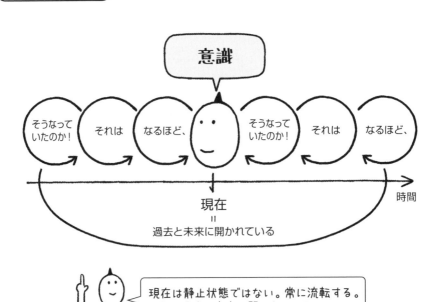

現在は静止状態ではない。常に流転する。それは過去と未来に開かれている。

アトム論
atomism

デモクリトス
[400] モナドロジー

それ以上分割できないものをアトムと呼び、アトムによって成立する世界観をアトム論といいます。原子論ともいいます。デモクリトスらが主張しました。

近世の哲学者ライプニッツ*はモナド論を唱えるけれど、デモクリトスのアトム論はその先を行くものだった。歴史は繰り返す。

デモクリトス*は紀元前5〜4世紀に活躍したギリシアのアブデラ出身の自然哲学者です。デモクリトスは、万物は何もない真空の空間を浮遊する、これ以上分割できない**アトム**すなわち**原子**からなっていると考えました。これをデモクリトスの**アトム論（原子論）**といいます。

デモクリトスによれば、アトムは永遠で不変であり、無限に存在し、不可分であり、肉眼では見えません。アトムは絶え間なく運動し、さまざまに組み合わさって世界のあらゆる物質や物体を形成します。その大きさ、形、配列の多様性が物質の多様性を生み出している、とデモクリトスは主張します。

またデモクリトスは、原子は原子の運動と相互作用を可能にする空虚な空間の中にあると考えました。さらに、原子の運動や相互作用は厳密な自然法則に支配されていると述べました。これは**決定論**であり、デモクリトスのアトム論の特徴の1つです。

文献資料：山本光雄訳編『初期ギリシア哲学者断片集』（岩波書店）

ソフィスト
sophist

ソクラテス
[359] 万物の尺度は人間である

ソフィストは、紀元前5世紀頃のギリシアにおいて、各地を巡回し、弁論術や様々な知識を教えることで報酬を得ていた専門家集団、職業教師を指します。

自然哲学者は自然やその本性（**ピュシス**）を対象にしたのに対して、ソフィストの興味は法や習慣（**ノモス**）にあった。

紀元前5世紀頃、ギリシアの各地を巡って弁論術や様々な知識を伝授する職業教師がいました。彼らのことを**ソフィスト**（ソフィア＝知を持っている者）といいます。

ソフィストたちが報酬を得られたのには当時の社会背景があります。当時諸都市国家、特にアテナイでは、政治参加資格者の合議によって政治が行われていました。彼らが自分の支持者を増やすには、決められた時間内に民衆に対して、より印象的な演説をする必要がありました。その結果、弁論のための技術、すなわち**弁論術（レトリック）**が求められたのです。ソフィストはこの弁論術を伝授することで糊口をしのいでいました。

自然哲学者が自然やその本性、すなわち**ピュシス**を対象にしたのに対して、ソフィストの興味は法や習慣、すなわち**ノモス**にあったといえるでしょう。

文献資料：山本光雄訳編『初期ギリシア哲学者断片集』（岩波書店）

359 万物の尺度は人間である

The measure of all things is man.

プロタゴラス
[358] ソフィスト

ソフィストの1人であるプロタゴラスの言葉です。物事には普遍的な真理の尺度は存在せず、個人の判断が真理の基準になることを意味しています。

「万物の尺度は人間である」というプロタゴラスの言葉は、意外にもニーチェのパースペクティビズム（遠近法主義）に結びつくのだ。

プロタゴラス*は紀元前5世紀末〜前4世紀前半に、ギリシアのアブデラで生まれました。ギリシア全土を遍歴し、卓越した弁論術を伝授しました。ソクラテス*によると、プロタゴラスこそが、自らソフィストと名乗り、職業教師として報酬を得た最初の人物だといいます。

そのプロタゴラスが残した言葉が「万物の尺度は人間である」です。この言葉は、あらゆる人間にあてはまるような普遍的な真理や価値は存在せず、個人の判断が真理の基準になることを意味しています。

プロタゴラスのこの立場は、**相対主義**や**主観主義**と呼んでもよいでしょう。また、20世紀には**ニーチェ**がパースペクティビズム（遠近法主義）[168]を提唱します。これは、人は特定の立場から特定の認識の枠組みでしかものごとを理解できないという、プロタゴラスと同じ立場です。さらにこの立場はポストモダン[478]でも重要な位置を占めます。

文献資料：山本光雄訳編『初期ギリシア哲学者断片集』（岩波書店）

相対主義の進展

万物の尺度は人間である。

プロタゴラス
Prōtagoras
前490？〜420？

存在するのは解釈だけだ。

ニーチェ
Friedrich Nietzsche
1844〜1900

大きな物語とは別の異質性が必要だ。

リオタール
Jean-François Lyotard
1924〜1998

プロタゴラスの精神は20世紀の哲学にも受け継がれているのであった。

360 無知の知
Socratic irony

ソクラテス
[358] ソフィスト

真の知とは自分自身の知識の欠如を認めること を指します。その上でさらなる知識の獲得を目 指すべきだという意味がこの言葉には含まれて います。

他人の無知をあばく無知の知は、「ソクラ テスの皮肉」ともいわれる。ソクラテス を嫌った人が多かったことは想像に難くないと 思う。

　紀元前5世紀後半に活躍した**ソクラテス***は、ギリシア哲学者の中でも一際著名な人物です。 しかしソクラテス自身は著作を残しておらず、その業績は弟子の**プラトン**が残した著作から知る ことができます。

　ソクラテスが生きた当時、ソフィストたちは弁論術を駆使して相手を説得しました。これに対 してソクラテスはのちに**問答法**と呼ばれる手法を採用しました。これは一見簡単そうに見える質 問の繰り返しを通じて論理の矛盾を突き、相手の理解不足を明らかにします。

　問答法を繰り返したソクラテスは、多くの人々が知らないのに、何か知っていると思っている ことを発見します。これに対してソクラテスは、無知である自分を知っている、つまり「**無知の知**」 です。よって、自分のほうが知恵があるという結論に達しました。無知の知を自覚した上で、さ らなる知識の獲得を目指します。「無知の知」にはこのような態度も含まれています。

文献資料：『世界の名著6　プラトンⅠ（「ソクラテスの弁明」）』（中央公論社）

第7章　古代・中世哲学

問答法

正義とは人を 平等に扱うことだ。

貢献度に関係なく、 すべての人に平等に 報いるべきなのですか？

子どもと大人を 同じように扱うべきと いうことですか？

異なる才能や能力に ついてはどうですか？

犯罪を犯した人も 同様なのでしょうか？

このようにソクラテスは質問攻めにして 相手の矛盾を突くことを得意とした。

361 イデア
idea

プラトン
[362] 洞窟の比喩

プラトンの中心思想です。プラトンのイデア論では、真の実在であるイデア界とその影に過ぎない現象界の二元論的世界観が特徴になっています。

プラトンによると、完全なるイデアの世界に近づくには、理性的認識によってしかなく、これが「よりよく生きる」ということにつながる。

プラトン*は紀元前4世紀前半に活躍した、ギリシアの哲学者を代表する1人です。プラトン哲学の中心となるのが**イデア**です。プラトンは、世界には真の実在とその影に過ぎない現象があると考えました。プラトンは前者を理想の世界である**イデア界**、後者を現実の世界である**現象界**としてとらえました。これを**二世界論（二元論）**といいます。

私たちは何かを見て美しいと感じます。この美は、イデア界にある美のイデアから、現実の世界にある個々の事物に分有されたものです。この**分有**された不完全な美から、私たちは完全な美のイデアを想起します。このように、現実の事物はイデア界からそのイデアを分有することで、何ものかになるわけです。

プラトンはイデアのうち**真・善・美**のイデアを重視しました。中でも善のイデアを最高のイデアとして位置づけました。

文献資料：『世界の名著6　プラトンⅠ（「パイドン」）』（中央公論社）

二世界論

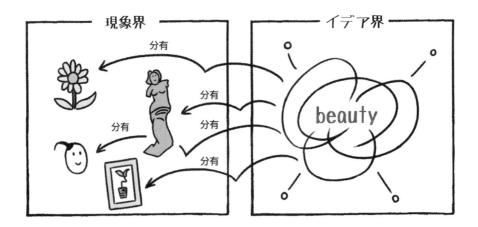

例えば現象界の美は、イデア界に存在する真の美、完全の美のイデアから分有されたものだ。

(362) 洞窟の比喩
allegory of the cave

プラトン
[361] イデア

「洞窟の比喩」とは、人間の感覚は欺くことができ、真の知識は哲学的な探求と教育によってのみ得られるというプラトンの信念を説明したものです。

「洞窟の比喩」はプラトンの著作『国家』に掲載されている。プラトン哲学を説明する際によく使われるものだから、ぜひとも知っておきたい。

プラトン*が著作『国家』において展開した「洞窟の比喩」は、プラトンが主張する現象界とイデア界の二世界論をベースに、真の知識を得るには哲学的な探求と教育が欠かせないことを示唆します。

ここに洞窟の中で暮らし、目の前の壁しか見えないように鎖でつながれた囚人がいます。彼らの背後には松明がかかげてあり、目の前の壁に映し出された物体の影しか見えません。そのため囚人は、その影こそが唯一の現実だと思っています。その中で、ある囚人が解放され、洞窟の外すなわちイデア界に連れ出されます。いままで見ていた影と違う世界に驚いた囚人は、洞窟に帰って仲間に真実を告げます。しかし、囚人の言葉を信じる仲間はいませんでした。洞窟の囚人は現象界にとらわれている人々、解放された囚人はイデア界に近づいた人を指します。つまり、哲学的思索によってイデアを知ることができると、プラトンは主張します。

文献資料：プラトン『世界の名著7　プラトンⅡ（「国家」）』（中央公論社）

第7章　古代・中世哲学

洞窟の比喩

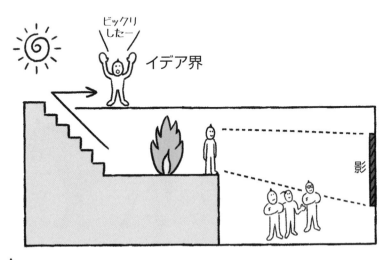

洞窟の比喩は、人間の感覚は欺くことができ、真の知識は哲学的な探求と教育によってのみ得られるというプラトンの信念を示している。

魂の３分説
tripartite of the soul

プラトン
[364] 理想国家

プラトンは魂を理性・意志・欲望の３つからなるとし、これを魂の３分説といいます。プラトンは魂の３分説を２頭立ての馬車に喩えました。

プラトンは著作『パイドロス』で魂の３分説を主張し、さらに著作『国家』で、この理論を発展させ、政治哲学の基礎にしたんだ。

プラトン*は、著作『パイドロス』において**ソクラテス***の演説を紹介し、魂は理性的な部分、意志的な部分、欲望的な部分の３つから構成されていると説明しました。そのうち理性が、意志と欲望を支配すると考えました。さらに、頭部に宿る理性に対しては**知恵**の徳、胸部にある意志に対しては**勇気**の徳、腹部にある欲望に対しては**節制**の徳が欠かせないと説きます。

　プラトンはこの**魂の３分説**を「**２頭立ての馬車とその御者**」という比喩で説明しました。２頭の馬の一方は御者の言うことに素直に従うのに対して、もう一方の馬はよく暴れ御者がムチ打たなければ言うことをききません。これら３者は魂の３分説に対応しており、「御者＝理性」「素直な馬＝意志」「暴れ馬＝欲望」となります。御者である理性は、意志と欲望を上手に制御して馬車を前進させます。プラトンは、人の魂がこのようにして成立していると考えました。

文献資料：プラトン『パイドロス』（岩波文庫）

２頭立ての馬車とその御者

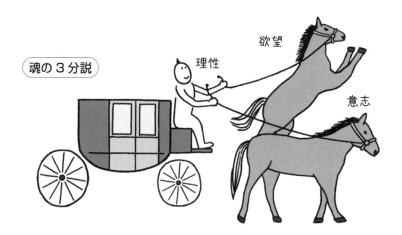

魂の３分説

欲望

理性

意志

魂の３分説は**フロイト***の「エス、自我、超自我」（心的装置 [444]）とも密接に関連する。

理想国家
idealistic nation

プラトン
[363] 魂の3分説

知恵、勇気、節制、正義の四元徳を備えた国家を指します。魂の3分説に対応しており、知恵は統治者、勇気は防衛者、節制は生産者に相当します。

プラトンは哲学者が統治者になること、統治者が哲学者になることを主張した。これを哲人政治という。

プラトン＊の**魂の3分説**では、魂を**理性、意志、欲望**の3つからなるとしました。プラトンはこの3つを人間の身体に対応づけました。理性は頭部、意志は胸部、欲望は腹部です。

さらにこの3つは、**知恵、勇気、節制**と結びつき、理性を主体に秩序が守られたとき**正義**が実現します。プラトンは、これら知恵、勇気、節制、正義を**四元徳**と呼びました。

この四元徳は、**理想国家**の要因としても働きます。知恵を備えるべきは**統治者階級**、勇気を備えるべきは**防衛者階級**、節制を備えるべきは**生産者階級**であり、これに正義が組み合わさって理想国家を実現できるとプラトンはいいます。

そしてこの理想国家の実現には、哲学者が統治者になること、あるいは統治者が哲学者になることが欠かせないとする**哲人政治**をプラントは主張しました。

文献資料：プラトン『世界の名著　プラトンⅡ（「国家」）』（中央公論社）

第7章　古代・中世哲学

プラトンの考えた理想国家

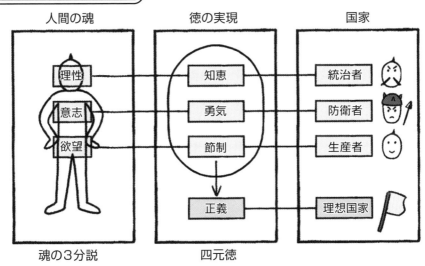

このように**魂の3分説**は人間の徳の実現や理想国家の実現にも応用されるのだ。

四原因
four causes

アリストテレス
プラトン

四原因は、アリストテレス哲学の中心思想の1つになります。物事の原因は「質料因」「形相因」「始動因」「目的因」に分類できるという立場を指します。

質料因は、形相がまだ実現していない状態だ（可能態）。この可能態である質料因が形成因として実現する（実現態）。

アリストテレス*はプラトン*がアテネに創設した学園アカデメイアに入門し、プラトンが死ぬまでの20年間、ここで学究生活を送っています。その後、若かりし頃のアレクサンドロス大王*の家庭教師になったあと、アテネ郊外のリュケイオンに学校を開きました。

師プラトンと弟子アリストテレスはそれぞれの持論で鋭く対立しました。イデア論に見られるように理想主義者だったプラトンに対して、アリストテレスは、事物はその物がもっている素材、材料（質料因または素材因）と素材、材料によって実現する形（形相因）からなるとして、現実の個物を離れたイデアを否定しました。さらに、質料因と形相因に、目的因と始動因を加えた四原因が物事の根本原因だとアリストテレスは説きました。以後、哲学の世界では、この四原因を事物産出の基本原因と考えるようになります。

文献資料：『世界の名著8　アリストテレス（「形而上学」）』

（四原因）

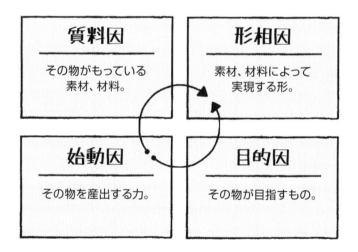

質料因	形相因
その物がもっている素材、材料。	素材、材料によって実現する形。
始動因	目的因
その物を産出する力。	その物が目指すもの。

目的因に従って質量因を形成因へと向かわせる力が必要になる。これが始動因にほかならない。

366 アレテー
aretēt（希）

アリストテレス
[367] 正義

アレテーは、ギリシア語で「徳」を意味します。アリストテレスはアレテーを知性的徳と倫理的徳の２つに分けて考えました。

アリストテレスは、知性的徳が人間の理性的な部分に関わり、倫理的徳が人柄や性格的な部分に関わると説いた。倫理的徳は習性的徳ともいう。

アレテーはギリシア語で**徳**を意味します。**アリストテレス***は徳を知性的徳と倫理的徳に分けました。

知性的徳は人間の理性的な部分に関わります。その際重要になるのが、感情や欲望をコントロールして中庸の道[132]を目指す態度です。政治を考えた場合、理想に夢中になるのも、大衆に迎合するのもだめです。全員の立場を念頭に落とし所を探ることが重要であり、中庸とはこのような態度だといえます。

一方で、**倫理的徳**は、人間の人柄や性格的な部分に関わるものです。知性的徳で両極端を避け中庸を目指すことを習慣にすれば、それがその人の**エートス**（習性・性格）として定着するでしょう。そのため倫理的徳は**習性的徳**の別名を持ちます。**正義**や**勇気**、**節制**は習性として身につくものであり、アリストテレスは中でも正義を習性的徳の中で最も優れていると考えました。

文献資料：『アリストテレス全集 13　ニコマコス倫理学』（岩波書店）

367 正義
justice

アリストテレス
[366] アレテー

プラトンが述べた四元徳（知恵、勇気、節制、正義）の１つです。中でも正義は、アリストテレスが習性的徳の中で最も優れた徳として位置づけたものです。

アリストテレスは正義を全体的正義と部分的正義に、また後者を配分的正義と調整的正義に分類したんだ。

プラトン*は知恵、勇気、節制、正義を四元徳[364]と呼びました。**アリストテレス***はこのうち**正義**を習性的徳[366]の中でも最も重要だと考えました。それというのも、人間はポリスにおいて他者と共同生活を営むことで幸福を得られます。共同生活には他者との関係を円滑にする必要があり、それには正義が欠かせないからです。

アリストテレスはこの正義を全体的正義と部分的正義に分類しました。**全体的正義**はポリスの法を遵守することを指します。徳の中でも最も優れた徳であり、**完全徳**ともいいます。また、**部分的正義**は個々の職業や権利における正義です。部分的正義のうち、各人の地位や能力に応じて取り分を公正に分配することを**分配的正義**といいます。また、裁判などで各人の利害を調整することを**調整的正義**と呼び、こちらも部分的正義の１つになります。

文献資料：『アリストテレス全集 13　ニコマコス倫理学』（岩波書店）

第７章　古代・中世哲学

368	幸福 eudaimonia（希）	アリストテレス [366] アレテー

ギリシア語でエウダイモニアといいます。アリストテレスによると、幸福とは「よく生きること」であり、幸福こそが人間にとっての究極の目的になります。	アリストテレスは 2300 年前に、幸福（エウダイモニア）こそが人間にとっての最高善だと主張したのだ。

　幸福はギリシア語で**エウダイモニア**（eudaimonia）といいます。**アリストテレス***は「よく生きること」が幸福であり、通常、幸福とみなされる生活には次の３つがあると考えました。まず**享楽的生活**です。こちらは快楽を目的とした生活で、卑俗な人々が幸福と考える生活です。次に**政治的生活**です。こちらは名誉を善や幸福と考えており、洗練された教養を持つ実務家にこの傾向が多いようです。最後は**観想的生活**です。観想は**テオーリア**とも呼び、娯楽や実用の目的ではなく、理性に従って純粋に真理を探究する態度を指します。

　これら３つのうち、一般には最初の２つが人間の幸福と考えられてきました。しかし人間にとって「よく生きること」とは、人間がもつ潜在的可能性を発揮することであり、これは純粋に知を求める観想的生活によってなされます。こうしてアリストテレスは観想的生活が人間にとっての幸福だと位置づけました。

文献資料：『アリストテレス全集 13　ニコマコス倫理学』（岩波書店）

幸福の３つの形

享楽的生活　　　政治的生活　　　観想的生活

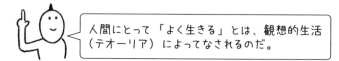

人間にとって「よく生きる」とは、観想的生活（テオーリア）によってなされるのだ。

369 快楽主義
hedonism

エピクロス
[370] 禁欲主義

エピクロスが提唱したヘレニズム時代の中心思想の１つです。快楽主義はその呼称に反して、心の平静、魂の平安を追求するのが特徴になっています。

エピクロスの快楽主義は、決して肉体的・官能的な快楽を追求する立場ではないので誤解のないようにしたい。心の平静こそが快楽につながるのだ。

　一般に**ヘレニズム時代**は、大帝国を築いた**アレクサンドロス大王***の死（前 323 年）からプトレマイオス朝エジプト王国の滅亡（前 30 年）までの約 300 年間を指します。この時代の中心的思想に**快楽主義**と**禁欲主義**があります。

　アレクサンドロス大王の死後、アテネにエピクロスの園という学園を設けた**エピクロス***は、以後、ここを拠点にエピクロス派を形成します。エピクロス派は最高善として快楽を位置づける快楽主義の立場とりました。

　ただし、エピクロスが言う快楽とは官能的なものの追求ではなく、不快や苦痛から解放された状態を指します。エピクロスは何ごとにも悩まず煩わされない状態を**アウタルケイア**（自己充足）と呼び、これにより心の平静、魂の平安を得られると考えました。エピクロスはこの状態を**アタラクシア**と呼び、これの追求こそが**最高善**だと考えました。

文献資料：山本光雄、戸塚七郎訳編『後期ギリシア哲学者資料集』（岩波書店）

第7章 古代・中世哲学

快楽主義の本質

快楽主義とは官能的なものの追求ではない。

不快や苦痛からの解放

自己充足（アウタルケイア）

エピクロス
前 341? ～ 270?

＝
アタラクシア

エピクロスの快楽主義ではアタラクシアの追求を最高善だと考えた。

禁欲主義
asceticism

> 禁欲主義は、キプロスのゼノンが提唱したもので、エピクロスの快楽主義と同様、ヘレニズム時代の中心思想の1つです。欲望や快楽を統制して平静・不動の境地を目指します。

> 言葉からもわかるように禁欲主義と快楽主義は激しく対立した。でも、目指すところは結構似かよっていたんじゃないかな。

エピクロス派が**快楽主義**を提唱した当時、この立場に鋭く対立する**禁欲主義**がありました。禁欲主義は**キプロスのゼノン***が提唱したもので、これはやがて**ストア派**として勢力を伸ばしていきます。

ストア派にとっての真の幸福とは、情念にとらわれることなく、神の摂理たるロゴスによって統治された自然に従って生きることでした。このように、情念にとらわれず、平静・不動の心境を**アパテイア**と呼びました。ストア派にとっては、このアパテイアに至ることこそが幸福、すなわち最高の善でした。そのため、「自然と一致して生活せよ」がストア派のモットーでもありました。

快楽主義と禁欲主義は鋭く対立しましたが、双方とも目指すのは心の平安であり、最高善としての幸福でした。**アタラクシア**[369]もアパテイアも、ともに心の平安を別の角度から述べているわけです。

文献資料：山本光雄、戸塚七郎訳編『後期ギリシア哲学者資料集』（岩波書店）

禁欲主義の本質

ロゴスによる
自然に従って生きよ。

情念にとらわれない。

平静・不動の心境。

キプロスのゼノン
前335～263

＝
アパテイア

快楽主義と禁欲主義は対立したけれど、いずれも目指すは心の平安だった。

371 新プラトン主義
neo-Platonism

プロティノス
アウグスティヌス

> 新プラトン主義は、3世紀に哲学者プロティノスによって創始された、プラトンの思想を当時の知的・文化的背景から再解釈した立場を指します。

> 新プラトン主義は単一の学派として成立したわけではないが、キリスト教神学に大きな影響を与えたのだ。

　新プラトン主義は3世紀から6世紀にかけて発展した、**プロティノス***を始祖とする非キリスト教的な哲学運動です。プロティノスは、人間の魂は「善なるもの」または「**一者**」（**ト・ヘン**）との合一を目的として生をまっとうすべきだと説きました。プロティノスの死後も思想は発展し、一者から発する流れが下層界を作り出し、最下層は物質界、最上層は純粋な知性（ヌース）の領域だとします。そして、流出した各層の存在は上位の存在へと**帰還**していきます。一者との合一はこの帰還を指します。

　4世紀〜5世紀に活躍した神学者で哲学者**アウグスティヌス***は、新プラトン主義を積極的に**神学**に取り入れ、独自の神学を打ち立てました。その中でも、**三位一体説**や**恩寵説**など、現在のキリスト教の教義に通じる基礎を築いたことはあまりにも有名です。

文献資料：『世界の名著14　アウグスティヌス（「告白」）』（中央公論社）

372 グノーシス主義
gnosticism

エリック・サティ
[371] 新プラトン主義

> グノーシス主義は、2〜4世紀頃に地中海全域に拡大した宗教的・哲学的な運動です。究極的存在と人間が本質において1つであると主張します。

> グノーシス主義は中世の神秘主義や近代の神智学、さらには現代文化やニューエイジにも影響を及ぼしている。

　グノーシス主義は初期キリスト教と同時期に発生し、紀元2世紀〜4世紀頃にかけて地中海全世界に拡大した宗教的・哲学的運動です。同時期には新プラトン主義も発展しましたが、グノーシス主義には大きく異なる点がありました。**新プラトン主義**では**一者**（**ト・ヘン**）からあらゆるものが流出すると考えました。これに対してグノーシス主義は、神的・超越的な**精神界**（**アイオーン**）と、**物質的・肉体的世界**（**物質界**）がそれぞれ存在するという**二元論**の立場をとりました。物質界は悪、アイオーンは善であり、超越的な存在と人間が本来的に同一であるという認識（グノーシス）に至ることを目指します。

　グノーシス主義は現代にもその影響力を及ぼします。例えばフランスの作曲家**エリック・サティ***の名曲「**グノシエンヌ**」は、グノーシス主義の神秘思想を音楽として表現したものです。

文献資料：荒俣宏編『世界神秘学事典』（平河出版社）

373 スコラ哲学
scholasticism

トマス・アクィナス
アリストテレス

中世ヨーロッパを代表する学問がスコラ哲学です。アリストテレス哲学を基礎にしたキリスト教神学が、スコラ哲学の大きな特徴になっていました。

西洋の中世は暗黒の時代というけれど、スコラ哲学は封建的・キリスト教的社会に微妙な変化を及ぼした。

西洋中世の学校のことを**スコラ**といいます。このスコラで教えられたものが**スコラ哲学**です。スコラ哲学では、キリスト教神学の教えを基礎づけるために哲学が主張する理性を活用した点が特徴の1つになっています。

中でも**トマス・アクィナス***は、**アリストテレス***の理論を徹底的に研究し、**哲学**と**神学**を統合した独自の体系を打ち立てました。哲学の領分は、人間が持つ理性でもって世界の意味や人生の意味について徹底的に考える点です。これに対して神学の領分は、人間の経験からは答えられない究極の問題に対して解答を与えます。結局のところ真理は1つであり、哲学の真理と神学の真理が別々に存在するわけではない、とアクィナスは結論づけました。

その上でアクィナスは、哲学は神学に奉仕するという意の「**哲学は神学の婢**」という著名な言葉を残しました。

文献資料：トマス・アクィナス『神学大全』（中央公論新社）

374 オッカムの剃刀
Occam's razor

ウィリアム・オッカム
[498] ソーカル事件

2つ以上の競合する説明に直面した場合、最も単純なものが通常最良であるということを意味します。要するにシンプル・イズ・ベストということですね。

オッカムの剃刀は、14世紀イギリスの論理学者でフランシスコ会修道士のオッカムのウィリアムに由来する原則です。

オッカムの剃刀は何かを説明する際、必要最小限の単純な理論を用いることを旨とします。つまり不要な部分を剃刀で削ぎ落とすこと、この点を象徴的に表現したのがオッカムの剃刀です。

そもそも**オッカム***が活躍した当時は**スコラ哲学**[373]が全盛の時期です。スコラ哲学の特徴は非常に複雑で言葉遊び的なところが多分にありました。そのため、複雑で込み入った理論や理屈をこね回すことを、蔑称的に**スコラ的理論**といいます。余分な部分をばっさりと切り落とすことを旨とするオッカムの剃刀は、ある意味でスコラ的理論を、その形式の上で否定的にとらえているといえるでしょう。

もちろんオッカムの剃刀の精神は、現代の哲学や思想にも適用されるべきものです。ポストモダン[478]を皮肉った**ソーカル事件**は、現代思想にオッカムの剃刀の必要性を投げかけた事件だったとも考えられます。

文献資料：ダニエル・デネット『思考の技法』（青土社）

内包 / 外延
intension/extension

[373] スコラ哲学
[448] シニフィエ / シニフィアン

ある概念が適用される範囲（＝外延）と、範囲内にある事物が共通に持つ性質（＝内包）を指します。もとはスコラ哲学で使用された概念でした。

一見簡単に見える漢字を組み合わせた言葉ながら、難解な意味を持つものがあったりする。内包と外延もその１つじゃないかな。

電気自動車について考えてみてください。電気自動車が持つ共通の性質には「四輪である」「電気を動力とする」「充電を必要とする」などいくつも列挙できるでしょう。このようにある概念（今の場合だと電気自動車）に共通する性質のことを**内包**といいます。

これに対してある概念が適用される範囲を**外延**といいます。同じく電気自動車で考えると、「テスラのEV」「アップルのEV」「ソニーホンダのEV」あるいは「日本製EV」や「アメリカ製EV」なども考えられるでしょう。さらに「日本製EV」の外延には「ソニーホンダのEV」「日産のEV」「トヨタのEV」などを列挙できます。

このように、ある概念が適用される範囲（外延）が持つ共通の性質が内包だということがわかると思います。

文献資料：今村仁司編『現代思想を読む事典（コノテーション / デノテーション）』（講談社）

第7章　古代・中世哲学

内包と外延

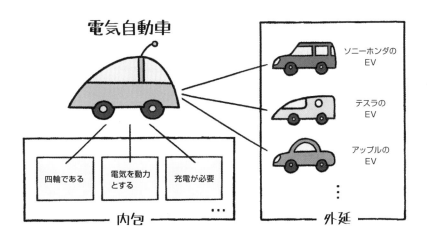

外延はその言葉を適用できる「範囲」、内包は外延が持つ共通の「性質」と覚えておこう。

ビュリダンのロバ
Buridan's ass

ジャン・ビュリダン
[109] パラドックス

これは、何かを決める場合、合理的でない方法を採用するほうが合理的なこともある、という逆説を示しています。フランスの司祭で哲学者のビュリダンに由来します。

合理的でない方法を選ぶのが合理的？逆説めいているけど、だからといって不合理になるわけではないのだ。

　　ビュリダンとは14世紀フランスの司祭で哲学者**ジャン・ビュリダン**＊を指しています。ビュリダンは「**ビュリダンのロバ**」という寓話を後世に残しました。

　　昔あるところにとても賢いロバがいました。このロバはとても厳格で、常に合理的な判断をすることで有名です。ある日ロバは、前方においしそうな干し草があるのを見つけました。お腹がペコペコだったロバはさっそく干し草を食べようとします。すると別の方向にも同じようにおいしそうな干し草があるのを見つけました。いずれの干し草もロバが現在いる位置から等距離にあります。ロバはどちらに行くべきか、合理的に判断しようとしました。しかし、適切な判断の根拠が見つからず、ロバはどちらも選べずに飢え死にしました。

　　選択麻痺（decision paralysis）に陥ったビュリダンのロバから得られる教訓は、何かを選択する場合、合理的でない方法を採用するほうが合理的なこともある、ということです。

文献資料：シーナ・アイエンガー『選択の科学』（文藝春秋）

選択麻痺

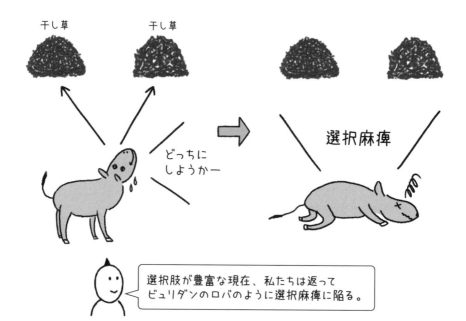

干し草　　干し草

どっちに
しようかー

選択麻痺

選択肢が豊富な現在、私たちは返って
ビュリダンのロバのように選択麻痺に陥る。

第  章

近世哲学

　西洋の中世は「暗黒の中世」ともいわれますが、ル
ネサンスはそこへ突如として現れた燦然たる輝きに喩
えられるでしょう。本章ではルネサンスからカントが
登場する前までの哲学に関連するキーワードを紹介し
たいと思います。

377 ルネサンス
Renaissance

[201] ルネサンス美術
[378] ヒューマニズム

ルネサンスは、フランス語で「再生」または「復興」を意味します。一般には 14 〜 16 世紀にイタリアで生じた古代学問や芸術の復興運動を指します。

西洋中世は暗黒の時代といわれる。その中で理性の光が突如として燦然と輝いたのがこのルネサンスの時代だった。

　ルネサンス期におけるイタリアは、各地では商人階級が勃興し、中世封建社会の厳しい身分制度にとらわれない、自由で現世を謳歌する生活が享受されるようになりました。その中で思想的には、ギリシア・ローマ文化の再生と復興に注目が集まり、これが一大文化運動となって**ルネサンス**として開花しました。現在、**ヒューマニズム**といえば、「人間性」「人間らしさ」を意味しますが、もともとは**人文主義**を意味しており、ルネサンス期における人間性の再発見、個性の尊重と伸長を基礎にする思想という意味で用いられていました。

　ルネサンス期には古典文献の研究、特に**プラトン***に対する再評価が進みました。また、芸術では**レオナルド・ダ・ヴィンチ***や**ミケランジェロ***、**サンドロ・ボッティチェリ***といった巨匠が綺羅星のごとく姿を現しました。さらに、**コペルニクス***や**ガリレオ***などの著名科学者が活躍したのもこのルネサンスの時代でした。

文献資料：西川富雄『現代とヒューマニズム』（法律文化社）

ルネサンス期の文学・芸術・科学

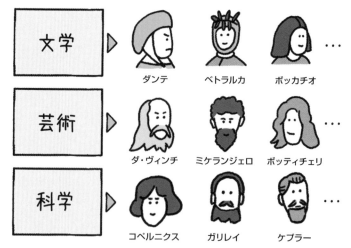

文学 ▷ ダンテ　ペトラルカ　ボッカチオ　…

芸術 ▷ ダ・ヴィンチ　ミケランジェロ　ボッティチェリ　…

科学 ▷ コペルニクス　ガリレイ　ケプラー　…

ルネサンスは思想や科学、文学のみならず芸術でも新境地を開いた。その点は第 4 章で紹介した通りなのだ。

ヒューマニズム
humanism

[159] 悪の陳腐さ
[377] ルネサンス

ヒューマニズムは、人間主義、人間らしさ、人間的であることを指しており、このような人間的なものを肯定し拡大する態度や思想、精神運動を意味します。

人間的なものが問われるようになったのはローマ共和制の時代だった。古代復興のルネサンス期は、そのヒューマニズムが学芸の中心課題になった。

ヒューマニズムは人間の価値や主体性を重視する態度です。「人間的なもの」に関する思想が問われたのはローマ共和制時代を始まりとします。この時代、「**人間的な人間**（home humanus）」は、①ギリシア時代から受け継がれた教養を持ち、②ローマ人としての徳を備えている者として考えられました。結果、この言葉は、ローマ人以外の人々である「**夷狄の人**」（homo barbarus）に対して自覚的に用いられるようになりました。さらに、ルネサンス期になるとギリシア・ローマの古典が復興されると同時に、再び「人間的なもの」に対する注目が高まり、古典研究の中心に「**人文主義＝ヒューマニズム**」が据えられるようになります。

　その後、ヒューマニズムはそれぞれの時代で独自の観点から考察されてきました（図参照）。現代においては、国家による一般市民を対象にした武力行使はヒューマニズムへの挑戦であり、改めて「人間的なもの」の重要性が再認識されています。

文献資料：西川富雄『現代とヒューマニズム』（法律文化社）

第8章　近世哲学

ヒューマニズムの分類

名称	概要
①人文主義のヒューマニズム	人間的なものをギリシア・ローマ時代の古典の中に求める。
②理性主義のヒューマニズム	理性的であること、自然であることに人間らしさを求める。
③人本主義のヒューマニズム	理性的だけでなく、環境に働きかける存在に人間らしさを求める。
④実存主義のヒューマニズム	自らの存在を自ら選びとる主体性に人間らしさを求める。
⑤人道主義のヒューマニズム	虐げられた人々を解放することに人間らしさを求める。

このようにヒューマニズムも時代によって多様なスタイルがあるのだ。

マキァヴェリズム
Machiavellianism

ニッコロ・マキァヴェリ
[037] 利己的な遺伝子

マキァヴェリズムとは、イタリアのニッコロ・マキァヴェリが提唱した君主の態度です。目的のためには手段を選ばない権謀術数主義を特徴とします。

世界の権威主義的国家のトップには、マキァヴェリズムを信条にしている人が多数見られるように思うのは、果たして私ばかりだろうか。

　15世紀から16世紀にかけてイタリアで活躍した**ニッコロ・マキァヴェリ***は著作『**君主論**』において、君主たる者は、政治と宗教・道徳を別物として考え、権力を獲得し国を統治するにはいかなる所業も許されると主張しました。このような態度を**マキァヴェリズム**と呼びます。マキァヴェリズムは、目的のためには手段を選ばない**権謀術数主義**とみなされ、否定的にとらえられることが多いようです。しかし、短期的に見ると、マキァヴェリズムこそが自身の DNA を生き残らせるための重要な戦略であることは、ある意味で否定できないようにも思えます。

　権威主義的国家の首長は、権某術数で国家のトップに立ち、これまた策を巡らして自らの権力を維持するために生きているかのようにも見えます。また、ビジネス社会で生き残ろうと思えば、取引交渉や競合他社を出し抜くためにマキァヴェリズム的態度が、多かれ少なかれ必要になるのかもしれません。

文献資料：『世界の名著 16　マキァヴェリ（「君主論」）』（中央公論社）

マキァヴェリが理想にした君主

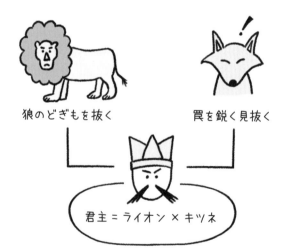

狼のどぎもを抜く　　　罠を鋭く見抜く

君主＝ライオン × キツネ

脅し（ライオン）と悪知恵（キツネ）で世間を渡るのがマキァヴェリズム的生き方なのだ。

痴愚神礼讃
"In Praise of Folly"

デジデリウス・エラスムス
[490] 脱構築

オランダの人間主義者エラスムスが 1511 年に出版した著作のタイトルです。この作品は、中世から近世へと移る当時の時代精神を如実に表現しています。

痴愚神とは教会や封建社会で否定されてきた事物の象徴だ。エラスムスはそれらに価値を見出した。だからこんな表題をつけたわけなんだ。

『**痴愚神礼讃**』は、ルネサンス期の 16 世紀初頭、オランダの人間主義者**デジデリウス・エラスムス***が著した風刺エッセイのタイトルです。このタイトルには、当時の教会や封建社会に対する批判が込められています。

当時の人々は教会的・封建的社会の圧力下にあり、厳しい身分制度で窒息しつつありました。そのような中エラスムスは、聖職者の権力と富の濫用を批判すると同時に、従来教会が否定してきた人間関係における笑い、愛、喜びといった軽妙な精神の重要性を強調しています。つまり、**痴愚神**とは中世的な尺度では否定的に扱われたもの、教会や封建社会で否定されてきた事物の象徴です。こうした従来、「愚かなもの」と考えられてきた事物に、新しい真実があるとエラスムスは主張しました。だから「痴愚神礼讃」というわけです。エラスムスはルネサンス期に**脱構築**を実行した人物だったといえるかもしれません。

文献資料：『世界の名著 17　エラスムス　トマス・モア（「痴愚神礼讃」）』（中央公論社）

第8章　近世哲学

痴愚神とは何か

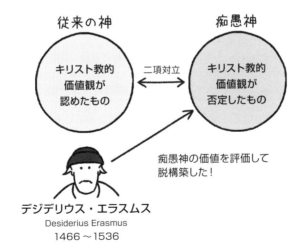

従来の神

痴愚神

キリスト教的価値観が認めたもの　←二項対立→　キリスト教的価値観が否定したもの

デジデリウス・エラスムス
Desiderius Erasmus
1466〜1536

痴愚神の価値を評価して脱構築した！

ポストモダン的に言えば、エラスムスの『痴愚神礼讃』はルネサンス期における脱構築だった。

381 ユートピア
utopia

トマス・モア
デジデリウス・エラスムス

理想郷のことです。トマス・モアの著作のタイトルとしても著名です。モアはこの著作『ユートピア』を通じて国民平等と平和共産の理想を説きました。

エラスムスとトマス・モアは親友であり、エラスムスの著作『痴愚神礼讃』はモアに捧げられていることはあまりにも有名なのだ。

イギリスの人文主義者**トマス・モア***は、1516年に代表作『**ユートピア**』を出版してその名を不動のものにしました。モアは同書において、南半球の一孤島「ユートピア」（本来は「どこにもない所」の意）を想定し、ここを当時のヨーロッパを悩ませていた社会的・政治的問題のない理想郷として描きました。

ユートピアは、選挙で選ばれた議員や複雑な法制度を持つ、高度に組織化された政府システムを有しています。また、財産の共同所有に基づき、すべての市民が個人の利益のためではなく、共通の利益のために働きます。このようにモアは、国民平等と平和共産の思想がユートピアにおける理想の社会と位置づけました。どこか**マルクス**を先取りするかのようなこうした思想が、モアにとってのヒューマニズム[378]だったわけです。その上で、腐敗した社会を批判したモアは、ルネサンス期の良心といえるかもしれません。

文献資料：『世界の名著 17　エラスムス　トマス・モア（「ユートピア」）』（中央公論社）

382 随想録
"Les Essais" (仏)

ミシェル・ド・モンテーニュ
ルネ・デカルト

『随想録』は、フランスの哲学者モンテーニュが1588年に完結した著作のタイトルです。神ではなく自己によって自己を規定する点がその特徴になっています。

『随想録』は原典タイルの『エセー』の呼称でも親しまれている。モンテーニュの徹底して自己を省察する態度はのちのデカルトにも受け継がれていく。

16世紀から18世紀にかけて、道徳的な関心のもとにヒューマニズム[378]を探求した人々を**モラリスト**と呼びます。**モンテーニュ***は初期モラリストの1人で、ボルドー市長なども務めた政治家でもありました。『**随想録（エセー）**』はモンテーニュの代表作で、1580年に初版を刊行しました。

フランス語での「エセー」は「試し」「試み」を意味しています。著書自体は体系的な哲学書にはなっておらず、モンテーニュがその都度思いついたことを長短さまざまな章で記しています。全編にわたって自己を深くかつ徹底的に省察している点が大きな特徴になっています。その中でも、「**ク・セ・ジュ（Que sais Je）？**」（私は何を知るか）は、同書に記したモンテーニュの言葉として大変著名です。

それは、真理はすでに見出されたとする**独断論**や、真理などあり得ないとする**懐疑論**を排し、「私は何を知るか」という問を通じて考え続ける態度です。

文献資料：『世界の名著 19　モンテーニュ（「エセー」）』（中央公論社）

天動説と地動説
geocentric theory and heliocentric theory

クラウディオス・プトレマイオス
ニコラウス・コペルニクス

中世ヨーロッパで流行した錬金術は魔術的・神秘的要素がある一方で、その体系的な実験アプローチは近代科学の成立に大きな影響を及ぼしました。

万有引力の法則を発見したニュートンも錬金術の研究に打ち込んでいた。実験ノートや錬金術物質の索引など膨大な手稿が残されている。

　天動説の歴史は古く早くも古代ギリシアに始まります。天動説は、宇宙の中心には地球があり、静止している地球の周りを太陽や月、他の惑星が回転しているという宇宙観です。

　天動説の提唱者として最も著名なのは**プトレマイオス***でしょう。プトレマイオスは天動説に**周転円**の考えを導入しました。太陽や月、各惑星は、それぞれが小さな円を描きながら回転しつつ、地球の周囲を回っているというものです。

　プトレマイオスの宇宙観は長らくカトリック教会が公認する学説の地位にありました。ところが 15 世紀になると、地球は球形であり、地球や他の惑星も太陽を中心に回転しているとする**地動説**を**コペルニクス***が主張しました。

　この地動説は**ガリレオ・ガリレイ***や**ヨハネス・ケプラー***、**アイザック・ニュートン***らに受け継がれ、今日の天文学の基礎が作られていきます。

文献資料：『世界の名著 21　ガリレオ』（中央公論社）

第8章　近世哲学

地動説を説いた面々

教会から「異端者」にされるのを恐れ、死の直前まで地動説の公表を避けた。

自らの望遠鏡で月や木星を観察して地動説の正しさを支持した。

ケプラーの法則により地動説の正しさを理論的に証明した。

ニコラウス・コペルニクス
Nicolaus Copernicus
1473 ～ 1543

ガリレオ・ガリレイ
Galileo Galilei
1564 ～ 1642

ヨハネス・ケプラー
Johannes Kepler
1571 ～ 1630

当時の異端審問は激烈で、哲学者ジョルダーノ・ブルーノのように、大衆の面前で火刑に処せられることもあった。

384 宇宙精神
world-soul

ジョルダーノ・ブルーノ
ガリレオ・ガリレイ

イタリアの哲学者ジョルダーノ・ブルーノが提唱した説で、宇宙世界を生み出す第一原理、その原因は宇宙自体に内在する宇宙精神だと主張しました。

ブルーノは汎神論を説き地動説を支持したため、キリスト教会の逆鱗にふれ、衆人の面前で焼き殺しの刑に処されたのだ。

　ガリレオ*や**ケプラー***と同時代を生きたイタリアの哲学者に**ジョルダーノ・ブルーノ***がいます。もともとブルーノはナポリのドミニコ会士でしたが、古代哲学に傾倒する中、異端的な思想を育むことになります。

　アリストテレスは物事の原因を「質料因」「形相因」「始動因」「目的因」の４つとする四原因[365]を唱えました。ブルーノはこの四原因のうち、その物を産出する力である始動因は**宇宙精神**に帰すると主張しました。

　ブルーノが提唱する宇宙精神とは、宇宙世界の内部にあるあらゆるものの始動因であり、ここからすべてのものが生み出されるという**汎神論**を展開します。ここに、神と世界の二元論が、神と世界の同一化、一元論化がなされました。つまりブルーノは、絶対者である神を宇宙精神に置き換えたのであり、当時のキリスト教会からすれば異端と取られても仕方がありませんでした。

文献資料：ジョルダーノ・ブルーノ『無限、宇宙および諸世界について』（岩波書店）

385 ニュートン力学
ニュートン力学

アイザック・ニュートン
[351] 相対性理論

イギリスの数学者・科学者アイザック・ニュートンが打ち立てた独自の力学を指します。中でもニュートンが発見した万有引力の法則はあまりにも有名です。

『プリンキピア（自然哲学の数学的諸原理）』は 1687 年に刊行されたニュートンの主要著作で、古典力学の標準テキストになっている。

　アイザック・ニュートン*は 17 世紀後半～ 18 世紀前半に活躍したイギリスの数学者・科学者です。ニュートン力学は、**古典力学**とも呼ばれ、その中核をなす考えが、ニュートンの運動の３法則、それに万有引力の法則です。

　ニュートンの**運動の３法則**は、「第１法則：慣性の法則」（静止している物体は力を加えない限り静止したままで、動いている物体は力を加えない限り動きを続ける法則）、「第２法則：運動方程式」（物体に加わる力とその加速度を関係づける法則）、「第３法則：作用反作用の法則」（すべての作用には、等しく反対の反作用がある法則）からなります。

　一方、**万有引力の法則**は、宇宙で質量を持つ任意の２つの物体の間に働く引力を説明するものです。この法則によれば、２つの物体が引き合う力は、その質量に正比例し、距離の２乗に反比例します。

文献資料：『世界の名著 26　ニュートン（「自然哲学の数学的諸原理」）』（世界の名著）

錬金術と科学
alchemy and science

アイザック・ニュートン
[385] ニュートン力学

中世ヨーロッパで流行した錬金術は魔術的・神秘的要素がある一方で、その体系的な実験アプローチは近代科学の成立に大きな影響を及ぼしました。

万有引力の法則を発見したニュートンも錬金術の研究に打ち込んでいた。実験ノートや錬金術物質の索引など膨大な手稿が残されている。

　錬金術は卑金属を金などの貴金属に変える術を指し、古代エジプトの金属製錬技術に端を発します。この考えが拡大解釈され、卑金属を貴金属に変える過程を通じて「**賢者の石**（philosopher's stone）」を手に入れ、錬金術師の精神をより高次なものに変えることを目指しました。錬金術は、現代でいう科学的な学問ではありません。しかしながら、実験を通じて観察・記録し、仮説を立て、さらに実験してその仮説を検証するという体系的なアプローチは、その後の近代科学に大きな影響を及ぼしました。

　実際、**万有引力**の法則を発見した**アイザック・ニュートン**[*]も錬金術に関する手稿を多数残しており、そこには実験ノートや錬金術に関連する物質の索引などが含まれています。ニュートンにとって物理学と錬金術は決して対立するものではなく、自然界を理解する上で欠かせないものだったようです。

文献資料：“The Chemistry of Issac Newton.”（https://webapp1.dlib.indiana.edu/newton/index.jsp）

第8章　近世哲学

ニュートンと錬金術

私は錬金術の実験にも熱心に取り組んだのだ！

アイザック・ニュートン
Isaac Newton
1642〜1727

著名な錬金術書の1つ、
ミヒャエル・マイヤー著『逃げるアタランタ』（1618年）

出典：Wikimedia Commons

イギリス経験論

イギリス経験論

フランシス・ベーコン
[393] 大陸合理論

イギリス経験論は、知識や観念は五官による経験を通じて得られるとする立場です。伝統的にイギリスの哲学者がこの立場をとり、同時代の**大陸合理論**と対立しました。

イギリス経験論と対比されるのが大陸合理論です。こちらは理性によって合理的に推論すれば世界を客観的に説明できると主張します。

　経験論の基本的な立場は、人間の知識や観念は経験を通じて獲得できるというもので、人が先天的に持つ観念、すなわち生得観念は存在しないと考えます。狭義には 16 〜 18 世紀の**イギリス経験論**を指します。

　このイギリス経験論の先駆的役割を果たしたのが**フランシス・ベーコン**[*]です。そもそもベーコンは、中世のスコラ哲学が持つ思弁的な形而上的思想を批判し、感覚的経験に基づいた知識の重要性を説きました。ここに近代哲学としてのイギリス経験論が出発します。「**知は力なり**」という有名な言葉を残したベーコンは、人間が正しい認識を行う際、それを妨げる偏見や先入観があると説きました。ベーコンはこれをイドラ[388]と呼びます。そして、イドラを排除して、自然を正しく認識する方法として帰納法[082]を提唱しました。これは実験や観察という経験から得られた事実から、一般的で普遍的な法則を見つけ出す方法です。

文献資料：フランシス・ベーコン『世界の大思想6　ベーコン（「ノヴム・オルガヌム」）』（河出書房新社）

イギリス経験論の流れ

知は力なり

タブラ・ラサ

知覚の束

フランシス・ベーコン
Francis Bacon
1561〜1626

ジョン・ロック
John Locke
1632〜1704

デイヴィッド・ヒューム
David Hume
1711〜1776

経験論は伝統的にイギリスで好まれた。そのためイギリス経験論とも呼ばれる。

388 4つのイドラ
four idols

フランシス・ベーコン
[387] イギリス経験論

イギリス経験論の論客であるフランシス・ベーコンが提唱したもので、人間が正しい認識を行う際、それを妨げる4つの偏見や先入観を指しています。

具体的には「種族のイドラ」「洞窟のイドラ」「市場のイドラ」「劇場のイドラ」の4つを指している。イドラは「バイアス」と考えてもよい。

フランシス・ベーコン[*]は、**イギリス経験論**の立場から、人間の思考を誤らせる原因として、次の4つのイドラを列挙しました。イドラとは、人間が正しい認識を行う際、それを妨げる偏見や先入観のことです。

①**種族のイドラ**　人間という種族に根ざすもので、情報にパターンや秩序を故意に見つけ出し、信念を確認する情報を求め、反証を見過ごす傾向を指します。

②**洞窟のイドラ**　個人の習慣や癖に根ざし、各人が自分の都合で物事を見る傾向を指します。

③**市場のイドラ**　言葉の不適切な使用に根ざすもので、不正確な言葉の使用により、意味があいまいになったり、誤解や混乱を招いたりする傾向を指します。

④**劇場のイドラ**　権威や伝統に根ざすもので、確立された信念に異議を唱えることを嫌がり、十分な証拠や分析なしに権威や伝統を受け入れる傾向を指します。

文献資料：フランシス・ベーコン『世界の大思想6　ベーコン（「ノヴム・オルガヌム」）』（河出書房新社）

人間の思考を誤らせるもの

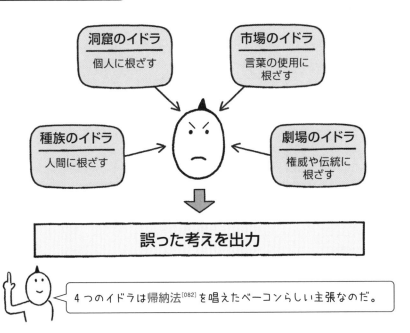

洞窟のイドラ
個人に根ざす

市場のイドラ
言葉の使用に
根ざす

種族のイドラ
人間に根ざす

劇場のイドラ
権威や伝統に
根ざす

誤った考えを出力

4つのイドラは帰納法[082]を唱えたベーコンらしい主張なのだ。

タブラ・ラサ
tabula rasa

ジョン・ロック
[387] イギリス経験論

拭われた石板や白紙を意味します。哲学においては一般的に、ロックの経験主義立場を象徴する「心は文字を欠いた白紙」という意味で用いられています。

人間が生まれながらにして持っている生得観念を否定したロックは、人間の心は白紙であり、経験によって観念が書き込まれると考えた。

フランシス・ベーコン*やトマス・ホッブズ*らによるイギリス経験論は、その後、**ジョン・ロック***や**ジョージ・バークリー***、**デイヴィッド・ヒューム***らへと継承されていきます。この系譜の中でもロックが用いた「**タブラ・ラサ**」は、イギリス経験論の立場を明確に象徴する言葉だといえます。

ロックは人間が先天的に持っていると考えられている**生得観念**を否定しました。その上で、人間の心は、最初はタブラ・ラサ、すなわち白紙だと考えました。そして、白紙である人間の心に、経験によってさまざまな観念が書き込まれていくと考えました。

デカルトを筆頭にする**大陸合理論**では生得観念を肯定的にとらえました。そのためイギリス経験論と大陸合理論は鋭く対立することになります。その急先鋒の1人がタブラ・ラサを唱えたジョン・ロックだったわけです。

文献資料：ジョン・ロック『世界の名著27　ロック　ヒューム（「人間知性論」）』（中央公論社）

人間の心と経験

白い石板に
経験が次々と
書き込まれていく。

経験

人間の心 ＝ タブラ・ラサ

経験

タブラ・ラサはロックが主張したとっても有名な言葉だ。
ぜひとも覚えておきたい。

単純観念 / 複合観念
simple idea / complex idea

ジョン・ロック
[389] タブラ・ラサ

ジョン・ロックは、感覚や内省を通じて心に生じる観念を単純観念ととらえました。さらにロックは、この単純観念の組み合わせを複合観念と考えました。

ロックはまた、人間の五感に関係なく事物に備わっている性質を1次性質、人間の五感によってとらえられる性質を2次性質と呼びました。

　生得観念を否定した**ロック**は、五官による経験によって得られる観念を、**単純観念**と**複合観念**の2つに分けました。単純観念とは五官から直接得られる印象です。例えば、レモンを五官でとらえると、「黄色い」「酸っぱい」「いい香り」などの印象が得られるでしょう。これらの印象が単純観念です。そして単純観念が組み合わさることでレモンの観念が成立します。これを複合観念といいます。

　また、ロックは、事物が持つ性質にも2種類あると考えました。**1次性質**と**2次性質**がそれです。1次性質は人間の五感に関係なく事物そのものに備わっている性質を指します。事物の持つ大きさや形、重さは1次性質に該当します。その一方で、人間の五官によってとらえられる性質を2次性質といいます。先のレモンの場合でいうと、「黄色い」「酸っぱい」「いい香り」「ざらりとした肌触り」は、人間の五官によって得られたものであり、これらはレモンの2次性質になります。

文献資料：ジョン・ロック『世界の名著27　ロック　ヒューム（「人間知性論」）』（中央公論社）

第8章　近世哲学

単純観念と複合観念

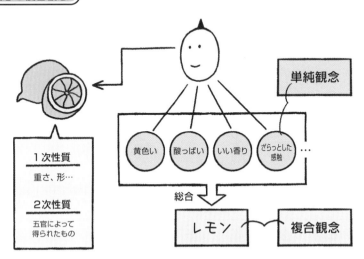

事物には1次性質と2次性質があり、2次性質の単純観念が統合されて複合観念になる。

391 存在するとは知覚されること

To be is to be perceived.

ジョージ・バークリー
[387] イギリス経験論

これはイギリス経験論を継承したバークリーの観念論を象徴する言葉としてつとに著名です。存在するとは知覚されることだという立場を示しています。	バークリーによると、誰も見ていないところで倒れた大木は、誰も知覚していないため、存在しないことになる！

ジョージ・バークリー*は18世紀に生きたアイルランドの哲学者で、イギリス経験論を継承しながら、彼独自の**観念論**である**唯心論**を展開しました。そのバークリーの**唯心論的観念論**を端的に表明したのが「**存在するとは知覚されること**（To be is to be perceived.）」です。

バークリーは、物質世界にある事物は、人間などの意識ある存在によって知覚される限りにおいてのみ存在するという立場をとりました。バークリーによれば、もし世界を認識する意識的な心がなければ、世界はまったく存在しないことになります。したがって、誰も見ていないところで倒れた大木は、知覚している人が誰もいないため、存在しないことになるわけです。

バークリーの哲学は、世界の存在根拠を知覚だけに求めたユニークな経験論といえます。

文献資料：ジョージ・バークリー『ハイラスとフィロナスの三つの対話』（岩波文庫）

バークリーの観念論

誰も見ていない場所で、

知覚している人がいないから存在しない。

大木が倒れる。

バークリーの主張はちょっと極端だけど、これって思考実験にはもってこいの材料かも。

知覚の束
bundle of perceptions (bundle theory)

デイヴィッド・ヒューム
[387] イギリス経験論

イギリス経験論の完成者デイヴィッド・ヒュームの言葉です。ヒュームは、自我の存在は常に変化する知覚や経験の集合体であり、主観的な感じであると主張しました。

ヒュームは客観的な実在としての自我を否定する。この点でヒュームの哲学もバークリーに劣らずユニークなのだ。

　デイヴィッド・ヒューム[*]は、**イギリス経験論**の完成者であり、経験主義を徹底した結果、**デカルト**[*]と同じく、何でも疑ってかかる**懐疑主義**の立場をとるようになりました。ヒュームの立場を象徴するのがこの「**知覚の束（印象の束）**」という言葉です。ヒュームによると、時を超えて存在する永久的な、あるいは永続的な**自我**は存在しません。自我の存在は習慣に基づく単なる主観的な感じにしか過ぎなく、私たちは次々に生じる知覚や思考、感情の流れを「束」として経験しています。これがヒュームの言う「知覚の束」の正体です。

　この意味で、「知覚の束」とは、人は絶えず変化する知覚や経験の集まりに過ぎず、根底にある永続的な自我や時間を通じて持続する実体はないことになります。観念の外に存在する物体を否定したのはバークリーでした。ヒュームはバークリーが実体として認めた自我さえも、知覚の束に過ぎないと主張したわけです。

文献資料：ジョン・ロック『世界の名著27　ロック　ヒューム（「人性論」）』（中央公論社）

第8章　近世哲学

知覚の束

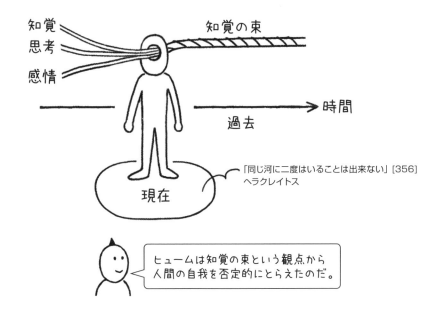

知覚
思考
感情

知覚の束

時間

過去

「同じ河に二度はいることは出来ない」[356]
ヘラクレイトス

現在

ヒュームは知覚の束という観点から人間の自我を否定的にとらえたのだ。

大陸合理論
continental rationalism

ルネ・デカルト
[387] イギリス経験論

理性にしたがって合理的に推論することで世界を客観的に説明できるとする立場です。17～18世紀のフランスを中心にヨーロッパ大陸へと広がりました。

大陸合理論者に共通するのは、理性と合理性で普遍の原理を明らかにし、その原理に基づいて世界を説明しようとした点だといえるでしょう。

大陸合理論とは、17世紀から18世紀にかけてフランスからヨーロッパ大陸へと広がった哲学運動です。

大陸合理論では、**理性**（**ボン - サンス、良識**）にしたがって合理的に推論することで世界を客観的に説明できるとする立場をとります。また、この理性はすべての人間に生まれながら備わっている生得的なものであり（**生得観念**）、人間は理性を持つ点でみな平等だと考えます。これらの点は**イギリス経験論**の主張とは相容れず、両者は鋭く対立することになります。

大陸合理論の歴史は、一般に3人の重要人物を通して語られてきました。**デカルト***は大陸合理論の創始者ともいうべき超大物です。**スピノザ***は、「神即自然」[398]の言葉で知られ、自然が神であり、神が自然である**汎神論**を展開しました。**ライプニッツ***はモナド論[400]を主張し、宇宙の調和は神があらかじめ定めたもの、すなわち予定調和の考えを提示しました。

文献資料：『世界の名著 22　デカルト』（中央公論社）

大陸合理論の流れ

我れ思う、ゆえに我在り。	神即自然	モナド理論
ルネ・デカルト	バルフ・デ・スピノザ	ゴットフリート・ライプニッツ
René Descartes	Baruch De Spinoza	Gottfried Wilhelm Leibniz
1596～1650	1632～1677	1646～1716

デカルト、スピノザ、ライプニッツと大陸合理論の論客にもそうそうたるメンバーがそろっている。

394 我思う、ゆえに我在り
Cogito, ergo sum.（羅）

ルネ・デカルト
[395] 主観・客観問題

デカルトが方法的懐疑の末に至った著名な結論です。どれだけ疑っても、考えている私自身を否定することはできない、ということを意味しています。

「我思う、ゆえに我在り」は400年近く前の言葉ながら、いまだに私たちに哲学上・思索上の重要問題を投げかけているのだ。

　ルネ・デカルト* が採用したあらゆるものを疑う哲学手的手法を**方法的懐疑**と呼びます。デカルトはこの方法論を自分自身に適用して、あらゆるものを疑ってかかりました。しかしながら、懐疑を繰り返しても、どうしても疑いきれないものが存在することをデカルトは発見します。それはあらゆるものに疑いの目を向けている「考えている私」です。考えている私を疑っても、考えている主体である「私」だけはどうしても否定できません。こうしてデカルトは結論に至ります。

　「**我思う、ゆえに我在り（コギト・エルゴ・スム）**」。考えている主体である自分自身は、どれほど疑っても否定できません。厳然としてそこにあります。こうしてデカルトは、否定できない私の存在を確実な真理とし、これを**第一原理**として演繹法[070]で思索を深めていきます。その結果、**主観・客観問題**や**物心二元論**、**心身問題**など、現在も解消されていない哲学的問題が次々と生み出されることになります。

文献資料：『世界の名著22　デカルト（「方法序説」）』（中央公論社）

主観客観図式

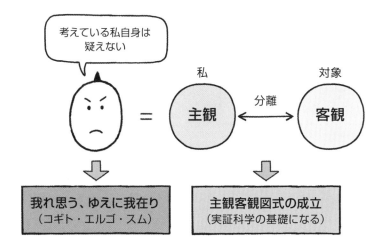

考えている私自身は疑えない

私　　　対象
主観 ← 分離 → 客観

我れ思う、ゆえに我在り
（コギト・エルゴ・スム）

主観客観図式の成立
（実証科学の基礎になる）

デカルトは「我思う、ゆえに我在り」を第一原理に据え、これを基礎に思索を巡らした。

主観・客観問題
subjective vs objective problem

ルネ・デカルト
[394] 我思う、ゆえに我在り

主観・客観問題は、デカルトの第一原理から生じるもので、主観と客観は一致するのかという哲学上の問題を示しています。主客問題ともいいます。

主観と客観は本当に一致するのだろうか。仮に一致しないとすると、私たちが見るもの、聞くものは、一体何なんだろう？

方法的懐疑により、「我思う、ゆえに我在り」に至った**デカルト**です。しかし、ここから難しい問題が生じてきます。「我在り」と私という存在の確かさは確実になりました。私にとってのリアリティは主観的な私です。しかしながら、この主観的な私が認識する現実がどれほどリアルであったとしても、客観的な現実も同じくそうであるという保証は得られません。

つまり、「私にとっての現実＝主観」と「客観的な現実＝客観」が一致しているとは必ずしもいえません。その結果、主観と客観が一致することを（あるいは一致しないことを）どのように確かめるのかということが切実な問題になりました。この主観と客観の溝をいかに埋めるかが**主観・客観問題**と呼ばれるものです。

またデカルトの哲学は、物と心、物質と精神に関わる**物心二元論**から生じ、現代の哲学でもいまだ議論されている**心身問題**をも提起したのでした。

文献資料：『世界の名著22　デカルト（「省察」）』（中央公論社）

第一原理から派生する問題

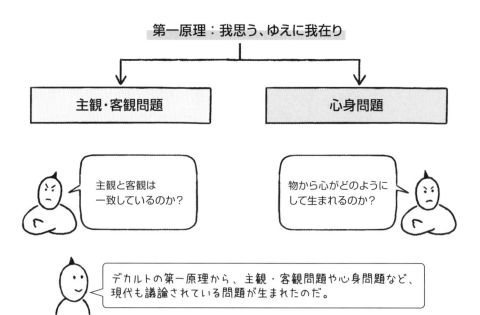

第一原理：我思う、ゆえに我在り

主観・客観問題

心身問題

主観と客観は
一致しているのか？

物から心がどのように
して生まれるのか？

デカルトの第一原理から、主観・客観問題や心身問題など、現代も議論されている問題が生まれたのだ。

思考と延長
thought and extension

ルネ・デカルト
[394] 我思う、ゆえに我在り

デカルトの物心二元論の中心的な考え方の1つです。物は空間の中に特定の広がり（延長）を持つが、精神は思考するもので延長を持たないとします。

デカルトは脳にある松果体によって、人間の精神と身体が結合されるとし、これで心身問題を解消しようとした。

　哲学の**第一原理**である、疑っても否定できない「考えている私」を根拠に、**デカルト**※は主観である**精神**と、客観である**物体**とは、それぞれ別の実体だと主張しました。これをデカルトの**物心二元論**といいます。

　デカルトによると、物体の実体は空間的な広がりにあるといいます。この広がりを**延長**といいます。つまり物体とは延長を持つ実体です。これに対して精神は**思考**することがその実体です。物体が思考することはありません。同様に精神には延長がありません。

　このように物と心は異なった本性を持つ異なった実体であり、それぞれが独立した存在です。その結果、人間の身体も精神によって認識される対象であり物理的法則に従う延長の位置づけになります。しかしこの立場をとると、自明とも思える心身の相関を否定しなければなりません。これが心と身体はどのような関係にあるのかという**心身問題**であり、現在も議論が続いています。

文献資料：『世界の名著 22　デカルト（「省察」）』（中央公論社）

デカルトの物心二元論

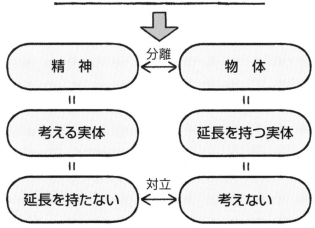

「我れ思う、ゆえに我在り」

精　神	←分離→	物　体
‖		‖
考える実体		延長を持つ実体
‖		‖
延長を持たない	←対立→	考えない

心と身体はどのような関係にあるのか。心は身体からどのように生まれたのか。心身問題は私たちに切実な問いを投げかける。

神の存在証明
proof of God's existence

[394] 我思う、ゆえに我在り
[405] パスカルの賭け

理性を用いて徹底的に真偽を判定したデカルトですが、さすがの彼も神の存在を否定しませんでした。デカルトによる神の証明を検証してみましょう。

デカルトによる神の証明は、決して合理的に納得できるものではない。しかし時代背景を考えると致し方なかったのかもしれない。

デカルト*は「我思う、ゆえに我在り」を出発点にして神の存在証明を行いました。デカルトがとった論法とは次のとおりです。

私は不完全な存在です。一方で神は完全なる存在です。しかし、不完全な存在である私が、完全な存在者たる神の観念をどうして持つことができるでしょう。原因には結果以上の完全性を必要とします。よって、完全なる神の観念は、無限に完全な存在である神から来たとしか考えられません。つまり神は存在する。以上、証明終わり（**結果からの証明**）。

さらに、デカルトは次のような証明も行っています。私が無限なる完全性を備えた神を考えた時、これは観念に過ぎません。しかし完全性には必然的に存在も含まれます。何しろ存在しない完全性などあり得ないからです。よって、無限で完全たる神は存在する。以上、証明終わり（**本体論的証明**）。

文献資料：『世界の名著 22　デカルト（「省察」）』（中央公論社）

デカルトの神の証明（結果からの証明）

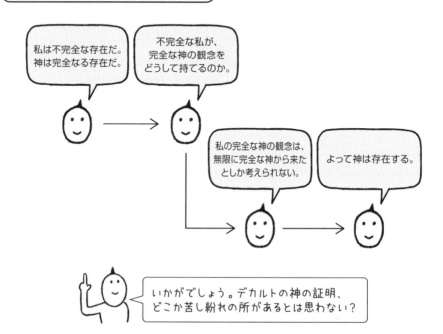

私は不完全な存在だ。神は完全なる存在だ。

不完全な私が、完全な神の観念をどうして持てるのか。

私の完全な神の観念は、無限に完全な神から来たとしか考えられない。

よって神は存在する。

いかがでしょう。デカルトの神の証明、どこか苦し紛れの所があるとは思わない？

神即自然
Deus sive Natura（羅）

バルフ・デ・スピノザ
[399] 永遠の相のもと

> スピノザが唱えたものであり、スピノザ哲学を象徴する言葉です。唯一の実体は神であり、神と自然、神と世界を同一視する立場を意味しています。

> デカルトの物心二元論を批判的に受け継いだスピノザは、神を唯一の実体と考え、物と心はその属性と考えたのであった。

デカルト*の思想を批判的に受け継いだ人物に**スピノザ***がいます。デカルトの哲学では**物心二元論**による物（物質＝**延長**）と心（精神＝**思考**）、それに**神**の三者を実体として区別しとらえました。これに対してスピノザは、神が唯一の実体、すなわちそれ自身によって存在し他に原因を持たない存在として考えました。その上で、延長と思考は神の属性と位置づけました。

スピノザがいう神とは、キリスト教的神でもスコラ哲学的神でもありません。万物の中、世界の中に内在する存在です。スピノザはこれを「**神即自然**」、すなわち万物の内にその存在の原因を持つという言葉で表現しました。

このように万物の内に神が存在するという考え方、これは言い換えると万物は神の様々な現れ方という意味であり、スピノザは**汎神論**の立場をとったわけです。つまり、「神即自然」はスピノザの汎神論を象徴する言葉なのです。

文献資料：『世界の名著25　スピノザ　ライプニッツ（「エティカ」）』（中央公論社）

第8章　近世哲学

スピノザにとっての神

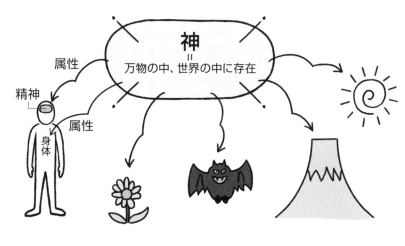

神
＝
万物の中、世界の中に存在

属性

精神

属性

身体

スピノザによると、神は万物に内在するものであって、万物は神の様々な現れ方なのだ。

永遠の相のもと
sub specie aeternitatis（羅）

バルフ・デ・スピノザ
[398] 神即自然

スピノザは自身の哲学において、汎神論とともに決定論を提唱しています。そしてこの「永遠の相のもと」という言葉はスピノザの決定論を象徴するものです。

スピノザによると、永遠の相のもとで観想すると、世界のあらゆる事柄が必然において生じることがわかるという。

前項でふれた「**神即自然**」と同時に**スピノザ**＊哲学の特徴になっているのが、すべての出来事は先行する出来事によって完全に決定されているとする**決定論**です。

スピノザが主張する決定論の特徴は、**永遠の相のもと**ですべてが必然的・機械論的に決まるという点です。スピノザの汎神論では、神は世界に内在するとともに、万物を生み出す唯一の原因になります。つまり神と世界の関係は原因と結果から成立しており、人間の主観を超越した、永遠の相のもとで観想すれば、世界のあらゆる物事が神の必然において生じることが理解できる、とスピノザは主張します。

この極端ともいえるスピノザの機械論的・決定論的世界観は、自然を機械論的に見る当時の自然科学や力学の出現が関係していました。古いスコラ哲学と科学的見地を調停して新しい哲学をスピノザは作り出し、その結果が**汎神論的かつ機械論的な世界観**だったわけです。

文献資料：『世界の名著25　スピノザ　ライブニッツ（「エティカ」）』（中央公論社）

「永遠の相のもと」に世界を見ると

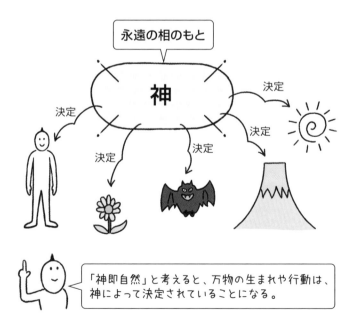

永遠の相のもと

神

決定

決定

決定

決定

「神即自然」と考えると、万物の生まれや行動は、神によって決定されていることになる。

400 モナドロジー
monadology

ゴットフリート・ライプニッツ
[357] アトム論

モナドロジーはライプニッツが主張した説で、神以外の実体はモナド（単子）という最小単位からなり、神の予定調和によって支えられているとします。

ライプニッツが唱えたモナド論と類似した考えは、すでに古代ギリシアの**デモクリトス***が**アトム論（原子論）**として提唱している。

スピノザ*と同時代を生きた**ゴットフリート・ライプニッツ***は、大陸合理論者の１人であり、**モナドロジー（モナド論）**という独特の哲学を唱えました。ライプニッツが指摘したモナドとは、分割不能で空間的な広がりを持たない**精神的実体**です。無数のモナドが存在しており、互いに影響を与えることなく自己完結的に存在します。ライプニッツはこの点を指して「**モナドには窓がない**」と表現しました。

このように独立して存在するモナドですが、すべてのモナドは宇宙が最善になるようあらかじめ神によって設定されたものであり、完全な調和をもって協力し合い、首尾一貫した秩序ある宇宙を創造します。ライプニッツはこれを**予定調和**と呼びました。この予定調和の考え方はライプニッツ哲学の中心をなしています。しかしその考えは楽観的世界観として批判されることにもなります。

文献資料：『世界の名著 25　スピノザ　ライプニッツ（「モナドロジー」）』（中央公論社）

401 基礎づけ主義
foundationalism

[402] ほら吹き男爵のトリレンマ
[394] 我思う、ゆえに我在り

知識や信念、存在などは、絶対的で疑いようのない根拠の上に作り上げるべきだとする立場を指します。

基礎づけ主義の特徴は、議論を展開するための不動の土台を求める点にある。しかし、「ほら吹き男爵のトリレンマ」に陥るという批判もある。

基礎づけ主義は、絶対的で疑いようのない根拠の上に知識や信念、存在などが成立すると考える立場です。そして、その根拠を基礎に他の知識や信念を正当化します。

基礎づけ主義によると、人が扱う知識には、基礎的な知識と基礎的でない知識の２種類があるといいます。基礎的な知識とはそれ以上証明する必要のない自明の知識を指します。これに対して基礎的でない知識は、基礎的な知識によってその存在を正当化する必要があります。このように基礎的な知識を土台にして、本来は基礎的でない知識の正当性を確認できます。

古くから多くの哲学者が基礎づけ主義を採用してきました。**プラトン***は絶対的な土台を**イデア**に求めました。あるいは**デカルト***は、一切の議論の始まりを、考えている私という否定できない存在に求めました。ただし、基礎づけ主義は「**ほら吹き男爵のトリレンマ**」に陥る、という批判もあります。

文献資料：ハンス・アルバート『批判的理性論考』（御茶の水書房）

402 ほら吹き男爵のトリレンマ
Münchausen trilemma

ハンス・アルバート
[401] 基礎づけ主義

基礎づけ主義が陥る罠を揶揄した言葉です。不動の土台を探していると、無限後退か循環、あるいは独断のトリレンマに陥ることを意味しています。

基礎づけ主義を批判して「ほら吹き男爵のトリレンマ」を取り上げたのは、ドイツの哲学者・社会学者ハンス・アルバートだった。

　ほら吹き男爵のトリレンマは、**ミュンヒハウゼンのトリレンマ**ともいいます。これは**基礎づけ主義**が不動の土台を探すことで、**無限後退**か**循環**、あるいは**独断のトリレンマ**に陥ると主張したものです。

　ミュンヒハウゼンは小説に登場する男爵で大風呂敷を広げるのが得意で、ほら吹き男爵の異名を持ちました。つまり、基礎となる不動の土台は大風呂敷であることからこの名がついたわけです。ドイツの哲学者・社会学者**ハンス・アルバート***が主張しました。

　アルバートによると、基礎づけ主義が最終的な不動の基礎づけを求めていくと、無限後退か循環、あるいは独断に陥るといいます。つまり、基礎を求めるとさらにその基礎を求めるか（無限後退）、何かを基礎づけるのにそれによって基礎づけたものを持ち出すか（循環）、このような連鎖を断ち切って不動の土台を示すか（独断）、いずれかの道をとらざるを得ないという主張です。

文献資料：ハンス・アルバート『批判的理性論考』（御茶の水書房）

403 自然に帰れ
return to nature

ジャン＝ジャック・ルソー
[144] 不平等の起源

人間は自然な状態に回帰すべきだというルソーの主張です。自然とは物理的な大自然とは限らず、個人が本来持っている心理的自然への回帰でもあります。

ルソーの代表作の１つである『エミール』では、社会の規範や慣習ではなく、個人の自然な発達に基づく教育の理想像が提示されています。

　ルソー*が説く**自然状態**とは、人が自由かつ平等で、束縛されずに生きることができる状況を指します。しかし、ながら**私有財産制**をはじめとした社会制度により不平等や悪徳が生じます。これらから逃れる術としてルソーが提唱した態度は彼の死後、「**自然に帰れ**」という言葉で集約されます。

　「自然に帰れ」はルソーの**社会契約論**でも主要な論点になっています[144]。また、ルソーの主要著作の１つである『**エミール**』でも、「自然に帰れ」が重要テーマになっています。『エミール』は副題に「または教育について」とあるように、ルソーの教育論を述べたものです。この中でルソーは、子どもはできるだけ自然に近い環境で育て、経験や探求を通して自ら学ぶべきだと考えました。これは単に物理的な大自然への回帰ではなく、個人が本来持っている**心理的自然**への回帰でもあるわけです。

文献資料：『世界の名著 30　ルソー（「エミール」）』（中央公論社）

404 人間は考える葦である
Man is a thinking reed.

ブレーズ・パスカル
[405] パスカルの賭け

パスカルが著作『パンセ』の中で記したあまりにも有名な言葉です。しかし、パンセが何を言いたかったのかはあまり理解されていないようです。

葦のようなちっぽけな存在ながら、人間は宇宙よりも偉大だ。なぜなら人間は、考えることができるからだ。

　フランスの哲学者で数学者、計算機を発明したことでも知られる**ブレーズ・パスカル***は、フランスのモラリスト[382]を代表する１人です。パスカルの代表的な著作といえば『パンセ』の右に出るものはないでしょう。「**人間は考える葦である**」は、この『パンセ』の第６章、347節に出てくる言葉です。

　パスカルにとっての葦とは、自然界の中でも最も弱く脆い存在であり、それが人間です。宇宙はひとくきの葦を押しつぶすなど造作もありません。その点で宇宙は人間に勝っています。しかし人間は自分がやがて死ぬことや自分の弱さを知っています。この点について宇宙は何も知りません。つまり人間は葦ではあるけれど考えることができます。この点で宇宙よりも優れているといえます。人間の尊厳は考えることにこそあります。人間はそこから立ち上がらなければなりません。これがパスカルが「人間は考える葦である」に込めた意味です。

文献資料：『世界の名著 24　パスカル（「パンセ」）』（中央公論社）

考える葦

考えることができない…

考えることができる

著名な言葉ほど言葉が一人歩きし、その出典や本来の意味が忘れられてしまうものだ。「人間は考える葦である」もその１つじゃないかな。

パスカルの賭け
Pascal's wager

ブレーズ・パスカル
[397] 神の存在証明

無神論者や不可知論者に賭けるよりも、神の存在を信じるほうに賭ける方が利得が大きいことを意味します。パスカルが『パンセ』の中で記しています。	神が存在する方に賭ける。仮に存在した場合、賭のすべてが得られるし、存在しなくても何も失わない。だから存在する方に賭けるべきだ。

パスカル*の著作『パンセ』の「第3章　賭の必要性」にはのちに「パスカルの賭け」と呼ばれるエピソードが記されています。これはパスカルが、神の存在について、存在するほうに賭けたほうが得であることを証明するものです。

神の非存在ではなく存在のほうに賭けたとします。賭が当たったとすると、私は神の信仰により至福をすべて得られるでしょう。逆に非存在に賭けた人は地獄に落ちることになります。またよしんば神は存在しなかったとします。賭がはずれたとしても失われるものはなく、代わりに宗教的に正しい生活を送れます。非存在に賭けた人は賭に勝ちましたが、しかしその人生は従来のままで何の変わりもありません。このようにしてパンセは神を信じたほうが得だと説きます。

ちなみに、現在の進化心理学[039]においても、パスカルと同じ論法で宗教の発生を説明する立場があります。

文献資料：『世界の名著24　パスカル（「パンセ」）』（中央公論社）

神は存在するか？

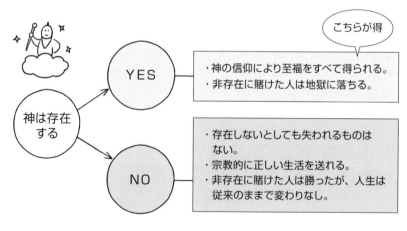

こちらが得

神は存在する

YES
・神の信仰により至福をすべて得られる。
・非存在に賭けた人は地獄に落ちる。

NO
・存在しないとしても失われるものはない。
・宗教的に正しい生活を送れる。
・非存在に賭けた人は勝ったが、人生は従来のままで変わりなし。

「パスカルの賭け」は信仰の損得について論じているのであって、神の存在を証明しているわけではない。

第 **9** 章

近代哲学

　本章では 18 世紀から 20 世紀初頭までの哲学がその射程になります。その間、カント哲学やドイツ観念論、実存主義など重要な動きが多数ありました。これらの動きをキーワードから探ってみたいと思います。

406 啓蒙主義
enlightenment

[137] 社会契約説
[414] ドイツ観念論

17世紀から18世紀に生じた歴史上の文化運動を指します。「世の蒙昧を啓く」が本来の意味で、この一般的な意味で利用されることもあります。

キリスト教権力に対抗し、**社会契約説**のもと、市民革命を推進する。このような態度を**啓蒙主義**という。特に18世紀は啓蒙の世紀だった。

　啓蒙の本来の意味は「世の蒙昧を啓く」です。このような態度を一般に**啓蒙主義**といいます。これに対して歴史上の文化運動を啓蒙主義と呼ぶ場合もあります。この場合、イギリスの名誉革命からフランス革命に至る17～19世紀に生じた文化運動を指します。歴史上の啓蒙では、近代的理性や自然科学の歩みを通じて、**スコラ哲学的世界観**は否定され、理性に適う新たな秩序の構築が目指されました。政治的には多様な**社会契約説**が提唱され、人民と国家（政府）の在り方が問われました。これらを通じて民主主義への道を開くのに大きく貢献しました。思想面では、政治的に遅れていたドイツで**ドイツ観念論**が進展し、そのルーツである**カント**[*]は、イギリス経験論[387]と大陸合理論[393]との統合を目指しました。道徳面では功利主義[418]が台頭し、「**最大多数の最大幸福**」が叫ばれるようになります。また、経済面では個人の自由な経済活動が社会の全体の利益を増進するという自由放任主義（レッセ・フェール）[422]が主張されるようになります。

文献資料：エルンスト・カッシーラー『啓蒙主義の哲学』（筑摩書房）

啓蒙期の特徴

啓蒙主義の時代を政治面や思想面、道徳面、経済面などから見ると、本当に多様かつ重要な立場が出現したことがわかる。

407 純粋理性
pure reason

イマニュエル・カント
[408] 理性批判

カントが用いた言葉である純粋理性は、経験的要素を含まない、経験から独立した、抽象的な概念や論理的な推論に関係する理性の能力を指します。

カントは「純粋理性」と一般的な「理性」を使い分けている。まずこの違いを理解することが、カント哲学を解く有力な鍵になると思うよ。

イマニュエル・カント*の代表的著作に『**純粋理性批判**』があります。初めてこの表題にふれた人は「純粋理性って何だ？」「単なる理性と何が違うんだ？」という疑問を抱くに違いありません。カントは**純粋理性**という言葉で、経験的要素を含まない、経験から独立した、人間が先天的に持つ理性を指しました。この経験から独立した理性は、抽象的な概念の形成や論理的な推論に用いられます。さらにカントはこの純粋理性を**理論理性**と**実践理性**に分けて考えました（408 参照）。

　一方で、純粋理性ではなく、カント哲学で単に「**理性**」といった場合、純粋理性と経験に基づく経験的理性の両方を含む、より広い意味での理性の能力を指すことになります。一般的な意味での理性は、経験として感覚から入る情報を整理して、首尾一貫した概念や考え方に統合する役割を担います。人間が自分の周りの世界について知識を得られるのは、純粋理性と経験的理性の組み合わせによります。

文献資料：イマニュエル・カント『純粋理性批判』（岩波書店）

様々な理性

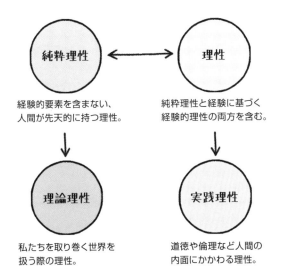

純粋理性
経験的要素を含まない、人間が先天的に持つ理性。

理性
純粋理性と経験に基づく経験的理性の両方を含む。

理論理性
私たちを取り巻く世界を扱う際の理性。

実践理性
道徳や倫理など人間の内面にかかわる理性。

純粋理性は経験から独立した、人間が先天的に持つ理性だ。カントは純粋理性の特性を徹底的に探究した。

理性批判
critique of reason

イマニュエル・カント
[407] 純粋理性

カント哲学において理性の諸能力を徹底的に検討することを指します。よくない点をあげつらうという意味での「批判」とはニュアンスが異なります。	人間の理性の限界と有効性を体系的に追究したものが、カント哲学における理性批判になる。このようなカントの哲学を**批判哲学**ともいう。

　カント*の代表作『**純粋理性批判**』の「理性批判」について考えてみましょう。一般に批判というと、よくない点をあげつらうというイメージがあります。カント哲学ではこのような意味で批判を用いません。「理性批判」とは、人間の理性の諸能力を徹底的に検討し、その限界と有効性を体系的に追究する態度を指します。したがって「純粋理性批判」といった場合、経験から独立した先天的な理性について徹底的に検討すること、という意味になります。

　なお、カントは自身の哲学で、純粋理性を**理論理性**と**実践理性**の2種類に区別しています。理論理性は、科学的・哲学的知識を含む、私たちを取り巻く世界を扱う際の理性です。著作『純粋理性批判』の中で探求されたのはこのタイプの理性でした。一方、実践理性は道徳や倫理など人間の内面にかかわる理性であり、カントは著作『**実践理性批判**』の中で、こちらのタイプの理性について探求しています。

文献資料：イマニュエル・カント『純粋理性批判』（岩波書店）

「純粋理性」と「批判」

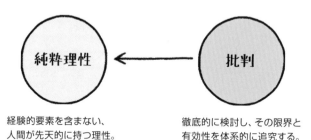

純粋理性 ← 批判

経験的要素を含まない、
人間が先天的に持つ理性。

徹底的に検討し、その限界と
有効性を体系的に追究する。

―― カントの「**純粋理性批判**」 ――

経験的要素を含まない、人間が先天的に持つ理性を徹底的に検討し、
その限界と有効性を体系的に追究する。

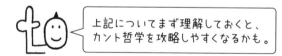

上記についてまず理解しておくと、
カント哲学を攻略しやすくなるかも。

物自体
Ding an sich（独）、thing-in-itself

イマニュエル・カント
[277] 知覚のトップダウン理論

カント哲学において、人間が認識している現象の根拠となる存在です。物自体は、人間の感覚を超越しており、認識の対象とはなり得ない存在を指します。	人間が感覚を通して世界を認識している以上、世界を客観的に認識することはできない。カントは本来あるその客観的存在を物自体と呼んだ。

　カント※によると、人間の認識は、**感覚**を通じて経験的に与えられたものが**悟性**によって整理されて成立します。このように人間の認識は、感覚を通じて経験的に与えられたものと結びつく点で限定的だといえます。つまり人間は、感覚に立ち現れるものしか認識できず、あるがままの世界は認識できません。こうしてカントは、感覚に立ち現れるものを**現象**、あるがままの世界を**物自体**と呼びました。

　従来、人間の認識は、世界のあるがままを認識するという考えでした。カントはこのような認識論を否定し、感覚的な経験が悟性を通じて秩序づけられたものが人間の認識として成立すると考えました。**認識が対象に従うのではなく、対象が認識に従う**という、こうしたカントによる発想の転換を**コペルニクス的転回**といいます。結局のところ人間は、「あるがままの世界＝物自体」を認識できず、主観を介した「現象」を見ているに過ぎません。これがカントの立場です。

文献資料：イマニュエル・カント『純粋理性批判』（岩波書店）

第9章　近代哲学

物自体と現象

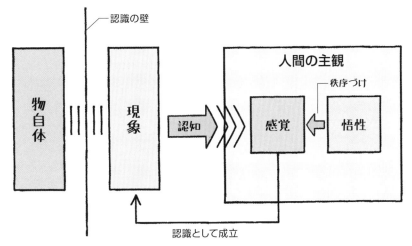

認識が対象に従うのではなく、対象が認識に従うのだ！
これこそ認識論のコペルニクス的転回なのだ。

410 超越論的
transcendental

[409] 物自体
[411] ア・プリオリ

超越論的とは、カント以降の哲学において、人間の先天的な経験能力にかかわることであり、経験や知識を可能にする条件や構造のことを指します。

古い哲学書では「先験的」と訳されることが多かったが、超越的（transcendent）との兼ね合いから、超越論的と訳されるようになった。

カント*によると、人間が認識しているものは**現象**です。現象を超えたその先にあるあるがままの世界を人間は認識することはできません。このあるがままの世界を**物自体**といいます。

このように考えると、私たちは現象を認識する能力が**先天的（ア・プリオリ）**に備わっており、それを通して世界を認識していることになります。いわば人間に先天的に備わったフィルターを通して世界を見ているわけです。実際、肉眼で見える可視光線の範囲には上限および下限があります。その範囲を超えてしまうと肉眼では見えません。視覚はまさにフィルターの一種であり、カントは人間が先天的に持つこのようなフィルターを「**超越論的なもの**」と呼びました。

なお、「**超越的**（transcendent）」と表現した場合、人間の経験や認識を超えるという意味であり、物自体は超越的な存在となります。

文献資料：イマニュエル・カント『純粋理性批判』（岩波書店）

「超越論的」の意味

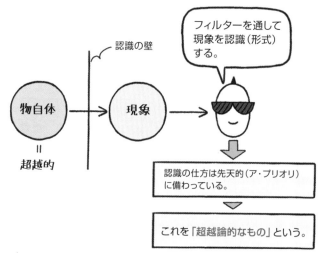

411 ア・プリオリ

a prior（羅）

イマニュエル・カント
[412] カテゴリー

> カント哲学でよく用いられるア・プリオリとは、論理的に先天的で経験に先んじていることを指します。対義語はア・ポステリオリで、こちらは後からの意で後天的になります。

> カントはア・プリオリな存在として、人類に共通する感性形式（時間と空間）と悟性形式（カテゴリー）を挙げた。

　人間の知識を成立させるには、経験を通じて感覚からさまざまな素材を受け取る必要があります。しかし、経験したままでは素材を知識に変えることはできません。経験から受け取った未整理の素材を整理するための一定の枠組みが人間の心の中に必要になります。

　カント*はこのように考えた上で、この枠組みとして**感性形式**と**悟性形式**を想定し、これらは人間がものごとを認識して理解する上で論理的に先天的、すなわち**ア・プリオリ**に備わっていなければならないと考えました。

　感性形式は人間に共通する経験の仕方で、物事を時間と空間でとらえることがその特徴です。また、悟性形式は人間に共通する理解の仕方で、人は 12 の**カテゴリー**で物事を理解するものだとカントは考えました。この点については次節でさらに詳しく解説しましょう。

文献資料：イマニュエル・カント『純粋理性批判』（岩波書店）

（感性形式と悟性形式）

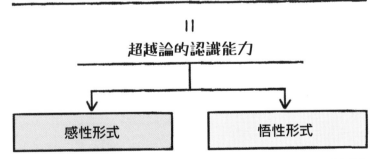

人間にア・プリオリ（先天的）に備わった認識能力
＝
超越論的認識能力

感性形式	悟性形式
物事を「空間的」「時間的」にとらえる能力	物事を12のカテゴリーでとらえる能力

　このようにカントは、人間が先天的に持つ認識能力、つまり超越論的認識能力に徹底してこだわるのだ。

第9章　近代哲学

369

412 カテゴリー
category

イマニュエル・カント
[411] ア・プリオリ

> カントが提起したカテゴリーとは、人間が経験し感覚から受け取った素材を整理して理解するための枠組みです。カントは12種類のカテゴリーを列挙しています。

> カント哲学では感覚から得られた素材を悟性によって理解する。その際に利用されるのがこの12のカテゴリーにほかならない。

　人は経験を通じてさまざまな素材を受け取ります。**カント**＊よると、その際に人は時間と空間で物事とらえます（**感性形式**）。さらにとらえた物事（素材）を悟性で秩序づけます（**悟性形式**）。これが対象の認識や理解になります。その際の素材整理の枠組みとして、カントは「量」「質」「関係」「様相」とい4つのグループからなる12のカテゴリーを想定しました。

「量」　…　一、多、全

「質」　…　実在、否定、制限

「関係」…　実体、因果、相互作用

「様相」…　可能、現実、必然

　悟性はこれらア・プリオリなカテゴリーを活用して対象を分析して把握します。これがうまく働かない場合、人間の認識や理解は正常に機能しません。

文献資料：イマニュエル・カント『純粋理性批判』（岩波書店）

悟性形式による認識

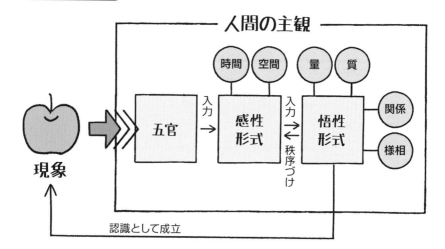

> 人は物自体を時間と空間の中、12のカテゴリーを通じて認識する。これが現象として成立する。

413 善意志

guter Wille（独）、good will

イマニュエル・カント
[367] 正義

私利私欲やその他の外的動機から行動するのではなく、道徳法則に基づいて行為しようとする意志を指します。カントは善意志の重要性を繰り返し強調しました。	一般に善と考えられるものは幾つもあるが、カントは無条件で善とみなされるものは善意志だけであるとしたんだ。

　善意志とは**カント***が用いた言葉で、私利私欲やその他の外的動機から行動するのではなく、**道徳法則**に基づいて行為しようとする意志を指します。道徳法則とは、義務の一切を導く法則で、この法則に従うよう善意志に命令を発するのが、人間の意志を自ら決定する力、すなわち**実践理性**です。

　一般に道徳法則の命令法には、**仮言命法**と**定言命法**があります。仮言命法とは「もし〜したいならば、… せよ」という条件付き命法です。これに対して定言命法は無条件に「〜せよ」「…するな」と命じます。道徳法則にあてはまるのは後者です。例えばカントの言葉である「**同時に普遍的法則として妥当しうるような格率に従って行為せよ**」は定言命法の一例です。

　定言命法による道徳法則や**格率（カノン）**を自ら自覚し、それに従って行為することを**自律**といいます。自らの法則に自ら従う自律こそ人間の**自由**です。

文献資料：『世界の名著 32　カント（「人倫の形而上学の基礎づけ」）』（中央公論社）

第9章　近代哲学

善意志にもとづいた行為

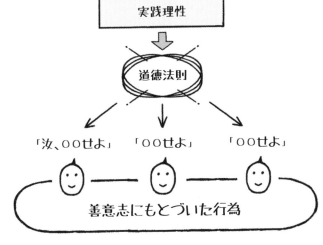

ドイツ観念論
German idealism

ヨハン・ゴットリープ・フィヒテ
フリードリヒ・ヴィルヘルム・ヨーゼフ・シェリング

ドイツ観念論は、カントの後に始まったドイツにおける哲学思想の潮流を指します。一般にフィヒテ、シェリング、ヘーゲルの3者による思想運動を示しています。

ドイツ観念論はある意味で哲学史における便宜上の枠組みだ。フィヒテやシェリング、ヘーゲルが生きた時代にはこの言葉は存在しなかった。

　ドイツ観念論は、18世紀末から19世紀初頭にかけてドイツで生まれた哲学思想を指します。**カント***の哲学を批判的に継承した**フィヒテ***、**シェリング***、**ヘーゲル***の3人の思想家が、ドイツ観念論として取り上げられるのが一般的です。

　ただし、ドイツ観念論という言葉自体は、3人の思想家が生きた時代には存在しません。20世紀に入ってから命名されたものであることから、フィヒテや、シェリング、ヘーゲルにドイツ観念論者としての自覚はなかったといえるでしょう。

　ドイツ観念論の特徴として挙げられるのが、万物を根本的に統一する絶対的なものの認識を目指したという点です。そのような中、フィヒテは自我を原理にすえて説明する**知識学**を、また**スピノザ***の影響を受けたシェリングはすべてが絶対的なもののあらわれとする**汎神論的世界観**を、ヘーゲルは**絶対精神**に着目した弁証法的歴史観を唱えました。

文献資料:『世界の名著35　ヘーゲル（岩崎武雄「ヘーゲルの生涯と思想」）』（中央公論社）

ドイツ観念論の流れ

知識学

汎神論的世界観

絶対精神

ヨハン・ゴットリープ・フィヒテ
Johann Gottlieb Fichte
1762～1814

フリードリヒ・フォン・シェリング
Friedrich Wilhelm Joseph von Schelling
1775～1854

ゲオルク・ヘーゲル
Georg Hegel
1770～1831

一般にドイツ観念論はこの3人で語られることが多い。いわばドイツ観念論の3大巨頭というわけだ。

415 絶対精神
absoluter Geist（独）

ゲオルク・ヴィルヘルム・フリードリヒ・ヘーゲル
[416] ヘーゲルの歴史観

> ヘーゲル哲学の中心概念の1つです。意識の最高形態であり、宇宙の究極の現実を意味し、人類は絶対精神の実現に向けて進歩するとヘーゲルは考えました。

> 絶対精神はヘーゲル哲学の中心概念の1つだ。絶対精神は、個人の心だけでなく、社会や国家、歴史、芸術、哲学などとして自己外化する。

絶対精神は精神の最高で最も普遍的な形態です。**ヘーゲル***は精神の本質を自覚だと考えました。精神は人間の心中にしか存在しないものではなく、言葉や芸術、哲学、労働などさまざまな形で自己を外化します。このように、本来形がなかったものが形をあらわす**自己外化**の過程で、人は精神を反省し、自己のありようを以前よりも自覚的にとらえ、再び自己に戻ることで（すなわち**止揚**[091]することで）、かつてとは違う自己、より成長した自己を実現します。この運動を繰り返すことで精神はやがて最高の形態である絶対精神へと進展します。

同様の運動は歴史の中にも見られます。歴史における特定の時代に、絶対精神のより限定的で特定の形をした**世界精神**が現れます。世界精神は、特定の社会や文明が共有する信念、価値観、実践、芸術、宗教、哲学に具現化されます。世界精神も歴史が進む過程で絶対精神に向けて運動を続けます。

文献資料：『世界の大思想 12　ヘーゲル　精神現象学』（河出書房）

絶対精神へ至る道

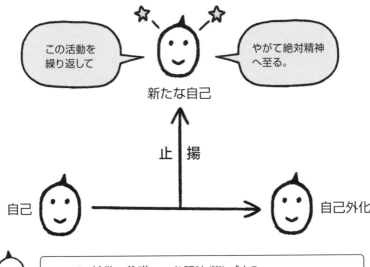

この活動を繰り返して

やがて絶対精神へ至る。

新たな自己

止　揚

自己

自己外化

ヘーゲル哲学の基礎には**弁証法**[091]がある。
絶対精神も精神の進歩を弁証法的にとらえることで成立する。

ヘーゲルの歴史観
Hegel's view of history

ゲオルク・ヴィルヘルム・フリードリヒ・ヘーゲル
[091] 弁証法

歴史は対立や矛盾がより優れた考え方によって解消され、それがさらに新たな対立と矛盾を生みながら発展するというプロセスがヘーゲルの示した独自の歴史観です。

矛盾を止揚（アウフヘーベン）することで高みを目指す弁証法は、歴史だけでなく、人間の精神や社会、自然界の成長や進展にも適用できる。

弁証法とは対立や矛盾、その解消による変化・発展の過程を指します。あるものごとが**正**（テーゼ／定立）として現れると、やがて矛盾があらわになり、正を否定する**反**（アンチテーゼ／反定立）の段階に移ります。しかしこの段階も否定され、やがて正と反の対立を越えた**合**（ジンテーゼ／総合）の段階に至ります。そしてこの正と反の対立を超越することを**止揚**（アウフヘーベン）といいます。

ヘーゲル[*]によると、**人類の歴史**も弁証法的に推移し発展してきました。古代社会、中世キリスト教社会、絶対王制、共和制というように西洋の歴史は進展しましたが、その過程は対立する正と反から合を生み出す過程であり、人間の自由が発展する歴史でした。最終的には人倫[417]と呼ばれる共同体がゲルマン世界で実現し、絶対的自由を得られるとヘーゲルは考えました。

これが**ヘーゲルの歴史観**です。

文献資料：ゲオルク・ヘーゲル『歴史哲学講義』（岩波書店）

弁証法的な歴史の進展

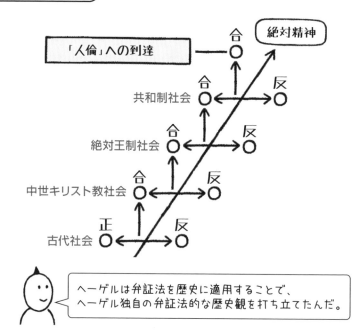

ヘーゲルは弁証法を歴史に適用することで、ヘーゲル独自の弁証法的な歴史観を打ち立てたんだ。

417 人倫
Sittlichkeit（独）

ゲオルク・ヴィルヘルム・フリードリヒ・ヘーゲル
[091] 弁証法

ヘーゲル哲学において、法と道徳という2つの形態を止揚したときに生じるものです。いわば道徳と法を統合したもの、それがヘーゲルのいう人倫です。

法（正）に対立する道徳（反）、さらにそれらを止揚した人倫（合）というように、ここでも弁証法が利用されている。

　ヘーゲル*は社会における私たちの在り方を**弁証法**で考えます。まず、社会で生きる私たちには、その行動を外側から規制する「**法**」が存在します。これに対して私たちそれぞれが自分の在り方を内面で律する「**道徳**」が存在します。

　しかしながら実際の生活では、この法と道徳が対立することがあります。両者は弁証法でいう正と反です。これに対してヘーゲルは、法も道徳も単独では機能せず、2つを止揚してはじめて「**人倫（倫理）**」が生まれると考えました。

　この考え方は国家にも適用されます。「**家族**」は愛情によって結びついた共同体です。しかし「**市民社会**」では利害の対立や自由競争の中で、各人の自己の欲望がぶつかり合う**欲望の体系**が生まれます。家族の愛と市民社会における欲望の追求というこの矛盾する両者を止揚して生まれるのが人倫としての「**国家**」です。この段階において、国の体制や法のもとに個人の自由は実現されます。

文献資料：『世界の名著 35　ヘーゲル（「法の哲学」）』（中央公論社）

▌ 人倫と国家

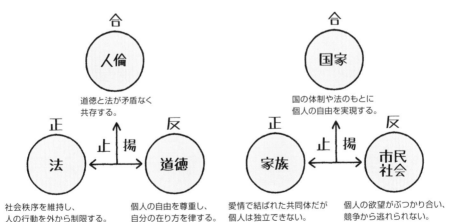

合
人倫
道徳と法が矛盾なく
共存する。

正
法
止揚
反
道徳

社会秩序を維持し、
人の行動を外から制限する。

個人の自由を尊重し、
自分の在り方を律する。

合
国家
国の体制や法のもとに
個人の自由を実現する。

正
家族
止揚
反
市民社会

愛情で結ばれた共同体だが
個人は独立できない。

個人の欲望がぶつかり合い、
競争から逃れられない。

「法」よりも「道徳」が先立つような気もするが、ヘーゲルはこの正と反の関係で、やがて「人倫」（合）に至ると考えた。

 第9章　近代哲学

功利主義
utilitarianism

ジェレミー・ベンサム
ジョン・スチュアート・ミル

ある行為がもたらす帰結が人々の幸福の増大に寄与するかどうかで、その行為の是非を判断する態度を指します。イギリスの哲学者ベンサムがその先駆者です。

18世紀後半〜19世紀にかけてイギリスのベンサムやミルが提唱した。功利主義は現代の倫理哲学にも影響力を持つ。

イギリスの**ジェレミー・ベンサム***は**功利主義**の先駆者となった哲学者として著名です。ベンサムは法を通じた社会改革に生涯をかけた人で、教育法の改正のほか、パノプティコン[493]と呼ばれる刑務所改革も提唱しました。

功利主義は、ある行為がもたらす帰結が人々の幸福の増大にどの程度寄与するかで、その行為の是非を判断します。これを**功利性の原理**とも呼びます。この考え方を端的に表しているのがベンサムの「**最大多数の最大幸福**」です。

功利性の原理では、ある行為が人の幸福を増大させるか否かで、その行為の是非が決まります。その際に、できるだけ多くの人が、できるだけ大きな幸福を得られれば、個人ばかりか社会の利得も高まります。つまり「最大多数の最大幸福」を実現する行為こそが、社会的な善の基準になります。法や社会制度はこのような観点から考えるべきだとベンサムは主張しました。

文献資料：『世界の名著38　ベンサム　ミル（「道徳および立法の諸原理序説」）』（中央公論社）

最大多数の最大幸福

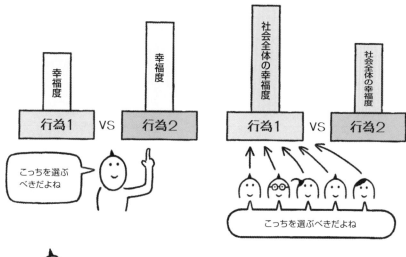

快楽計算
calculation of pleasure

ジェレミー・ベンサム
[418] 功利主義

功利主義哲学者ベンサムが提唱したもので、ベンサム功利主義の基本ツールです。快楽と苦痛の量を測り、これを差し引いたものを幸福とする計算式を指します。

ベンサムは快楽は計算できると考えた。そのために、強度や持続性、確実性、遠近性、多産生、純粋性、範囲という7つの尺度を列挙している。

イギリスの功利主義哲学者**ジェレミー・ベンサム**[*]は、「**最大多数の最大幸福**」を実現するために、幸福の量を定量的に計算しようと考えました。それが**快楽計算**です。快楽計算は快楽と苦痛の量を測り、これを差し引いたものを幸福の量とする考え方です。

快楽計算を実行するにあたり、ベンサムは次の7つの尺度を設けました。①強度（快楽と苦痛の強さ）、②持続性、③確実性、④遠近性（実現時期の近さ）、⑤多産性（波及効果）、⑥純粋性（価値を下げる要因）、⑦範囲（影響人数）がそれです。

ベンサムは、これら7つの尺度を用いて、ある行為や決定が生み出す快楽や苦痛の量を定量化し、社会における快楽の総量を最大化し、苦痛の総量を最小化することを社会の目標とすべきだと考えました。まさにこれはベンサムが提唱した「最大多数の最大幸福」を実現するためのツールになります。

文献資料：『世界の名著38　ベンサム　ミル（「道徳および立法の諸原理序説」）』（中央公論社）

第9章　近代哲学

快楽計算のための7つの尺度

	尺度	概要
1	強度	快楽や苦痛がどの程度強いか？
2	持続性	快楽や苦痛はどのくらい続くか？
3	確実性	快楽や苦痛が発生することがどの程度確実か？
4	遠近性	快楽や苦痛が時間的にどの程度近いか遠いか？
5	多産性	快楽や苦痛の後に、さらに同じようなことが起こる確率はどれくらいか？
6	純粋性	その快感や苦痛には、価値を下げるような他の感覚を伴っていないか？
7	範囲	快楽や苦痛によって、どれだけの人が影響を受けるか？

ベンサムの手法には**複雑な倫理問題を単純化し過ぎている**という批判もある。

質的功利主義
qualitative utilitarianism

ジョン・スチュアート・ミル
[419] 快楽計算

ジョン・スチューアート・ミルを代表とする功利主義の立場です。質的功利主義では、幸福や快楽の量よりもむしろその内容や性質を重視する点を特徴にしています。

ベンサムの功利主義が量的快楽を重視するのに対して、ミルの功利主義は快楽の質的側面を重視する。

ジョン・スチュアート・ミル*の父親であるジェームズ・ミルは**ベンサム***の友人でした。そのためミルは幼少の頃からベンサムの功利主義に接していました。

ところがやがてミルはベンサムの思想に疑問を抱きます。ベンサムが幸福の量だけを重視しその質を重視しなかったからです。そこでミルは、従来の功利主義を修正して、幸福の量よりも質を重視した**質的功利主義**を唱えます。

「満足した豚であるより、不満足な人間であるほうがよく、満足した馬鹿であるより不満足なソクラテスであるほうがよい」という言葉は、ミルの立場を端的に表現しています。これは量が多くて質の低い幸福よりも、量は少ないが質の高い幸福のほうが重要だという立場の表明です。また、ミルは「**自分にしてもらいたいことは、ほかの人にもそのようにしなさい**」というイエスの黄金律こそ、功利主義の理想的な在り方だと考えました。

文献資料：『世界の名著 38　ベンサム　ミル（「功利主義論」）』（中央公論社）

質的功利主義

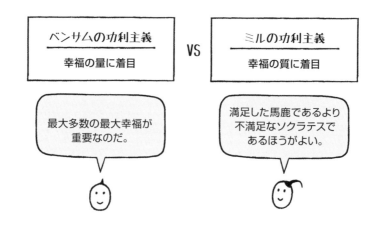

ミルの立場を支持すると、今度は質を測定する基準が必要になる。これは悩ましい問題だ。

421 資本主義社会
capitalist society

アダム・スミス
[422] 自由放任主義

近代ヨーロッパに生じた経済システムの1つです。資本主義社会では私有財産制が認められ、市場で自由に取引を行える経済体制を大きな特徴の1つとする社会です。

資本主義は、個人や企業が自由競争によって利益を追求する。この**利潤追求の自由**も資本主義の大きな特徴なのだ。

　18世紀後半、イギリスに起こった**産業革命**は、繊維産業を中心に小さな企業を多数生み出しました。これらの企業は**自由競争**のもと市場で商品を取引しました。ここに初期の**資本主義経済**が始まります。同じ頃、羊の毛が高く売れることから、農民を農場から追い出して牧場にする動きが活発化しました（**エンクロージャー**）。土地を追われた農民は都市に流れて労働者になります。企業を経営する資本家は**生産手段**を持ちます。労働者は**労働力**を持ちます。こうして労働者は労働力を商品として資本家に売り、資本家はその代価として賃金を支払います。ここに資本主義経済の特徴である**資本家階級（ブルジョアジー）**と**労働者階級（プロレタリアート）**の分化が起こります。生産手段から生み出された商品は市場で売買され、得られた利益は資本家のものになります。資本家はそこから賃金を支払い残りが利潤になります。**マルクス***は、この利潤を労働者からの**搾取**だと、資本主義を鋭く批判します。

文献資料：『世界の名著31　アダム・スミス（「国富論」）』（中央公論社）

422 自由放任主義
laissez-faire（仏）

アダム・スミス
[423] 見えざる手

市場での競争は自由に任せる態度を指します。初期資本主義の思想的支柱であったアダム・スミスが提唱しました。レッセ・フェールともいいます。

自由放任主義を唱えたスミスは、政府は市場に介入すべきではないと主張した。このような国家観を**小さな政府**という。

　初期資本主義の思想的な支柱となったのがイギリスの経済学者**アダム・スミス***です。スミスは**自由放任主義（レッセ・フェール）**による市場での活動が経済を調整し、結果的に社会の富は増すと主張しました。

　自由放任主義とは、市場は政府の干渉を受けず、自由に運営されるべきであるという考えです。そこでは、個人が自由に自己の利益を追求できます。すると他者が価値を認める財やサービスが生まれ、それによって社会全体の経済成長と繁栄が促進されます。このような自由放任による市場の調整機能を、スミスは「**見えざる手**」と表現しました。

　以上のように考えたスミスは、政府は市場に介入すべきではなく、国防と司法、公共施設の設置や管理を行えばよいと主張しました。スミスが唱えたこのような国家観を**夜警国家**や**小さな政府**といいます。

文献資料：『世界の名著31　アダム・スミス（「国富論」）』（中央公論社）

423 見えざる手
invisible hand

アダム・スミス
[422] 自由放任主義

アダム・スミスが著作『国富論』で述べた言葉で、自由市場における個人の利己心が社会全体にとって予期しない良い結果をもたらすことを意味しています。

😊「見えざる手」は「神の見えざる手」と表記されることもある。けれど、スミスの原典では単に「見えざる手（an invisible hand）」とのみ表記している。

　イギリスの経済学者**アダム・スミス***は市場の原理について「**見えざる手**」（または「**神の見えざる手**」）を用いたことであまりにも有名です。スミスがこの言葉を使ったのは、著書『国富論』の第4編・第2章においてでした。個人が自由市場で生産物を売る場合、自己利益のために生産物の価値をより高めて売ろうと努めるでしょう。結果、価値あるものはよく売れ、社会一般の利益も増進していきます。しかし生産物を販売する個人は、社会の利益を増進させようという利他的な動機に動かされているわけではありません。あくまでも自己の利益のためです。それが結果的に「見えざる手」に導かれて、個人が意図していなかった、社会利益の増進という別の目的を達成するわけです。

　スミスはこのような意味で「見えざる手」を用いました。つまり「見えざる手」とは、スミスが主張する**自由放任主義**の利点を強調しているわけです。

文献資料：『世界の名著31　アダム・スミス（「国富論」）』（中央公論社）

見えざる手

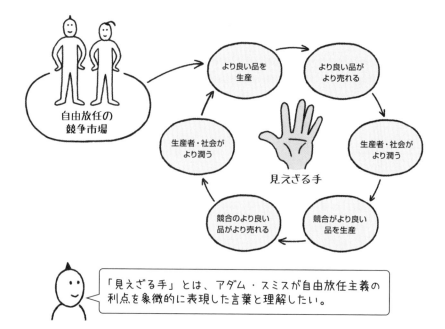

「見えざる手」とは、アダム・スミスが自由放任主義の利点を、象徴的に表現した言葉と理解したい。

アニマル・スピリット
animal spirit

ジョン・メイナード・ケインズ
[421] 資本主義社会

イギリスの経済学者ケインズが指摘した企業家が持つ血気を指します。アニマル・スピリットは資本主義社会を動かす原動力であると同時に、不安定要因の1つにもなります。

合法的なカジノに足を踏み入れてみよう。そこではアニマル・スピリットに衝き動かされている人々があちこちにいる。

　アニマル・スピリットは、経済学者ジョン・メイナード・ケインズ[*]が著作『雇用・利子および貨幣の一般理論』の中で指摘した、企業家の持つ血気、すなわち静的でいるよりも行動的であろうと欲する精神を指します。

　資本主義社会の企業家は利潤の追求に衝き動かされます。その際に、企業家は、冷静な判断を通じた数学的な期待値から、新規事業に投資したり、新商品を開発したりします。しかしながら、すべての活動が理性的に行われるのではありません。数学的には判断できない長期にかかわる意思決定などでは、沈着冷静よりも行動的な態度、すなわちアニマル・スピリットが好まれます。

　一か八かの判断は、当たれば大きなリターンが得られます。しかし判断を誤ると大損失を被ります。このように資本主義社会におけるアニマル・スピリットは社会を動かす原動力になると同時に、大きな不安定要因にもなります。

文献資料：ジョン・メイナード・ケインズ『雇用・利子および貨幣の一般理論』（東洋経済新報社）

第9章　近代哲学

アニマル・スピリット

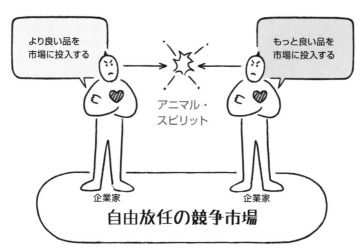

より良い品を市場に投入する

もっと良い品を市場に投入する

アニマル・スピリット

企業家　企業家

自由放任の競争市場

血気盛んな精神が市場を活性化し社会の発展を促す。しかしそれが不安定化要因にもなる。

ホモ・ファベル
homo faber

アンリ・ベルクソン
[248] 主体と客体

工作する人。本来人間は、理性的な人（ホモ・サピエンス）であるよりも、工作する人（ホモ・ファベル）として先に存在したのかもしれません。

理性的な人間像よりも生産的な人間像が先に立つ。人をホモ・ファベルととらえると、現代人はホモ・ファベル的性格を喪失したのかもしれない。

　人間のことを**ホモ・サピエンス**、つまり知恵のある人、理性的な人と表現します。これに対してホモ・サピエンスよりも実は**ホモ・ファベル**が先立つのではないかという考えがあります。ホモ・ファベルとは**工作する人**のことで、フランスの哲学者**アンリ・ベルクソン***が提唱しました。

　ベルクソンによると、アリやミツバチが本能的に作り出す有機的な道具ではなく、人は無機的な道具を作り出すことで知性を獲得しました。これが正しいとすると人はものを作り出すことで知恵を得たことになり、ホモ・ファベルはホモ・サピエンスに先立ちます。

　また、**直立二足歩行**するようになった人間は両手が自由になり、結果、手でものを作ることになります。手でものを持ち、操作することで、動かすもの（**主体**）と動かされるものも（**客体**）が分離します[248]。このように、ホモ・ファベルの登場は**主観**や自己意識[243]の発生とも強く結びついているようです。

文献資料：アンリ・ベルクソン『創造的進化』（岩波書店）

工作する人が先立つ

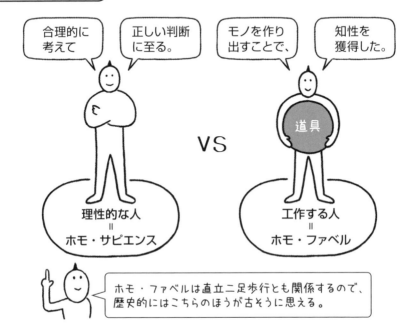

理性的な人 ＝ ホモ・サピエンス　vs　工作する人 ＝ ホモ・ファベル

ホモ・ファベルは直立二足歩行とも関係するので、歴史的にはこちらのほうが古そうに思える。

426 生産構造
production structure

[091] 弁証法
[425] ホモ・ファベル

ホモ・ファベルに弁証法を適用して生産の構造を可視化すると、生産を通じて成長する人間像を描けます。	自己外化した道具は独立し客体化する。そして自己に取り戻すことで道具は人間の延長になる。それは**ドーキンス***がいう延長された表現型[292]なのだ。

ホモ・ファベルに**弁証法**を適用して**生産構造**を可視化すると、生産を通じて成長する人間像を描けます。

まず、道具の創造以前です。人間は、環境の中に素材を発見し、それに働きかけ、対象化つまり道具などの制作物を作り出します。もちろんその際に利用しているのが両手です。

対象化した制作物が主体である自己と対峙します。それは自己から離れ、自己から独立した客体になります。これは**ヘーゲル***のいう自己外化[415]の過程にほかなりません。

自己外化した制作物、自己から独立したものを、人間は自己のものとして取り戻します。この過程は弁証法でいう**止揚**であり制作物は人間の延長になります。

以上が生産の構造であり、これを繰り返すことで**ホモ・ファベル**は**ホモ・サピエンス**へと成長していきます。

文献資料：西川富雄『現代とヒューマニズム』（法律文化社）

第9章 近代哲学

弁証法を適用した生産構造

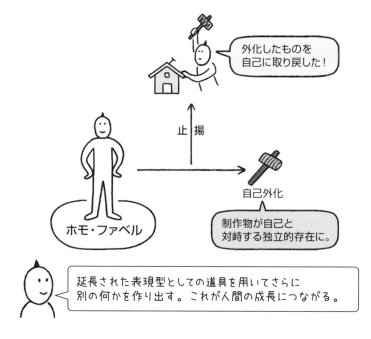

外化したものを
自己に取り戻した！

止 揚

自己外化

制作物が自己と
対峙する独立的存在に。

ホモ・ファベル

延長された表現型としての道具を用いてさらに
別の何かを作り出す。これが人間の成長につながる。

427 疎外
alienation

カール・マルクス
[425] ホモ・ファベル

本来自分が持つ本質的なものが外化＝対象化されて、自己にとって他なるもの、どこかよそよそしいものになることを指します。マルクス哲学のキーワードの１つです。	資本家が生産手段を所有し、労働者が労働力を売る存在になることで、労働者に労働の疎外が生じた。

　そもそも**疎外**とは、自分が持つ本質的なものが外化＝対象化されて、自己にとって他なるもの、どこかよそよそしいものになることを指します。**マルクス**[*]はこの疎外が**資本主義社会**[421]における**労働**に生じていると喝破しました。

　生産手段が私的に所有されず社会的に所有されていた時代では、労働は人間にとっての一部であり本来的なものでした。ところが、資本主義社会が誕生すると、**資本家階級（ブルジョアジー）**が生産手段を所有し、**労働者階級（プロレタリアート）**は労働力を売る存在になりました。生産手段から生み出されたモノは、資本家の手によって市場で売買されます。資本家は得られた利益から労働者に賃金を支払います。これが繰り返されることで労働者は、本来は自己と不可分だった労働が、自分の外にある、どこかよそよそしいものとなり（**労働の疎外**）、人が本来持っていた**ホモ・ファベル**的性格を喪失することになります。

文献資料：カール・マルクス『経済学・哲学草稿』（光文社）

労働の疎外

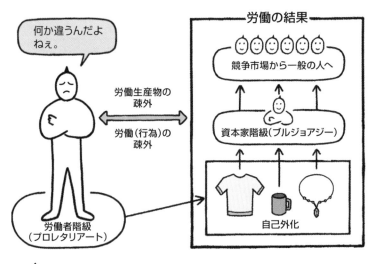

現在の労働環境では、自らの手で自己外化したものが、自分に戻ってこないことが多い。まさに労働の疎外だ。

428 自己喪失
selfless

カール・マルクス
[425] ホモ・ファベル

労働の疎外により、労働による対象化➡止揚➡自己還帰という弁証法的運動が否定され、自己を完結できない状況を指します。

自己喪失は決してマルクスの時代だけの話ではない。働いている時の自分に自己喪失感を覚える人が現代にも多数存在するのではないか。

　労働が自己の一部であり不可分の場合、労働による生産➡生産物の外化➡生産物の止揚➡自己帰還という**弁証法的**運動が行われます[426]。労働の結果が自己帰還することで、人は新たな自己へと成長します。つまり、弁証法的な過程を通じて、人間は自己展開し、自己実現[290]へと向かいます。これが「**完成した労働**」です。しかしながら、資本主義社会における労働者階級は、完成した労働を実現するのが非常に困難になります。それというのも、労働による生産物は、自分の手に残らず、資本家や第三者の手に渡ってしまうからです。つまり、労働による生産物の対象化、外化はあっても、それを止揚して自己帰還できません。**労働の疎外**です。その結果、**自己完結**はありません。この状況を**自己喪失**と呼びます。

　現代社会でも自己喪失を感じている人は多いに違いありません。FIRE[024]を目指す人が多いのもそのためなのかもしれません。

文献資料：西川富雄『現代とヒューマニズム』（法律文化社）

自己完結と自己喪失

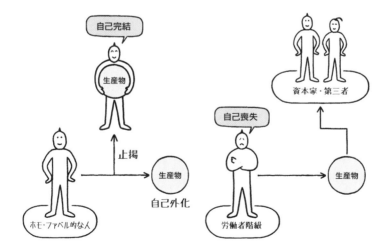

自己完結

生産物

止揚

生産物

自己外化

ホモ・ファベル的な人

自己喪失

生産物

資本家・第三者

労働者階級

自己喪失から反省的に得られるのは、人にとっての仕事（労働）が必ずしも金銭のためだけではない、ということだ。

生産関係
production relation

[427] 疎外
[428] 自己喪失

財やサービスの生産と交換を行う際に、人間が相互に結ぶ社会的関係を指します。その際に誰が生産手段を所有しているかが重要な鍵になります。

生産関係で鍵となるのが生産手段だ。生産手段を所有する者が持たない者を支配することは歴史が示している。

マルクス*哲学において、**生産関係**とは、財やサービスの生産と交換を行う際に、人間が相互に結ぶ社会的関係を指します。この社会関係を形成する上で重要になるのは、誰が**生産手段**を所有するかという点です。生産手段を所有する者が、その非所有者を支配する傾向が強まることは、歴史が明らかにしています。

例えば、奴隷制の時代には土地所有者（支配階級）と奴隷（被支配階級）、封建制の時代は封建領主（支配者）と小作人（被支配者）、資本主義の時代には資本者階級（支配者）と労働者階級（被支配者）というように、生産手段を持つ者が支配者、持たざる者が被支配者になってきました。

一方現在、高度な知識を持つ**知識労働者（ナレッジ・ワーカー）**は、自分自身を生産手段の所有者にできるようになってきました。つまり生産関係に変化が生じ、結果、優秀な人材の争奪戦が生じているわけです。

文献資料：カール・マルクス『経済学批判』（岩波書店）

鍵は生産手段にあり

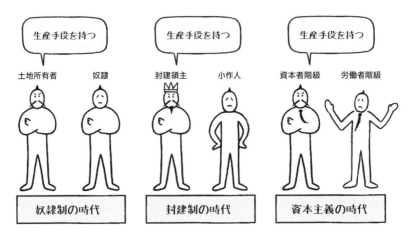

生産手段を持つ　生産手段を持つ　生産手段を持つ

土地所有者　奴隷　　封建領主　小作人　　資本者階級　労働者階級

奴隷制の時代　　封建制の時代　　資本主義の時代

「手に職を持て」というけれど、それって、自ら生産手段を所有せよ、ということだね。

上部構造／下部構造
superstructure/substructure

[429] 生産関係
[431] 史的唯物論

社会や歴史は、それを支える下部構造と、下部構造によって実現する社会や文化という上部構造から成立するという説です。

😊 マルクスは、下部構造は経済的活動で、その在り方によって上部構造の社会や文化が立ち現れると考えた。よって社会を変えるには下部構造を変える必要がある。

マルクス[*]らの**史的唯物論**では、人間社会やその歴史を、上部構造と下部構造という二重構造でとらえます。**下部構造**は社会や歴史を支える土台です。この土台の在り方によって、固有の社会や文化が生じます。これらが**上部構造**です。

下部構造は、社会の経済的基盤のことで、生産手段、流通手段、交換手段を含みます。ここでは技術、原材料、労働力などの**生産力**と**生産関係**という2つの主要な要素で構成されています。

一方、上部構造とは、下部構造によって形成される国や社会の文化的、政治的、思想的側面を指します。これには法律、宗教、文化、教育、各種制度などが含まれます。

マルクスは、下部構造の鍵となる経済制度が、上部構造の社会構造や文化構造を決めると考えました。したがって、社会の在り方を変えるには、下部構造の経済制度を変えなくてはなりません。これがマルクスの立場でした。

文献資料：カール・マルクス『経済学批判』（岩波書店）

第9章 近代哲学

下部構造が上部構造を決める

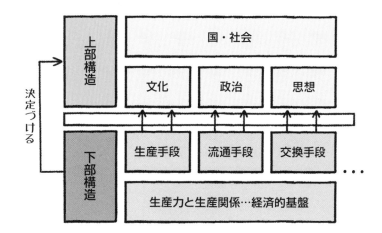

上部構造は支配階級の経済（下部構造）的利益を強化するものとして機能する。政治献金の目的はそこにあるのかもしれない。

431 唯物史観
historical materialism

カール・マルクス
フリードリヒ・エンゲルス

唯物史観は、人間社会の歴史を唯物論的に説明する立場を指します。史的唯物論ともいいます。マルクスがエンゲルスとともに確立した独自の歴史観です。

マルクスはヘーゲルの弁証法を活用して、人間社会の歴史を唯物論の観点から説明した。これが史的唯物論だ。

マルクス*はヘーゲルの歴史観[416]に、上部構造 / 下部構造[430]の概念を重ね合わせ、下部構造の生産関係の変遷から歴史を唯物論的に説明しようとしました。これがマルクスの**唯物史観（史的唯物論）**です。

マルクスは、歴史の原動力として**下部構造**の生産関係[429]をとらえ、異なる力関係を持つ社会階層間の闘争が歴史を動かすと考えました。原始共産主義、奴隷制、封建制、資本主義といった各段階は、それぞれ固有の生産関係によって規定されます。しかし時代が進むとやがて生産関係に矛盾が生じ、あらたな生産関係が求められ下部構造が変化します。この変化は法律や宗教、文化といった上部構造の変革をもたらします。このように、社会の物質的条件が変化すると、その社会的、政治的構造も変化し、新しい生産様式の発展や新しい階級の出現につながります。このような歴史のとらえ方を唯物史観といいます。

文献資料：カール・マルクス『経済学批判』（岩波書店）

唯物史観

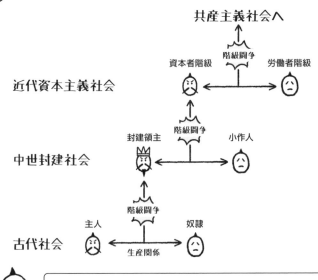

歴史的変化の原動力は、異なる利益と力関係を持つ異なる社会階層間の闘争だと、マルクスは主張する。

共産主義社会
communist society

[421] 資本主義社会
[431] 唯物史観

私有財産制度を廃止し、生産手段や財産を共有することで、階級間の不平等や対立を解消する社会を指します。初期のマルクスやエンゲルスが自分たちの立場を表現するのに用いました。

マルクスは、資本主義社会から共産主義社会へ移行する過渡的段階で社会主義社会が現れると考えたのだ。

　史的唯物論からわかるように、社会の**上部構造**は**下部構造**である生産関係[429]によって決まります。一方、資本主義社会を見ると階級間の激しい不平等と対立が見られます。これは生産手段の所有者である**資本家階級（ブルジョアジー）**と労働力を売り渡す**労働者階級（プロレタリアート）**の生産関係から**労働の疎外**が起こり、労働者による**労働の完成（自己完結）**を妨げていることに起因すると考えられます。

　そこで**マルクス***や**エンゲルス***らは、資本家階級と労働者階級の**階級闘争**を通じて、**私有財産制**を廃止し、生産手段や財産を共有する**共産主義社会**の実現を提唱しました。こうすることで、労働者に生じた労働の疎外は解消され、労働は再び自己の不可分な一部になります。このように、疎外された労働者に本来の自己を実現する社会的生産様式の確立を目指すのが**共産主義**であり、そのような考えで実現される社会が**共産主義社会**にほかなりません。

文献資料：カール・マルクス、フリードリヒ・エンゲルス『共産党宣言』（岩波書店）

第9章　近代哲学

階級闘争による共産主義社会の実現

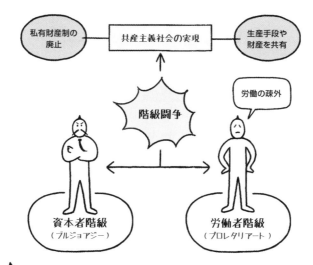

20世紀は共産主義を目指した国家が次々と成立した。しかしその多くは破綻したのが現実だ。

433 ペシミズム
pessimism

アルトゥール・ショーペンハウアー
フリードリッヒ・ニーチェ

ペシミズムは厭世主義や悲観主義ともいいます。過去・現在・未来のいずれにおいても、物事は悪い方向に向かうとする信念や態度を指します。

ショーペンハウアーはペシミズムを主題にして独自の哲学を展開した。音楽家ワグナーや哲学者ニーチェらに大きな影響を及ぼした。

　ペシミズムとは**厭世主義**、**悲観主義**のことで、**オプティミズム（楽観主義）**の対義になります。ペシミズムの世界観は古くから仏教やギリシア哲学でも主題になってきました。近代哲学でペシミズムを主題にした人物としては**アルトゥール・ショーペンハウアー***が著名です。ショーペンハウアーによると、「**生きる意志**」が人間存在の根本的な原動力であり、この意志は意識的な自覚や指示なしに作動するという意味で**盲目的意志**です。この意志は飽くことなく、常に新しい欲望の対象を求め、欲望と欲求不満の苦しみは永久的なサイクルで続きます。

　人は芸術に浸ることでこの苦痛のサイクルから一次的に逃れることができます。しかし永久に逃れようと思うと、意志を根本的に放棄し、自己を超越する必要があるとショーペンハウアーは考えました。このようにショーペンハウアーのペシミズムには、どこか仏教の**諦念**を思わせるところがあります。

文献資料：『世界の名著　続10　ショーペンハウアー（「意志と表象としての世界」）』（中央公論社）

ペシミズムの克服

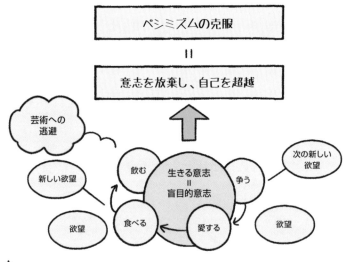

ニーチェ*はショーペンハウアーとは違って、生きる原動力に力への意志 [439] を見出し、生に立ち向かうことを説いた。

434 実存主義
existentialism

セーレン・キルケゴール
[435] 実存の3段階

人が「いま-ここ」に現実にある存在として自己を意識し、自己の存在あるいは自己の在り方を、自己の責任において、自己自身で選びとる態度を指します。	キルケゴール以降、実存主義は哲学の1つの大きな潮流になった。自己の在り方を自分自身で選びとる実存主義的な生き方は現在の私たちにも問われている。

　実存とは**現実存在**を略したもので、「**いま-ここ**」に具体的かつ個別的に存在しているものを指します。これに対置されるのが、物事の普遍的な性質である**本質存在**です。近代的人間観では、理性的な存在を人間の本質としてとらえてきました。このような人間観は、実存よりも本質を優先する立場だといえるでしょう。このような人間観に対して、人間を主体的にとらえるポスト近代的な人間観が生まれてきました。その嚆矢となったのが**セーレン・キルケゴール***です。

　人間を本質で語るのは、人間を普遍的に客観化することであり、人間を共通の尺度で一般化する態度です。キルケゴールはこのような態度を拒否し、人間の主体性に真理を求めました。これを**主体的真理**といいます。主体的真理とは、自分がそのために生き、そのために死ぬことができる、人間それぞれの真理です。このように現実存在としての自己を重視する立場はやがて**実存主義**と呼ばれるようになります。

文献資料：小川圭治『人類の知的遺産48　キルケゴール（「ギレライエの日記」）』（講談社）

主体的真理

客観的な真理に
何か意味があるのか？

セーレン・キルケゴール
Søren Kierkegaard
1813～1855

客観的真理

人間を共通の尺度で一般化。
自分だけの生に対してそれは意味があるのか。

⬇

主体的真理

自分にとって真理である真理。
自分がそのために生き、また死ぬことのできる真理。

日本ではニーチェと並んでキルケゴールが
人気哲学者のように思うけど、どうかな？

実存の３段階
three stages of existence

セーレン・キルケゴール
[436] 絶望

キルケゴールが指摘した実存的な生き方の過程を指します。人間が真の実存に到達するまでの段階であり、美的実存、倫理的実存、宗教的実存の３段階を指します。

実存の３段階はキルケゴールが提唱したもので、彼は真の実存は宗教的実存によって達成されるとした。

キルケゴール*は、真の実存に到達するには３つの段階があると述べました。これを**実存の３段階**といいます。

第１段階は目先の快楽と個人の満足の追求に焦点を当てる**美的実存**です。この段階は、享楽的な生に自己の在り方を見出そうとします。しかし、やがて倦怠感や堕落にさいなまれ**絶望**に至ります。第２段階は、自分の行動に責任を持ち始め、倫理的原則の重要性を認識する**倫理的実存**です。この段階で人は、目先の快楽よりも、誠実さ、責任感、義務感などの価値観を優先して生きようと努めます。しかし、不完全な自己は社会との軋轢が生じやはり絶望に至ります。第３段階は、神の意志に従って生きようとする**宗教的実存**です。自力で本来の自己を見つけ出すことが不可能だと知ると人は信仰に救いを求めます。そして、神の前に**単独者**として生きる道を選んだとき実存の完成に至ります。

文献資料：『世界の大思想Ⅱ-8　キルケゴール　あれか、これか』（河出書房新社）

実存の３段階

美的実存	倫理的実存	宗教的実存
目先の快楽と個人の満足の追求に焦点を当てる。	自分の行動に責任を持ち、倫理的原則に従う。	神の意志に従って、単独者として生きる。

アリストテレスは幸福な生活には３つあると考えた[368]。キルケゴールの説もそれにどこか通じるところがある。

436 絶望
despair

セーレン・キルケゴール
[434] 実存主義

キルケゴールの哲学で中心となる概念の1つです。著作『死に至る病』において、絶望を自覚し乗り越えることで真の実存を達成できるとキルケゴールは説きます。

神を信じるしか途はないのに、それでもキリスト者として生きられない絶望を、キルケゴールは「死にいたる病」と呼んだ。

キルケゴール*が**絶望**について述べた著作としては『**死にいたる病**』があまりにも有名です。この著作の中でキルケゴールは絶望を3つに分け、①自己が絶望であることを知らない絶望（非本来的絶望）、②絶望して自己自身であろうとしない絶望（自己嫌悪の絶望）、③絶望して自己自身になろうと欲してもなれない絶望としました。

絶望から人を救い出すには、ただ何らかの「**可能性**」が必要になります。キルケゴールはこの可能性を神への信仰に見出します。なぜなら神にとって、あらゆる瞬間に一切が可能だからです。しかし、神を信じるしか途はないのに、それでもキリスト者として生きられない絶望を、キルケゴールは「**死にいたる病**」と呼びました。死に至る病の中、キルケゴールはそれでもなお、神の前にただ1人の人間（**単独者**＝実存）として立って神に向き合おうとします。信仰こそがキルケゴールにとって、自分がそのために生き、そのために死ねる主体的真理[434]だったのです。

文献資料：『世界の名著 40　キルケゴール（「死にいたる病」）』（中央公論社）

絶望の三分類

絶望って何？

非本来的絶望

もう何をやってもダメだ…

自己嫌悪の絶望

本来の自分になりたいのになれない…

本来的絶望

非キリスト教文化で育った人が、『死にいたる病』を読んで絶望から救われるのかどうか、そこが問題だ。

第9章　近代哲学

ニヒリズム
nihilism

フリードリヒ・ニーチェ
[438] ルサンチマン

虚無主義。いかなる価値や権威も認めず、一切のものは無意味だとする立場を指します。このどこか投げやりな態度が19世紀のヨーロッパで流行しました。

「ニヒル」はラテン語で「無」「虚無」を意味する。ツルゲーネフが小説で用いたことを端緒に流行するようになった。

　ニヒリズムは、19世紀ヨーロッパで流行したもので、既存の価値や権威を認めず、一切のものを否定し、無意味だとする立場を指します。批判の対象は主に当時の強大権威の1つだった**キリスト教**に向けられました。

　ニヒリズムには2つの態度があります。1つは既存の価値や権威を単純に否定する態度です。いわば批判するために批判するという立場です。これを**受動的ニヒリズム**といいます。投げやりな態度ですね。これに対してドイツの哲学者**フリードリヒ・ニーチェ**[*]は、**能動的ニヒリズム**の立場をとりました。ニーチェはキリスト教を強者に対する弱者の**ルサンチマン**によって成立したものであり、「弱者＝奴隷種族」による**奴隷道徳**だと徹底的に否定しました。その上でニーチェは、**力への意志**に従って自分にとって真に価値のあるものを自らの手で見つけ出せと人々を鼓舞します。このような立場が能動的ニヒリズムです。

文献資料：フリードリヒ・ニーチェ『権力への意志』（筑摩書房）

（ニヒリズム）

既存の価値を単純に否定する。

受動的ニヒリズム

自分にとって価値あるものを自らの手で作り上げる。

能動的ニヒリズム

ニーチェがとったのは、もちろん能動的ニヒリズムのほうなのだ。

438 ルサンチマン
Ressentiment（独）、resentiment

フリードリヒ・ニーチェ
[437] ニヒリズム

強者（支配種族）に対する弱者（奴隷種族）の怨恨を指します。ルサンチマンはニーチェがこのような意味で用いることで注目されるようになりました。

ニーチェは強者に対する弱者のルサンチマンによってキリスト教が成立したと考え、その根本的存在理由を強烈に批判した。

　キリスト教を否定した**ニーチェ***は、その批判の根底に弱者の**ルサンチマン**を置きました。世の中には強者（**支配種族**）と弱者（**奴隷種族**）が存在します。両者を比較した場合、弱者は武力や知力、財力で強者にはるかに及びません。しかし弱者であっても力への意志[439]を持ちます。そこで弱者が強者を打ち負かすために考え出したのが道徳的尺度や禁欲主義的理想です。強者にはない禁欲的で清貧な態度に価値観を見出し、これを優れたものとすれば、強者を押さえつけることができるでしょう。

　ニーチェによると、こうして生まれたのが**プラトン的理想**であり、**キリスト教**だというのです。その背景にあるのは、強者に対する弱者の怨恨や恨み、復讐の感情すなわちルサンチマンです。特にキリスト教についてニーチェは、奴隷種族の価値観から発生した**奴隷道徳**だと激しく攻撃しました。こうしてあの著名な言葉「**神は死んだ（God is dead）**」が生まれます。

文献資料：『世界の名著46　ニーチェ（「ツァラトゥストラ」）』（中央公論社）

【 神は死んだ 】

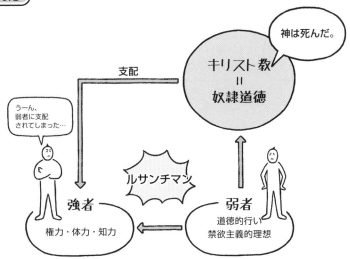

奴隷種族による奴隷道徳など捨ててしまえ。神は死んだ、とニーチェは叫ぶのであった。

> ニーチェの哲学において鍵となる概念の1つです。あらゆる生の根本にある、本能的で生命力にあふれる、新たな価値を創造しようとする意志を指します。

> ニーチェはニヒリストだったが、力の意志による新たな価値の創造を目指した。このことからニーチェは能動的ニヒリストだったといえる。

ニーチェ*は、強者に対する弱者の**ルサンチマン**がキリスト教を生み出したと喝破し、**奴隷道徳**として徹底的に否定しました。ただし、このままだと、既存の権威や価値観を否定する**受動的ニヒリズム**になります。

これに対してニーチェは、あらゆる生の根本に、新たな価値を創造しようとする、本能的で生命力にあふれる意志を見出します。これをニーチェは**力への意志**と呼びました。そして「**神は死んだ**」とキリスト教的価値観を否定したニーチェは、力の意志のもと、新たな価値を作り出さなければならないと声高に叫びます。この意味でニーチェは、投げやりなニヒリストではなく、いわば**創造的破壊**を目指す能動的ニヒリストだったわけです。

ちなみに、弱者は強者に強い**劣等感**を覚えます。この劣等感が創造の源泉だと説いたのは心理学者**アルフレッド・アドラー***でした。

文献資料：フリードリヒ・ニーチェ『権力への意志』（筑摩書房）

源泉としての力への意志

440 超人
Übermensch（独）、superman

[438] ルサンチマン
[439] 力への意志

> 力への意志と同様、こちらもニーチェの哲学における鍵となる概念の1つです。力への意志に基づいて、徹底して新しい価値を作り出そうとする、人間を超えた人間を指します。

> 力への意志を体現する超人は、永劫回帰する世界において、たとえ人生がいかに苦渋に満ちていても、同じ生をもう一度生きようとする。

「神は死んだ」[438]となると、神の座が空席になります。では、そこに人間が座るのでしょうか。いいえ、ニーチェ*はそのような考え方をしませんでした。

ニーチェは神の座そのものをきれいさっぱりと取り去ります。その上で、力への意志に基づいて、自己自身を克服し、自分自身にとって新しい価値を徹底して作り出します。このような従来の人間の姿を超えた人間を、ニーチェは超人と呼びます。

ニーチェは時間が無限で事象が有限であるならば、万物は繰り返されると考えました。これを永劫回帰といいます。永劫回帰する世界で、自らの人生がいかに苦渋に満ちたものだとしても、超人であるならば「これが生だったのか。よし、もう一度」と、勇気を持って宣言し、再び人生に挑戦します。ただ残念なことに、この超人の思想はやがて曲解されてナチスの政治思想に悪用されてしまいました。

文献資料：『世界の名著46　ニーチェ（「ツァラトゥストラ」）』（中央公論社）

ニーチェが目指したもの

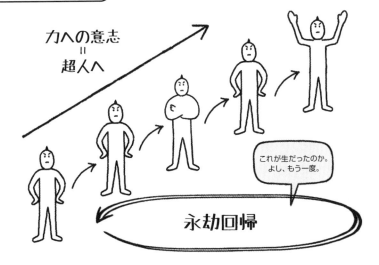

力への意志＝超人へ

これが生だったのか。
よし、もう一度。

永劫回帰

再びキルケゴール*風にいうならば、そのためなら死ねる自らの真理、すなわち主体的真理[434]を持つ人が超人なのだ。

プロテスタンティズム
Protestantism

マックス・ウェーバー
[421] 資本主義社会

宗教改革でカトリシズムから分離したキリスト教思想を指します。ドイツの社会学者マックス・ウェーバーは資本主義の根底にこの思想を位置づけました。

プロテスタンティズムと資本主義がどうやって結びつくのか。どうやらキーワードは禁欲にあるようなのだ。

プロテスタンティズムは、16世紀の宗教改革でカトリシズムから分離したキリスト教新教を指します。プロテスタンティズムの特徴は、キリスト教の教えとして修道院で実践されていた**禁欲**を、世俗の生活でも追求した点にあります。これにより、救済の確証を追求する、日常生活での禁欲化が世俗社会に広がっていきます。世俗社会で行われた禁欲は持続可能なもので、決して宗教的に高度なものではありませんでした。ただしこの禁欲の精神はやがて信仰から分離し、世俗化して社会に根づくようになります。ドイツの社会学者**マックス・ウェーバー***は、この世俗化された禁欲が**資本主義**に息づいていると唱えました。

アニマル・スピリット[424]に見られる営利欲とは別に、資本主義の精神には自らの職業に誇りを持ち質素倹約を美徳とする精神が息づいています。ウェーバーはこれらを禁欲的プロテスタンティズムの結果だと考えたわけです。

文献資料：『世界の名著50　ウェーバー（「プロテスタンティズムの倫理と資本主義の精神」）』（中央公論社）

資本主義とプロテスタンティズム

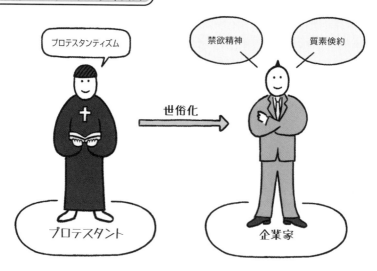

プロテスタンティズム

禁欲精神　質素倹約

世俗化

プロテスタント　　企業家

哲学者の物事の見方はどこか鋭い。資本主義の背後にプロテスタンティズムを見たウェーバーもその1人だった。

442 無意識
unconsciousness

ジグムント・フロイト
[443] 心的装置

意識の対義語が無意識です。しかしながらフロイトの心理学では字義である「意識のないこと」ではなく、認識されない抑圧された意識を指します。

ジグムント・フロイトは心が意識と前意識、無意識の3層からなると想定した。これを局所論と呼んだ。

　従来、人の行動は**意識**によって決定づけられていると考えられていました。しかし**フロイト**[*]は、催眠療法に接し、人の行動の多くが理性では制御できない**無意識**に支配されていると考えるようになりました。無意識とは、人の感情や思考に影響を及ぼし、引いては行動を左右する、人には自覚されない心的過程です。フロイトは、その人が忘れてしまいたい記憶や意識化したくない欲望などが無意識として抑圧されていると考えました。普段、人の意識に無意識はのぼってきませんが、心に病を持つ人の場合、この抑圧された記憶や欲望が**神経症**としてあらわれるとフロイトは考えました。フロイトの説は、ものごとを理性的に観察し、理性に従って判断する従来の西洋型人間観を破壊するものでした。

　なおフロイトは、意識と無意識とは別にいつでも意識の中に入ってこられる**前意識**を想定しました。意識、無意識、前意識に分けることを**局所論**といいます。

文献資料：ジグムント・フロイト『フロイト著作集2　夢判断』（人文書院）

局所論

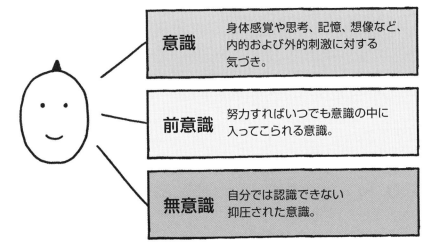

意識　身体感覚や思考、記憶、想像など、内的および外的刺激に対する気づき。

前意識　努力すればいつでも意識の中に入ってこられる意識。

無意識　自分では認識できない抑圧された意識。

心は意識、前意識、無意識の3層からなるとフロイトは主張した。これを局所論という。

心的装置
psychic apparatus

ジグムント・フロイト
[442] 無意識

フロイトが提唱したもので、パーソナリティ（人格）の構造を意味しています。心的装置はエス（イド）、自我（エゴ）、超自我の3つの体系で構成されています。

私たちの自我は、性的欲動を生み出すエスと、口うるさい超自我の板挟みになりながら、外界と向き合うのであった。

フロイト*は心を意識・前意識・無意識の3層に分けました（局所論）[442]。のちにフロイトはこれとは別にパーソナリティ（人格）の構造を**エス（イド）**、**自我（エゴ）**、**超自我**という3つの体系でとらえるようになりました。

エスはイドとも呼ばれ、無意識に属し、生得的に備わった本能的な欲動である**リビドー**を発します。エスは、パーソナリティの基礎をなすもので、快楽原則に支配された欲求を満足しようとするため、放置すると破壊的な行動をとろうとします。そこで自我は、このエスの快楽原則を抑制しつつ、内面化された口うるさい両親みたいな存在である超自我からの**理想原則**を念頭に置きながら、**現実原則**に基づいて現実に即した対応をとります。

このように自我は性的欲動を生み出すエス、口うるさい超自我の板挟みになりながら、外界と向き合っているわけです。

文献資料：ジグムント・フロイト『フロイト著作集1　精神分析入門（正、続）』（人文書院）

フロイトによる心的装置（人格の構造）

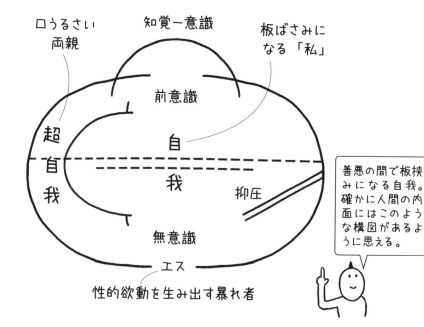

口うるさい両親

知覚―意識

板ばさみになる「私」

前意識

超自我

自我

抑圧

無意識

エス

性的欲動を生み出す暴れ者

善悪の間で板挟みになる自我。確かに人間の内面にはこのような構図があるように思える。

444 エロス／タナトス
eros / thanatos

ジグムント・フロイト
[348] エントロピー

フロイトは生に対する欲動をエロス、それに対して死に対する欲動をタナトスと称しました。エロスとタナトスは一般に対で語られることが多いです。

人間は生を受けた途端に死に至る運命にある（**エントロピーの増大**）。生きようとする意志がエロス、無に至る抗しがたい命運がタナトスといえる。

エロスとはギリシア神話に由来する語で、恋心や性愛を象徴する神を意味します。**フロイト***によると、エロスは人が生きようとする欲動で、**性的欲動**をはるかに越え、自己保存や自己成長の欲動を含み、死を遠ざけるものとして機能します。晩年のフロイトは、本能的な性衝動を引き起こす、人間の根底にあるエネルギーを**リビドー**からエロスに言い換えることを好みました。

これに対して**タナトス**は、ギリシア神話に登場する死そのものを象徴する神の名に由来します。タナトスは、人が死と破壊に向かう衝動で、生以前の無の状態に至ろうとする抗しがたい力です。このような**死の欲望**は、通常は抑圧されるか、より社会的に受け入れられるものに転換されます。

エロスとタナトスは、互いに相反する力であり、絶えず闘争しており、心の健康はこの２つのバランスを維持することにかかっています。

文献資料：ジグムント・フロイト『フロイト著作集６　自我論・不安本能論（快楽原則の彼岸）』（人文書院）

エロスとタナトス

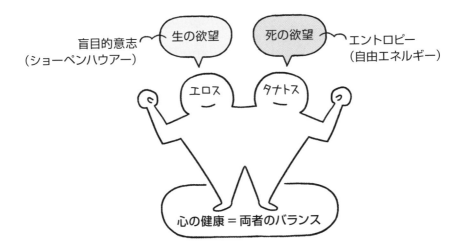

盲目的意志
（ショーペンハウアー）
生の欲望
死の欲望
エントロピー
（自由エネルギー）

エロス
タナトス

心の健康＝両者のバランス

人間は生を得た瞬間に死へ向かう。その間はエロスとタナトスのせめぎ合いなのだ。

445 人智学
anthroposophy

ルドルフ・シュタイナー
[067] カルトとオカルト

人智学はオーストリアの哲学者ルドルフ・シュタイナーが提唱した総合学です。20世紀初頭のドイツ・オーストリアの思想・芸術・建築に影響を及ぼしました。

オカルトや神秘思想ととらえられがちな人智学ですが、その影響は思想のみならず絵画や彫刻、舞踏、建築、教育にも及んでいるのだ。

オーストリア出身の**ルドルフ・シュタイナー***は、ドイツ哲学の認識論の系譜に位置づけられる哲学者で、**カント***の研究を経て**ゲーテ***の自然科学をその思想的基礎にしていました。しかしながら、その立場を投げ打って、オカルティズムの研究を目的とする**神智学協会**に籍を置き、その後、自ら**人智学協会**を立ち上げたこともあって、シュタイナーはオカルトや神秘主義の系譜に位置づけられる傾向があります。

シュタイナーが**人智学**で追求したのは人間の本質でした。シュタイナーによると、人間は物質と精神からのみ成立するのではなく、さらに**霊性**も分有しています。その霊性を認識するための思想と方法が、神智学の思想も援用した人智学です。またシュタイナーの思想は彫刻や絵画、教育、さらには**オイリュトミー**という舞踏にも展開されました。建築にも大きな影響を及ぼし、スイス・ドルナッハに現存する**第2ゲーテアヌム**は、「表現主義芸術の真の傑作」とも呼ばれています。

文献資料：ルドルフ・シュタイナー『神智学』（イザラ書房）

446 生の哲学
philosophie de la vie（仏）、philosophy of life

アンリ・ベルクソン
[054] オートポイエシス

主に19世紀末から20世紀初頭にかけて展開された哲学で、「体験としての生」を思索の対象にします。フランスの哲学者アンリ・ベルクソンらがその代表になります。

ベルクソンは、生命には「エラン・ヴィタール」と呼ばれる創造力があり、生物の進化と発展を担っていると主張したのだ。

ベルクソン*は、生命に対する機械論的世界観や目的論的世界観を否定し、生命を根源的なものとして世界を説明します。このような態度を**生の哲学**と呼びます。ベルクソンの哲学において主となる概念が**エラン・ヴィタール**と**創造的進化**です。エラン・ヴィタール（élan vital）は**生の弾み（躍動）**とも訳され、生命進化の原動力となるものです。ベルクソンによると、エラン・ヴィタールはすべての生命の根底にある、自らを創造するエネルギーです。それは生命に内在し、物質的あるいは機械的な力ではなく、科学的な説明ではとらえられない動的な生命原理です。

ベルクソンは生物の進化[034]の背景にもこのエラン・ヴィタールがあると考えました。生命は1つの流れであり、何か障害に出くわすとそれを創造的に乗り越えようとします。その際に働くのがエラン・ヴィタールであり、その結果、創造的進化が達成され、多様な形態の生命が生じるとベルクソンは考えました。

文献資料：アンリ・ベルグソン『創造的進化』（岩波書店）

第 **10** 章

現代哲学 Ⅰ

　本書では年代を基準に現代哲学をⅠとⅡに分けまし
た。まず現代哲学Ⅰにあたる本章では主に 20 世紀前
半から半ばに生じた哲学運動について、重要キーワー
ドをもとに探りたいと思います。

447 ランガージュ
langage（仏）

フェルディナン・ド・ソシュール
[448] シニフィエ / シニフィアン

言語活動の総体をランガージュといいます。言語学者ソシュールの定義では、ラング（言語体系）とパロール（発話）を合わせた総体になります。

ソシュールは近代言語学の祖といわれている。その影響は構造主義やメルロ＝ポンティ*の現象学[461]などにも及んでいる。

　スイスの言語学者**フェルディナン・ド・ソシュール***は、言語を個々の要素ではなく、部分が相互に関連するシステムだとする構造主義的立場から言語をとらえました。ソシュールのアプローチはのちの**構造主義**ばかりか文化人類学、精神分析学など幅広い分野に影響を及ぼしました。

　ソシュールによると、**ランガージュ**とは言語活動の総体を指します。このランガージュはラングとパロールからなります。**ラング**はランガージュを実践するために社会に取り入れられた取り決めの総体です。言語活動における言語体系や文法、一般規則と考えればよいでしょう。一方、**パロール**はラングにしたがって意思を表明する活動を指します。これは発話や発言と考えるとわかりやすいでしょう。2名がコミュニケーションする場合、まず語りたい考え（概念）が脳内で発生し、これが言語の表現部分である**聴覚映像**（表現形式）と結合します。さらにこれが発話として相手に伝わります。相手はこれと逆の操作をして発話者の考えを理解します。

文献資料：フェルディナン・ド・ソシュール『新訳ソシュール一般言語学講義』

　パロールとラング

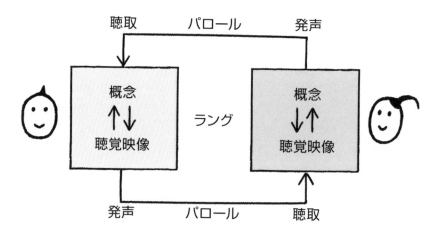

ランガージュ、ラング、パロール、それに次節でふれるシニフィエ、シニフィアンはソシュール哲学の重要なキーワードだ。

448 シニフィエ / シニフィアン

signifié / signifiant（仏）

フェルディナン・ド・ソシュール
[449] 言語記号の恣意性

人が持つ対象に対する概念をシニフィエ（記号内容）、シニフィエの表現形式をシニフィアン（表現形式）といいます。ソシュールが提唱しました。

通常、私たちは何かの対象にラベルを貼り付ける行為を命名と考えている。しかしソシュールの立場はこれと異なるのだ。

ソシュール*によると、言語対象はまず脳内で混沌とした概念（または観念）として成立します。この概念に**聴覚映像**が割り当てられます。

聴覚映像は心の中に生じる音声であり、物質的なものではなく、概念の表現形式と考えればわかりやすいでしょう。例えば、1頭の牛について、日本人は単に「牛」と表現しますが、アメリカ人の場合だと「bull（雄牛）」または「cow（雌牛）」となって、対象に対する概念が異なると同時に表現形式も違います。

こうして、対象を示す**記号（シーニュ）**は、不可分である概念と聴覚映像をもつ心的な実体となります。ソシュールは対象に関する概念を**シニフィエ（記号内容）**、その心的音声表現である聴覚映像を**シニフィアン（表現形式）**と呼びました。そしてこのシニフィアンが**ラング**にしたがって発話や文字、すなわち**パロール**として示されて**ランガージュ**が成立します。

文献資料：フェルディナン・ド・ソシュール『新訳ソシュール一般言語学講義』（研究社）

シニフィエとシニフィアン

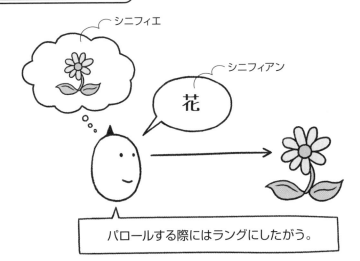

シニフィエ

シニフィアン

花

パロールする際にはラングにしたがう。

シニフィエとシニフィアンは記号論でよく用いられるキーワードだ。ぜひとも覚えておきたい。

言語記号の恣意性
arbitraire du signe（仏）

フェルディナン・ド・ソシュール
[448] シニフィエ / シニフィアン

ソシュールによる主張の1つで、シニフィエ（記号内容）とシニフィアン（記号形式）の結びつきに規則はなく、あくまでも恣意的だということを意味します。

シニフィエとシニフィアンの結びつきのみならず、シニフィエとシニフィアンが示す意味範囲も恣意的なのだ。

シニフィエとシニフィアンの結びつきに規則はありません。それは恣意的なもの、たまたまそうなったものです。例えば「弟」という記号を考えた場合、これは一般に同じ親から生まれた年下の男の子を指します。しかし年下の男の子を「弟」となぜ呼ぶようになったのか、そこに厳密な規則はありません。恣意的なものであり、たまたまそうなったものです。

また、シニフィエとシニフィアンは、その意味範囲も恣意的である点にも注意が必要です。日本語での「弟」は、英語では「brother」になります。しかし、英語の「brother」には年齢の上下の概念がなく、男兄弟全般を指します。これに対して日本語の場合、「brother」は「兄」と「弟」に分割されていて意味の範囲は異なります。この違いも恣意的なものです。

シニフィエとシニフィアンが恣意的に連合した結果が、その言語記号を指すことになります。よって、「言語記号は恣意的である」ということになります。

文献資料：フェルディナン・ド・ソシュール『新訳ソシュール一般言語学講義』（研究社）

言葉の恣意性

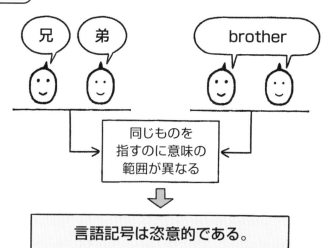

兄　弟　　brother

同じものを指すのに意味の範囲が異なる

言語記号は恣意的である。

逆に日本語では「牛」とひとくくりにするが、英語では「bull（雄牛）」と「cow（雌牛）」に分割される。

言語の写像理論
picture theory of language

ルートヴィヒ・ウィトゲンシュタイン
[451] 言語ゲーム

単に写像理論や絵の理論ともいいます。言語は世界の中で生じている事実を写し取ったものであるという考え方です。ウィトゲンシュタインが提唱しました。

「語りえぬことについては、沈黙しなければならない」と述べたウィトゲンシュタインは、のちに持論を180度転回することになる。

ウィトゲンシュタイン*によると、世界は多様な事実の集まり（総体）です。一方で、赤いリンゴを見て、「このリンゴは赤い」と言った場合、世界の中にある事実を文で写し取っています。事実と1対1の関係にある文は科学的な文です。そして、科学的な文が存在すれば、対応する形で事実が存在します。このようにあらゆる文が世界の事実と1対1の関係にあると考えるのが**言語の写像理論**です。

　写像理論からすると、あらゆる文は事実との関係が必要になります。これが言葉の上で文を正しく使用する原則になります。これに対してこの原則から漏れる文、つまり事実を確かめられない文は、言語使用上、正しいとはいえません。例えば善や価値など、事実との対応が不明確なため、言語での説明は不可能になります。こうしてウィトゲンシュタインは「**語りえぬことについては、沈黙しなくてはならない**」と述べて、形而上的なものについて語る哲学を批判しました。

文献資料：『世界の名著 58　ラッセル　ウィトゲンシュタイン　ホワイトヘッド　（「論理哲学論」）』（中央公論社）

語りえぬもの

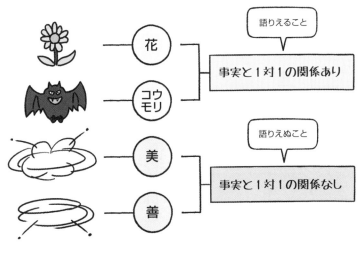

花 ─ 語りえること ─ 事実と1対1の関係あり
コウモリ

美 ─ 語りえぬこと ─ 事実と1対1の関係なし
善

「語りえぬことについては、沈黙しなくてはならない」。これはウィトゲンシュタインの言葉としてとても有名だ。

ウィトゲンシュタイン哲学における鍵となる概念の１つです。言語とは固定的な規則に従うのではなく、人の習慣や行動といった社会的文脈の中で行われるゲームを意味します。

言語について理解するには**日常言語**を分析することが欠かせないとウィトゲンシュタインは考えた。彼の思想は**分析哲学**へと発展する。

ウィトゲンシュタイン＊の哲学は一般に前期と後期に分類されます。前期は著作『**論理哲学論**』を代表とし、言語の写像理論[450]が唱えられた時代です。一方、後期は著作『**哲学探究**』を代表とし、ここでウィトゲンシュタインは前期と大きく異なる立ち位置から言語について考察します。そのキー概念が**言語ゲーム**です。

　言語ゲームは、私たちが日常的に行っている、言語を用いたあらゆる活動の隠喩です。幼児が言葉を覚える場合、規則を理解してから言葉を用いるのではありません。まず日常的な会話が先にあって、そのあとから言葉の規則を学習します。日常言語で用いる「このリンゴは赤い」の場合、果樹園で用いているのか、絵画鑑賞時に用いているのかで意味が変わってきます。その都度の状況やルールを前提として、初めて言葉の意味を理解できます。このような日常言語の特性をウィトゲンシュタインは言語ゲームと呼びました。

文献資料：ルートウィッヒ・ウィトゲンシュタイン『哲学探究』（講談社）

言語ゲーム

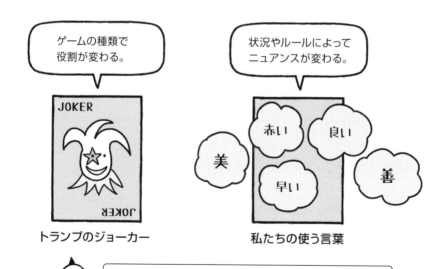

ゲームの種類で役割が変わる。

状況やルールによってニュアンスが変わる。

赤い　良い　美　早い　善

トランプのジョーカー

私たちの使う言葉

言語ゲームにおけるウィトゲンシュタインの立ち位置は、写像理論から180度転回した。

452 箱の中のカブトムシ
beetle in a box

ウィトゲンシュタイン＊が行った思考実験の1つです。ウィトゲンシュタインは、「箱の中のカブトムシ」を通して、言葉による共通理解は不可能だという言葉の限界を示しました。

私の「痛み」は私の内的経験で本人にしか理解できない。同様に他人の「痛み」は私には理解できない。言葉には限界がある。

　私とあなたはそれぞれ箱を持っています。この箱の中にカブトムシが入っていると取り決めましょう。ただし、相手の箱の中は見ることはできません。見ることができるのは自分の箱の中だけです。私は箱のふたをちょっとだけ開けて「カブトムシが入っている」と言ったとします。しかしそこに入っているのはサイコロかもしれませんし、何も入っていないかもしれません。

　では、いま示した「箱の中のカブトムシ」を私たちの内的経験の思考実験[108]だと考えてみましょう。例えば痛みについて考えてみると、私が「痛い」と言ったとき、この内的経験は本人にしか理解できません。これは他人には見ることができない「箱の中のカブトムシ」です。しかしながら、私の「痛い」という言葉から、あなたは社会的な習慣に従ってその意味を理解します。しかしそれは私の「痛み」と完全に一致することはありません。このように、言葉による共通理解は不可能であり、言葉には限界があります。

文献資料：ルートウィッヒ・ウィトゲンシュタイン『哲学探究』（講談社）

言葉の限界

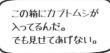

この箱にカブトムシが入ってるんだ。でも見せてあげない。

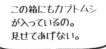

この箱にもカブトムシが入っているの。見せてあげない。

言葉と現実が完全に一致するとは限らない。言葉には限界があるのだ。

人は言語を生得的に獲得できる能力を持ちます。これを実現するのが言語獲得装置です。言語学者・哲学者ノーム・チョムスキーが命名しました。

チョムスキーは、身体器官の成長と同様、人の言語器官である言語獲得装置も成長するものだと主張しました。

　人は母語を教えられてもいないのに生後数年で獲得します。改めて考えてみるとこれは驚きの事実です。この点に着目した言語学者で哲学者の**ノーム・チョムスキー***は、人にとって言語の機能は、視聴覚システムや循環器系などといった身体器官と同様に成長するものであり、遺伝的にプログラミングされた生得的なものだと考えました。これを**生成文法理論**といいます。また彼は言語を生得的に獲得する能力を**言語獲得装置**（LAD）と表現しました。言語獲得装置には、人間であれば言語を使いこなせる能力である**普遍文法**と、普遍文法を介した特定の個別言語に対する言語的経験から**個別文法**を学ぶ仕組みからなっています。

　言語的経験は断片的で不完全であり、時に誤った情報がインプットされることもあります。それにも関わらず子どもは文法を正しく理解します。この事実は言語獲得装置の存在を暗示しています。

文献資料：ノーム・チョムスキー『文法理論の諸相』（研究社出版）

言語獲得装置の機能（生成文法理論）

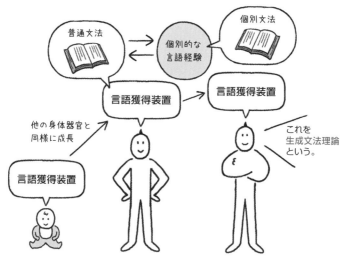

普通文法
個別的な言語経験
個別文法
言語獲得装置
言語獲得装置
他の身体器官と同様に成長
これを生成文法理論という。
言語獲得装置

人間の言語獲得装置は、日常における言語ゲーム[451]の中で鍛えられ、成長していくのかもしれない。

分析哲学
analytic philosophy

ゴットロープ・フレーゲ
バートランド・ラッセル

20世紀初頭に誕生した哲学の分野で、人間が思考に用いている言語の意味の分析を基礎にする哲学を指します。分析哲学は哲学の問題を客観的な言葉の問題に置き換えました。

分析哲学はフレーゲやラッセル、ウィトゲンシュタインを経て、現代英米哲学の大きな潮流の1つになっている。

分析哲学では、私たちが思考に用いる言葉の意味を分析し、明瞭にすることで、哲学の問題に対処します。例えば、従来の哲学では「神」や「精神」について、「神とは何か」「精神とは何か」、つまり「〜とは何か」という問を立ててきました。

しかしながら、「神」や「精神」は、しょせん人間が作り出した言葉に過ぎません。それならば、「神」や「精神」というその言葉自体が持つ意味を徹底的に分析すればその問に答えられるでしょう。このような立場を分析哲学といいます。

分析哲学は、**ゴットロープ・フレーゲ**[*]や**バートランド・ラッセル**[*]、さらにその後の**ウィトゲンシュタイン**[*]らがその端緒となっています。私たちの頭にあるイメージを客観化する手段が言葉ですから、言葉の分析なくして思考の明瞭化はあり得ません。このように分析哲学は哲学の問題を主観的なものから客観的な言葉の問題に置き換えました。これを**言語論的転回**といいます。

文献資料：ルートウィッヒ・ウィトゲンシュタイン『哲学探究』（講談社）

分析哲学の立場

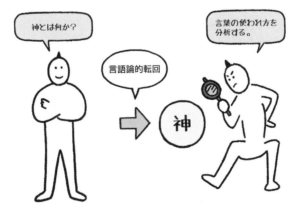

神とは何か？

言語論的転回

言葉の使われ方を分析する。

神

「神」とは何かを考えるのではなく…

「神」という言葉がどのように使用されているのかを分析して問題を解決する。

カント哲学における認識論の**コペルニクス的転回**[409]、この表現を流用したのが言語論的転回というわけだ。

意味と意義
reference and sense

ゴットロープ・フレーゲ
[454] 分析哲学

分析哲学の源流と考えられるゴットロープ・フレーゲの立場で、意味（指示対象）と言葉の意義（文脈上の意味）とを区別することを唱えました。

同じ金星でも、明けに見る金星と宵に見る金星には、別の名前がついている。フレーゲはここから意味と意義の違いについて哲学的に考察したのだ。

　私たちは日の出前に見る金星を「**明けの明星**」、日没後の金星を「**宵の明星**」と呼んでいます。しかし、いずれも同じ金星なのになぜ異なる名称がついているのでしょうか。**分析哲学**の祖ともいわれる**ゴットロープ・フレーゲ***は、この違いに着目しました。フレーゲは両者の違いから、言葉の意味と意義の違いへと考えが及びます。

　日の出前、そして日没後に一際輝く星はいずれも「金星」です。つまり私たちが見るその星の**意味（= 指示対象）**は金星です。

　一方で、日の出や日没後は金星の背景にある文脈だといえます。この文脈の違いにより、日の出前の金星は「明けの明星」、日没後の金星は「宵の明星」となります。つまりフレーゲによると、「明けの明星」「宵の明星」は言葉の**意義（= 文脈上の含意）**となります。このように、フレーゲは、言葉を分析する上で、意味と意義を区別することの重要性を説きました。

文献資料：ゴットロープ・フレーゲ『フレーゲ著作集４　哲学論集（「意義と意味について」）』（勁草書房）

意味と意義の違い

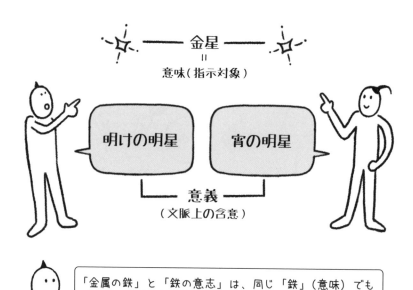

「金属の鉄」と「鉄の意志」は、同じ「鉄」（意味）でも文脈上の含意（意義）は異なる。

456 論理実証主義
logical positivism

ルドルフ・カルナップ
ルートヴィヒ・ウィトゲンシュタイン

論理実証主義は、20世紀初頭にオーストリアのウィーンを中心に起こった哲学運動で、科学的方法を用いて真実を追究することを強調しています。

論理実証主義はウィーン大学で結成された哲学者の討論団体と強く結びついている。そのためこの団体のことをウィーン学団と呼んでいる。

　論理実証主義は、20世紀初頭に、ウィーン大学内に結成された哲学者集団**ウィーン学団**によって提唱された哲学的立場です。

　当時、科学界では**アルバート・アインシュタイン**[*]や**ニールス・ボーア**[*]らが空間や時間、物質に関する新たな理論を提唱していました。これに対して哲学は、いまだ正しいとも間違っているともいえない命題について、永遠にわからない答えを追求していました。

　このような状況に危機感を覚えた**ルドルフ・カルナップ**[*]らを中心としたウィーン学団は論理実証主義を提唱しました。**前期ウィトゲンシュタイン**[*]の影響を受けた論理実証主義は、語りえぬものについて語るから非科学的になると考え[450]、実証できる科学的知識を対象に、それが哲学的・言語的に分析されても真かどうかを問題にしました。しかし、科学的事実は常に更新されるものです。そこに論理実証主義の限界がありました。

文献資料：ルドルフ・カルナップ『意味と必然性』（紀伊國屋書店）

457 日常言語学派
ordinary language school

[454] 分析哲学
[456] 論理実証主義

日常言語学派は、20世紀半ば、主にイギリスのオックスフォード大学を中心に起こった分析哲学の一派です。

日常言語学派は、特殊な言語ではなく、日常言語を分析して、哲学が持つ問題の解消を目指した。

　日常言語学派は**分析哲学**の一流派で、主にイギリスのオックスフォード大学を中心に生じたことから、**オックスフォード学派**の別名を持ちます。

　日常言語学派が生まれた当時、分析哲学の中では**論理実証主義**が主流の一角を占めていました。論理実証主義では、日常言語はその曖昧さが欠陥であり、哲学的考察に利用するのは不向きだと考えました。その上で、科学的な考えを明確かつ明瞭に伝えることができる言語の必要性を説き、哲学にはこのような言語を用いるべきだと主張しました。

　これに対して**後期ウィトゲンシュタイン**[451]の影響を受けた日常言語学派では、哲学的な問題の多くは言語の誤解や誤用から生じており、これらの問題は、日常言語の使用を正しく分析することで解決できると主張しました。日常言語学派の代表としてはイギリスの**ジョン・オースティン**[*]らが著名です。

文献資料：ジョン・オースティン『言語と行為』（大修館書店）

458 フランクフルト学派
Frankfurter Schule（独）

マックス・ホルクハイマー
ユルゲン・ハーバマース

フランクフルト学派は、1930年代初頭に始まった、フランクフルト社会研究所を中心とした思想運動で、マルクス主義を基礎に多様な社会哲学を生みました。

フランクフルト学派は一般に第1世代から第3世代に分類され、それぞれの世代に代表的な人物が存在する。

フランクフルト学派は、フランクフルト社会学研究所の所長として**マックス・ホルクハイマー***が就任した1931年をその端緒とし、その後、20世紀半ば頃まで活動が続きます。

フランクフルト学派の特徴は、社会における権力構造や不平等を明らかにして批判した点です。これはホルクハイマーが展開した社会理論の一種で**批判理論**と呼ばれています。

また、フランクフルト学派のメンバーは、哲学や社会学、心理学、政治理論など、さまざまな学問分野を駆使して、その考えを発展させました。この学際的なアプローチもフランクフルト学派の大きな特徴の1つになっています。

フランクフルト学派のメンバーとしては、ホルクハイマーや**テオドール・アドルノ***（第1世代）、**ユルゲン・ハーバマース***（第2世代）ら著名哲学者が名を連ねており、それぞれが独自の理論を展開しました。

文献資料：細見和之『フランクフルト学派』（中央公論新社）

フランクフルト学派の哲学者

道具的理性

コミュニケーション的合理性

マックス・ホルクハイマー
Max Horkheimer
1895～1973

テオドール・アドルノ
Theodor Adorno
1903～1969

ユルゲン・ハーバマース
Jürgen Habermas
1929～

フランクフルト学派は社会における**権力構造**と**不平等**について問題を提起したのだ。

459 道具的理性
instrumental reason

マックス・ホルクハイマー
テオドール・アドルノ

理性をあらかじめ決められた目標や目的を達成するためのツールや道具としてとらえる立場を指します。フランクフルト学派のホルクハイマーとアドルノが提唱しました。

フランクフルト学派によって提唱されたもので、道具的理性がファシズムなどの現代文明的野蛮を引き起こしたと批判する。

　従来哲学では人間の理性に着目し、合理的な思考に欠かせないものだと考えてきました。しかし、フランクフルト学派[458]の**マックス・ホルクハイマー***と**テオドール・アドルノ***は、近代の理性を**道具的理性**として批判しました。

　道具的理性とは、自然や他者を支配・コントロールするために理性を用いることを意味します。その際に道具的理性は、効率や効果を徹底して重視するため、しばしば道徳や倫理的な配慮を無視する傾向が強まります。フランクフルト学派によると、ナチスによるファシズム[152]が発生し、**ホロコースト**のような野蛮行為が生じたのも道具的理性によるものだとしました。また、道具的理性が資本主義システムの利益追求に利用されると、個人の非人間化、疎外[427]をもたらします。

　ただし、単に理性を否定するのではなく、より人間的で倫理的な理性のあり方を求めているのがフランクフルト学派の立場です。

文献資料：マックス・ホルクハイマー、テオドール・アドルノ『啓蒙の弁証法』（岩波書店）

460 コミュニケーション的合理性
communicative rationality

ユルゲン・ハーバマース
[459] 道具的理性

フランクフルト学派のユルゲン・ハーバマースが理性について提唱したもので、人々の合意の形成に不可欠なものとして理性を積極的に評価する立場です。

ホルクハイマーやアドルノが近代理性を否定的に評価したのに対して、ハーバマースは理性を前向きにとらえている。

　フランクフルト学派の第1世代である**ホルクハイマー***と**アドルノ***は、ともに近代理性を**道具的理性**ととらえ、理性が道具化することで目的や効率が最優先となり、倫理観が欠如すると批判しました。

　これに対してフランクフルト学派の第2世代である**ユルゲン・ハーバマース**は、**コミュニケーション的合理性**を提唱し、理性をより積極的、より前向きに評価します。

　コミュニケーション的合理性は、コミュニケーション的理性とも呼ばれ、その役割は人と人の合意形成にあるという考えです。理性や合理性を、個人の目標達成に焦点を当てた道具的・戦略的な推論のみで理解するのではなく、人と人の対話を通じて理解や合意に達するプロセスを促すと考えるべきだということ、これがハーバマースの主張です。その上でハーバマースは、誰もがオープンに意見を述べられる**第3の場（公共の場）**の重要性を改めて説きました。

文献資料：ユルゲン・ハーバマース『コミュニケイション的行為の理論』（未来社）

第10章　現代哲学Ⅰ

現象学的還元
phenomenological reduction

エドムント・フッサール
[463] 間主観性

フッサールによって提唱された現象学における手法です。現象学的還元では、先入見を排除して意識に現れた現象を考察することを目的にしています。

現象学的還元で重要になるのがエポケー（判断中止）だ。これは先入見を一切排除して意識に現れた現象だけを記述する態度を指している。

エドムント・フッサール[*]は**現象学**を最初に提唱した哲学者です。現象学とは、いっさいの先入見を排除して、意識に現れる現象に注目し、その内容を考察し記述するものです。このような哲学を実践するための方法が**現象学的還元**です。

　フッサールは、私たちが日常的に行っている世界を知覚し理解する方法を**自然的態度**と呼びます。しかし、自然的態度のまま世界を理解していると**先入見**が紛れ込みます。そこで、一切の先入見を排除する**エポケー（判断中止）**を実行した上で、意識に生じる現象に集中します。するとそこには、偏見や予断を遮断したあとに残る現象が生じるはずです。フッサールはこれを**純粋意識（超越論的主観性）**と呼びました。

　このようにエポケーによる純粋意識を通じて、現象学のスローガンである「**事象そのもの**」に至るプロセスが現象学的還元です。

文献資料：『世界の名著51　ブレンターノ　フッサール（「デカルト的省察」）』（中央公論社）

（現象学的還元）

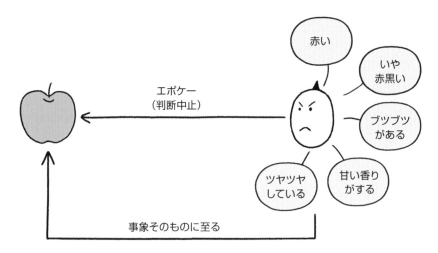

赤い

いや赤黒い

ブツブツがある

甘い香りがする

ツヤツヤしている

エポケー（判断中止）

事象そのものに至る

エポケー（Epoche）自体は古代ギリシアの懐疑論者たちが提唱したもので、決して新しい方法論ではない。

ノエシス / ノエマ
Noesis / Noema（独）

フランツ・ブレンターノ
エドムント・フッサール

意識は常に何ものかに向けられており、常に何かに対しての意識であるという、このような意識の特徴を指します。フッサールの哲学における鍵となる概念の１つです。

ノエシスなくしてノエマはなく、ノエマなくしてノエシスはない。両者は不可分の間柄なのだ。

　志向性[264]とは人の意識が常に意図的に何かの対象にむけられている性質を指します。もともとスコラ哲学[373]で用いられていた言葉を、ドイツの哲学者**ブレンターノ**＊が、意識が何かの対象に向かっているという特徴を示すのに用いました。また、意識が向かっている対象を**志向的対象**といいます。

　フッサール＊は師でもあるブレンターノの思想を引き継ぎ、志向性の概念をさらに発展させました。フッサールは、意識と対象との関わりにおいて、私たちの知覚、思考、想像、記憶など主観的で経験的な側面を**ノエシス**と呼びました。ノエシスが意図的な対象を生み出し、それに対する経験を生み出します。そしてこのノエシスが意図的にとらえた対象、意識が志向している対象を**ノエマ**といいます。またノエマはノエシスの意図的行為によって形作られた意識に立ち現れる現象でもあります。フッサールによるとノエシスとノエマは不可分なものです。

文献資料：『世界の名著51　ブレンターノ　フッサール（「デカルト的省察」）』（中央公論社）

ノエシスとノエマ

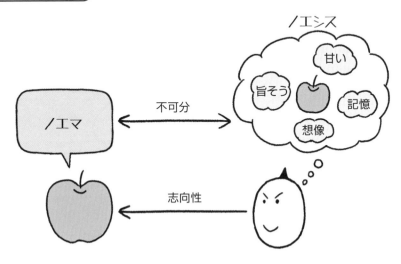

ノエマ／ノエシスの関係は、シニフィエ／シニフィアン[448]の関係にちょっと似ている。

間主観性
intersubjectivity

エドムント・フッサール
[452] 箱の中のカブトムシ

間主観性とは、私も他者も共有する世界を経験していると信じていると、私も他者も相互に信じていることを指します。相互主観性ともいいます。

間主観性が存在するから、私たちは他者とのコミュニケーションが成立し、ともに協力し合うことができるのだ。

意識は意図的なものであり常に対象に向かっています。これを志向性[264]といいました。この志向性が他者に向かうと、同じように他者にも志向性があるという確信に至ります。こうして私たちが他者とかかわるとき、単に対象として出会うのではなく、彼ら自身も経験や意図、視点といった志向性を持つ存在として認識します。このように私と他者は相互に主観的で共有する世界を経験しているという信念を、**フッサール***は間主観性（相互主観性）と呼びました。

間主観性は客観性の成立とも深く関わります。例えば、机の上にあるリンゴを見た場合、間主観性により他者も同じリンゴを見ていると信じることができます。こうして机の上のリンゴの存在は客観性を持ち得ます。ただし、間主観性はあくまでも信念であり、私と他者は同じリンゴを見ていないかもしれません。**ウィトゲンシュタイン***の「**箱の中のカブトムシ**」はこの点を指摘したわけです。

文献資料：『世界の名著51　ブレンターノ　フッサール（「デカルト的省察」）』（中央公論社）

間主観性と客観性

相手を独自の視点を持つ意識的存在として認識する。

間主観性

相手もこのリンゴを見ているはず ＝ 客観性

相手を独自の視点を持つ意識的存在として認識する。

私たちは間主観性があると信じている。でも、同じものを見て、同じ感じを抱いているとは限らない。

464 現存在
Dasein（独）

マルティン・ハイデガー
[465] 世界-内-存在

現存在とは、他の存在者から区別された人間のことを指します。ハイデガーは人間だけが「存在する」ことを自らに問えることからこの語を用いました。

ハイデガーはフッサールに師事して現象学を学んだ。代表作『存在と時間』において「存在する」ことについて徹底して考えた。

存在する**主体（存在者）**を人間と他の存在者に区別して考えてみましょう。そこに明確な境界を設ける場合、何に着目すべきでしょうか。

マルティン・ハイデガー*が着目したのは「存在する」というその現象自体です。存在者としての人間は、自分に対して「存在する」ということを問題として提起し、それについて考えることができます。しかし、人間以外の存在者は、「存在する」ということについて考えることはしません。動物が「なぜ私は存在するのか」などと問うことは決してありません。

このように、「存在する」という現象に思いを巡らせることは、人間を他の存在から区別する境界となり得ます。ハイデガーはこのような観点から、他の存在者と明確に区別される人間を**現存在（ダーザイン）**と命名しました。現存在は「いま-ここ」にある存在としての**実存**と深く関わります。

文献資料：『世界の名著62　ハイデガー（「存在と時間」）』（中央公論社）

第10章　現代哲学Ⅰ

存在する主体を分けるもの

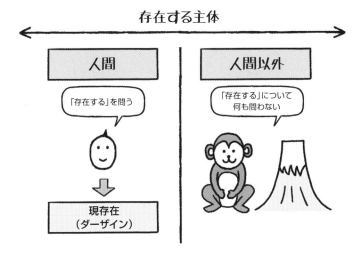

「私はなぜ存在するのか」。この問いの答えを求めて、哲学を目指した人はきっと多いに違いない。

世界 - 内 - 存在
In-der-Welt-sein（独）、being-in-the-world

マルティン・ハイデガー
[466] メメント・モリ

ハイデガーが用いた言葉で、現存在の本質的なあり方を示すものです。世界の中に投げ出された現存在が、世界とかかわりながら共存する様を表現しています。

本来的自己を見失った現存在を「世人（ダス - マン）」と呼ぶ。現存在は死を見つめることで、本来的自己を取り戻さなければならない。

現存在[464]は、理由もなく世界に投げ出され（これを**被投性**という）、世界の中で他者や事物との関係を理解しながら生きる**世界 - 内 - 存在**としてここにあります。**ハイデガー***は世界 - 内 - 存在を現存在の本質的なあり方としてとらえました。世界に投げ出された現存在は否応なく他者や事物と出会い、配慮しながら生きていかなければなりません。しかしながらこうした日常の生活に埋没して生きているということは、**本来的自己を見失った状態**にあることを意味します。このような存在をハイデガーは**世人**（**ダス - マン** /das Man）と呼びました。

ダス - マンは自らの存在について問を発することも考えることもしません。ハイデガーはこのような状況を**存在忘却**と呼びました。ダス - マンが本来的自己を回復するには、自身を時間的に限りがある存在、つまり**死に至る存在**[466]として自覚する必要があります。そうすることで現存在は本来的自己を回復できます。

文献資料：『世界の名著 62　ハイデガー（「存在と時間」）』（中央公論社）

ダス・マン（世人）

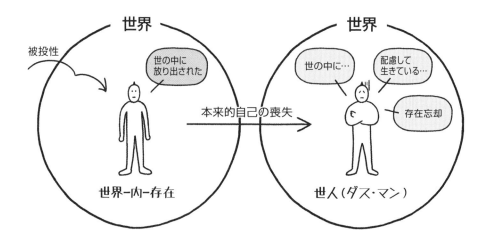

被投性

世界

世の中に
放り出された

世界 - 内 - 存在

本来的自己の喪失

世界

世の中に…

配慮して
生きている…

存在忘却

世人（ダス・マン）

ハイデガー哲学は難しい。でも、こうやって解きほぐすと、意外に当たり前のことを述べていたりする。

メメント・モリ

memento mori（羅）

マルティン・ハイデガー
[465] 世界 - 内 - 存在

「死を想え」を意味します。ダス - マンは死を想うことで自身を時間的に限りがある存在、つまり死に至る存在として自覚し、本来的自己を回復します。

この言葉は芸術とも深く結びついており、ハンス・ホルバイン*の「大使たち」（1533 年）はメメント・モリをテーマにした作品の 1 つだ。

メメント・モリはラテン語で「**死を想え**」という意味です。この言葉は**ハイデガー***が述べたものではありませんが、現存在による本来的自己の回復と深く関わりがあります。

「**世人（ダス - マン）**」は理由もなく世界に投げ出された不安から、これを解消するために気を配ったり、好奇心に任せて行動したりします（**本来的自己の喪失**）。しかしながら、これらの行為で不安を解消することはできません。

これに対して、現存在を時間に限りがある存在として考えてみましょう。人間が人間として生まれた以上、いつかは死が訪れます。現存在が死を意識する、つまり「メメント・モリ」を念頭に置くことで、自分が他との代替の効かないかけがいのない存在であることに気づきます。こうして「**死に至る存在**」として自身を自覚するとき、「世人」に過ぎなかった現存在が、**本来的自己**に目覚めることができます。

文献資料：澁澤龍彦『幻想の画廊から』（青土社）

本来的自己の回復

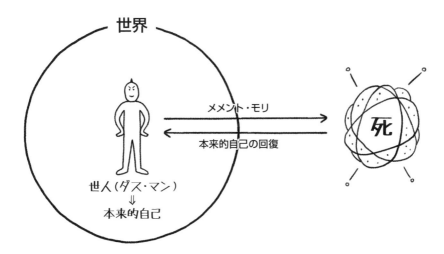

世界

メメント・モリ

本来的自己の回復

世人（ダス・マン）
⇓
本来的自己

死

人間はいつか死ぬ。「メメント・モリ」を強く意識した時、人は喪失した本来的自己を取り戻せるのだ。

467 既在 / 到来
Gewesen / Zukunft（独）

[464] 現存在
[465] 世界 - 内 - 存在

既在はこれまでの自分の過去を指します。また、到来は今後あるべき自分の可能性を意味しています。いずれもハイデガーのなかなか含蓄のある言葉です。

これまでの自分を受け入れて（既在）、自分だけに可能な未来の可能性を手にする（到来）。これが現存在としての人間が生きる道なのだ。

現存在である私は、**既在**と**到来**が出会う場で生きています。**ハイデガー**[*]はこれを**実存**と呼びますが、では、既在や到来とは何を意味するのでしょうか。

ハイデガーは難解な言葉を用いていますが（彼の得意とするところです）、平たく言うと既在とは**過去**、到来とは**未来**を指します。**存在する**ということは、まさに過去と未来が出会う、その瞬間の繰り返しにほかなりません。現存在は、自分の未来の可能性、自分だけに固有の可能性を、自ら手にします。未来の可能性を自分自身に到来させることで現存在は存在します。一方で到来を受け入れる現存在は、自身がそのつど存在したとおりの自身を引き受けることです。このように現存在は過去を受け入れて存在します。これが既在としての現存在です。

こうして、過去によって成立する既在としての現存在は、同時に将来の可能性を到来として自分のものにしながら存在するわけです。

文献資料：『世界の名著 62　ハイデガー（「存在と時間」）』（中央公論社）

実存 = 現存在

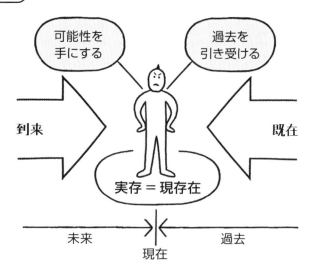

ハイデガー哲学は、人間の可能性を信じ、過去を受け入れ未来を手にしようとする人間を信じる。

限界状況
limit situation

カール・ヤスパース
マルティン・ハイデガー

ドイツの哲学者ヤスパースが提示したキーワードの1つです。死や重い病気、怪我、苦しみ、自然災害、戦争の脅威など人生の中で自分の存在の限界に直面する瞬間を指します。

ヤスパースは、人が限界状況を経験することで、有限な者としての自分の実存を自覚できると考えた。

　ドイツの哲学者**カール・ヤスパース***は**ハイデガー***と同時代の実存哲学者です。ヤスパースは第1次世界大戦を経験することで、死や苦しみ、戦禍といった極限状況を見つめます。ヤスパースはこのような状況を**限界状況**と名づけました。その上で、人間は限界状況を経験することで、自己の**実存**を自覚し、人間的な成長が得られると主張します。

　ヤスパースにとって、一般的な人間は、日々の生活に埋没し、本来の生き方を見失っていると考えました。彼らが自身の実存に気づくには何かの契機が必要になります。ヤスパースはその契機として限界状況を見て取ったわけです。

　またヤスパースは、人が限界状況を経験することで、世界を包み込んでいる存在に触れられるとも考えました。

　ヤスパースはその存在を**包括者（超越者）**と呼びました。

文献資料：『世界の名著　続13　ヤスパース　マルセル（「哲学」）』（中央公論社）

第10章　現代哲学Ⅰ

ハイデガーとヤスパース

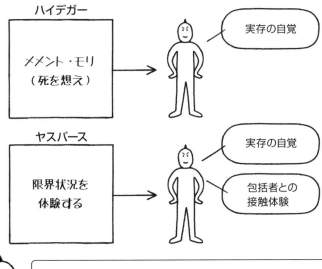

ハイデガー

メメント・モリ
（死を想え）

→ 実存の自覚

ヤスパース

限界状況を
体験する

→ 実存の自覚

包括者との
接触体験

ヤスパースのいう「限界状況」は文字どおり限界状況を経験した人でないと理解できないのかもしれない。

実存は本質に先立つ
L'existence précède l'essence.

ジャン＝ポール・サルトル
[434] 実存主義

サルトルが実存について述べた著名な言葉です。人間は自ら作った者になるのだから、決められた本質もたず、現実存在（実存）が先に立つという意味です。

サルトルはこの言葉を実存主義の第一原理にした。サルトルにとってこの言葉は、人間は自らが自らを作り上げなければならないという決意の表明でもあった。

ジャン＝ポール・サルトル*は人間の自由を唱える実存主義者として、1950年代から60年代にかけて大きな支持を得ました。「**実存は本質に先立つ**」はサルトルの言葉としておそらく最も有名でしょう。

サルトルは「自己は自己の存在を自己自身で選びとるもの」だと主張して、人間を普遍的な本質に還元することに反対しました。**本質主義**は「人間とは理性的な生きものである」「人間は考える葦である」のようにその本質を語ります。それに対して、「私はここにある」「彼は現実を生きている」という命題は、本質ではなくその存在について語っています。このように他人とは置き換えのきかない独自の存在を問うのが**実存主義**です。実存主義者サルトルによると、人間は自分自身を作り上げなければなりません。そうすることで私特有の自己、すなわち本質が形成されます。つまり存在（実存）が本質に先立ってあるわけです。

文献資料：サルトル『実存主義とは何か』（人文書院）

サルトルの比喩

本質は実存に先立つ	実存は本質に先立つ
用途（本質）はあらかじめ決められている	用途（本質）はあらかじめ決められていない

ペーパーナイフ

VS

人間

「実存は本質に先立つ」はサルトルのとても有名な言葉だ。実存主義の「本質」を語っている。

470 即自 / 対自
an sich / für sich（独）、en soi / pour soi（仏）

ジャン＝ポール・サルトル
[434] 実存主義

即自は物事であり、対自は人間を指します。即自はただそこにありますが、対自は常に自己を意識します。ハイデガーやサルトルが用いた言葉です。

対自はハイデガーが唱えた現存在[464]にも通じる。ちなみにサルトルはハイデガーから大きな影響を受けている。

　人間とは異なって意識を持たない事物はただ存在しています。「これはリンゴだ」「これはコップだ」というように、もとからその本質としてそこにただ存在しています。**サルトル***はこれを**即自**と呼びます。

　これに対して人間は、常に自己を意識する存在です。**ハイデガー***風に言うならば事物と区別された、「存在する」ことについて考える**現存在**です。サルトルは、自己として意識される存在としての人間を、即自と区別して**対自**と呼びました。

　対自としての人間は、常に自己を意識して、自分を作り上げていかなければなりません。そのため人間は、現在の自己を乗り越えて、自らだけの未来の可能性を選択することで、自分を作り変えていかなければなりません。サルトルはこのような対自としての人間を**投企的存在**とも呼びました。投企とは「前に投げ出すこと」を意味します。

文献資料：『世界の大思想 29 サルトル（「存在と無」）』（河出書房新社）

投企的存在

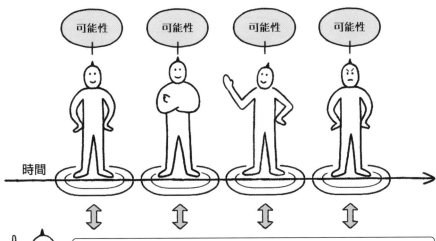

その瞬間、その瞬間において、あらゆる可能性から選択し、その結果から生じる結果に責任を持つ投企的存在。それが実存なのだ。

人間は自由の刑に処せられている

L'homme est condamné à être libre.

ジャン＝ポール・サルトル
[469] 実存は本質に先立つ

サルトルの言葉。人間は自由であるけれど、自ら選択した行為の責任はすべて負わねばならないことを意味しています。

自由であるということは自らの選択に責任を持つことだ。時にこの自由は人に過酷な結果をもたらすこともある。

　先に掲げた「**実存は本質に先立つ**」と同様、こちらの「**人間は自由の刑に処せられている**」も**サルトル**[*]の言葉として非常に有名です。**実存主義**では、自己を意識しつつ、その瞬間、そのまた瞬間における可能性を自ら選択して行為し、自己を作り上げていかなければなりません。誰の強制もなしに可能性を自らの意思で選択できるということは、自由であることにほかなりません。しかしこの自由は謳歌できる一方で、過酷な反面も持っています。それというのも自らの意思で選択したあらゆる行為について人は**責任**を持たなければならないからです。あとから考えると間違った選択をしたことに気づくこともあるでしょう。しかし、その結果は自らの責任で受け入れなければなりません。他人や社会のせいにすることは許されません。自由にはこのような厳しさが含意されています。ですからサルトルは、「**自由の刑**」と述べたわけです。

文献資料：サルトル『実存主義とは何か』（人文書院）

自由の刑

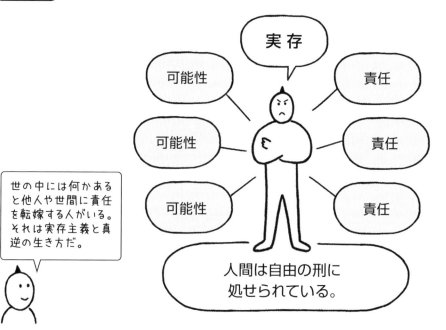

世の中には何かあると他人や世間に責任を転嫁する人がいる。それは実存主義と真逆の生き方だ。

472 アンガージュマン

engagement（仏）、involvement

ジャン＝ポール・サルトル
[470] 即自 / 対自

社会に参加することをアンガージュマンといいます。サルトルはこの言葉を通じて、自らの選択に基づいて積極的に社会に参加することの重要性を説きました。

サルトルは積極的な社会活動家でもあった。これはサルトル本人がアンガージュマンを実践していたということだ。

フランス語の**アンガージュマン**には、もともと「約束」や「契約」「雇用」などの意味がありました。この言葉を、自らの選択に基づいて積極的に社会に参加するという意味で用いたのはサルトルでした。

人間は未来に向かって自己を投企する**投企的存在**[470]です。その際に人は自由のもと自らの意思で選択、すなわち投企します。その結果は自らに及ぶでしょうが、範囲は決してその限りではありません。世界 - 内 - 存在[465]としての人間の選択は、自己を取り巻く周囲にも何らかの影響を及ぼすでしょう。

このように考えると、自由のもとでの選択は自らのことだけを考えるのではなく、世界に何らかの影響を与えるという認識のもとで行わなければなりません。つまり自らが社会のために積極的に選択すること、これがサルトルのいうアンガージュマンということになります。

文献資料：サルトル『実存主義とは何か』（人文書院）

アンガージュマンが重要な理由

可能性の選択

その可能性に対する自分への責任

社会のための積極的選択

その可能性に対する社会への責任

＝

アンガージュマン

投企的存在

サルトルの著作『実存主義とは何か』はページ数も少なく内容も分かりやすいから、読んでみるといいよ。

第10章　現代哲学Ⅰ

473 両義性
ambiguïté（仏）、ambiguity

モーリス・メルロ＝ポンティ
[474] 身体図式

身体は「モノ」でもあり「ココロ」でもあるという意味です。心身二元論に対抗する説であり、フランスの哲学者メルロ＝ポンティが提唱しました。

人間のあらゆる経験は身体があって初めて実現できる。身体はモノとココロが相互に浸透する場なのだ。

　従来、多くの哲学者が人間の精神や心に注目し議論を戦わせてきました。これに対してフランスの哲学者**モーリス・メルロ＝ポンティ***は、人間の身体にスポットを当てたちょっと異色の人物だといえるでしょう。

　デカルト以来、私たちは精神と身体を区別して考えることに慣れてきました。あるいはサルトル*風に表現すると、即自と対自[470]に分けて物事を見ることに慣れてきました。そこでは客体は客体であり、主観は主観でした。

　これに対してメルロ＝ポンティは、私たちの経験は、見たり聞いたり、触れたりするように身体を**メディア（媒体）**として利用しています。身体は単なる物理的な存在ではなく、世界を認識し理解するための基盤です。こうして、身体を通じた私たちの経験は、「モノ」と「ココロ」という**両義性**を持つとメルロ＝ポンティは主張します。それらは不可分に統合されているのです。

文献資料：モーリス・メルロ＝ポンティ『知覚の現象学』（法政大学出版局）

モノとココロの両義性

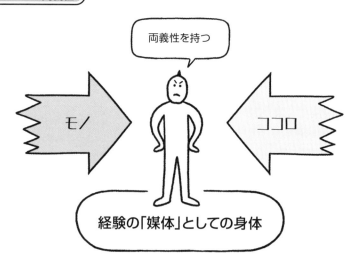

両義性を持つ

モノ

ココロ

経験の「媒体」としての身体

両義性は、**アントニオ・ダマシオ***が提唱した**ソマティック・マーカー仮説**[274]とも関連が深そうだ。

474 身体図式
schéma corporel（仏）、body schema

モーリス・メルロ＝ポンティ
[266] 自由意志

メルロ＝ポンティの哲学における中心概念の1つです。私たちが身体に持つ行動のための図式です。これがあるために人は非意識的な活動が可能になります。

私はいまブラインド・タッチでこのテキストを入力している。これも身体図式がなせるワザなのだ。

身体図式は**メルロ＝ポンティ***が提唱したもので**身体像**とも呼ばれています。これは私たちが非意識的、前反省的に持っている、自分の身体の位置や動き、変化などに関するイメージの束を意味しています。

　この身体図式は人間の成長にしたがって精度が高まっていきます。その結果、人はブラインド・タッチでキーを操作したり、スピード150 kmを超えるボールをバットで打ったり、複雑な宙返りを実行できたりします。これらはいずれも身体図式のお陰です。

　身体図式により人は非意識的な行為を行えます。これは身体が先に動き、その動きに対する意識があとからついてくることを意味しています。このように考えると、人は何かを行為しようと意識する以前に脳の活動はすでに始まっているという**ベンジャミン・リベット***が提示した**自由意志**に関する問題の説明もつくのかもしれません。

文献資料：モーリス・メルロ＝ポンティ『知覚の現象学』（法政大学出版局）

身体図式

身体図式

意識に上らない行動を

意識的に行える

カキーン

17

そもそも身体の動きすべてが意識に上っていたら、人間の意識はパンクしてしまう。だから身体図式が必要なのだ。

475 プラグマティズム
pragmatism

チャールズ・サンダース・パース
ウィリアム・ジェームズ

人間の知性は行動のための道具であり、認識は人間の行動経験に有効に働けば真理になるという立場を指します。実用主義と訳されることもありますが、あまり良い訳語とはいえません。

ﾟ プラグマティズムはパースによって創始され、19世紀末から20世紀前半にかけて特にアメリカで発展した。

プラグマティズムは「行動」という意味を持つギリシア語の「プラグマ（prágma）」からの造語です。19世紀末から20世紀前半にかけて発展したアメリカ特有の思想展開で、**パース*** が創始し、**ジェームズ***や**デューイ***らによって発展しました。プラグマティズムを「**実用主義**」と訳す場合があります。ただしこれだと、実用的ならば何でもウェルカムという安易な態度にも映りかねません。そもそも従来の哲学、特に大陸合理論[393]では、形而上的なものやア・プリオリ[411]なものを対象に問いを立て、それに対する答えを追求してきました。これに対してプラグマティズムでは、より現実的で具体的な対象に問題を引き寄せ、哲学が人間の現実的な行動に寄与することを狙いとします。その際に、科学的実験方法を活用して、実用性や科学的証拠、問題解決能力から価値や真偽を判断します。言い換えると、ある考えの意味と価値は、そこから引き出される実際的な効果によって評価されるということです。これを**プラグマティズムの格率**といいます。

文献資料：『世界の名著48　パース　ジェイムズ　デューイ』（中央公論社）

プラグマティズムの哲学者

プラグマティズムを
創始。

有用だから
真理である。

道具主義を提唱。

チャールズ・パース
Charles Peirce
1839〜1914

ウィリアム・ジェームズ
William James
1842〜1910

ジョン・デューイ
John Dewey
1859〜1952

プラグマティズムの精神にのっとって、本書も徹底的に実用的であることを目指している。

道具主義
instrumentalism

ジョン・デューイ
[475] プラグマティズム

人間の思想や概念は、現実世界において問題を解決し、目標を達成するために使う道具や手段であるとする立場を指します。アメリカの哲学者ジョン・デューイが提唱しました。

道具主義を唱えたジョン・デューイは、ウィリアム・ジェームズらとともにプラグマティズムの発展を支えた。

　道具主義はアメリカの**プラグマティズム**哲学者デューイ*が提唱したもので、デューイの哲学の中心的態度になります。

　道具主義は、人間の知性に対する1つの見方で、人間の知性とそこから生まれる思想や概念は、現実世界の問題を解決し、目標を達成するために使う道具だと主張します。

　その際に、知性がより創造的であるほど問題の解決力は高まるでしょう。デューイはそのような**創造的知性**の重要性を説きました。またデューイは、創造的知性を伸ばす教育の重要性についても説いています。

　道具主義の立場からすると、思想や概念は現実の問題解決に役立たなければ意味がありません。この点でデューイの立場が、人間の知性は行動のための道具と考えるプラグマティズムに立脚していることがよくわかるでしょう。

文献資料：ジョン・デューイ『哲学の改造』（岩波書店）

第10章　現代哲学Ⅰ

デューイの道具主義

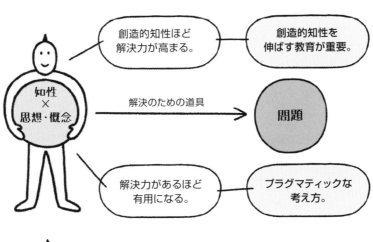

創造的知性ほど
解決力が高まる。

創造的知性を
伸ばす教育が重要。

知性
×
思想・概念

解決のための道具

問題

解決力があるほど
有用になる。

プラグマティックな
考え方。

思想や概念は、現実世界において問題を解決し、目標を達成するために使う道具なのだ。

477 ヴィザージュ
visage（仏）

エマニュエル・レヴィナス
[150] 全体主義

ヴィザージュはフランス語で「顔」を意味します。エマニュエル・レヴィナスのキーワードで、通常の「顔」の意味を超えて、人間に内在する倫理の基礎を示しています。

レヴィナスは1905年に生まれ1995年に亡くなった、20世紀をほぼ丸ごと目撃したユダヤ人（のちにフランスに帰化）哲学者だ。

エマニュエル・レヴィナス[*]の哲学のキーワードになるのが**ヴィザージュ**です。これはフランス語で「**顔**」を意味します。その背景にはレヴィナスのユダヤ人としての戦争体験があったことは明らかです。

第2次世界大戦で起きた大量虐殺は**全体主義**の手によるものでした。しかし、理性的であるはずの人間が、「殺してはならない」という理性の声を封じてなぜあのような暴挙に走ったのでしょうか。理性に頼れないとすれば、私たちは何に頼ればよいのでしょうか。そこで出したレヴィナスの答えが意外にも「顔」なのです。他者の「顔」は仮面や変装ではありません。それは相手の真の自己、人間性を明らかにするものです。また「顔」は、その顔の持ち主の願いに応えるよう私たちに呼びかけるものです。それは倫理的な義務の源であり、「殺すなかれ」という戒律や道徳以前に、人間に備わった**倫理の基礎**なのだ、とレヴィナスは主張します。

文献資料：エマニュエル・レヴィナス『全体性と無限』（岩波書店）

レヴィナスにとっての「顔」

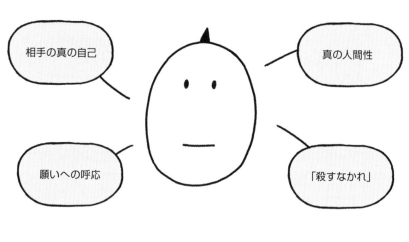

画家は自画像、すなわち自分の「顔」を描く。これは自分が何者なのかを問う行為なのかもしれない。

第 **(11)** 章

現代哲学 Ⅱ

　本章では 1970 年代のポストモダンから現在までを
視野にいれました。いまや哲学は極端に専門化、分極
化する傾向にあり、一括りにするのは非常に困難です。
キーワードを通じてその一端にふれたいと思います。

478 ポストモダン
post-modern

ジャン＝フランソワ・リオタール
[479] 大きな物語

20世紀半ばから後半にかけて生じた知的・文化的運動で、思想面では普遍的な真理や壮大な物語を否定し、個人や集団の相対的な真理に焦点を当てます。

そもそもポストモダニズムとは1970年代のアメリカにおける建築論やデザイン論の世界で用いられるようになった言葉だ。

　ポストモダンは、20世紀の半ばから後半にかけて、建築や芸術、文学、哲学、社会理論など幅広い分野で生じた知的・文化的運動を指します。ここでは哲学面におけるポストモダンの特徴について取り上げましょう。

　まず、**大きな物語**への懐疑です。大きな物語とは近代思想が生み出した社会や歴史、人間に関する普遍的な説明です。しかし大きな物語では、知識や経験の多様性、複雑性を説明するのには限界があります。**ミシェル・フーコー***や**ジャック・デリダ***、**ジャン＝フランソワ・リオタール***らは客観的な真実という概念に疑問を投げかけましたが、これはポストモダニズムの大きな特徴になっています。また上記の態度とも関連しますが、差異と多様性を重視しするのもポストモダンの特徴です。ポストモダンの思想家は、均質な文化の創造に批判的で、世界を見る唯一の正しい立場は存在しないと主張します。

文献資料：ジャン＝フランソワ・リオタール『ポスト・モダンの条件』（風の薔薇）

哲学の現在

大きな物語
grand narrative

ジャン゠フランソワ・リオタール
[478] ポストモダン

フランスの哲学者ジャン゠フランソワ・リオタールの言葉で、近代思想が生み出した社会や歴史、人間に関する普遍的な説明を指しています。

ポストモダン以降、大きな物語は影を潜め、現代の哲学では細分化された多様な思想が次々と生み出されるようになった。

　大きな物語は**リオタール***が著作『**ポスト・モダンの条件**』で示したもので、近代思想が生み出した社会や歴史、人間について普遍的に説明する包括的な枠組みを指しています。しかし、**ポストモダン**に至った現在、大きな物語とは別の多くの異なった**異質性**が必要だとリオタールは言います。

　例えば近代思想の典型であるマルクス主義や啓蒙哲学、あるいは伝統的宗教は、しばしば世界についての究極の真理が存在すると主張してきました。これに対してポストモダンの時代には、多種多様で相互に異質の諸要素からなる言語ゲーム[451]がからまりあう、とても複雑な状況にあります。大きな物語がこの状況を説明するのは不可能です。その上で、再び大きな物語を構築するのではなく、相互の異質性を受け入れて、多様な言語ゲーム同士が対話と交渉を重ねることが重要だとするのがリオタールの主張です。

文献資料：ジャン゠フランソワ・リオタール『ポスト・モダンの条件』（風の薔薇）

大きな物語から異質性へ

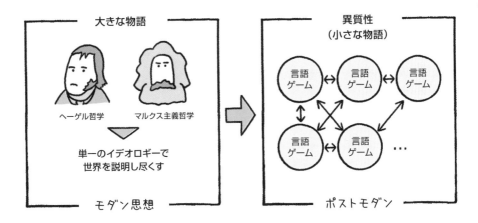

大きな物語

ヘーゲル哲学　　マルクス主義哲学

単一のイデオロギーで
世界を説明し尽くす

モダン思想

異質性
（小さな物語）

言語ゲーム　言語ゲーム　言語ゲーム

言語ゲーム　言語ゲーム　…

ポストモダン

相対主義を立ち位置にするポストモダンは、ニーチェ*の
パースペクティビズム[167]を継承している。

480 記号消費
symbol consumption

ジャン・ボードリヤール
[481] シミュラークル

プロダクトが持つ機能よりもむしろ、ブランドネームやデザインなどによって表現された、差異を生み出す記号を判断基準にする消費を指します。

記号消費は経済成長を遂げた社会に特有の現象だ。生活必需品が普及し終えると、人は他人との違いをアピールするために記号消費に走る。

フランスの哲学者**ジャン・ボードリヤール***は、経済成長を遂げた成熟社会における消費について、他者との差異を生み出す**記号**に注目してその構造を分析しました。成熟社会では、人はプロダクト（商品やサービス、文化、イベントなども含む）が持つ機能よりもむしろ、他者との**差異**を生み出す記号を判断基準にプロダクトを消費する、とボードリヤールは主張しました。このような消費形態を**記号消費**といいます。

差異を生み出すための記号には多様なものがあります。ブランドネームやデザイン、形状、色、パッケージなどはその典型です。また、高度に成熟かつ複雑化している現代の消費社会では、いわゆる**いわくつき**のモノやサービスが差異化の大きなポイントになります。「限定500点のレアモノ」「有名人が実際に使っているのと同じ化粧品」など、その例は枚挙に暇がありません。私たちはこのような差異化された記号を消費することで、プロダクトに対する満足感を高めます。

文献資料：ジャン・ボードリヤール『消費社会の神話と構造』（紀伊國屋書店）

481 シミュラークル
simulacre（仏）

ジャン・ボードリヤール
[480] 記号消費

ボードリヤールが提唱した哲学的概念で、オリジナルや本物の参照先との区別がつかない表象やイメージを指します。この区別が曖昧になると、シミュラークルがハイパーリアルになります。

現代の消費社会におけるシミュラークルは、現実と模倣物との区別が曖昧になることがその特徴だとボードリヤールはいう。

元来**シミュラークル**とはギリシアの神々の塑像や画像を意味しました。**ボードリヤール***はこのシミュラークルを、ルネサンスから産業革命、産業革命以降、現代の消費社会という3つの歴史的局面からとらえ、それぞれの時代における特徴を指摘しました。

現代消費社会におけるシミュラークルの特徴は、現実が模倣され、模倣物と現実の区別がつかず、あたかも模倣物が現実であるかのように錯覚する点にあります。これを**シミュラークルの逆転**といいます。いまや私たちはテレビやインターネットを通じて模倣された情報やイメージから現実を知るようになりました。それは記号（模倣）から記号が指示する実物（現実）が取り去られた状態ともいえるでしょう。

模倣された情報やイメージが氾濫すればするほど、現実との区別はますます曖昧になります。こうしてシミュラークルはやがて**ハイパーリアル**になる、とボードリヤールは主張します。

文献資料：ジャン・ボードリヤール『シミュラークルとシミュレーション』（法政大学出版局）

構造主義
structuralism

クロード・レヴィ＝ストロース
[483] 野生の思考

個々の現象をただそれだけ取り上げるのではなく、要素と要素の関係からなる全体的な構造の中に位置づけて説明する態度を指します。

構造主義は**レヴィ＝ストロース**（人類学）、**ジャック・ラカン***（精神分析）や**ロラン・バルト***（記号学）、**ミシェル・フーコー***（精神史）など多様な学問領域に広がった。

　20世紀半ば、フランスでは**ジャン＝ポール・サルトル***をはじめとした実存主義[434]が思想的主流を占めていました。これに対して人類学者**クロード・レヴィ＝ストロース***は、人間の主体性を尊重するサルトルに疑問を抱きます。というのも、人間的主体を中心とした伝統的な考え方は近代ヨーロッパが生み出したものであり、文化人類学者としていくつもの未開社会を見たレヴィ＝ストロースには馴染めないものだったからです。これに対してレヴィ＝ストロースが考えたのは、**ソシュールの言語論**[447]の考え方を社会に適用することで、人間の思想や行動を、その背景にある社会的・文化的な構造から説明しようとしました。レヴィ＝ストロースのとったこの態度を**構造主義**と呼びます。レヴィ＝ストロースは構造主義の考えに基づき、未開社会のフィールドワークから、人類に共通する近親婚の禁忌（インセスト・タブー）[484]の存在を説明する構造を見つけ出すことに成功します。

文献資料：クロード・レヴィ＝ストロース『野生の思考』（みすず書房）

構造とは何か

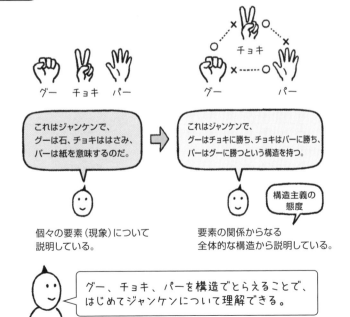

これはジャンケンで、グーは石、チョキははさみ、パーは紙を意味するのだ。

これはジャンケンで、グーはチョキに勝ち、チョキはパーに勝ち、パーはグーに勝つという構造を持つ。

構造主義の態度

個々の要素（現象）について説明している。

要素の関係からなる全体的な構造から説明している。

グー、チョキ、パーを**構造**でとらえることで、はじめてジャンケンについて**理解**できる。

野生の思考
"La pensée sauvage"（仏）

クロード・レヴィ＝ストロース
[482] 構造主義

近代の理性的で合理的な思考を栽培種化または家畜化された思想ととらえ、これらとは異なる野生状態の思考を指します。フランスの文化人類学者レヴィ＝ストロースが提唱しました。

野生の思考は野蛮人の思考や未開人類の思考を指すのではない。それは栽培種化、品種改良化される以前の思考状態を指す。

野生の思考は近代の科学的思考とは異なる野生状態の思考を指します。**レヴィ＝ストロース**[*]は、この違いを技師の計画的作業と未開人による**ブリコラージュ（器用仕事）**にたとえます。

技師は設計図に従ってモノを組み立てるのに対し、未開人のブリコラージュはそのつど状況に応じてあり合わせの材料を臨機応変に活用します。これは、科学的思考が仮説や理論などの構造を用いて考えるのに対し、野生の思考はあり合わせの断片を組み合わせて構造自体を作り上げることを示しています。

多くの未開社会を観察してきたレヴィ＝ストロースにとって、ブリコラージュは決して幼稚なものではありませんでした。その態度は論理的かつ合理的でした。そのため野生の思考と科学的思考は、どちらかを排除するのではなく**相互補完**の関係にあるべきだとレヴィ＝ストロースは言います。

文献資料：クロード・レヴィ＝ストロース『野生の思考』（みすず書房）

計画的作業とブリコラージュ

計画的作業

技師は設計図に従って
材料を準備し家を建てた。

ブリコラージュ

森から伐ったツル

落ちていた材木

植物の大葉

未開人は周囲にある
あり合わせで家を建てた。

科学的思考と野生の思考は、どちらかを排除するのではなく、相互補完の関係にある。

インセスト・タブー
incest taboo

クロード・レヴィ＝ストロース
[482] 構造主義

近親相姦の禁忌。近親間の性関係や婚姻を禁忌することを指します。歴史上の多様な社会や未開社会を問わず、人類社会に普遍的に観察される現象です。

インセスト・タブーで直感的に思いつくのは遺伝的な悪影響の可能性だろう。レヴィ＝ストロースの説明はこれとは観点がまったく異なる。

　インセスト・タブーは**近親相姦の禁忌**ともいわれ、近親間の性関係や婚姻をタブー視することを指します。インセスト・タブーは歴史上の多様な社会から未開社会まで、人類社会に普遍的に観察される現象です。

　レヴィ＝ストロース[*]は、構造主義の立場から**交換理論**を主張して、インセスト・タブーの存在を説得的に説明しました。レヴィ＝ストロースによると、近親相姦を禁止すれば、異なる集団や氏族間で婚姻関係を取り結ばなければなりません。そうすれば、他のグループと同盟を結ぶ必要が生じます。その結果、ある集団の女性が別の集団の男性に嫁ぐ、あるいはその逆による女性の交換が行われるようになります。つまりインセスト・タブーは、女性の交換を促し、集団間の社会的なつながりを確立する基本的なメカニズムとして機能するために存在するとレヴィ＝ストロースは主張しました。

文献資料：クロード・レヴィ＝ストロース『親族の基本構造』（青弓社）

交換の理論

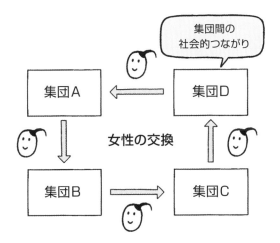

第11章　現代哲学Ⅱ

近親相姦の禁忌だけ見ていても、その適切な理由は説明できない。集団間の交換の構造という全体像でとらえることで近親相姦の禁忌の背景にある理由が見えてくる。

485 鏡像段階
mirror stage

ジャック・ラカン
[244] ミラーテスト

幼児が鏡や他の反射面に映る自分の姿を認識し始める時期を指します。生後6カ月から18カ月の間に起こると考えられています。この時期に自己認識が生じるのかもしれません。

幼児が鏡に映る自分を認識するということは、「自分を見ている自分に気づくこと」であり、一種の心理的変容なのだ。

　フランスの精神分析家・哲学者**ジャック・ラカン***は、精神分析に構造主義[482]を取り入れた人物として著名です。**鏡像段階**は、ラカンが提唱した精神分析理論の1つで、生後6カ月から18カ月の間に、幼児が鏡や他の反射面に映る自分の姿を認識し始める時期を指します。この時期に幼児は、自分自身を外界から切り離された統一的で首尾一貫した存在として認識し始めます。これは「自分を見ている自分に気づくこと」であり、一種の**心理的変容**だといえるでしょう。

　鏡の段階は、自我や自己の感覚を形成するための基礎を築くものであり、人間が主体を発達させる上でも重要な時期だとラカンは主張します。またラカンによると、自我とは鏡像との同一化から生じる想像上の構築物だといいます。しかし、この同一化は、理想化されたイメージに完全に到達することができないため、私たちにとって永遠の不満と欲望の源にもなります。

文献資料：Jacques Lacan. 1949. 'The Mirror Stage as Formative of the Function of the I as Revealed in Psychoanalytic Experience.' *International Congress of Psychoanalysis*.

自分であるということ

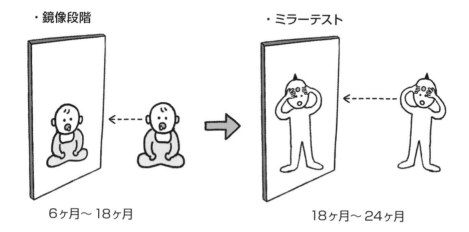

・鏡像段階

6ヶ月～18ヶ月

・ミラーテスト

18ヶ月～24ヶ月

鏡像段階やミラーテストから、自己認識には明らかに段階があることがわかる。

想像界・象徴界・現実界
imaginary, symbolic, real

ジャック・ラカン
[409] 物自体

ラカン哲学の中心概念の１つで、人間の精神を「想像界」「象徴界」「現実界」の３つの領域からとらえ、これらは相互に関連していると主張します。

ラカンの主張は、カントの認識論と軌を一にしており、「想像界＝感性」「象徴界＝悟性」「現実界＝物自体」という関係にある。

ラカン*哲学の中心概念の１つに「**想像界・象徴界・現実界**」という有名なものがあります。この３つはラカンが人間の精神についてとらえたもので、何れも相互に関連し、人間の成長とも関係しています。

まず、**想像界**ですが、これはモノがイメージとして認識される領域です。幼児が鏡を見て持つ自己イメージはその典型であり、人間の発達の中で最も早くに現れます。次の**象徴界**は言語や記号によって秩序づけられる領域です。そして、想像界と象徴界が合わさって成立するのが人間の**認識**です。さらに**現実界**は、想像界や象徴界を超えて存在する領域です。イメージや言葉ではとらえられない、私たちが認識できない領域です。このようにラカンの想像界・象徴界・現実界は、**カント***の認識論における**感性**（＝想像界）、**悟性**（＝象徴界）、**物自体**（＝現実界）に対応していることがわかります。

文献資料：ジャック・ラカン『フロイトの技法論』（岩波書店）

ラカンとカント

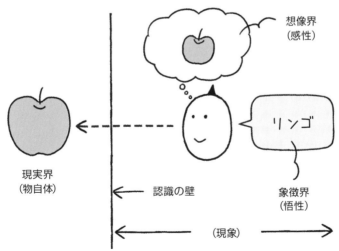

想像界
（感性）

リンゴ

現実界
（物自体）

認識の壁

象徴界
（悟性）

（現象）

ラカンとカントの主張は軌を一にする。
現実は人間の感性と悟性によって作り出されたものにすぎない？

ダブルバインド
double bind

グレゴリー・ベイトソン
[177] 囚人のジレンマ

二重拘束。人間関係やコミュニケーションにおいて、矛盾したメッセージや相反するシグナルを同時に受け取ることで、心理的ストレスを被ることを指します。

グレゴリー・ベイトソンはダブルバインドを精神分裂の概念として示しました。しかしダブルバインドに陥る状況は日常生活で広く見られます。

　ダブルバインドは、社会学者**グレゴリー・ベイトソン**[*]が述べた精神分裂病の概念の1つです。矛盾しあうメッセージを同時に受け取ることで、心理的ストレスを感じることを指します。ベイトソンはダブルバインドを精神分裂の概念として示しましたが、日常生活で人はよくダブルバインド的状況に陥ります。

　例えば、新たに赴任した先の上司から、「困ったことがあれば何でも相談して」と言われたので相談したら、「それくらい自分で考えてよ」と言われた状況などはまさにダブルバインドです。このようなケースは特に**否定的ダブルバインド**といいます。

　これに対して**肯定的ダブルバインド**もあります。例えば、あなたはデートに誘われましたが、運悪くその日は試験前日の夜です。「デートをとるか、試験勉強をとるか」という状況は、まさに肯定的ダブルバインドです。

文献資料：グレゴリー・ベイトソン『精神の生態学』（思索社）

肯定的ダブルバインド

うわっ、月曜日、試験なんだ…

えっ！

次の日曜日、美術館に行かない？

ダブルバインド

上記のダブルバインド・シチュエーションを想起してもらいたい。あなたならばどっちをとる？

ポスト構造主義
post-structuralism

[489] 二項対立
[490] 脱構築

20世紀半ばに生まれた思想的枠組みで、構造主義が築いた基礎を批判的に継承しました。ポストモダンがポスト構造主義を指す場合もあります。

狭義ではデリダ*やドゥルーズ*らを一括りにして表現する際に用いる場合もある。現代の常識や信念に異議を唱える思想的立場だ。

構造主義[482]は現象の背景にある根本的な構造やシステムの分析に重点を置きました。しかし、複雑な現象を抽象的な構造に還元して単純化し過ぎているとの批判がありました。そこで、構造主義が主張する構造から外れるものや逸脱するものを積極的に問題にする立場、すなわち**ポスト構造主義**が現れました。

ポスト構造主義の特徴は、**二項対立**とその**脱構築**にあるといえます。二項対立とは「男性 / 女性」「文化 / 自然」「心 / 身体」などの対立概念あるいは二分概念であり、これらは西洋思想の伝統的な構造を示しています。また、このような二項対立の構造には、「男尊女卑」のように伝統的に一方が優、他方が劣と決めつけられており、それが固定観念として成立していました。ポスト構造主義では、このような伝統に疑問を投げかけ、従来は固定的だととらえられていた構造に揺さぶりをかけます。この揺さぶりのことを**脱構築**といいます。

文献資料：千葉雅也『現代思想入門』（講談社）

ポスト構造主義の哲学者

「脱構築」こそが重要なのだ。

ジャック・デリダ
Jacques Derrida
1930 〜2004

「差異」に着目すべきなのだ。

ジル・ドゥルーズ
Gilles Deleuze
1925 〜 1995

ポスト構造主義の中心的な関心事の１つは、伝統的に西洋の思想を構成してきた二項対立に対する批判なのだ。

二項対立
binary opposition

ジャック・デリダ
[490] 脱構築

2つの考えや立場があって、それらが対立や矛盾している様子を指します。この二項対立には一方が優れていて他方が劣るという固定観念があります。

「心と身体」「善と悪」「主観と客観」というように西洋哲学は二項対立を頻繁に取り上げてきた。デリダはこれに批判の矛先を向けた。

　二項対立とは、対立や矛盾する2つの考えや立場を指します。二項対立をいくつか列挙してみましょう。「善と悪」「光と闇」「愛と憎しみ」「主観と客観」「理性と感情」「戦争と平和」など、それこそ枚挙に暇がありません。このように二項対立を並べてみるとあることに気がつきます。それは、対立する2つの概念に優劣があることです。フランスの哲学者**ジャック・デリダ**[*]は、西洋哲学の背景には、このような優劣を前提にした二項対立があると主張しました。

　優劣を前提にした二項対立からは不適切な主張が生まれます。「西洋人は他の民族よりも優位にある」「男性は女性よりも優れている」「間接的なものよりも直接的なもののほうが真実に近い」など、これまた多様な例が出てきます。ナチス政権下では「ドイツ人とユダヤ人」という二項対立が悲惨な結果を生みました。デリダは**脱構築**を用いて、この二項対立の解体を提唱しました。

文献資料：ジャック・デリダ『グラマトロジーについて』（現代思潮社）

二項対立を疑う

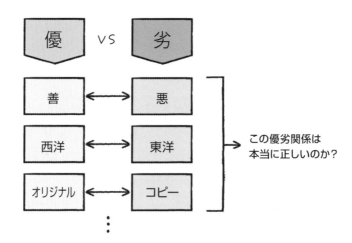

常識としてとらえていた二項対立の優劣に疑問を投げかけてみよう。劣側は本当に劣っているのか？

490 脱構築
déconstruction（仏）

ジャック・デリダ
[489] 二項対立

物事を「二項対立」あるいは「2つの対立する概念」でとらえることをいったん棚上げする態度を指します。ポスト構造主義の基本的な方法論になります。

脱構築は二項対立の中で劣位にある側に注目し、それが本当に劣っているのか問いかける。脱構築は世間の常識に疑問を投げかける際に極めて有用なのだ。

脱構築は**ジャック・デリダ***が提唱した思考法で、ポスト構造主義[488]の基本的な方法論の1つになっています。その特徴は、世の中にある固定された仮定や**二項対立**に疑問を投げかけ、暴露し、破壊し、新たな思考の枠組みを構築する点です。

ポスト構造主義が特に注目するのが二項対立の脱構築です。ある特定の二項対立に対象を絞り込んだら、その二項対立が前提とする優劣に着目します。その優位と劣位は本当なのでしょうか。劣位にある項目は本当にもう一方の対立項目よりも劣っているのでしょうか。このようにマイナス部分に注目することを**転倒**といいます。その上で二項対立の優劣が決められなくなる新たな概念を作り出します。そうすることで、二項対立にあった従来の優劣関係を解体します。これが脱構築のおおよその手順になります。

文献資料：ジャック・デリダ『声と現象』（理想社）

脱構築のプロセス

①	二項対立を置く	先進国 ── 後進国
②	劣側に着目してその価値を問い直す（転倒）	先進国 ──（後進国）
③	二項対立を揺さぶる第三の概念を立てる	先進国でも後進国でもない「グローバルサウス」

グローバルサウス[174]は世界で現実に起きている脱構築の結果なのかもしれない。

491 差延
différance（仏）

ジャック・デリダ
[467] 既在 / 到来

差延（différance）は、デリダ*による造語で、遅延としての différer（遅延する）と差異の積極的な働きとしての différer（異なる）を念頭に置いています。

差延は、言語や思考において、意味が完全に存在したり安定したりすることはなく、代わりに常に延期され、差異化されていることを示している。

　差延とは、時間が先送りされるに従って物事に「差」が出てくる状況を指します。ちょっとわかりにくい言葉ですが、「現在の私」を例にして具体的に考えてみましょう。現在とは奇妙な概念です。どこか静的にも思える現在ですが、実は常に時間的に先送り（延期）されています。いま現在は、たちまち少し前の現在になり、現在はたちまち先送りされます。ところが先送りされた現在もたちまち少し前の現在になり、またしても現在は先送りされます。このように「現在の私」という存在は、このダイナミックな動きの中で存在しています。自分でありながら時間的に先送りされることで差が生じます。この様子を差延といいます。このように私という**同一性**は必ずしも絶対的ではなく、常に差異の間で揺れ動いているのです。これは**ハイデガー***が述べた**既在**と**到来**が出会う実存としての現存在[464]とも深い関わりがあるように思います。

文献資料：ジャック・デリダ『声と現象』（理想社）

差延と現在の「私」

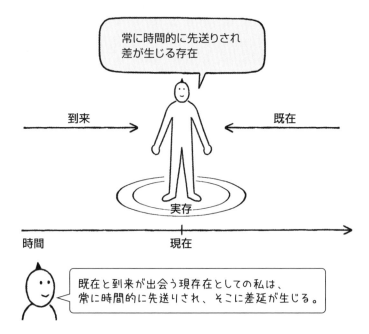

常に時間的に先送りされ
差が生じる存在

到来　　　　　　　既在

実存

時間　　　　　現在

既在と到来が出会う現存在としての私は、
常に時間的に先送りされ、そこに差延が生じる。

492 エピステーメー
epistēmē（希）

ミシェル・フーコー
[493] パノプティコン

特定の時代の中で生成され定着した人々の思考を指し、時代によって大きく異なるという特徴を持ちます。ミシェル・フーコーによって提唱されました。

パラダイム[056]と少々似た概念だが、特定の科学分野を対象にするパラダイムよりも、エピステーメーのほうがより広い領域を対象にしている。

フーコー[*]によると、人間の思考は古代から連綿と進歩してきたのではなく、それぞれの時代に特有の知の枠組みが存在するといいます。フーコーはこれを**エピステーメー**と呼びました。

フーコーは西洋社会の歴史を３つに区分して、それぞれの時代におけるエピステーメーを考察しています。16世紀以前のエピステーメーは、世界は理性的な神によって創造されたものであるから、その根本的な構造は人間の理性によって理解され得るという信念に基づいていました。17～18世紀のエピステーメーは、自然界の秩序と規則性を信じることを特徴としています。この信念は**ニュートン力学**などの新しい科学的手法を生み出します。そして、19世紀以降のエピステーメーは、真理の多義性や知識の暫定性を信じる点を特徴としています。これはポストモダン[478]が持つ特徴にほかなりません。

文献資料：ミッシェル・フーコー『言葉と物』（新潮社）

３つのエピステーメー

世界は人間の理性によって理解され得る。

人文主義や人間科学の誕生

古典的エピステーメー ～16世紀

自然界の秩序と規則性に信頼をおく。

ニュートン力学など新たな科学の誕生

近代的エピステーメー 17～18世紀

真理の多義性や知識の暫定性を信じる。

従来の枠組みから逸脱

ポスト近代的エピステーメー 19世紀～

その時代のエピステーメーは個々の思想や理論よりも深いレベルで作用するとフーコーは主張する。

493 パノプティコン
panopticon

ミシェル・フーコー
[494] 生の権力

囚人に「監視されているのではないか」という疑心暗鬼を故意に生じさせる監獄を指します。フーコーはパノプティコンを現代の監視社会のアナロジーとして用いました。

パノプティコンという語は「すべてを一望に見渡す」という意味を持っている。そのためパノプティコンのことを「一望監視施設」とも呼ぶんだ。

18世紀から19世紀にかけて活躍したイギリスの功利主義[418]哲学者ジェレミー・ベンサム*は、刑務所の改革にも興味を示した人物です。パノプティコンと呼ぶ理想的な刑務所を構想したのもベンサムでした。パノプティコンは、中央に監視塔をもち、監視塔をドーナツ状に取り囲むように独房があります。監視塔からは独房の中が手に取るようにわかります。ところが独房からは監視塔に人がいるかさえもわかりません。囚人は「監視人が見ているのではないか」という疑心暗鬼にかられ、結果、脱走などの悪事を働くこともありません。

このパノプティコンという言葉は、20世紀に入ってフランスの哲学者ミシェル・フーコー*が再使用することで脚光を浴びます。もっともフーコーは、刑務所を説明するのに、この語を使用したのではありません。現代の権力者による監視社会のアナロジーとして用いました。詳しくは引き続き次節を参照してください。

文献資料：ミッシェル・フーコー『監獄の誕生』(新潮社)

ベンサムのパノプティコン

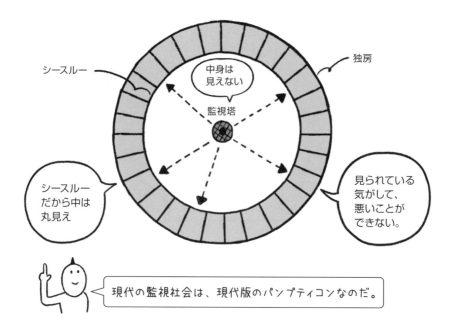

シースルー

独房

中身は
見えない

監視塔

シースルー
だから中は
丸見え

見られている
気がして、
悪いことが
できない。

現代の監視社会は、現代版のパノプティコンなのだ。

494 生の権力
biopouvoir（仏）、biopower

[061] 相互監視社会
[493] パノプティコン

現代の民主主義が作り上げた権力を指します。フーコーはかつての絶対的権力者が死への恐怖によって民衆を支配した「死の権力」と比較しています。

現在、最大規模のパノプティコンはインターネットだろう。そこでは Google や Meta といったビッグテックが人々のログをとり続けている。

　ミッシェル・フーコー*によると、かつての国王のような絶対的権力者は死への恐怖によって民衆を支配しました。これを**死の権力**と呼びます。これに対して現代の民主社会では、制度や規範を人々に内面化させることで支配する**生の権力**だ、とフーコーは位置づけます。

　生の権力では、権力が作動していることを巧妙に隠すことで管理社会を発展させてきました。そこでは人々が規範を遵守するよう常に監視します。一方で人々は、常に監視されているという意識を働かせながら制度や規則に従います。フーコーはこのような監視社会を現代の**パノプティコン**と考えたわけです。

　現在、パノプティコンは学校や工場、病院などあらゆる所に見られます。また、商業施設や商店街のように防犯カメラがむき出しの場所もあります。さらに利用者のログを収得し続けるインターネットもパノプティコンの１つです。

文献資料：ミッシェル・フーコー『監獄の誕生』（新潮社）

死の権力と生の権力

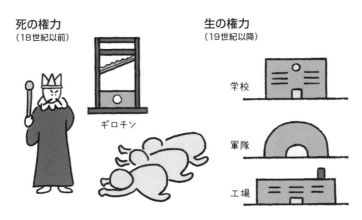

死の権力
（18世紀以前）

ギロチン

絶対的権威者は死の恐怖を
利用して民衆を支配する。

生の権力
（19世紀以降）

学校

軍隊

工場

教育によって制度や規律を
内面化させて支配する。

相互監視社会の現代では、監視される私たちが監視する立場にもある。権力者には好都合だろう。

リゾーム
rhizome

ジル・ドゥルーズ
フェリックス・ガタリ

根茎というメタファーを用いた、世界を非線形で相互接続された多重性のネットワークとしてとらえるためのモデルを意味しています。ドゥルーズとガタリが提示しました。

階層的で中央集権的な構造を表す伝統的な樹木状システムを脱構築[490]するとリゾームが得られる。リゾームも脱構築の産物なのだ。

　哲学者ドゥルーズ*とガタリ*はリゾーム*（根茎）という言葉で、世界を非線形で相互接続された多重性のネットワークとしてとらえるモデルを示しました。リゾームは多様な特徴を持ちます。まず、中心や階層構造を持たないことから、階層的で中央集権的な構造を表す伝統的な**樹木状システム**に対置されます。しかしながら、必ずしも樹木状システムと対立するものではありません。また、根茎上のすべての点は他の点と接続することができますし、必ず接続しなければならないわけでもありません。さらにリゾームには始まりも終わりもなく、常に中間や物事の間にあり、どの地点からでも出入りすることができます。

　物事を樹木状システムに落とし込み整理整頓する流儀もあるでしょう。これに対してリゾーム的な発想をすることで、物事を統一するのではなく、価値間にある**差異**を差異として受け入れることができます。

文献資料：ジル・ドゥルーズ、フェリックス・ガタリ『千のプラトー』（河出書房新社）

樹木状システムとリゾーム

樹木状システム

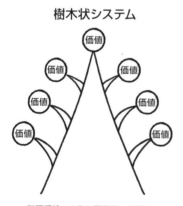

指揮系統のように階層的・序列的で統一的な構造を持つ。

リゾーム

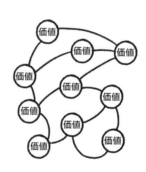

統一するのではなく価値間にある差異を差異として受け入れる。

リゾームは階層的で中央集権的な構造を表す伝統的な樹木状システムと対比される。

(496) ノマド
nomad

[495] リゾーム
[497] スキゾ / パラノ

> ドゥルーズとガタリはノマド（遊牧民）という概念を比喩的に用いて、伝統の制約に縛られない思考や創造性の新たな可能性を切り開く手段を示しました。

> 「ノマド＝遊牧民」は常に領土を横断し、異なる環境に適応し、常に変化する状態を維持する。定住民はノマドのスタイルに学ぶべき事がある。

　ドゥルーズ*と**ガタリ***は著作『千のプラトー』において**ノマド**という重要な概念を示しました。彼らは**遊牧民**を示すノマドを比喩的に用いて、思考と社会の両方における固定的で階層的な構造の脱構築[490]に挑みます。

　一般的に私たち**定住型**の生活を好みます。しかし定住型の生活は貯め込んだ財や他人の評価によってやがて身動きが取れなくなります。知的生活にたとえるならば、固定した狭い領域に知識を詰め込むようなものです。一方、ノマドすなわち遊牧民の生活はどうでしょう。彼らは常に領土を横断し、異なる環境に適応し、常に変化する状態を維持しています。こちらも知的生活にたとえると、固定された構造に挑戦しそれを覆すことで新たな地平を切り拓くスタイルといえるでしょう。それはノマド的なスタイルを取り入れることで、伝統の制約に縛られない思考や創造性の新たな可能性を切り開く態度ともいえます。

文献資料：ジル・ドゥルーズ、フェリックス・ガタリ『千のプラトー』（河出書房新社）

リゾームの世界を渡り歩く

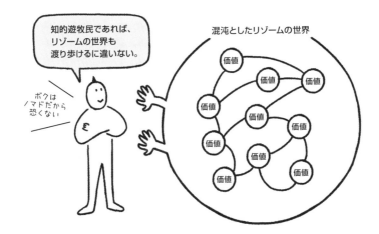

知的遊牧民であれば、リゾームの世界も渡り歩けるに違いない。

混沌としたリゾームの世界

ボクはノマドだから恐くない

価値

ノマドは常に脱領域化つまり固定された基準点から遠ざかる。これにより創造的な行動をとる。

スキゾ / パラノ
schizophrenia / paranoia

[246] アイデンティティ
[496] ノマド

精神療法の用語で分裂症と偏執症を意味します。ドゥルーズとガタリは、パラノ的生き方よりもスキゾ的生き方を推奨します。

今から40年も昔の1980年代に「スキゾ人間」、「パラノ人間」という言葉が流行ったことがあった。スキゾ的生き方はノマド的でもあるのだ。

スキゾフレニア（スキゾ） と **パラノイア（パラノ）** は、精神療法における用語で **偏執症** と **分裂症** を指します。ただし、**ドゥルーズ*** と **ガタリ*** がこの言葉を用いた場合、純粋に病的な状態を指しているわけではありません。

　人は自らの **アイデンティティ** を形成しそれを社会に提示し、意見や評価などの社会的フィードバックを受け、より良いアイデンティティの形成に役立てます。しかしこれでは社会からの評価に縛られながら生きなければなりません。このようなライフスタイルが **パラノ的生き方** です。これに対して **スキゾ的生き方** は、決められたアイデンティティに固執せず、好みのままフィールドからフィールドを渡り歩くライフスタイルです。

　以上からパラノ人間は定住型のライフスタイルを好み、スキゾ人間は **ノマド** 的なライフスタイルを好むことがわかるでしょう。

文献資料：ジル・ドゥルーズ、フェリックス・ガタリ『アンチ・オイディプス』（河出書房新社）

パラノとスキゾ

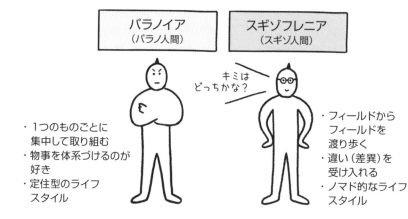

パラノイア（パラノ人間）	スギゾフレニア（スキゾ人間）

キミはどっちかな？

・1つのものごとに集中して取り組む
・物事を体系づけるのが好き
・定住型のライフスタイル

・フィールドからフィールドを渡り歩く
・違い（差異）を受け入れる
・ノマド的なライフスタイル

ドゥルーズとガタリは、支配と抑圧を用いて権力を維持する専制国家はパラノイアの特徴をもつと主張する。

ソーカル事件
Sokal affair

アラン・ソーカル
[478] ポストモダン

1996 年に起きた学術上のスキャンダルで、物理学者アラン・ソーカルが投稿した意図的に無意味な論文が、権威ある学術誌に掲載された事件を指します。

事件後、ソーカルへの賞賛があった一方で、そもそも学術論文のでっち上げ自体が許されることではないとする声も上がった。

　ニューヨーク大学物理学教授**アラン・ソーカル***は、当時台頭していた**ポストモダン**やポスト構造主義[(488)]に懐疑的でした。そこでソーカルは、ポストモダン風の文体で、内容的にはまったく無意味な論文「境界を越える：量子重力の変容的解釈学に向けて」を作成して、デューク大学出版局の「ソーシャル・テキスト」という学術雑誌に投稿しました。その内容は、ポストモダン思想家の言葉を引用しながら、量子重力は社会的構築物だと主張するものでした。内容には明らかに欠陥があったものの論文は受理され、同誌の 1996 年春夏号に掲載されました。

　その後ソーカルは、別の雑誌に「ソーシャル・テキスト」に投稿した論文「境界を超える」はまったくのデタラメで「ある種の学界における知的弛緩と批判的思考の欠如を暴露」するのが目的だったと公表しました。このスキャンダルは大きな話題になり、賛否両論が巻き起こりました。

文献資料：Alan D. Sokal. 1995. 'Transgressing the Boundaries : Towards a Transformative Hermeneutics of Quantum Gravity.' *Social Text* #46/47. spring/summer.

論文「境界を越える：量子重力の変容的解釈学に向けて」冒頭

　多くの自然科学者、特に物理学者は、社会的・文化的批判に関わる学問分野が、おそらくは周辺的なものを除いて、自分たちの研究に何か貢献できるという考え方を拒否し続けている。また、そのような批判に照らして、自分たちの世界観の根幹を見直したり、再構築したりしなければならないという考えを受け入れることもない。このドグマを簡単にまとめると、「外界は存在し、その特性は個々の人間や人類全体とは無関係である」、「その特性は " 永遠の " 物理法則にコード化されている」、「人間は（いわゆる）科学的方法が規定する " 客観的 " 手順と認識論的厳格さに従うことで、不完全で暫定的ではあるが、これらの法則に関する信頼できる知識を得ることができる」というものである。
（以下省略）

論文「越境を越える」の冒頭を訳してみた。確かにポストモダン的な文章ではある。

499 エロティシズム
eroticism

ジョルジュ・バタイユ
[066] タブー

愛欲的、性欲的。フランスの作家・哲学者ジョルジュ・バタイユの著作のタイトルでもあり、バタイユはエロティシズムに人間存在の根源を見ました。

バタイユは人々がタブー視するテーマについて探求することで知られている。代表作『エロティシズム』もその1つだ。

　フランスの作家・哲学者ジョルジュ・バタイユ*は、人々がタブー視するテーマを好んで取り上げる人物でした。彼の代表作『エロティシズム』もその1つです。エロティシズムとは通常、愛欲的あるいは性欲的であることを指しますが、もちろんバタイユのエロチシズムに対するアプローチはそこで止まりません。バタイユにとってエロティシズムは、人間であることの本質的な部分であり、私たちの欲望や恐怖、さらに超越への探求と固く結びつきます。

　例えばここに触れることが禁じられている美しい肢体があります。人は禁じられると、その禁を犯したくなるものです[066]。その禁を犯して美を陵辱したとき、人は大きな恍惚感を得ます。その恍惚感は自我が恐れてやまない死の不安を超越します。つまり、エロティシズムが極限まで高まると、人は一時的に個性を解き放ちより広い宇宙や神の力との結合を経験できる、とバタイユは主張します。

文献資料：ジョルジュ・バタイユ『エロティシズム』（筑摩書房）

500 なぜ世界は存在しないのか
"Why the world does not exist."

[091] 弁証法
[409] 物自体

ドイツの哲学者マルクス・ガブリエルが2013年に出版したベストセラーのタイトルです。ガブリエルはこの著作の中で、いま注目の新実在論について語っています。

古典的な実在論とポストモダン以降の非実在論はある意味で二項対立[489]の関係にある。それを弁証法的に止揚するのがガブリエルの新実在論なのだ。

　ドイツの哲学者マルクス・ガブリエルは、1980年生まれの若き思想家で、一般読者向けに書いた著作『なぜ世界は存在しないのか』がベストセラーになり、一躍時の人になりました。また、ガブリエルはこの著作で新実在論の立場から存在論を展開しました。そのため、ガブリエル人気とともに、にわかに新実在論にも注目が集まるようになりました。

　ガブリエルが提唱する新実在論のポイントは、古典的な実在論とポストモダン[478]以降の非実在論の対立を包括して説明する点にあります。例えばここに富士山があり、3人の人物が異なる場所からこの山をながめています。古典的な実在論の場合、そこに唯一存在するのは富士山という山です。一方、非実在論では、3人の人物が異なる場所から見た3つの富士山が存在します。これに対して新実在論では、古典的な実在論および非実在論が主張する、併せて4つの富士山が存在する立場をとり、古典的実在論と非実在論の止揚を目論みます。

文献資料：マルクス・ガブリエル『なぜ世界は存在しないのか』（講談社）

付　録

本書に関連する人名一覧

(9)アナクシマンドロス
Anaximander（BC 610〜BC 546 年）

　　　古代ギリシャの哲学者で、ミレトス学派の創始者の一人。天文学者としても有名。あらゆるものの根源をト・アペイロンとし、無限に広がるものであると考えた。万物がト・アペイロンから生じ、その後に滅びていくプロセスを無限の回帰と呼んだ。
〈セクション〉354

(10)アナクシメネス
Anaximenes of Miletus
（BC 585?〜BC 525? 年）

　　　ギリシアの自然哲学者。アナクシマンドロスの弟子で、ミレトス学派の一人。万物の根源は空気であると主張した。
〈セクション〉354

(11)アニル・セス
Anil Seth（1968 年〜）

　　　イギリスの神経科学者。サセックス大学の認知・計算論的神経科学の教授、カナダ高等研究所の脳・心・意識プログラムの共同ディレクターを務める。また、『意識の神経科学』誌の編集長でもある。著作に『なぜ私は私であるのか』がある。
〈セクション〉276, 277, 279

(12)アブラハム・マズロー
Abraham Harold Maslow（1908〜1970 年）

　　　アメリカの心理学者。人間性心理学の中心的人物で創始者の一人。欲求階層論を提唱し、自己実現の重要性を主張した。『人間性の心理学』『完全なる人間』『可能性の心理学』『人間性の最高価値』など多数の著作がある。
〈セクション〉49, 290, 291

(13)アマルティア・セン
Amartya Sen（1933 年〜）

　　　インドの経済学者、哲学者。ハーバード大学教授。1988 年にアジア人初のノーベル経済学賞を受賞。潜在能力アプローチ、人間開発指数（HDI）などを提唱した。主著に『貧困と飢饉』『合理的な愚か者』『正義のアイデア』などがある。
〈セクション〉28

(14)アラン・ソーカル
Alan Sokal（1955 年〜）

　　　ニューヨーク大学物理学教授。ポストモダン風の文体を利用して、内容的にはまったく無意味な論文「境界を越える：量子重力の変容的解釈学に向けて」を投稿。学術誌に掲載されたのち、論文はまったくのデマだと公言するソーカル事件を起こした。
〈セクション〉498

(15)アラン・チューリング
Alan Turing（1912〜1954 年）

　　　イギリスの数学者、暗号解読者、コンピュータ科学の父ともいわれる。ナチス・ドイツの暗号機「エニグマ」を解読したことで有名。現在のコンピュータの基礎となるチューリングマシンを使い、アルゴリズムさえ書ければどんな計算もできることを証明した。
〈セクション〉317

(16)アリストテレス
Aristotle（BC 384〜BC 322 年）

　　　古代ギリシアの哲学者、科学者、教育者。西洋哲学の中で最も影響力のある人物の一人とされている。プラトンの弟子であったがその後自らペリパトス派（逍遥学派）を創設した。『ニコマス倫理学』『エウデモス倫理学』『形而上学』などの著作がある。
〈セクション〉82, 132, 142, 192, 365, 366, 367, 368, 373, 384

(17)アルチュール・ランボー
Arthur Rimbaud （1854～1891 年）

　　　フランスの詩人。早熟な天才、神童と称された。代表作は 1886 年に遺作として出版された詩集『イリュミナシオン』で、夢と現実の境界を曖昧にする、幻視的、神秘的な世界観を表現している。他に『酔いどれ船』『地獄の季節』などがある。
〈セクション〉218

(18)アルトゥール・ショーペンハウアー
Arthur Schopenhauer （1788～1860 年）

　　　ドイツの哲学者。ペシミズム（厭世主義）の哲学者として知られる。「生への盲目的意志」は、ニーチェの「力への意志」に先んじる思想だった。著作に『意志と表象としての世界』、論文集『余録と補遺』などがある。
〈セクション〉433

(19)アルノルト・シェーンベルク
Arnold Schoenberg （1874～1951 年）

　　　オーストリアの作曲家、音楽教師、指揮者。ドから次のドまでの 12 の音を均等に扱うという十二音技法を創始したことで知られている。「5つのピアノ曲」作品 23 は十二音技法が本格的に取り入れられた作品である。
〈セクション〉237

(20)アルバート・アインシュタイン
Albert Einstein （1879～1955 年）

　　　ドイツの理論物理学者。20 世紀最高の物理学者とも評される。1921 年ノーベル物理学賞を受賞。一般相対性理論、特殊相対性理論、光量子仮説など、多くの業績を残した。『アインシュタイン相対性原理講話』『わが相対性理論』などの著作がある。
〈セクション〉351, 456

(21)アルフレッド・アドラー
Alfred Adler （1870～1937 年）

　　　オーストリアの精神科医、心理学者。アドラーが創始した個人心理学はアドラー心理学とも呼ばれる。劣等感を重視したことから「劣等感の心理学」とも呼ばれている。著作に『人生の意味の心理学』『個人心理学講義 生きることの科学』などがある。
〈セクション〉439

(22)アルフレッド・シスレー
Alfred Sisley （1839～1899 年）

　　　フランス生まれのイギリス人の印象派の画家。作品の大部分はパリ周辺の風景を題材にした穏やかな風景画で、典型的な印象派の画家である。「ガレンヌ村の橋」「マシンの道、ルーヴシエンヌ」「森へ行く女たち」などの作品がある。
〈セクション〉214

(23)アルブレヒト・デューラー
Albrecht Dürer （1471～1528 年）

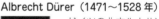

　　　ドイツの北方ルネサンスの巨匠として知られる。イタリアのルネサンス精神をドイツ芸術と融合させた。木版画の連作「ヨハネ黙示録」でその名が有名になる。他にも油彩画の「自画像」、木版画の「メランコリア I」「書斎の聖ヒエロニムス」など著名作多し。
〈セクション〉208

(24)アレクサンドロス大王
Alexander the Great （BC 356～BC 323 年）

　　　古代ギリシアのマケドニア王国の王。ギリシア、エジプトからインドに至る世界帝国を築いた。これにより、ギリシア文明とオリエント文明を融合させたヘレニズムという新たな文明が栄えた。アリストテレスは王位に就く前のアレクサンドロスの家庭教師をしていた。
〈セクション〉369

（25）アントニオ・ダマシオ
Antonio Damasio（1944 年～）

アメリカの神経科学者、心理学者。南カリフォルニア大学教授。感情と意思決定に関する研究をし、ソマティックマーカー仮説の提唱者として有名。著作に『デカルトの誤り』『意識と自己』『感じる脳』の他、最新作に『進化の意外な順序』がある。
〈セクション〉273、274、349

（26）アンドレ・ドラン
André Derain（1880～1954 年）

フランスの画家。アンリ・マティス、ラウル・デュフィらとともにフォーヴィスム（野獣派）運動で指導的な役割を果たした。プーシキン美術館所蔵「水差しのある窓辺の風景」に画家の心象風景がうかがえる。
〈セクション〉220

（27）アンドレ・ブルトン
André Breton（1896～1966 年）

フランスの詩人、文学者。当初ダダイスム運動に参加していたが、トリスタン・ツァラと対立して決別する。その後の 1924 年、「シュルレアリスム宣言」をぶち上げ新たな芸術運動を理論化、組織化した。
〈セクション〉230

（28）アンリ・ベルクソン
Henri Bergson（1859～1941 年）

フランスの哲学者。1927 年にノーベル文学賞を受賞する。著作に『時間と自由』『物質と記憶』などがあり、また『創造的進化』では生命の進化を押し進める根源的な力として「エラン・ヴィータル」の存在を主張した。
〈セクション〉446

（29）アンリ・マティス
Henri Matisse（1869～1954 年）

フランスの画家、彫刻家。フォーヴィスム（野獣派）を代表する画家の一人。大胆な色彩を用いたことから「色彩の魔術師」とも呼ばれている。代表的な作品に「帽子の女」「赤のハーモニー」「ダンス！」「金魚」などがある。
〈セクション〉220

（30）イーロン・マスク
Elon Musk（1971 年～）

南アフリカ生まれの実業家、起業家、投資家。宇宙開発企業スペース X、電気自動車メーカーテスラを設立。新しい決済サービス PayPal を作った。2019 年にフォーブスが発表した「アメリカ合衆国で最も革新的なリーダー」ランキングで第 1 位の評価を受けた。
〈セクション〉343、344

（31）イマニュエル・カント
Immanuel Kant（1724～1804 年）

ドイツの哲学者。近世哲学を代表する最も重要な哲学者の一人。理性を中心とした哲学体系を構築し、人間の経験的な知識のみが可能であり、理性による超越的知識の獲得は不可能だと主張した。『純粋理性批判』『実践理性批判』『判断力批判』などの著作を残す。
〈セクション〉94、175、270、277、406、407、408、409、410、411、412、413、414、445、486、500

（32）イリヤ・プリゴジン
Ilya Prigogine（1917～2003 年）

ベルギーの化学者、物理学者。非平衡熱力学の研究で知られる。散逸構造の理論で 1977 年にノーベル化学賞を受賞した。また、統計物理学の分野でも活躍した。『混沌からの秩序』『化学熱力学』『構造・安定性・ゆらぎ』などの著作がある。
〈セクション〉50

(33)ヴァーナー・ヴィンジ
Vernor Vinge（1944 年～）

アメリカの SF 作家。1981 年に発表した『マイクロチップの魔術師』で一躍有名になる。他にも『遠き神々の炎』『最果ての銀河船団』などの著作がある。また、シンギュラリティ（技術的特異点）の概念を普及させた一人でもある。

〈セクション〉316

(34)ヴァネバー・ブッシュ
Vannevar Bush（1890～1974 年）

アメリカの技術者、マサチューセッツ工科大学の副学長を務めた。第二次世界大戦中はアメリカの科学者を統率する立場にあった。情報検索システム「メメックス（memex）」を構想し、コンピュータの発展に大きく貢献した。

〈セクション〉303, 304

(35)ヴァルター・ベンヤミン
Walter Benjamin（1892～1940 年）

ドイツの文芸批評家、哲学者、思想家、社会批評家。芸術批評やマルクス主義に基づく社会運動などを行った。著作に『複製技術時代の芸術』『パサージュ論』『写真小史』などがある。

〈セクション〉234

(36)ヴィクトール・フランクル
Viktor Frankl（1905～1997 年）

オーストリアの精神科医、心理学者。フロイトやアドラーに師事する。ロゴセラピーを考案した。ナチス強制収容所での体験をもとにした著作『夜と霧』は世界的ベストセラーとしていまも読み継がれている。

〈セクション〉338

(37)ヴィラヤヌル・S・ラマチャンドラン
Vilayanur S. Ramachandran（1951 年～）

インド出身のアメリカの神経学者、心理学者。カリフォルニア大学サンディエゴ校の心理学教授を務める。鏡箱を用いて幻肢痛を和らげるという治療法を開発した。著作に『脳のなかの幽霊』『脳のなかの幽霊ふたたび』『脳のなかの天使』などがある。

〈セクション〉189, 193, 233, 282

(38)ウィリアム・オッカム（オッカムのウィリアム）
William of Ockham（1287～1347 年）

イングランド出身のフランシスコ会会士、神学者、中世のスコラ哲学者。哲学や科学における原理「オッカムの剃刀」の提唱者として知られている。

〈セクション〉374

(39)ウィリアム・ジェームズ
William James（1842～1910 年）

アメリカの哲学者、心理学者。プラグマティズムの提唱者の一人であり、現代の哲学ばかりか心理学や認知科学に大きな影響を与えた。主な著作には『プラグマティズム』『宗教的経験の諸相』などがある。

〈セクション〉245, 475, 476

(40)ウィリアム・ブレイク
William Blake（1757～1827 年）

イギリスの詩人、画家、銅版画職人。主な作品に詩集『無垢と経験の歌』、叙事詩と彩色印刷した装画からなる『エルサレム』などがある。

〈セクション〉213

(41)ヴィルフレド・パレート
Vilfredo Pareto (1848〜1923年)

　　イタリアの経済学者、社会学者、哲学者。社会全体の8割の富が2割の高額所得者に集中するという「パレートの法則」が有名である。また、ゲーム理論にも利用されるパレート最適という概念を提唱した。
〈セクション〉127

(42)ヴィンセント・ファン・ゴッホ
Vincent van Gogh (1853〜1890年)

　　オランダの後期印象派の画家。フォーヴィスムやドイツ表現主義など、20世紀の美術に大きな影響を及ぼした。「ひまわり」「自画像」「夜のカフェ・テラス」「アルルの寝室」など数多くの有名な作品がある。
〈セクション〉215, 236

(43)ヴェルナー・ハイゼンベルク
Werner Heisenberg (1901〜1976年)

　　ドイツの理論物理学者。行列力学（マトリックス力学）と不確定性原理を提唱したことで量子力学に多大な貢献をした。1932年にノーベル物理学賞を受賞。ナチスドイツの原爆開発チームの一員であったことでも知られている。
〈セクション〉353

(44)ウォルター・グロピウス
Walter Gropius (1883〜1969年)

　　ドイツのモダニズムを代表する建築家。1919年に創立された美術と建築の教育を総合的に行ったバウハウスの創立者であり、初代校長を務めた。ニューヨークにある超高層ビル、メットライフビルの設計をした。
〈セクション〉228, 229

(45)エイブラハム・リンカーン
Abraham Lincoln (1809〜1865年)

　　アメリカの政治家。第16代アメリカ合衆国大統領。奴隷解放をおこなって支持を集め、また南北戦争では北部を勝利に導いてアメリカを統一した。ゲティスバーグの演説「人民の人民による人民のための政治」は有名である。
〈セクション〉154

(46)エイモス・トヴェルスキー
Amos Tversky (1937〜1996年)

　　イスラエル出身の心理学者。ダニエル・カーネマンとともにプロスペクト理論を提唱した。また認知バイアスについての研究を行った。存命であれば、カーネマンとともにノーベル経済学賞を受賞したであろうといわれている。
〈セクション〉101

(47)エウブリデス
Eubulides (BC 4C〜???年)

　　紀元前4世紀頃に活動した古代ギリシアのメガラ派の哲学者。「はげ頭のパラドックス」や「砂山のパラドックス」、「角のパラドックス」など様々なパラドックスの考案者として知られている。
〈セクション〉111

(48)エーリヒ・フロム
Erich Fromm (1900〜1980年)

　　ドイツの社会心理学者、精神分析家、哲学者。フランクフルト大学、コロンビア大学、ベニントン大学などで教鞭をとる。フロイトの精神分析に影響を受ける。著作に『自由からの逃走』『愛するということ』『正気の社会』など多数ある。
〈セクション〉158

（49）エドゥアール・マネ
Édouard Manet（1832〜1883 年）

フランスの画家。「近代美術の父」とも言われる。代表的な作品に「草上の昼食」「オランピア」「笛を吹く少年」などがある。
〈セクション〉215, 236

（50）エドガー・アラン・ポオ
Edgar Allan Poe（1809〜1849 年）

アメリカの小説家、詩人。「怪奇とミステリーの小説家」の異名を持つ。作品には『アッシャー家の崩壊』『黒猫』『黄金虫』の他、世界初の推理小説と言われる『モルグ街の殺人』など多数の短編小説がある。
〈セクション〉83, 84

（51）エドガー・ドガ
Edgar Degas（1834〜1917 年）

フランスの印象主義の画家、彫刻家。印象主義にもかかわらず新古典主義のアングルを崇拝した。バレエを扱った「三人の踊り子」「バレエのレッスン」やパリの日常を描いた「アブサン」や「パリの歌手」など傑作を多数描いた。
〈セクション〉214

（52）エドムント・フッサール
Edmund Husserl（1859〜1938 年）

ドイツの哲学者、現象学の創始者。現象そのものについての記述を目指し、先入観や理論的枠組みからの自由を追求することを目的とした純粋現象学という概念を提唱した。『現象学の理念』『イデーン』『デカルト的省察』などの著作がある。
〈セクション〉264, 461, 462, 463, 464

（53）エドワード・サイード
Edward Said（1935〜2003 年）

パレスチナ生まれのアメリカで活躍した文学研究者、文学評論家。ハーバード大学で博士号を取得。1978 年に出版した著作『オリエンタリズム』において、オリエンタリズム理論とともにポストコロニアル理論を確立し、注目されるようになる。
〈セクション〉32

（54）エピクロス
Epicurus（BC 341〜BC 270 年）

古代ギリシアの哲学者。エピクロス主義の創始者。快楽主義を唱えたが、肉体的な快楽とは異なる精神的快楽を重視し、肉体的快楽はむしろ苦だと考えた。心の平静さ（アタラクシア）を重視した。
〈セクション〉369

（55）エピメニデス
Epimenides（BC 7/6C〜??? 年）

紀元前 6〜5 世紀頃にクレタ島で活動した古代ギリシアの詩人、預言者。ギリシア七賢人の一人とされる。「どのクレタ人も嘘しか言わない」と言ったことで生じる自己言及のパラドックス（クレタ人のパラドックス）が有名。
〈セクション〉112

（56）エマニュエル・レヴィナス
Emmanuel Levinas（1906〜1995 年）

フランスの哲学者。存在よりも先に存在する他者という存在を主題として捉え、人間は他者に向き合うことでその存在や自己の意味を知ることができるという立場を強調した。そうした他者と向き合う対象として「顔」を重視した。
〈セクション〉477

(57) エミール・ガレ
Émile Gallé (1846〜1904年)

フランスのガラス工芸家、アール・ヌーヴォーを代表する芸術家の一人。作品はガラス工芸、家具、陶磁器、彫刻など多岐にわたり、花、植物、昆虫などのモチーフが取り入れられているのが特徴。
〈セクション〉215, 219

(58) エリク・エリクソン
Erik Erikson (1902〜1994年)

ドイツ生まれのアメリカの精神分析家。アイデンティティの概念や人生を8段階のライフサイクルととらえたエリクソンの発達理論を提唱した。『アイデンティティとライフサイクル』『幼児期と社会』『老年期』などの著作がある。
〈セクション〉246

(59) エリック・サティ
Erik Satie (1866〜1925年)

フランスの作曲家、ピアニスト。音楽界の異端児とも呼ばれた。ドビュッシーやラヴェルに大きな影響を与えた。パリ音楽院除籍。「ジムノペディ」「グノシエンヌ」など、有名なピアノ曲がある。また、作品に奇抜なタイトルをつけたことでも知られる。
〈セクション〉231, 372

(60) エルヴィン・シュレーディンガー
Erwin Schrödinger (1887〜1961年)

オーストリアの理論物理学者。シュレーディンガーの猫を提唱し、量子力学の分野に貢献した。1933年にノーベル物理学賞を受賞。『生命とは何か——物理学者のみた生細胞』『科学とヒューマニズム』などの著作がある。
〈セクション〉108, 352

(61) エレアのゼノン
Zeno of Elea (BC 490?〜BC 430?年)

古代ギリシアの自然哲学者。運動、時間、変化などの概念を逆説的なパラドックスを用いて探求した。有名なものに「アキレスと亀」の他、「二分法のパラドックス」や「飛んでいる矢は静止している」というパラッドックスを提唱した。
〈セクション〉110

(62) エンペドクレス
Empedocles (BC 490?〜BC 430?年)

古代ギリシアの自然哲学者、医者、詩人。万物の根源は土、水、火、空気だとする四元素説を提唱した。
〈セクション〉354

(63) オーガスタス・ド・モルガン
Augustus de Morgan (1806〜1871年)

インド生まれのイギリスの数学者、論理学者。論理学や集合論で使われる定理「ド・モルガンの法則」を発案した。
〈セクション〉77

(64) 岡本太郎
Taro Okamoto (1911〜1996年)

日本の芸術家、彫刻家、画家。1970年の大阪万国博覧会で「太陽の塔」を制作した。「芸術は爆発だ」という言葉でも知られている。彫刻やモニュメント、シンボルマークなど多くの作品が国内に点在している。
〈セクション〉217

(65)オディロン・ルドン
Odilon Redon（1840〜1916年）

　　　　　　フランスの象徴主義の画家。本名はベルトラン＝ジャン・ルドン。幻想的で独特な世界、夢や無意識の世界を表現した。後には鮮やかな色彩のパステル画の作品もみられる。代表作の1つ「眼＝気球」のように、眼が繰り返し画題として現れる。
〈セクション〉216

(66)オルダス・ハクスリー
Aldous Huxley（1894〜1963年）

　　　　　　イギリスの著作家。小説、エッセイ、詩、旅行記など幅広いジャンルの作品を執筆した。1932年に発表した『すばらしい新世界』は人間が機械文明の発達などによって支配されたディストピア社会を描いた小説である。
〈セクション〉62

カ行

(67)カール・フリストン
Karl Friston（1959年〜）

　イギリスの神経科学者。ニバーシティ・カレッジ・ロンドン（UCL）の神経科学の教授。自由エネルギー原理の提唱者としても知られている。共著に『能動的推論——心、脳、行動の自由エネルギー原理』がある。
〈セクション〉279

(68)カール・ポパー
Karl Popper（1902〜1994年）

　　　　　　オーストリア出身のイギリスの哲学者。ウィーン大学で博士号を取得。反証可能性という概念を提唱した。著作『科学的発見の論理』では、科学における反証可能性の重要性を説くとともに、帰納法を否定し仮説演繹法の重要性を主張する。
〈セクション〉92, 345

(69)カール・マルクス
Karl Marx（1818〜1883年）

　　　　　　ドイツの哲学者、経済学者。科学的社会主義を打ち立てた。最も代表的な著作の一つである『資本論』は、現代の資本主義社会の階級闘争や搾取の問題を探究したものである。
〈セクション〉155, 156, 381, 421, 427, 428, 429, 430, 431, 432

(70)カール・ヤスパース
Karl Jaspers（1883〜1969年）

　　　　　　ドイツの哲学者、精神科医。実存主義哲学の代表的な一人。主に宗教哲学、存在哲学、政治哲学の分野において活躍し、現代の思想に大きな影響を与えている。『存在と無限』『宗教と哲学』『思考』『信仰と知識』など著書多数。
〈セクション〉468

(71)カール・ユング
Carl Gustav Jung（1875〜1961年）

　　　　　　スイスの精神分析家・心理学者。ジグムント・フロイトの信奉者になるも、のちに袂を分かち独自のユング心理学（分析心理学）を樹立する。フロイトが提唱する無意識とは別に、民族や人類が共通して持つ集合無意識の存在を指摘した。
〈セクション〉286

(72)カミーユ・ピサロ
Camille Pissarro（1830〜1903年）

　　　　　　フランスの印象主義の画家。パリの画塾で美術を学ぶ。主に風景画や都市の風俗を描いた。8回あった印象派展を裏方として支え、しかも全ての回に参加したのはピサロ1人だった。「イタリア人大通り、朝、陽光」などの作品がある。
〈セクション〉214

(73)カラヴァッジョ, ミケランジェロ・メリージ・ダ
Michelangelo Merisi da Caravaggio
(1571〜1610 年)

　　　　バロック期のイタリアの画家。人物を写実的に描き、光と影の明暗を描き分けたドラマチックな表現を好んだ。主な作品に「聖マタイの召命」「聖マタイの殉教」「エマオの晩餐」「バッカス」などがある。
〈セクション〉211

(74)ガリレオ・ガリレイ
Galileo Galilei（1564〜1642 年）

　　　　イタリアの天文学者、数学者。近代科学の父や天文学の父などと呼ばれる。自身が改良した望遠鏡で木星の衛星、月のクレーター、太陽の黒点を発見した。また物理学分野では、振り子の等時性も発見した。主著に『天文対話』『新科学対話』などがある。
〈セクション〉377, 383, 384

(75)カレル・チャペック
Karel Čapek（1890〜1938 年）

　　　　チェコスロバキアの小説家、劇作家。また園芸家としての顔ももつ。1920 年に戯曲『ロボット（R.U.R）』を発表。この作品で初めて「ロボット」という言葉を使った。『山椒魚戦争』『園芸家 12 カ月』などの著作がある。
〈セクション〉331

(76)キプロスのゼノン
Zeno of Citium（BC 334〜BC 262 年）

　　　　キプロス島、キティオン出身の古代ギリシアの哲学者。ストア学派の創始者として知られる。商人の家に生まれる。クセノフォンの『ソクラテスの思い出』に影響を受け、哲学を学んだ。
〈セクション〉370

(77)キャバレー・ヴォルテール
Cabaret Voltaire

　　　　イギリスで結成されたインダストリアル・ミュージック・グループ。バンドの名前はフーゴ・バルらが設立したダダイズム発祥の地チューリヒのキャバレーの名に由来する。インダストリアル系やテクノ系のアーティストに大きな影響を及ぼす。
〈セクション〉227

(78)ギュスターヴ・モロー
Gustave Moreau（1826〜1898 年）

　　　　フランスの象徴主義の画家。聖書やギリシャ神話を主な題材とした作品を多く手掛けた。「オルフェウス」「オイディプスとスフィンクス」「刺青のサロメ」など幻想的な画面が特徴になっている。
〈セクション〉216

(79)ギルバート・ライル
Gilbert Ryle（1900〜1976 年）

　　　　イギリスの哲学者、日常言語学派の代表的な人物の一人。主著『心の概念』で「心身二元論」はカテゴリー錯誤だと指摘しその考え方に異を唱えた。二元論を揶揄する言葉として「機械の中の幽霊」を用いた。
〈セクション〉113, 250

(80)グスタフ・クリムト
Gustav Klimt（1862〜1918 年）

　　　　オーストリアの画家。鮮やかな色彩や金箔を使った独特の画風がモザイク画をイメージすることから「ビザンティン画風の画家」とも呼ばれた。大量の金箔を用いた「接吻」「アデーレ・ブロッホ＝バウアー夫人の肖像 」など多数の傑作を持つ。
〈セクション〉216

（81）クラフトワーク
Kraftwerk（1970 年〜）

　　　　　　ドイツの電子音楽グループ。シンセサイザーやドラムマシンを駆使して独自の音楽スタイルを築いた。代表曲には「Autobahn」「Trans Europe Express」「The Model」「Computer Love」などがある。テクノ・ミュージックの元祖ともいえる。
〈セクション〉241

（82）クルト・ゴールドシュタイン
Kurt Goldstein（1878〜1965 年）

　　　　ドイツの神経科医、精神科医、脳病理学者。自己実現への衝動が個体の生命を決めるただ 1 つの衝動だと、自己実現の重要性を主張した。著作に『生体の機能』『人間——その精神病理学的考察』などがある。
〈セクション〉290

（83）クルト・シュヴィッタース
Kurt Schwitters（1887〜1948 年）

　　　　ドイツの芸術家、画家。ダダイスム、構成主義、シュルレアリスムなどの芸術運動で活躍した。廃物などを利用したコラージュ作品である「メルツ絵画」で有名になる。他にも 3 次元空間に表現した構成物メルツバウ（メルツ建築）などを手掛けた。
〈セクション〉227

（84）グレゴリー・ベイトソン
Gregory Bateson（1904〜1980 年）

　アメリカの人類学者。土着民族の儀礼研究から動物間コミュニケーション、精神分裂症、生物進化の問題まで、その研究領域は非常に広い。動物間コミュニケーションの研究からダブルバインド理論を提唱した。
〈セクション〉487

（85）クロード・モネ
Claude Monet（1840〜1926 年）

　　　　印象派を代表するフランスの画家。印象派という言葉は、1874 年に公開されたモネの作品「印象・日の出」に由来している。　最も知られている「睡蓮」のほか「日傘をさす女」「ルーアン大聖堂」「積みわら」など日本でも人気の高い作品が多い。
〈セクション〉214, 215

（86）クロード・レヴィ＝ストロース
Claude Lévi-Strauss（1908〜2009 年）

　　　　フランスの社会人類学者、民族学者。構造主義の創始者の一人。人間の社会の根底には、人々の考え方や行動様式を形成し、組織化する「構造」が存在すると主張した。『野生の思考』『構造人類学』『悲しき熱帯』など著作多数。
〈セクション〉482, 483, 484

（87）ケヴィン・ケリー
Kevin Kelly（1952 年〜）

　　　　アメリカの作家、写真家。1993年に雑誌「Wired」を共同設立し、1999 年まで編集長を務めた。また、ウェブサイト「Cool Tools」を運営している。著作に『テクニウム』『＜インターネット＞の次に来るもの』『5000 日後の世界』などがある。
〈セクション〉293

（88）ゲーテ，ヨハン・ヴォルフガング・フォン
Johann Wolfgang von Goethe（1749〜1832 年）

　　　　ドイツの詩人、劇作家、小説家。ドイツを代表する文豪。主な作品に『若きヴェルテルの悩み』『ヴィルヘルム・マイスターの修業時代』、叙事詩『ヘルマンとドロテーア』、詩劇『ファウスト』など広い分野で重要な作品を残した。
〈セクション〉445

(89)ゴードン・ムーア
Gordon Moore（1929～2023年）

アメリカの実業家、エンジニア。半導体メーカーのインテルの共同創業者として知られている。集積回路（IC）の性能が約2年ごとに2倍に向上すると予測するムーアの法則を提唱したことでも有名。著作に『インテルとともに』がある。

〈セクション〉295

(90)ゴットフリート・ライプニッツ
Gottfried Wilhelm Leibniz（1646～1716年）

ドイツの哲学者、数学者、物理学者、法律家など多彩な分野で活躍した。最善の世界の原理という考え方は哲学や神学の分野では重要な理論になっている。また、微積分学を発明したことでも知られる。主著に『モナドロジー』がある。

〈セクション〉357, 393, 398, 399, 400

(91)ゴットロープ・フレーゲ
Gottlob Frege（1848～1925年）

ドイツの哲学者、論理学者、数学者。記号論理学の創始者の一人であり、また分析哲学の祖として知られており、多くの哲学者に影響を与えた。処女作である『概念記法』では初めて記号論理学を体系づけた。

〈セクション〉454, 455

(92)コペルニクス，ニコラウス
Nicolaus Copernicus（1473～1543年）

ポーランド出身の天文学者。医師、数学者でもある。著作『天球の回転について』のなかで、当時主流だった天動説に異を唱え、地動説を主張した。しかし、教会から「異端」とされるのを恐れ、死ぬ直前まで地動説を公表しなかった。

〈セクション〉377, 383

(93)コンスタンチン・スタニスラフスキー
Konstantin Stanislavski（1863～1938年）

ロシアの劇作家、俳優、演出家。ロシア演劇の代表的な人物の一人。スタニスラフスキー・システムと呼ばれる俳優の演技理論を提唱したことで知られている。著作に『俳優の仕事』がある。

〈セクション〉226

(94)コンスタンティヌス大帝
Constantinus I（270頃～337年）

ローマ帝国の皇帝。皇帝として初めてキリスト教を信仰し、キリスト教の発展に大きな影響を与えた。キリスト教の歴史上特に重要な人物の一人であり、主要な宗派では聖人とされている。自らの名前を付して建設した都市コンスタンティノーブルは後に東ローマ帝国の首都になった。

〈セクション〉195, 196

サ行

(95)サイモン・バロン＝コーエン
Simon Baron-Cohen（1958年～）

イギリスの発達心理学者、ケンブリッジ大学の教授、同大学自閉症研究センター所長。自閉症スペクトラム障害の分野の研究で知られている。『共感する女脳、システム化する男脳』『自閉症スペクトラム入門』などの著作がある。

〈セクション〉255

(96)サミュエル・ビング
Siegfried Bing（1838～1905年）

パリで美術商を営んだユダヤ系のドイツ人。後にフランスに帰化した。日本美術を手広く扱い、アール・ヌーヴォーの店を開店し発展に貢献した。雑誌「芸術の日本」を出版し、欧州で日本美術の普及啓発に努めた。

〈セクション〉219

(97) サルバドール・ダリ
Salvador Dalí（1904～1989年）

シュルレアリスムを代表するスペイン出身の画家、彫刻家。最も代表的な作品に「記憶の固執」がある。ダリが描く「溶ける時計」は、ハイデガーのいう既在と到来が遭遇する現在あるいは実存を象徴的に表現しているのかもしれない。

〈セクション〉230

(98) サンドロ・ボッティチェリ
Sandro Botticelli（1444/5～1510年）

イタリアのルネサンス期の画家。フィレンツで生まれ、フィリッポ・リッピに師事する。メディチ家をパトロンに持ったボッティチェリは宗教画のみならず、「ヴィーナスの誕生」や「春」など神話をテーマにした名作を残した。

(99) ジェームズ・ギブソン
James Gibson（1904～1979年）

アメリカの心理学者。環境のさまざまな要素が人間や動物に影響を与え、感情や動作が生まれるというアフォーダンスの概念を提唱し、生態心理学の分野に貢献した。『生態学的知覚システム』『生態学的視覚論』などの著作がある。

〈セクション〉313

(100) ジェームズ・マックニール・ホイッスラー
James McNeill Whistler（1834～1903年）

アメリカ出身の画家でロンドンやパリを拠点にする。ジャポニスムの作品「磁器の国の姫君」や非具象的な現代美術の先駆けとなる「ノクターン」シリーズの他、肖像画にも長けていた。多くの作品を米ワシントンDCのフリーア美術館が所蔵する。

〈セクション〉215

(101) ジェフ・ホーキンス
Jeff Hawkins（1957年～）

アメリカの起業家、著作家、科学者。コンピューター科学、人工知能、脳科学に関する業績で知られており、「知能の1000の脳理論」を唱える。また携帯情報端末「パーム・パイロット」を開発したパーム社の創始者でもある。

〈セクション〉270

(102) シェリング, フリードリヒ・ヴィルヘルム・ヨーゼフ
Friedrich Wilhelm Joseph von Schelling（1775～1854年）

ドイツ概念論を代表する哲学者の一人。自然の神秘性や精神的な存在を追求し、自然と精神が互いに依存し、共存するという立場をとった。主な著作に『世界霊魂について』『人間的自由の本質について』などがある。

〈セクション〉414

(103) ジェレミー・ベンサム
Jeremy Bentham（1748～1832年）

イギリスの哲学者、法律家。功利主義哲学の創始者。人間の行動原理を快楽と苦痛にあるとした。快楽量は計算できるとし、世の中の快楽の総量が最大になるよう行動することが道徳的に良いことだと考えた（最大多数の最大幸福）。

〈セクション〉418, 419, 420, 493

(104) ジグムント・フロイト
Sigmund Freud（1856～1939年）

オーストリアの心理学者、精神家医。精神分析学の創始者といわれる。精神疾患のある患者を研究し、無意識という概念を広めた。また、心理性的発達理論、リビドー論を提唱した。『夢判断』『精神分析入門』など著作多数。

〈セクション〉442, 443, 444, 486

（105）ジム・ジョーンズ
Jim Jones（1931～1978年）

カルト教団人民寺院の創設者。ジョーンズは牧師である一方で熱烈な社会主義者で、人民寺院を創設すると南米ガイアナに通称ジョーンズタウンと呼ばれるコミューンを立ち上げる。1978年、このコミューンにおいてが900人以上の信者がジョーンズとともに集団自殺をはかった。
〈セクション〉67

（106）シモーヌ・ド・ボーヴォワール
Simone de Beauvoir（1908～1986年）

フランスの哲学者、作家、フェミニスト。著作に20世紀ヨーロッパの女性解放のさきがけとなった『第二の性』がある。また、1954年には自伝小説『レ・マンダラン』でゴンクール賞を受賞した。
〈セクション〉19，20

（107）ジャコモ・バッラ
Giacomo Balla（1871～1958年）

イタリアの未来派の画家、彫刻家。速度、光、運動を表現しようとした。代表作に「鎖に繋がれた犬のダイナミズム」や「恋する数字」がある。1910年に「未来派画家宣言」「未来派絵画技術宣言」、また1915年に「未来派による宇宙再構築宣言」に署名。
〈セクション〉222

（108）ジャック・デリダ
Jacques Derrida（1930～2004年）

フランスの哲学者、ドゥルーズらとともにポスト構造主義を代表する人物の一人。アルチュセールやフーコーに学ぶ。さまざまな二項対立を疑い、対立を成立せしめている基盤そのものを問うという脱構築という考えを思想の中心に据えた。
〈セクション〉478，488，489，490，491

（109）ジャック・ラカン
Jacques Lacan（1901～1981年）

フランスの哲学者、精神科医、精神分析家。幼児が鏡に映る自分の姿を見て、鏡に映った像が自分であり、統一一体であることに気づくという「鏡像段階」と呼ばれる概念を提唱した。著作に『エクリ』『二人であることの病い』『ディスクール』などがある。
〈セクション〉482，485，486

（110）シャルル・ド・モンテスキュー
Charles de Montesquieu（1689～1755年）

フランスの啓蒙思想家、法学者。ボルドー高等法院院長の家に生まれ、ボルドー大学法学部を卒業し、ボルドー高等法院の参事官になる。父の死後はボルドー高等法院副院長を継ぐ。著作『法の精神』で三権分立を説く。
〈セクション〉134

（111）シャルル・ボードレール
Charles Baudelaire（1821～1867年）

フランスの詩人、評論家。フランス文学史の象徴主義の創始者。「近代詩の父」と称される。代表作に『悪の華』『パリの憂鬱』などがある。
〈セクション〉218

（112）ジャン・アルプ
Jean Arp（1886～1966年）

フランスの彫刻家、画家、詩人。トリスタン・ツァラらとともにダダイスム運動を始める。ヴェネツィア・ビエンナーレ彫刻部門賞やフランス芸術大賞を受賞した。「雲の羊飼い」「森」「臍の上の二つの思想」など多数の作品を残した。
〈セクション〉227

(113) ジャン・オノレ・フラゴナール
Jean Honoré Fragonard (1732～1806 年)

18 世紀ロココ期のフランスの画家。宮廷の画家として活動し、風景画、風俗画、肖像画を制作した。20 歳の時にフランスの王立絵画彫刻アカデミーのコンクールで受賞する。代表作に「ぶらんこ」などがある。

〈セクション〉212

(114) ジャン＝ジャック・ルソー
Jean-Jacques Rousseau (1712～1778 年)

フランスの啓蒙思想家、作家。人間は本来善良で自由だとする自然状態論を唱えた。ホッブズやロックの社会契約論に影響を受け、著作『社会契約論』で自然に帰れと訴えた。また『エミール』では、自然に帰るための教育の重要性を説いた。

〈セクション〉133, 137, 144, 145, 149, 403

(115) ジャン・デュビュッフェ
Jean Dubuffet (1901～1985 年)

フランスの画家。精神障害者や子どもなど美術教育を受けていない者の作品を「アール・ブリュット」と呼んで蒐集するとともに、自身の芸術の出発点とした。彼の作品はタール、藁などを混ぜた厚塗りの絵具に引っかきの痕跡を残した画面が特徴だ。

〈セクション〉232

(116) ジャン・ビュリダン
Jean Buridan (1301～1359/62 年)

フランスの司祭、哲学者。パリ大学で学び、その後同校で教鞭をとる。合理的な行為が必ずしも合理的とは限らないことを暴く思考実験「ビュリダンのロバ」はこの人物の作といわれている。

〈セクション〉376

(117) ジャン＝フランソワ・リオタール
Jean-François Lyotard (1924～1998 年)

フランスの哲学者。パリ第 8 大学の教授などを務めた。ポストモダン思想を代表する人物の一人。『ポスト・モダンの条件』のなかで「大きな物語の終焉」を宣言し、いまや異質性こそが重要だと主張した。

〈セクション〉168, 478, 479

(118) ジャン・ボードリヤール
Jean Baudrillard (1929～2007 年)

フランスの哲学者、社会学者。記号論を用いて現代社会におけるモノの特徴を説明した。主な著作に『消費社会の神話と構造』や『シミュラクラとシミュレーション』などがある。

〈セクション〉480, 481

(119) ジャン＝ポール・サルトル
Jean-Paul Sartre (1905～1980 年)

フランスの哲学者、作家。実存主義哲学の第一人者としても知られる。人間の自己決定と自己実現の重要性を説き、「実存は本質に先立つ」という有名な言葉を残した。主な著作には『存在と無』『嘔吐』『実存主義とは何か』などがある。

〈セクション〉469, 470, 471, 472, 482

(120) ジュゼッペ・アルチンボルド
Giuseppe Arcimboldo (1526～1593 年)

イタリアの画家。マニエリスムを代表する画家の一人。また宮廷画家としてハプスブルク家に仕えた。野菜、果物、花、魚などを組み合わせた奇妙な肖像画で知られる。代表作に「四季」「四大元素」「ウェルトゥムヌスとしての皇帝ルドルフ 2 世」などがある。

〈セクション〉204

（121）ジュリオ・トノーニ
Giulio Tononi（1960 年〜）

イタリア出身、アメリカの脳科学者、精神科医。ウィスコンシン大学マディソン校の教授を務める。意識と睡眠の研究を主に行う。「統合情報理論」を提唱し、脳科学や哲学などの分野で注目される。著作に『意識はいつ生まれるのか』がある。
〈セクション〉269, 321

（122）ジョージ・オーウェル
George Orwell（1903〜1950 年）

インド生まれのイギリスの作家。本名はエリック・アーサー・ブレア。全体主義国家の本質や残酷さを描いた著作『1984 年』で著名。また、寓話『動物農場』はベストセラーとなる。他にも『カタロニア賛歌』『ビルマの日々』などの著作がある。
〈セクション〉62, 63

（123）ジョージ・バークリー
George Berkeley（1685〜1753 年）

アイルランドの哲学者でイギリス経験論の論客の一人。存在することは知覚されることだと主張し、極端な観念論的立場をとった。代表作に20 代半ばで公表した『人知原理論』がある。
〈セクション〉251, 391, 392

（124）ジョルジュ・デ・キリコ
Giorgio de Chirico（1888〜1978 年）

イタリアの画家、彫刻家。形而上絵画の旗手として活躍し、後にシュルレアリスムの画家に大きな影響を与えた。代表的な作品に「時間の謎」「愛の歌」「赤い塔」「通りの神秘と憂愁」など多数ある。
〈セクション〉230

（125）ジョルジュ・バタイユ
Georges Bataille（1897〜1962 年）

フランスの哲学者。ニーチェの思想やヘーゲル哲学、マルクス主義などの影響を受ける。官能主義、神秘主義、暴力、死などの概念を中心として自身の思想体系を構築した。『エロティシズム』『文学と悪』『眼球譚』などの著作がある。
〈セクション〉499

（126）ジョルジュ・ブラック
Georges Braque（1882〜1963 年）

フランスの画家。パブロ・ピカソとともにキュビスムの創始者の一人とされる。ピカソとの出会いやセザンヌの色彩がキュビスム時代の画風に影響している。代表作に「ギターを弾く女性」などがある。
〈セクション〉221

（127）ジョルジュ・ルオー
Georges Rouault（1871〜1958 年）

フランスの画家。キリストやサーカスを画題にした作品が多い。ルオーが描くキリストの素朴な顔は一度見たら忘れられない。また、版画家としても活躍した。日本では出光美術館のルオー・コレクションが質量とも世界有数として知られている。
〈セクション〉220

（128）ジョルジョーネ
Giorgione（1477 or 1478〜1510 年）

ルネサンス期のイタリア人画家。「眠れるヴィーナス」において横たわる裸婦像という構図をいちはやく取り入れ、多くの画家のモデルになる。生涯については謎が多く、明らかになっていない。また、現存する作品も非常に少ない。
〈セクション〉194

(129)ジョルダーノ・ブルーノ
Giordano Bruno (1548〜1600年)

イタリアの哲学者。宇宙は無限であるとする考えを持ち、地球自体が回転しており、それによって地球上からは見かけ上天球が回転しているように見えると主張した。しかし、当時は異端とされ、処刑される。
〈セクション〉384

(130)ジョン・L・オースティン
John Langshaw Austin (1911〜1960年)

イギリスの哲学者、日常言語学派の重要人物の一人。発話行為の研究で知られる。オックスフォード大学の教授を務めた。著作『言語と行為』『オースティン哲学論文集』『知覚の言語』がある。
〈セクション〉457

(131)ジョン・サール
John Searle (1932年〜)

アメリカの哲学者。言語哲学、心の哲学、社会哲学、政治哲学などの分野で活躍している。言語行為理論を用いて社会的実在や権力の構造について分析する。著作に『表現と意味』『意識の神秘』『マインド──心の哲学』などがある。
〈セクション〉249, 251, 252, 253

(132)ジョン・スチュアート・ミル
John Stuart Mill (1806〜1873年)

イギリスの哲学者、経済学者。ジェレミー・ベンサムの功利主義を受け継ぎ、快楽には量だけでなく質もあるとして、精神的快楽を重視する質的功利主義を提唱した。著作に『自由論』『功利主義論』などがある。
〈セクション〉418, 420

(133)ジョン・デューイ
John Dewey (1859〜1952年)

アメリカの哲学者、教育者。プラグマティズムを代表する思想家の一人。教育は受け身で学ぶものではなく、体験や実験を通して学ぶことで、個人の成長につながると主張した。主な著作に『哲学の改造』『民主主義と教育』などがある。
〈セクション〉88, 475, 476

(134)ジョン・フォーブス・ナッシュ
John Forbes Nash Jr. (1928〜2015年)

アメリカの数学者。プリンストン大学で非協力ゲームに関する論文で博士号を取得。ゲーム理論において「ナッシュ均衡」という概念を提唱した。他にも微分幾何学、偏微分方程式の分野で業績を残す。1994年にノーベル経済学賞を受賞した。
〈セクション〉125, 126

(135)ジョン・フォン・ノイマン
John von Neumann (1903〜1957年)

ハンガリー出身のアメリカの数学者。オスカー・モルゲンシュテルンとの共著『ゲーム理論と経済行動』により、ゲーム理論を提唱した。また、汎用電子コンピュータの基本的構造である「ノイマン型コンピュータ」を設計考案した人物としても知られている。
〈セクション〉120

(136)ジョン・ホートン・コンウェイ
John Horton Conway (1937〜2020年)

イギリスの数学者、プリンストン大学の名誉教授。1970年に生態系シミュレーションプログラム「ライフゲーム」を開発した。『数の本』『素数が香り、形がきこえる』『四元数と八元数　幾何、算術、そして対称性』などの著作がある。
〈セクション〉350

(137) ジョン・マッカーシー
John McCarthy (1927～2011 年)

アメリカの数学者、計算機科学者。人工知能研究の第一人者ではじめて「人工知能」という言葉を用いた。また、LISP というプログラミング言語を開発した。1971 年にチューリング賞、1988 年には京都賞を受賞している。

〈セクション〉296

(138) ジョン・メイナード・ケインズ
John Maynard Keynes (1883～1946 年)

イギリスの経済学者。代表的な著作『雇用・利子および貨幣の一般理論』において、有効需要・乗数理論・流動性選好を提唱し、失業と不況の原因を明らかにした。ケインズの提唱した理論を基礎とする経済学は「ケインズ経済学」と呼ばれている。

〈セクション〉25、424

(139) ジョン・メイナード・スミス
John Maynard Smith (1920～2004 年)

イギリスの生物学者。生物学にゲーム理論などの数学的理論を融合させた進化生物学の第一人者である。血液淘汰や進化的に安定な戦略の概念により、進化生物学の分野に大きな影響を及ぼした。『進化とゲーム理論』『生命進化8つの謎』などの著作がある。

〈セクション〉178

(140) ジョン・ロールズ
John Rawls (1921～2002 年)

アメリカの哲学者。主に政治哲学や倫理学の分野で知られている。人間は無知のヴェールをかけられた無知の状態では、「平等な自由の原理」「格差の原理」「機会均等原理」が働くと主張した。代表作に『正義論』がある。

〈セクション〉182、184

(141) ジョン・ロック
John Locke (1632～1704 年)

イギリスの哲学者。イギリス経験論の創始者。人間の心はタブラ・ラサ（白紙）であり、一切の観念は経験を通じた単純観念の複合によって形成されると主張した。また、近代市民社会の理論的指導者として権力分立や抵抗権、革命権を提起した。

〈セクション〉136、140～143、389、390

(142) ジル・ドゥルーズ
Gilles Deleuze (1925～1995 年)

フランスの哲学者。ポスト構造主義を代表する人物の一人。マルクス主義、存在論、現象学や分析哲学の影響を受け、独自の哲学体系を構築した。著作に『差異と反復』、ガタリとの共著『アンチ・オイディプス』『千のプラトー』がある。

〈セクション〉488、495、496、497

(143) スージー＆バンシーズ
Siouxsie and the Banshees (1976 年～)

1976 年に結成されたイギリスのパンク、ニュー・ウェイヴのバンド。ヴォーカルのスージー・スー、ギタリストのスティーヴン・セヴリンを中心にゴシックなファッションと暗いサウンドで人気を呼ぶ。代表曲「Happy House」はスマッシュ・ヒットになった。

〈セクション〉200

(144) スティーブ・ライヒ
Steve Reich (1936 年～)

アメリカの作曲家。音の動きを最小限に抑え、パターン化された音型を反復させるミニマル・ミュージックを代表する人物。「18 人の音楽家のための音楽」は代表作の1つで、現在のテクノ・ミュージックにも大きな影響を与えた。

〈セクション〉238、241

(145)セーレン・キルケゴール
Søren Kierkegaard（1813〜1855 年）

　デンマークの哲学者、作家、神学者。存在主義の祖とされている。人間は常に死と向き合うその不安こそが人間存在の根源的な問題だと主張した。著書には『あれかこれか』『おそれとおののき』『死に至る病』などがある。
〈セクション〉434, 435, 436

(146)セックス・ピストルズ
Sex Pistols（1975〜1978 年）

　イギリスのバンドでパンクロックのムーヴメントを巻き起こした。ヴォーカルのジョニー・ロットン（のちのジョン・ライドン）、ベースのシド・ヴィシャスなど強烈な個性を誇り、音楽界やファッション界に大きな影響を与えた。
〈セクション〉240

(147)セミール・ゼキ
Semir Zeki（1940 年〜）

　イギリスの神経科学者。脳科学の見地から視覚と美学を研究する。著作に『脳は美をいかに感じるか』がある。また、画家バルテュスと対話した『芸術と脳科学の対話』という貴重な作品もある。
〈セクション〉190, 221

(148)ソクラテス
Socrates（BC 470/469?〜BC 399 年）

　古代ギリシアの哲学者。「無知の知」を念頭に、「問答法」を通じて相手の誤りや矛盾を徹底的に追求した。プラトンやアリストテレスをはじめ、現代の哲学にも大きな影響を与えた。西洋哲学の父とも呼ばれる。
〈セクション〉71, 72, 73, 90, 355, 358, 359, 360, 363, 420

(149)ソロモン・アッシュ
Solomon Asch（1907〜1996 年）

　ポーランド出身のアメリカの社会心理学者。コロンビア大学で博士号を取得。人々は個人的な意見や知覚に関わらず、社会的圧力に従う傾向があるというアッシュの同調実験で知られている。
〈セクション〉162

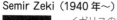
タ行

(150)高島北海
Hokkai Takashima（1850〜1931 年）

　日本画家。山口県萩市出身。本名は得三。日本初の地質図となった山口県の地質図を作った。フランスのナンシー森林学校に留学し、植物学を学ぶ。ここでエミール・ガレに出会い、日本画を手ほどきしている。
〈セクション〉219

(151)ダグラス・エンゲルバート
Douglas Engelbart（1925〜2013 年）

　アメリカのコンピュータ科学者、発明家。初期のコンピュータやインターネットの開発に関わり、マウスを発明した。1968 年サンフランシスコで多くの技術を紹介したデモンストレーションは、「すべてのデモの母」として知られている。
〈セクション〉303

(152)ダニエル・カーネマン
Daniel Kahneman（1934 年〜）

　イスラエル生まれのアメリカの心理学者、行動経済学者。エイモス・トヴェルスキーとともにプロスペクト理論を提唱したことで有名。『ファスト＆スロー』などの著作がある。2002 年にノーベル経済学賞を受賞した。
〈セクション〉96, 97, 101

（153）ダニエル・デネット
Daniel Dennett（1942 年〜）

　アメリカの哲学者、認知科学者。心の哲学や科学哲学の分野で活動する。また、進化生物学と認知科学の接点に関わる生物哲学も研究する。無神論者、世俗主義者として知られている。
〈セクション〉249、262、264、375

（154）タレス
Thales（BC 624〜BC 546 年）

　古代ギリシアの哲学者、数学者、天文学者。ギリシアの七賢人の一人とされる。万物の根源は水だと主張し、存在するすべてのものが水からなり、また水へと消えていくと考えた。また数学の分野ではタレスの定理が有名である。
〈セクション〉354

（155）チェザーレ・リーパ
Cesare Ripa（1560 頃?〜1622 年）

　イタリアの作家、芸術家。貧しい家に生まれ、ローマの枢機卿の館で料理人をしていたといわれる。合間に枢機卿の図書室で読書にふけり、図像解釈の決定版となる大著『イコノロギア』を書き上げた。初版は 1593 年ローマにて刊。
〈セクション〉206

（156）チャールズ・サンダース・パース
Charles Sanders Peirce（1839〜1914 年）

　アメリカの哲学者、論理学者、数学者。プラグマティズムの創始者として知られている。のちにプラグマティズムはウィリアム・ジェームズやジョン・デューイらに受け継がれていくが、パースは彼らの運動が浅薄だとして決別する。
〈セクション〉475

（157）チャールズ・ダーウィン
Charles Darwin（1809〜1882 年）

　イギリスの自然科学者。5 年におよぶビーグル号の航海では動物の観察と個体の収集を行い、その後著作『種の起源』で進化論を提唱した。この中で個体の遺伝的な変異が環境に適応し、生存と繁殖の能力に影響を与えるという自然選択（自然淘汰）を提唱した。
〈セクション〉34、35、38、39、41、117

（158）デイヴィッド・グレーバー
David Graeber（1961〜2020 年）

　アメリカの人類学者、政治活動家。イェール大学、ロンドン大学ゴールドスミスカレッジで教鞭をとった。著作『ブルシット・ジョブ──クソどうでもいい仕事の理論』はベストセラーになる。
〈セクション〉23

（159）デイヴィッド・チャーマーズ
David Chalmers（1966 年〜）

　オーストラリアの哲学者。認識論、心の哲学、認知科学、人工知能などの分野で活躍している。「哲学的ゾンビ」や「意識のハード・プロブレム」など、意識に関する著名な言葉を残している。著作に『意識する心──脳と精神の根本理論を求めて』など多数。
〈セクション〉249、254、259、260、261

（160）デイビッド・バーンズ
David D. Burns（1942 年〜）

　アメリカの精神科医。アーロン・ベックが研究した認知の歪みの概念を引き継ぎ、認知行動療法を広く普及させる。著作に『いやな気分よさようなら』『不安もパニックもさようなら』などがある。
〈セクション〉107

(161) デイヴィッド・ヒューム
David Hume（1711〜1776 年）

スコットランドの哲学者。ロック、バークリーなどと並ぶイギリス経験論の論客。自然哲学、心理学、道徳哲学、政治哲学、歴史哲学など多岐にわたる分野で活躍した。経験論の本質を「知覚の束」として表現した。
〈セクション〉140, 141, 142, 143, 258, 389, 390, 392

(162) デイヴィッド・ボウイ
David Bowie（1947〜2016 年）

イングランド出身のロックミュージシャン、俳優。「Let's Dance」は最大のヒット曲である。他にも「Space Oddity」「Jean Genie」「Heroes」など多数。俳優としては、映画『地球に落ちて来た男』『戦場のメリークリスマス』などに出演した。
〈セクション〉200

(163) デイヴィッド・ホックニー
David Hockney（1937 年〜）

イギリスの画家。現在はアメリカ・ロサンゼルスを活動拠点としている。アメリカ西海岸の明るい日差しのもとでの、風景や人物などを描いたものが多い。陽光に輝くプールを繰り返して描く。ホックニーは共感覚の持ち主としても知られている。
〈セクション〉285

(164) デイヴィッド・ローゼンタール
David M. Rosenthal（1942 年〜）

アメリカの哲学者。心の哲学や意識論などの分野で研究をする。意識に関する独自の理論的枠組みである高次思考理論（HOT 理論）を構築し、現代の意識論や心の哲学の研究に大きな影響を与えている。
〈セクション〉268

(165) テオドール・アドルノ
Theodor W. Adorno（1903〜1969 年）

ドイツの哲学者、社会学者。フランクフルト学派の創始者の一人。現代社会の芸術や文化に対する批判的分析で知られる。科学的論法に対して批判的な立場をとり、哲学や芸術など異なる方法によって知識を形成することが必要だと考えた。
〈セクション〉458, 459, 460

(166) デジデリウス・エラスムス
Desiderius Erasmus（1466〜1536 年）

オランダの人文主義者、神学者。著書『痴愚神礼賛』は、当時のキリスト教の習慣や制度を批判したエッセイで、社会に大きな影響を与えた。また、編集したラテン語の『新訳聖書』は広く読まれ、ルターのドイツ語訳聖書の元版にもなった。
〈セクション〉380, 381

(167) デモクリトス
Democritus（BC 460〜BC 370 年）

古代ギリシアの哲学者。すべての物質はそれ以上分割することができない原子と空虚からなる無数の集合体であると考えた。この原子（アトム）論は後の哲学者や科学者に多大な影響を与えた。
〈セクション〉357, 400

(168) デレク・パーフィット
Derek Parfit（1942〜2017 年）

中国生まれのイギリスの哲学者。人格の同一性、合理性、道徳が専門分野。オックスフォード大学、ニューヨーク大学、ハーバード大学などで教鞭をとった。思考実験「レプリカ問題」を提起した。
〈セクション〉327

(169)トマス・アクィナス
St. Thomas Aquinas（1225〜1274年）

　イタリアの神学者、哲学者、ドミニコ会士。アリストテレス哲学を解釈し、神学と哲学の融合を目指した大著『神学大全』は、中世後期の思想に大きな影響を与えた。中世最大の哲学者と呼ばれる。
〈セクション〉133, 373

(170)トマス・クーン
Thomas Kuhn（1922〜1996年）

　アメリカの物理学者、科学哲学者。特定の時代や分野で規範となる物の見方やとらえ方をパラダイムという概念で提唱した。著作に『科学革命の構造』があり、科学哲学において重要な著作の一つとして、広く読まれている。
〈セクション〉56, 345

(171)トマス・ネーゲル
Thomas Nagel（1937年〜）

　アメリカの哲学者。政治哲学、倫理学、認識論などを専門とし、ニューヨーク大学の教授を務める。「コウモリであるとはどのようなことか」において、コウモリの意識を通じて主観的な経験の限界を示した。
〈セクション〉261

(172)トマス・ベイズ
Thomas Bayes（1701〜1761年）

　イギリスの数学者であり牧師でもある。ベイズの名にちなんで名づけられた「ベイズの定理」は確率論や統計学の分野に大きな業績を残した。
〈セクション〉115, 116

(173)トマス・ホッブズ
Thomas Hobbes（1588〜1679年）

　イギリスの哲学者、政治思想家。人間の自然状態を「万人の万人に対する闘争」と定義し、国家は人々の契約の上にあると考える社会契約説を唱えた。著作『リヴァイアサン』はホッブズが考えた正当な国家と権力について記している。
〈セクション〉133, 135, 136, 137, 138, 139, 145

(174)トマス・モア
Sir Thomas More（1478〜1535年）

　イギリスの法学者、政治家。人文主義者の代表的な人物の一人。架空の理想社会を描いた『ユートピア』は彼の代表的な著作である。イングランド国王ヘンリー8世の側近として仕えていたが、反逆罪により処刑される。
〈セクション〉380, 381

(175)トリスタン・ツァラ
Tristan Tzara（1896〜1963年）

　ルーマニア生まれのフランスの詩人、作家、美術評論家。ダダイスムの創始者として知られる。フーゴ・バル、ジャン・アルプらとともにチューリッヒ・ダダを結成し、「ダダ宣言1918」を発表した。
〈セクション〉222, 227

ナ行

(176)ニールス・ボーア
Niels Bohr（1885〜1962年）

　デンマークの理論物理学者。量子力学の発展に大いに貢献した。1922年に原子物理学への貢献により、ノーベル物理学賞を受賞した。
〈セクション〉456

（177）ニコラス・ティンバーゲン
Nikolaas Tinbergen（1907〜1988 年）

オランダの動物行動学者、鳥類学者。オックスフォード大学行動生物学教授。動物の行動や性質を解明、説明するための「4つのなぜ」という概念を提唱した。1973 年にノーベル生理・医学賞を受賞する。
〈セクション〉43

（178）西周
Amane Nishi（1829〜1897 年）

日本の啓蒙思想家。獨逸学協会学校初代校長を務めた。1868 年に『万国公法』を訳刊。「philosophy」を「哲学」と訳すなど多くの学術用語を翻訳した。主な著作に『百一新論』『人世三宝説』。訳書に『万国公法』、『利学』などがある。
〈セクション〉70

（179）ニック・ボストロム
Nick Bostrom（1973 年〜）

スウェーデンの哲学者、オックスフォード大学の教授。オックスフォード大学の「人類の未来研究所」所長および「戦略的人工知能研究センター」所長でもある。シミュレーション仮説という理論を提唱した。『スーパーインテリジェンス』など著作物多数。
〈セクション〉310、314、315、320

（180）ニッコロ・マキァヴェリ
Niccolò Machiavelli（1469〜1527 年）

イタリアの政治哲学者、フィレンツェの外交官。政治は宗教や道徳と切り離して考えるべきという現実主義的な政治理論を打ち立てる。主著にウラジミール・プーチンも愛読者だという『君主論』がある。
〈セクション〉379

（181）ノーバート・ウィーナー
Norbert Wiener（1894〜1964 年）

アメリカの数学者。幼少の頃より父親から英才教育を受ける。サイバネティクスの提唱者として知られている。『サイバネティックス──動物と機械における制御と通信』『人間機械論──人間の人間的な利用』などの著作がある。
〈セクション〉55

（182）ノーム・チョムスキー
Noam Chomsky（1928 年〜）

アメリカの哲学者、言語哲学者。マサチューセッツ工科大学などで教鞭をとる。人間が言語を習得する仕組みを解明し、生成文法理論を提唱した。著作に『言語と精神』『チョムスキー言語学講義』などがある。
〈セクション〉453

（183）野中郁次郎
Ikujiro Nonaka（1935 年〜）

日本の経営学者、一ツ橋大学名誉教授。知識創造理論を世界に広め、ナレッジ・マネジメントを提唱した。代表作の1つである『知識創造企業』（竹内弘高との共著）は英語で出版されたものであり、多くの賞を受賞した。
〈セクション〉30

ハ行

（184）バートランド・ラッセル
Bertrand Russell（1872〜1970 年）

イギリスの哲学者、数学者、社会評論家。『幸福論』はアランやヒルティの『幸福論』と共に世界三大幸福論と称される。1950 年にノーベル文学賞を受賞した。また、1955 年には、核兵器廃絶を訴えるラッセル＝アインシュタイン宣言を公表した。
〈セクション〉176、450、454

(185) バーナード・デ・マンデヴィル
Bernard de Mandeville（1670〜1733 年）

オランダ生まれのイギリスの精神科医、思想家。代表作『蜂の寓話』は、清貧や節約、節制を良しとする社会を風刺した作品で、思想史、経済学などに大きな影響を与えた。同書はデフレの要因を鋭く指摘している。
〈セクション〉114

(186) バーナード・バース
Bernard Baars（1946 年〜）
アムステルダム生まれのアメリカの心理学者。人間の知識構造や意識に関する「グローバル・ワークスペース理論」の提唱者として知られている。著作に『脳と意識のワークスペース』がある。
〈セクション〉267

(187) ハーバート・スペンサー
Herbert Spencer（1820〜1903 年）

イギリスの哲学者、社会学者。ダーウィンが『種の起源』で説いた自然選択を適者生存という語に言い換えたことで知られる。また、教育論として知育、徳育、体育という三育思想を提唱した。
〈セクション〉38

(188) バウハウス
Bauhaus（1978 or 1979 年）
イギリスのロックバンドでポストパンク期に活動する。のちにゴシックロックとも呼ばれる。ヴォーカリストのピーター・マーフィーを中心に、ビジュアル系の走りともいえるファッションとサウンドを披露した。
〈セクション〉200, 228, 229, 238

(189) パブロ・ピカソ
Pablo Picasso（1881〜1973 年）

スペインの画家、彫刻家。現代美術を代表する巨匠の一人。生涯にわたり、幅広いスタイルで作品を制作したため、その画風は青の時代、薔薇色の時代、キュビズム、シュルレアリスムなど、時代ごとに分類される。代表的な作品に「ゲルニカ」など多数ある。
〈セクション〉221, 231, 236

(190) 林忠正
Tadamasa Hayashi（1853〜1906 年）

明治時代に活躍した日本の美術商。パリで林商会を創業し、同地にて多数の日本の古美術品を販売する。1900 年パリ万国博覧会では事務官長に就いた。また、印象派の画家たちと親交を結び、日本に初めて印象派の作品を紹介した。
〈セクション〉215

(191) バルフ・デ・スピノザ
Baruch de Spinoza（1632〜1677 年）

オランダの哲学者。デカルトの流れをくむ大陸合理論の論客であり、合理主義哲学者として知られている。神は自然であり、自然を知ることは神であるという神即自然を主張した。おもな著作に『エチカ』がある。
〈セクション〉393, 398, 399, 400, 414

(192) パルミジャニーノ
Parmigianino（1503〜1540 年）

マニエリスム初期にローマなどで活躍したイタリアの画家。ミケランジェロやダ・ヴィンチなどの影響を受けた。主な作品に「凸面鏡の自画像」「聖ヒエロニムスの幻視」「長い首の聖母」などがある。
〈セクション〉203

（193）パルメニデス
Parmenides（BC 515〜BC 450 年）

　　　古代ギリシアの哲学者、エレア派の創始者とされる。「ある」ということの本質を論理的に追究し、「有るもののみ有る」と論じた。『初期ギリシア哲学者断片集』に記述の断片が収録されている。
〈セクション〉354

（194）ハンス・アルバート
Hans Albert（1921〜2023 年）

　　　ドイツの哲学者。第二次世界大戦後、捕虜となった経験がある。批判的合理主義者で通したことで知られる。著作『批判的理性論考』でミュンヒハウゼンのトリレンマを提唱した。
〈セクション〉401, 402

（195）ハンス・ホルバイン
Hans Holbein the Younger
（1497 or 1498〜1543 年）

　　　ルネサンス期のドイツの画家。王侯貴族や宗教指導者、文化人など多くの人物の肖像画を描いた。1536年にヘンリー 8 世の宮廷画家となった。代表的な作品にメメントモリを象徴する「大使たち」などがある。
〈セクション〉466

（196）ハンス・モラベック
Hans Moravec（1948 年〜）

　　　オーストリア出身のアメリカのロボット科学者、カーネギーメロン大学の教授。ロボット工学や人工知能研究で知られ、テクノロジー関連のライターでもある。著作『シェーキーの子どもたち』でモベラックの法則を唱えた。
〈セクション〉307

（197）ハンナ・アーレント
Hannah Arendt（1906〜1975 年）

　　　ドイツ出身のアメリカの哲学者、思想家。現代の政治や社会に対して深い洞察力を持ち、個人としての自由と責任を重視するという態度をとった。著作に『人間の条件』『全体主義の起原』『自由と権力』『イェルサレムのアイヒマン』などがある。
〈セクション〉150, 153, 159

（198）ハン・ファン・メーヘレン
Han van Meegeren（1889〜1947 年）

　　　オランダの画家、画商。20 世紀最大の贋作者の一人と考えられている。特にフェルメールの贋作を好んで制作した。中でも「エマオの食事」は本物と認められ、ボイマンス美術館が買い上げたという逸話がある。
〈セクション〉235

（199）ピーター・ウェイソン
Peter Wason（1924〜2003 年）

　イギリスの認知心理学者。推論の心理学の第一人者。ウェイソンの 4 枚のカード問題（ウェイソン選択課題）、2-4-6 課題などで知られる。
〈セクション〉103

（200）ピーター・シンガー
Peter Singer（1946 年〜）

　　　オーストリア出身の哲学者、論理学者。メルボルン大学などで学び、プリンストン大学で教鞭をとる。1975 年に出版された『動物の解放』により、動物倫理学の創始者の一人として知られるようになる。
〈セクション〉33

(201)ピーター・スコット＝モーガン
Peter Bowman Scott-Morgan(1958～2022年)

イギリスのロボット工学の科学者、作家。2017年に筋萎縮性側索硬化症（ALS）と診断され、自分自身をAIと融合したヒューマンサイボーグと表現した。2021年に自伝『ネオ・ヒューマン──究極の自由を得る未来』を発表した。
〈セクション〉324

(202)ピーテル・ブリューゲル
Pieter Bruegel (1525～1530頃～1569年)

ルネサンス期のオランダの画家。「農民の踊り」「冬の風景」「子供の遊戯」など、農民や庶民の風俗画や風景画の作品が数多くある。また、最も有名な作品の1つに「バベルの塔」がある。
〈セクション〉209

(203)ビートルズ
The Beatles (1960～1970年)

イギリスで活躍した20世紀を代表するロックバンド。メンバーはジョン・レノン、ポール・マッカートニー、ジョージ・ハリスン、リンゴ・スターの4人。「Hey Jude」「Let It Be」「Yesterday」など数多くのヒット曲がある。
〈セクション〉239

(204)ピエール＝オーギュスト・ルノワール
Pierre-Auguste Renoir (1841～1919年)

フランスの印象主義の画家。画面から若者の語らいが今にも聞こえてきそうな「ムーラン・ド・ラ・ギャレットの舞踏会」、同じく遊び仲間が集った「舟遊びをする人々の昼食」など、当時のパリの日常を明るい色調で描いた。
〈セクション〉214, 236,

(205)ヒエロニムス・ボス
Hieronymus Bosch (1450頃～1516年)

ルネサンス期のオランダの画家。奇怪な風景や魔物を精緻に描く点が大きな特徴になっている。中でも代表作「快楽の園」には、裸体の人間がひしめく中、想像を絶する奇妙な姿をした魔物がうごめき人間を食らう。西洋美術史における傑作の1つといえる。
〈セクション〉209

(206)ピュタゴラス
Pythagoras (BC 582～BC 496年)

古代ギリシアの哲学者、数学者。ピュタゴラスの定理の発見で有名。人間の魂は輪廻転生して生まれ変わるという思想を展開した。また、数学は神秘的な力を持つと考え、数学的な考え方が人間を高めると主張した。
〈セクション〉355

(207)ヒラリー・パットナム
Hilary Putnam (1926～2016年)

アメリカの哲学者。心の哲学、言語哲学、科学哲学などの分析哲学の中心的な人物の一人。心の哲学の分野では、多重実現可能性という仮説に基づき、精神と身体の状態のタイプ同一説に対して反論した。
〈セクション〉263

(208)フィヒテ，ヨハン・ゴットリープ
Johann Gottlieb Fichte (1762～1814年)

ドイツの哲学者。ドイツ概念論を代表する哲学者の一人であり、ヘーゲルやシェリングらに影響を与えた。自由意志を重視し、道徳的義務を自己実現の手段として捉えた。ナポレオン軍占領下の ベルリンでの講演「ドイツ国民に告ぐ」は広く知られている。
〈セクション〉414

(209)フィリッパ・フット
Philippa Foot (1920〜2010年)

　イギリスの哲学者。カリフォルニア大学ロサンゼルス校で教鞭をとった。西洋倫理学の分野でもっとも影響力のある哲学者の一人とされる。「トロッコ問題」の提唱者としても広く知られている。
〈セクション〉180

(210)フィリップ・グラス
Philip Glass (1937年〜)

　アメリカのミニマル・ミュージックの代表的な作曲家の一人。オペラ作品「浜辺のアインシュタイン」「サチャグラハ」「アクナーテン」のほか、交響曲や協奏曲などもある。また、「コヤニスカッツィ」など多数の映画音楽も作曲している。
〈セクション〉238

(211)フィリッポ・トマソ・マリネッティ
Filippo Tommaso Marinetti(1876〜1944年)

　エジプトのアレキサンドリア生まれでイタリアの詩人、作家。未来派の主導者。1909年フィガロ紙にフランス語の「未来派宣言」を発表し、ミラノでルイジ・ルッソロやジャコモ・バッラらと未来派の美術運動を推進する。
〈セクション〉222

(212)フーゴ・バル
Hugo Ball (1886〜1927年)

　ダダイズムを主導したドイツの作家、詩人。チューリヒにキャバレー・ヴォルテールを設立し、演劇や音楽などのパフォーマンスを行った。著作に『時代からの逃走』などがある。
〈セクション〉227

(213)フェリックス・ガタリ
Félix Guattari (1930〜1992年)

　フランスの哲学者、精神分析家。主な著作にジル・ドゥルーズとの共著『アンチ・オイディプス』『千のプラトー』『カフカ──マイナー文学のために』などがある。
〈セクション〉495, 496, 497

(214)フェリックス・ナダール
Felix Nadar (1820〜1910年)

　フランスの写真家。本名はガスパール=フェリックス・トゥールナション。数多くの文化人や重要人物の肖像写真を撮影した。また、世界で初めて気球からの航空写真や人工照明写真を撮る。
〈セクション〉214

(215)フェルディナン・ド・ソシュール
Ferdinand de Saussure (1857〜1913年)

　スイスの言語学者。構造主義言語学の創始者であり近代言語学の父ともいわれている。言語学を通時言語学と共時言語学に二分し、双方を研究対象とすることで言語を全体的に理解しようとした。著書に講義をとりまとめた『一般言語学講義』がある。
〈セクション〉447, 448, 449

(216)プトレマイオス, クラウディオス
Claudius Ptolemy (100頃〜170年頃)

　古代ローマの学者。数学、天文学、地理学など多くの分野で業績を残した。著作にエジプトのアレクサンドリアでの天体観測の記録を記した『アルマゲスト』はギリシア科学の最大の成果の1つといわれている。
〈セクション〉383

(217)ブノワ・マンデルブロ
Benoit Mandelbrot（1924～2010 年）

　　　ポーランド生まれフランス系アメリカ人の数学者。フラクタル幾何学の提唱者として知られており、自らを「フラクタル主義者」と呼んだ。数学だけでなく、経済学、流体力学や情報理論の研究にも取り組んだ。

(218)ブライアン・イーノ
Brian Eno（1948 年～）

　　　イングランド出身のミュージシャン。ロキシー・ミュージックの元メンバー。デイヴィッド・ボウイのアルバム「Low」や「Heroes」などでプロデューサーとして参加した。また、アンビエント・ミュージックを開拓した人物としても知られている。
〈セクション〉231

(219)プラトン
Plato（BC 427～BC 347 年）

　　　古代ギリシアの哲学者。西洋哲学の創始者の一人。ソクラテスの弟子であり、アリストテレスの師にあたる。イデア論を提唱したことでも有名。著作には『饗宴』『ソクラテスの弁明』『国家』などがある。
〈セクション〉130, 247, 360, 361, 362, 363, 364, 365, 367, 371, 377, 401

(220)フランク・ジャクソン
Frank Jackson（1943 年～）

　　　オーストラリアの哲学者。心の哲学、認識論を専門としている。「メアリーの部屋」という思考実験で、物理主義のもつ理論的な問題点を指摘したことで有名。著作に『形而上学から倫理学へ』がある。
〈セクション〉257

(221)フランシス・ゴルトン
Francis Galton（1822～1911 年）

　　　イギリスの人類学者、統計学者。従兄にあたるダーウィンの進化論に影響を受け、遺伝と環境に関する双生児研究を行った。また群衆の知恵の正しさを実験で実証したり、平均顔仮説を示したりした。
〈セクション〉117

(222)フランシス・ピカビア
Francis Picabia（1879～1953 年）

　　　フランスの画家、詩人、美術家。マルセル・デュシャン、マン・レイとともにダダイスムとシュルレアリスム運動で重要な役割を果たした。日本の画家横尾忠則はピカビアに私淑し、ピカビアをテーマにしたシリーズ作を制作している。
〈セクション〉227

(223)フランシス・ベーコン
Sir Francis Bacon（1561～1626 年）

　　　イギリスの哲学者、政治家、科学者。科学的手法として帰納法を強く推奨した。また、人間の先入的謬見を 4 つのイドラとして説いた。著作には『ノヴム・オルガヌム』などがある。「知識は力なり」という名言を残した。
〈セクション〉387, 388, 389

(224)フランツ・ブレンターノ
Franz Brentano（1838～1917 年）

　　　オーストリアの心理学者、哲学者。主著『経験的立場からの心理学』において志向性の概念を導入した。フッサールに大きな影響を及ぼし、現象学の成立基盤を作ったともいえる。他に『道徳認識の源泉について』などの重要作がある。
〈セクション〉264, 461, 462, 463

(225) フリードリヒ・エンゲルス
Friedrich Engels（1820〜1895 年）

ドイツの哲学者、社会学者。カール・マルクスと共に科学的社会主義（マルクス主義）の創始者とされる。著作『共産党宣言』はマルクスと共同執筆した作品である。
〈セクション〉155, 156, 431, 432

(226) フリードリヒ・ニーチェ
Friedrich Nietzsche（1844〜1900 年）

ドイツの哲学者、思想家。実存哲学の先駆者とされる。人間が宗教的、超自然的な考え方を捨てて、自己責任に基づいた人生を送るべきだとする主張を「神は死んだ」という言葉として残した。
〈セクション〉168, 191, 218, 359, 433, 437, 438, 439, 440

(227) ブレーズ・パスカル
Blaise Pascal（1623〜1662 年）

フランスの哲学者、物理学者、数学者。数学の分野では「パスカルの三角形」を物理学の分野では「パスカルの原理」を発見した。「人間は考える葦である」という名文は、遺稿をとりまとめた『パンセ』に収録されている。
〈セクション〉64, 404, 405

(228) プロタゴラス
Protagoras（BC 490?〜BC 420? 年）

古代ギリシアの哲学者、ソフィストの一人で 70 歳まで生きたとされる。「万物の尺度は人間である」という言葉で知られ、相対主義を唱えた人物である。
〈セクション〉359

(229) プロティノス
Plotinus（205〜270 年）

古代ギリシアの哲学者。新プラトン主義の基礎を築いた。著作に弟子のポルピュリオスがまとめた『エンネアデス』がある。
〈セクション〉371

(230) ヘーゲル, ゲオルク・ヴィルヘルム・フリードリヒ
Georg Wilhelm Friedrich Hegel（1770〜1831 年）

フィヒテ、シェリングらと並ぶドイツ概念論を代表する哲学者の一人。世界のすべてのものは、矛盾や対立しながら常に変化して発展していくとする弁証法を唱えた。『精神現象学』『法の哲学』『歴史哲学史講義』『哲学史講義』などの著作がある。
〈セクション〉91, 414, 415, 416, 417, 426, 431

(231) ベニト・ムッソリーニ
Benito Mussolini（1883〜1945 年）

イタリアの政治家。政治家として、イタリア社会党で活躍したのち国家ファシスト党を結党し、一党独裁制を確立し、ファシズム政治を行った。狭義ではムッソリーニのファシスト党による政治をファシズムという。
〈セクション〉150, 152

(232) ヘラクレイトス
Heraclitus（BC 535〜BC 475 年）

古代ギリシアの哲学者、自然哲学者。宇宙を火にたとえ、万物は流転するという流転説を唱えた。アリストテレスやプラトンをはじめ多くの哲学者に影響を与えた。
〈セクション〉354, 356

(233) ベルトルト・ブレヒト
Berthold Friedrich Brecht（1898〜1956 年）

ドイツの劇作家、詩人、演出家。戯曲「夜うつ太鼓」で 1922 年にクライスト賞を受ける。その後、「叙事的演劇」を提唱し、「三文オペラ」の成功で世界的な名声を獲得する。他に「肝っ玉おっ母とその子供たち」「ガリレイの生涯」などの作品がある。
〈セクション〉225, 226

(234)ヘルマン・ゲーリング
Hermann Göring（1893〜1946 年）

　　　　ナチスドイツの高官。ヒトラーの影響を受けて国民社会主義ドイツ労働者党（ナチス）に入党した。その後要職を歴任し、ヒトラーの後継者に指名された。大の美術好きで、ハン・ファン・メーヘレンが描いたフェルメールの贋作を本物だと信じて所有していたことでも知られる。
〈セクション〉235

(235)ベンジャミン・リベット
Benjamin Libet（1916〜2007 年）

　アメリカの生理学者。筋運動の際の運動準備電位の観測で、人間は意識する前に運動を始めようとしていることを明らかにし、人間の自由意志について問題を提起した。タイム - オン理論でも著名である。
〈セクション〉265, 266, 289, 474

(236)ポール・セザンヌ
Paul Cézanne（1839〜1906 年）

　　　　フランスの画家。当初は印象派グループの一員として活動していたが、後にキュビズムなど 20 世紀の美術に大きな影響を与えた。そのため、「近代絵画の父」とも評される。「サント・ヴィクトワール山」は代表作の 1 つである。
〈セクション〉214, 236

(237)ポール・デルボー
Paul Delvaux（1897〜1994 年）

　　　　ベルギーのシュルレアリスムの画家。静寂の中に幻想的な世界が広がるような作風を特徴とする。うつろな眼をした裸婦や夜汽車、神殿などが繰り返し登場し、観覧者はその象徴性を考えざるを得ない。夢を見ているような絵画に魅了される人は多い。
〈セクション〉230

(238)ホレス・ウォルポール
Horace Walpole（1717〜1797 年）

　　　　イギリスの政治家、貴族、小説家。イギリス初代の宰相の三男として生まれ、アートに造詣の深い政治家でもあった。ゴシック小説『オトラント城奇譚』で知られる。
〈セクション〉200

(239)ポントルモ，ヤコポ・ダ
Jacopo da Pontormo（1494〜1557 年）

　　　　マニエリスム期のイタリアのフィレンツェで活躍した画家。ミケランジェロやデューラーの影響を受けた。人物の長い胴体や明るい色調が特徴。主な作品に「十字架降下」「受胎告知」「槍を持つ兵士の肖像」などがある。
〈セクション〉203

マ行

(240)マーク・ソームズ
Mark Solms（1961 年〜）

　南アフリカの精神分析家、神経心理学者。南アフリカ・ケープタウン大学の教授を務める。夢と脳のメカニズムについての研究を行う。最新作『意識はどこから生まれてくるのか』では、人間の意識発生にとって脳幹の重要性を主張している。
〈セクション〉272, 273

(241)マーク・ボラン
Marc Bolan（1947〜1977 年）

　　　　イングランド出身のロックミュージシャン。ロックバンド T・レックスのボーカルとギターを担当。グラムロックの第一人者としてブームを牽引した。しかしブーム後、人気は急降下し、1977 年に愛人が運転する自動車事故で死去した。
〈セクション〉200

（242）マーシャル・マクルーハン
Marshall McLuhan（1911〜1980 年）

カナダ出身の英文学者、文化評論家。「メディアはメッセージである」という主張で一躍著名になった。「ホット」と「クール」なメディアという分類やグローバルヴィレッジの概念など、独自のメディア論を展開した。『メディア論』『グーテンベルクの銀河系』などの著作がある。
〈セクション〉58

（243）マイケル・グラツィアーノ
Michael Graziano（1967 年〜）

アメリカの神経科学者、プリンストン大学の教授。人間の脳が自分自身を表すスキーマを持ち、そのスキーマが人間の自己認識を形成するとされる注意スキーマ理論（Attention Schema Theory）を提唱した。著書に『意識はなぜ生まれたか』がある。
〈セクション〉271

（244）マイケル・サンデル
Michael Sandel（1953 年〜）

アメリカの哲学者、政治哲学者。リベラリズムを批判し、コミュニタリアニズム（共同体主義）が重要だと主張した。ハーバード大学教授でもあり、公開講義「正義とは何か？」が話題となった。著作には『これからの「正義」の話をしよう』など多数ある。
〈セクション〉181, 185

（245）マイケル・ポランニー
Michael Polanyi（1891〜1976 年）

ハンガリー生まれのイギリスの哲学者、社会科学者。暗黙知、層の理論、創発、境界条件と境界制御などの概念を提唱した。著作に『暗黙知の次元——言語から非言語へ』では暗黙知や創発について述べている。
〈セクション〉30

（246）マザッチョ
Masaccio（1401〜1428 年）

ルネサンス初期のイタリアの画家。ブランカッチ礼拝堂の著名なフレスコ画「貢の銭」「楽園追放」、サンタ・マリア・ノヴェッラ教会の「聖三位一体」などの作品がある。
〈セクション〉202

（247）マックス・ウェーバー
Max Weber（1864〜1920 年）

ドイツの社会学者、政治学者。政治学・経済学・歴史学など社会科学全般にわたる業績を残し、近代社会学の創始者とされる。官僚制に関する研究で知られている。著作に『プロテスタンティズムの倫理と資本主義の精神』など多数ある。
〈セクション〉441

（248）マックス・ホルクハイマー
Max Horkheimer（1895〜1973 年）

ドイツの哲学者、社会学者。フランクフルト学派の中心人物の一人。マルクスやフロイトの影響を受け、現代社会における人間の自由や正義について探求した。アドルノとの共著『啓蒙の弁証法』などの著作がある。
〈セクション〉458, 459, 460

（249）マルクス・ガブリエル
Markus Gabriel（1980 年〜）

ドイツの哲学者、史上最年少の29 歳でボン大学の教授に就く。新実在論の立場をとり、哲学会のロックスターとも称される。2013 年に出版した『なぜ世界は存在しないのか』のほか、『新実存主義』『アートの力』などの著作がある。
〈セクション〉500

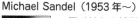

(250)マルセル・デュシャン
Marcel Duchamp（1887〜1968年）

　　　　　フランスの美術家で、ニューヨー
　　　　　ク・ダダの中心人物。現代美術の
　　　　　父、ダダイズムの父ともいわれてい
　　　　　る。「泉」「階段を降りる裸体 No.2」
「彼女の独身者によって裸にされた
花嫁、さえも」など有名な作品が多数ある。
〈セクション〉227

(251)マルチェッロ・マッスィミーニ
Marcello Massimini（1975年〜）

　イタリアの医師、神経生理学者。ミラノ大学で
教鞭をとる。リエージュ大学昏睡研究グループ
客員教授。科学雑誌「サイエンス」「ネイチャー」
などの国際学術雑誌に睡眠と意識に関する論文
を発表している。著作に『意識はいつ生まれる
のか』がある。
〈セクション〉269, 321

(252)マルティン・ハイデガー
Martin Heidegger（1889〜1976年）

　　　　　ドイツの哲学者。現象学、存在論、
　　　　　実存主義の分野で活躍し、人間の存
　　　　　在する意義や根源的な問題を探究
　　　　　した。主要な著作に『存在と時間』『技
　　　　　術問題への回答』『言語の起源』『ニー
チェ』がある。
〈セクション〉338, 464, 465, 466, 467, 468,
470

(253)マルティン・ルター
Martin Luther（1483〜1546年）

　　　　　ドイツの神学者、聖職者。エアフ
　　　　　ルト大学で法律を学ぶ。その後神学
　　　　　を学び、ヴィッテンベルク大学の教
　　　　　授を務めた。1517年に『95ヵ条の
　　　　　論題』を公表したことが発端となり
宗教改革が起こった。同時代を生きたルーカス・
クラーナハは、ルターの肖像画を描いている。
〈セクション〉209, 210

(254)マン・レイ
Man Ray（1890〜1976年）

　　　　　アメリカの画家、写真家、彫刻家。
　　　　　マルセル・デュシャンと出会い、2
　　　　　人はニューヨーク・ダダの中心的人
　　　　　物になる。作品としては女性のヌー
　　　　　ド写真や著名芸術家のポートレイト
が有名である。無声映画の制作にも腕を振るっ
た。
〈セクション〉227

(255)ミース・ファン・デル・ローエ
Mies van der Rohe（1886〜1969年）

　　　　　ドイツのモダニズムを代表する建
　　　　　築家。1929年のバルセロナ万国博
　　　　　覧会で建設されたドイツ館、バルセ
　　　　　ロナ・パビリオンは、モダニズムの
　　　　　空間を実現したものとして、建築史
上有名。他にも超高層ビルのシーグラム・ビル
ディングやベルリン国立美術館などを手掛けた。
〈セクション〉228, 229, 238

(256)ミケランジェロ・ブオナローティ
Michelangelo Buonarroti（1475〜1564年）

　　　　　ルネサンス期のイタリアの彫刻
　　　　　家、画家、建築家、詩人。西洋美術
　　　　　史のあらゆる分野に影響を与えた芸
　　　　　術家でもある。代表作に「ダビデ
　　　　　像」「ピエタ」「ヴァティカン宮殿シ
スティーナ礼拝堂天井画」などがある。
〈セクション〉201, 377

(257)ミシェル・ド・モンテーニュ
Michel de Montaigne（1533〜1592年）

　　　　　フランスの哲学者。著書『エセー』
　　　　　は、人間を洞察し、生き方を探求し
　　　　　たもので、自己啓発の手引書として
　　　　　多くの人に影響を与えた。物事の価
　　　　　値や存在を信じないとする懐疑主義
の立場をとり、デカルトやロック、ルソーなどに
大きな影響を与えた。
〈セクション〉382

(258)ミシェル・フーコー
Michel Foucault（1926〜1984年）

フランスの哲学者、歴史家、社会学者。第二次世界大戦後、高等師範学校においてモーリス・メルロ＝ポンティに師事して哲学を学ぶ。著作に『狂気の歴史』『臨床医学の誕生』『監獄の誕生』などがある。
〈セクション〉61, 478, 482, 492, 493, 494

(259)ムザファー・シェリフ
Muzafer Sherif（1906〜1988年）

トルコ生まれのアメリカの社会心理学者。集団の中にいる状況で人は他人の影響を受ける事実や、自分の判断を関連付ける集団は所属集団に限らないという事実を明らかにした。「光点自動運動効果実験」「泥棒洞窟実験」など有名なものがある。
〈セクション〉161

(260)メアリ・ウルストンクラフト
Mary Wollstonecraft（1759〜1797年）

イギリスの作家、社会思想家、フェミニズムの先駆者でもある。男女同権、教育の機会均等を訴えた。主な著作に『女性の権利の擁護』がある。小説『フランケンシュタイン』で有名になったメアリ・シェリー は娘である。
〈セクション〉19

(261)モーリス・メルロ＝ポンティ
Maurice Merleau-Ponty（1908〜1961年）

フランスの哲学者。主に現象学の分野で活躍した。後期フッサールの現象学に強い影響を受けた。人間的主体としての身体をありのままに記述するという現象学を展開した。著作に『知覚の現象学』『知覚の哲学』などがある。
〈セクション〉283, 447, 473, 474

(262)森政弘
Masahiro Mori（1927年〜）

日本のロボット工学者、東京工業大学名誉教授。「不気味の谷」現象の提唱者。ロボットコンテスト（ロボコン）の創始者でもある。『ロボット工学と仏教』『退歩を学べ』『もの作りは者づくり』など多数の著作がある。
〈セクション〉309

(263)モロゾフ兄弟
Morozov brothers

ミハイル（1870〜1903）とイワン（1871〜1921）のモロゾフ兄弟。モネやルノワール、セザンヌ、ゴッホ、ゴーギャンなど印象主義の作品を中心に蒐集した。蒐集した作品は現在ロシアのプーシキン美術館が所蔵している。
〈セクション〉236

(264)モンス・デジデリオ
Monsù Desiderio

バロック期の画家フランソワ・ド・ノーム、ディディエ・バッラの共同ペンネームであり、実際の作者であるとされている。崩壊するゴシック建築を執拗なまでに描いたその画風は、シュルレアリスムの先駆といえるかもしれない。
〈セクション〉199

ヤ行

(265)ヤーコプ・フォン・ユクスキュル
Jakob Johann von Uexküll（1864〜1944年）

エストニア出身のドイツの生物学者。動物や生物が、それぞれに独自の時間や空間として知覚し、主体的に構築する世界のことを環世界という言葉で提唱した。著作に環世界について述べた『生物から見た世界』（共著）がある。
〈セクション〉278

（266）山中伸弥
Shinya Yamanaka（1962 年〜）

　　　　日本の医師、研究者。通常の細胞を再プログラムすることで作られ、多能性を持ち、様々な種類の細胞へと分化することができるというiPS 細胞をつくることに成功した。2012 年にノーベル生理学・医学賞をジョン・ガードンと共同受賞した。
〈セクション〉6

（267）ヤン・ファン・エイク
Jan van Eyck（1395 頃？〜1441 年）

　　　　初期フランドル派を代表する画家。ブルゴーニュ公フィリップ 3 世に認められ、宮廷画家、外交官として仕えた。有名な作品に細部まで緻密に描ききった「アルノルフィーニ夫妻像」がある。この作品の鏡に映る人物は画家自身と伝わる。
〈セクション〉208

（268）ユルゲン・ハーバマース
Jürgen Habermas（1929 年〜）

　　　　現代ドイツを代表する哲学者、社会学者。フランクフルト学派の第2世代に属する。公共性論やコミュニケーション論で広く知られている。著作に『公共性の構造転換』『コミュニケイション的行為の理論』などがあり、現在も著作活動を続けている。
〈セクション〉458，460

（269）ヨシフ・スターリン
Joseph Stalin（1878〜1953 年）

　　　　ソビエト連邦の政治家。1924 年から 1953 年まで同国の最高指導者であった。スターリンによるスターリニズムはヒトラーのナチズムと並び全体主義の代名詞になっている。
〈セクション〉150

（270）ヨハネス・ケプラー
Johannes Kepler（1571〜1630 年）

　　　　ドイツの天文学者、数学者。コペルニクスの地動説に傾倒し、ケプラーの法則と呼ばれる天体の運動に関する三つの法則を発見した。これにより地動説の正しさを理論的に証明した。『ケプラーの夢』『宇宙の神秘』『宇宙の調和』などの著作がある。
〈セクション〉383，384

（271）ヨハネス・フェルメール
Johannes Vermeer（1632？〜1675 年）

　　　　バロック期を代表するオランダの画家。日常の情景や人物を、独特な光の使い方で描く。「真珠の耳飾りの少女」「牛乳を注ぐ女」「手紙を書く女」などの有名な作品がある。現存している作品は約 35 点ともいわれる。
〈セクション〉211，235

（272）ヨハン・ハインリヒ・フュースリー
Johann Heinrich Füssli（1741〜1825 年）

　　　　イギリスで活躍したスイス人の画家。ローマに滞在しミケランジェロの影響を受ける。死後はその名が忘れられたが、近年は幻想の画家として再評価されている。代表作「夢魔」のような古典主義的な表現を特徴とする。
〈セクション〉213

ラ行

（273）ラファエロ・サンティ
Raffaello Santi（1483〜1520 年）

　　　　イタリアの画家、建築家。ダ・ヴィンチやミケランジェロとともにルネサンス期の三大巨匠といわれている。代表作の 1 つである「アテネの学堂」は、ヴァイカン宮殿「署名の間」の壁画で、画面は古代の賢人達で埋め尽くされている。
〈セクション〉207

(274)ラ・モンテ・ヤング
La Monte Young（1935 年～）

アメリカの現代音楽の作曲家。音楽のみならず視覚芸術やパフォーマンスアートにも興味を持ち、マルチメディアの作品を制作している。主な作品に「コンポジションズ 1960」「よく調律されたピアノ」などがある。
〈セクション〉238

(275)リチャード・セイラー
Richard H. Thaler（1945 年～）

アメリカの経済学者、シカゴ大学教授。キャス・サンスティンとの共著『実践　行動経済学』でナッジという概念を提唱した。他にも『行動経済学の逆襲』『実践行動経済学』などがある。2017 年にノーベル経済学賞を受賞した。
〈セクション〉186

(276)リチャード・ドーキンス
Richard Dawkins（1941 年～）

イギリスの進化生物学者、動物行動学者。「盲目の時計職人」「遺伝子の川」など、巧妙な比喩を得意とする。文化の伝播を遺伝子になぞらえた「ミーム」という語を考案した。代表作に『利己的な遺伝子』や『延長された表現型』などがある。
〈セクション〉37, 59, 292, 293

(277)リチャード・ローティー
Richard Rorty（1931～2007 年）

プラグマティズムやポストモダニズム、リベラリズムの分野で知られている現代アメリカを代表する哲学者。シカゴ、イェール大学で学び、プリンストン、ヴァージニア、スタンフォード大学で教授を務めた。主著に『哲学と真実の鏡』がある。
〈セクション〉168

(278)ル・コルビュジエ
Le Corbusier（1887～1965 年）

スイス生まれのフランスの建築家。本名はシャルル＝エデュアール・ジャンヌレ。近代建築の三大巨匠の一人とされている。「サヴォア邸」「ロンシャンの礼拝堂」など、世界遺産に認定されている建築物が多数ある。
〈セクション〉229

(279)ルイジ・ルッソロ
Luigi Russolo（1885～1947 年）

イタリア未来派の画家、作曲家、楽器発明家。ノイズに美的な価値を見出した。自ら「イントナルモーリ」と呼ぶ騒音発生機を製作し演奏した。画家としても活躍し、ダヴィンチの「最後の晩餐」の修復にも関わった。
〈セクション〉223

(280)ルーカス・クラーナハ
Lucas Cranach（1472～1553 年）

ルネサンス期のドイツの画家。宗教画、肖像画を多く残している。クラーナハの描く下腹部の出た裸体の女は妖しい美を振りまく。「ディアナとアクタイオン」「若返りの泉」「不釣り合いなカップル」「マルティン・ルターの肖像」など多数の傑作を残した。
〈セクション〉210, 336

(281)ルース・ベネディクト
Ruth Benedict（1887～1948 年）

アメリカの文化人類学者。コロンビア大学で学ぶ。「レイシズム」という語を広めたことや、日本文化や日本人の行動様式を記述した『菊と刀』の著作で知られる。また、フィールドワークを通じてシナジーの重要性を発見する。
〈セクション〉49

(282) ルートヴィヒ・ウィトゲンシュタイン
Ludwig Wittgenstein（1889〜1951 年）

オーストリアの哲学者で、言語哲学や論理実証主義に大きな影響を及ぼした。前期と後期で思想が大きく変わる。写像理論は前期、言語ゲームは後期に唱えられた。『論理哲学論考』（前期）、『哲学探究』（後期）が代表的な著作になる。
〈セクション〉450, 456

(283) ルーベンス，ピーテル・パウル
Peter Paul Rubens（1577〜1640 年）

バロック期のフランドルの画家、外交官。祭壇画、肖像画、風景画など様々なジャンルの絵を描いた。光と影を効果的に使い古典的でドラマチックな画面を作り出す。作品に「キリスト昇架」「キリスト降架」「レウキッポスの娘たちの略奪」などがある。
〈セクション〉211

(284) ルーラント・サーフェリー
Roelant Savery（1576［1578］〜1639 年）

オランダの画家。ルドルフⅡ世の宮廷画家として仕えた。鳥獣画や風景画を得意とし、ドードーを描いたことでも知られている。「鳥のいる風景」「動物に音楽を奏でるオルフェウス」「花束」など写実的ながら幻想的な作品が多数ある。
〈セクション〉204

(285) ルドルフⅡ世
Rudolf Ⅱ（1552〜1612 年）

ハプスブルク家第 6 代神聖ローマ帝国皇帝。政治的な能力はあまりなく、芸術を庇護した。宮廷には世界各地の優れた芸術家や科学者が集まり、芸術作品などが集められ、「驚異の部屋」と呼ばれる文化の一大拠点が築かれた。
〈セクション〉204

(286) ルドルフ・カルナップ
Rudolf Carnap（1891〜1970 年）

ドイツの哲学者。論理実証主義の重要人物の一人。シカゴ大学、プリンストン高等研究所、カリフォルニア大学ロサンゼルス校（UCLA）で教鞭を執った。『意味と必然性―意味論と様相論理学の研究』『カルナップ哲学論集』『意味論序説』などの著作がある。
〈セクション〉456

(287) ルドルフ・シュタイナー
Rudolf Steiner（1861〜1925 年）

オーストリアの哲学者、教育者、思想家。哲学、宗教、科学、芸術、農業、教育など幅広い分野で活動し、人智学を創始した。また、ヴァルドルフ教育（シュタイナー教育）を提唱し、幼児期から青年期までの個々の発達段階に応じた教育方法を開発した。
〈セクション〉445

(288) ルネ・デカルト
René Descartes（1596〜1650 年）

フランスの哲学者、数学者。近代哲学の父といわれる。あらゆるものを徹底的に疑う方法的懐疑を生み出し、それによって「我思う、ゆえに我在り」という著名な言葉を生み出す。この言葉から近代哲学が始まったといってもよい。
〈セクション〉140, 247, 248, 249, 260, 262, 273, 382, 389, 392, 393, 394, 395, 396, 397, 398, 401, 473

(289) ルネ・マグリット
René Magritte（1898〜1967 年）

ベルギーのシュルレアリスムの画家。ある物体が、現実的にはありえない場所に置かれていたり、ありえない大きさで描かれていたりするデペイズマンを得意とした。鳥のシルエットに漂う雲を描いた著名作「大家族」はその一例となる作品だ。
〈セクション〉230

(290) レイ・カーツワイル
Ray Kurzweil (1948年～)

アメリカの発明家、思想家、未来学者。人工知能（AI）研究の世界的権威であり、特にシンギュラリティに関する著述で知られる。著作に『ポスト・ヒューマン誕生』『スピリチュアル・マシーン』などがある。

〈セクション〉316, 321

(291) レイチェル・カーソン
Rachel Carson (1907～1964年)

アメリカの生物学者。農薬の使用により生態系が破壊されることを警告した著作『沈黙の春』で著名。他にも『潮風の下で』『われらをめぐる海』『海辺』があり、いずれもベストセラーになった。

〈セクション〉14

(292) レオナルド・ダ・ヴィンチ
Leonardo da Vinci (1452～1519年)

イタリアのルネサンス期を代表する芸術家・科学者。14歳の頃、フィレンツェの工房に弟子入りする。作品には初期の「受胎告知」から、「最後の晩餐」、「モナリザ」など、人間や自然の深奥に迫るものを多数残した。

〈セクション〉201, 233, 377

(293) レンブラント・ファン・レイン
Rembrandt Harmenszoon van Rijn (1606～1669年)

バロック期のオランダの画家。「光の画家」「光の魔術師」ともいわれる。主に肖像画や宗教画を描いた。また生涯にわたり自画像を描いたことでも知られている。代表作に「夜警」や「テュルプ博士の解剖学講義」などがある。

〈セクション〉211

(294) ロバート・ノージック
Robert Nozick (1938～2002年)

アメリカの哲学者、ハーバード大学哲学教授。リバタリアニズム（自由市場主義）の代表的な思想家としても知られる。個人の自由を最大限重視し、国による分配を否定した。代表作に『アナーキー・国家・ユートピア』がある。

〈セクション〉184

(295) ロビン・ダンバー
Robin Dunbar (1947年～)

イギリスの人類学者、進化生物学者であり進化心理学の第一人者の一人でもある。人間にとって、平均150人が安定した関係を維持できる個体数の認知的上限だとする「ダンバー数」を提唱したことで知られている。

〈セクション〉46, 47

(296) ロラン・バルト
Roland Barthes (1915～1980年)

フランスの哲学者、文学者、思想家。記号学を批評の世界に応用し、テクスト、エクリチュール、ディスクールなどの用語を生み出した。著作には『物語の構造分析』『零度のエクリチュール』『神話作用』などがある。

〈セクション〉482

ワ行

(297) ワシリー・カンディンスキー
Wassily Kandinsky (1866～1944年)

ロシア出身の画家、美術理論家。抽象絵画の創始者とされる。フランス、ドイツでも活躍し、のちに両国の国籍を取得した。「コンポジション」シリーズは代表的な作品である。また、抽象絵画の理論書『芸術における精神的なもの』が有名である。

〈セクション〉224

(001)	Sailko
(008)	Bundesarchiv
(011)	Carlos yo
(013)	Fronteiras do Pensamento
(014)	Yorgos Kourtakis
(019)	Man Ray
(020)	Oren Jack Turner
(025)	Fronteiras do Pensamento
(033)	Linkkerpar
(036)	Dr. Franz Vesely
(038)	AldrianMimi
(043)	Bundesarchiv
(048)	Muller-May
(049)	Nadar
(053)	Barenboim-Said Akademie gGmbH
(054)	Jamie Heath
(056)	Bracha L. Ettinger
(058)	Rupali.talan
(076)	Jeremy Weate
(082)	Der wilde bernd
(085)	Andriy V. Makukha
(086)	UNESCO Michel Ravassard
(087)	Cmichel67
(089)	Science History Institute
(093)	Bundesarchiv
(094)	Internet Archive
(095)	Simon Baron-Cohen
(097)	Roger Higgins
(100)	Percy Thomas
(101)	Jeff Kubina
(105)	Nancy Wong
(106)	Moshe Milner
(108)	Gisela Giardino
(109)	Blatterhin
(110)	Rijksmuseum
(113)	Tiburce De Mare
(115)	Paolo Monti
(116)	G.Garitan
(117)	Bracha L. Ettinger
(118)	Europeangraduateschool
(131)	FranksValli
(134)	Peter Badge Typos1
(135)	LANL
(136)	Tanyakh
(137)	「null0」
(139)	Web of Stories
(144)	Ian Oliver
(146)	Koen Suyk
(147)	lighting magazine
(148)	Sting
(149)	D-janous
(150)	Aklakoi
(151)	Alex Handy
(152)	Buster Benson
(157)	by Ulysses 0G
(158)	Guido van Nispen
(159)	Zereshk
(160)	Muboshgu
(162)	EMI America
(163)	Connaissance des Arts
(164)	Georges Biard
(165)	Jeremy J. Shapiro
(166)	Rijksmuseum
(168)	Anna Riedl
(170)	Davi.trip
(171)	Nagelt
(177)	Max Planck Gesellschaft
(179)	Collision Conf
(181)	Historiska bildsamlingen
(182)	Σ
(183)	日本学士院
(184)	Anefo
(196)	Neus Torrens
(198)	Koos Raucamp
(202)	Rijksmuseum
(210)	WNYC New York Public Radio
(213)	Na5069wv
(218)	How We Get To Next
(220)	Pashute
(228)	Spuspita
(233)	Bundesarchiv
(237)	Houssem Eddine Aroua
(239)	Sailko
(244)	Asamishkin
(248)	Barbara Niggl Radloff
(249)	katholisch.de
(250)	Mardenashenas
(252)	Willy Pragher
(261)	PerigGouanvic
(263)	Shakko
(266)	文部科学省
(268)	Wolfram Huke
(275)	Chatham House
(276)	David Shankbone
(277)	Rortiana
(278)	Joop van Bilsen
(289)	Madelgarius
(290)	Michael Lutch
(291)	Smithsonian Institution
(295)	Festival della Scienza

文献一覧

書名	著者・編者	訳者・監訳者	出版年	出版社	セクション
数字・アルファベット					
100 の思考実験	ジュリアン・バジーニ	向井和美	2012	紀伊國屋書店	110, 111, 325
1 冊で学位心理学	アラン・ポーター	上野正道 監修	2021	ニュートン・プレス	
2030 年：すべてが「加速」する世界に備えよ	ピーター・ディアマンディス、スティーブン・コトラー	土方奈美	2020	NewsPicks パブリッシング	341
2100 年の科学ライフ	ミチオ・カク	斉藤隆央	2012	NHK 出版	335, 342
30 秒で学ぶ哲学思想	バリー・ローワー編	寺田俊郎 監修	2013	スタジオ タック クリエイティブ	
CBDC　中央銀行デジタル通貨の衝撃	野口悠紀雄		2021	新潮社	340
How We Think	John Dewey		1991	Prometeheus Books	89
LIFE 3.0	マックス・テグマーク	水谷淳	2019	紀伊國屋書店	299
MMT　現代貨幣理論入門	L・ランダル・レイ	島倉原 監修	2019	東洋経済新報社	27
NEXT WORLD	NHK スペシャル「NEXT WORLD」制作班編著		2015	NHK 出版	334, 336
NUDGE 実践行動経済学	リチャード・セイラー	遠藤真美	2009	日経 BP	186
Reason, Truth, and History	Hilary Putnam		1981	Cambridge University Press	263
Synchronicity: An Acausal Connecting Principle	Carl Jung		1973	Princeton University Press	286
the four GAFA	スコット・ギャロウェイ	渡会圭子	2018	東洋経済新報社	187
The Robbers Cave Experiment: Intergroup Conflict and Cooperation	Muzafer Sherif, et al.		1988	Wesleyan University Press	161
あ行					
アール・ブリュット「生の芸術」	京都新聞社編		1997	京都新聞社	232
アサヒグラフ別冊　ジャポニスムの謎	朝日新聞社編		1990	朝日新聞社	215
アナーキー・国家・ユートピア	ロバート・ノージック	嶋津格	1985, 1989	木鐸社	184
アリストテレス全集 13 ニコマコス倫理学	アリストテレス	加藤信朗	1988	岩波書店	366～368
アンチ・オイディプス	ジル・ドゥルーズ、フェリックス・ガタリ	市倉宏祐	1986	河出書房新社	497
暗黙知の次元	マイケル・ポラニー	佐藤敬三	1980	紀伊国屋書店	30
イェルサレムのアイヒマン	ハンナ・アーレント	大久保和郎	1969	みすず書房	158
意識	スーザン・ブラックモア	信原幸弘 他	2010	岩波書店	242
意識する心	デイヴィッド・チャーマーズ	林一	2001	白揚社	254, 259
＜意識＞とは何だろうか	下條信輔		1999	講談社	337
意識の神秘	ジョン・サール	菅野盾樹 監訳	2015	新曜社	253, 275, 312
意識はいつ生まれるのか	マルチェロ・マッスィミーニ、ジュリオ・トノーニ	花本知子	2015	亜紀書房	269, 321
意識はどこから生まれてくるのか	マーク・ソームズ	岸本寛史、佐渡忠洋	2021	青土社	272
意識はなぜ生まれたか	マイケル・グラツィアーノ	鈴木光太郎	2022	白揚社	271

書名	著者・編者	訳者・監訳者	出版年	出版社	セクション
イスラム原理主義	岡倉徹志		2001	明石書店	157
意味と必然性	ルドルフ・カルナップ	永井成男	1999	紀伊國屋書店	456
いやな気分よさようなら	デビッド・D・バーンズ	野村総一郎 他	1990	星和書店	107
印象派美術館	島田紀夫 監修		2004	小学館	214
陰謀論	秦正樹		2022	中央公論新社	172
宇宙ビジネス最前線	KPMG コンサルティング 監修		2023	日経 BP 日本経済新聞出版	344
生まれながらのサイボーグ	アンディ・クラーク	呉羽真 他	2015	春秋社	326
ウルトラバロック	小野一郎		1995	新潮社	211
永遠平和のために	イマニュエル・カント	宇都宮芳明	1985	岩波書店	175
影響力の心理学	中野明		2021	学研プラス	
影響力の武器 [第三版]	ロバート・チャルディーニ	社会行動研究会	2014	誠信書房	45
越境する脳	ミゲル・ニコレリス	鍛原多惠子	2011	早川書房	323
エロティシズム	ジョルジュ・バタイユ	酒井健	2004	筑摩書房	499
演繹・帰納　仮説設定	中山正和		1979	産業能率大学出版部	
延長された表現型	リチャード・ドーキンス	日高敏隆 他	1987	紀伊國屋書店	292, 293
オカルト	コリン・ウィルソン	中村保男	1985	平河出版社	67
オトラントの城	ホレス・ウォルポール	井出弘之	1983	国書刊行会	200
オリエンタリズム	エドワード・サイード	今沢紀子	1993	平凡社	31, 32
「温度」と「熱」の正体とは	Newton		2016	ニュートンプレス	347
か行					
概説現代の哲学・思想	小坂国継、本郷均		2012	ミネルヴァ書房	
解明される意識	ダニエル・デネット	山口泰司	1998	青土社	262
科学革命の構造	トーマス・クーン	中山茂	1971	みすず書房	56
科学的発見の論理	カール・ポパー	大内義一 他	1971 1972	恒星社厚生閣	92
科学哲学の冒険	戸田山和久		2005	NHK 出版	345
拡張の世紀	ブレット・キング	上野博	2018	東洋経済新報社	322
監獄の誕生	ミシェル・フーコー	田村俶	1977	新潮社	493, 494
菊と刀	ルース・ベネディクト	長谷川松治	1972	社会思想社	49
記号論理入門 [新装版]	前原昭二		2005	日本評論社	77
共産党宣言	カール・マルクス、フリードリッヒ・エンゲルス	大内兵衛 他	1951	岩波書店	155, 156, 432
ギルガメシュ叙事詩		矢島文夫	1998	筑摩書房	338
クオリアはどこからくるのか?	土谷尚嗣		2021	岩波書店	255
クラーナハ展	グイド・メスリング、新藤淳 責任編集		2016	TBS テレビ	210
グラマトロジーについて	ジャック・デリダ	足立和浩	2012	現代思潮新社	489
クリエイティブ・マインドセット	トム・ケリー、デイヴィッド・ケリー	千葉敏生	2014	日経 BP	118
クリティカルシンキング [実践篇]	E・B・ゼックミスタ、J・E・ジョンソン	宮元博章 他	1997	北大路書房	78, 79, 80, 81
クリティカルシンキング [入門篇]	E・B・ゼックミスタ、J・E・ジョンソン	宮元博章 他	1996	北大路書房	86, 87

書名	著者・編者	訳者・監訳者	出版年	出版社	セクション
黒の魅惑　ルドンをめぐりて	滋賀県立近代美術館編		1993	滋賀県立近代美術館	216
経済学・哲学草稿	カール・マルクス	長谷川宏	2010	光文社	427
経済学批判	カール・マルクス	武田隆夫 他	1956	岩波書店	429〜431
芸術家列伝	ジョルジョ・ヴァザーリ	平川祐弘 他	2011	白水社	194
啓蒙主義の哲学	エルンスト・カッシーラー	中野好之	2003	筑摩書房	406
啓蒙の弁証法	マックス・ホルクハイマー、テオドール・アドルノ	徳永恂	2007	岩波書店	459
ゲームの理論と経済行動	ジョン・フォン・ノイマン、オスカー・モルゲンシュテルン	銀林浩他 監訳	2009	筑摩書房	120
ゲーム理論・入門	岡田章		2014	有斐閣	125〜129
言語と行為	ジョン・オースティン	坂本百大	1978	大修館書店	457
幻想の画廊から	澁澤龍彦		1990	青土社	466
現代思想 2018 年 10 月臨時増刊号　総特集＝マルクス・ガブリエル──新しい実在論	マルクス・ガブリエル、野村泰紀 他		2018	青土社	500
現代思想入門	千葉雅也		2022	講談社	488
現代思想を読む事典	今村仁司 編		1988	講談社	375 および全般
現代心理学辞典	子安増生 他監修		2021	有斐閣	
現代とヒューマニズム	西川富雄		1965	法律文化社	294, 377, 378, 426, 428
建築をめざして	ル・コルビジェ	吉阪隆正	1967	鹿島出版会	229
権力への意志	フリードリッヒ・ニーチェ	原佑	1993	筑摩書房	218, 437, 439
後期ギリシア哲学者資料集	プロティノス 他	山本光雄、戸塚七郎 訳編	1985	岩波書店	369, 370
行動経済学の基本がわかる本	ハワード・S・ダンフォード		2013	秀和システム	
声と現象	ジャック・デリダ	高橋允昭	1970	理想社	490, 491
心と行動の進化を探る	五百部裕、小田亮 編		2013	朝倉書店	40
心の概念	ギルバート・ライル	坂本百大 他	1987	みすず書房	113, 250
心の哲学	信原幸弘 編		2017	新曜社	249
心の免疫力を高める「ゆらぎ」の心理学	雄山真弓		2012	祥伝社	53
古事記	倉野憲司 校注		1963	岩波書店	66
言葉と物	ミッシェル・フーコー	渡辺一民 他	2020	新潮社	492
コミュニケイション的行為の理論	ユルゲン・ハーバーマス	河上倫逸 他	1985	未来社	460
雇用・利子および貨幣の一般理論	ジョン・メイナード・ケインズ	塩野谷祐一	1995	東洋経済新報社	424
これからの「正義」の話をしよう	マイケル・サンデル	鬼澤忍	2011	早川書房	185

さ行

書名	著者・編者	訳者・監訳者	出版年	出版社	セクション
最新版倫理資料集	清水書院 編		2023	清水書院	
最新倫理資料集	第一学習社編集部		2012	第一学習社	
サイバネティックス	ノーバート・ウィーナー	池原止戈夫 他	2011	岩波書店	55
サティ紀行	新井満（著・選曲）、高橋アキ（ピアノ）		1990	主婦の友社	231
サピエンス全史	ユヴァル・ノア・ハラリ	柴田裕之	2017	河出書房新社	65

書名	著者・編者	訳者・監訳者	出版年	出版社	セクション
サブリミナル・マインド	下條信輔		1996	中央公論新社	
三文オペラ	ベルトルト・ブレヒト	岩淵達治	2006	岩波書店	225
シェーキーの子どもたち	ハンス・モラベック	夏目大	2001	翔泳社	307
視覚の冒険	下條信輔		1995	産業図書	280
自我同一性	エリク・エリクソン	小此木啓吾	1973	誠信書房	246
時間とは何か　改訂第3版	Newton		2022	ニュートンプレス	346
思考実験	榛葉豊		2022	講談社	108
思考の技法	ダニエル・C・デネット	阿部文彦、木島泰三	2015	青土社	374
自己組織化する宇宙	エリッヒ・ヤンツ	芹沢高志 他	1986	工作舎	51
仕事に使えるゲーム理論	ジェームズ・ミラー	金利光	2004	阪急コミュニケーションズ	123
思想としてのパソコン	西垣通 他		1997	NTT出版	303
実存主義とは何か	ジャン=ポール・サルトル	伊吹武彦	1955	人文書院	469, 471, 472
シミュラークルとシミュレーション	ジャン・ボードリヤール	竹原あき子	2008	法政大学出版局	481
社会心理学キーワード	山岸俊男 編		2001	有斐閣	
ジャポニスムからアール・ヌーボーへ	由水常雄		1994	中央公論社	219
囚人のジレンマ	ウィリアム・パウンドストーン	松浦俊輔	1995	青土社	177, 178
集団浅慮	アーヴィング・L・ジャニス	細江達郎	2022	新曜社	163
自由からの逃走	エーリッヒ・フロム	日高六郎	1952	東京創元社	158
自由民主主義は生き残れるか	クロフォード・マクファーソン	田口富久治	1978	岩波書店	154
種の起源	チャールズ・ダーウィン	渡辺政隆	2009	光文社	34, 35
シュルレアリスム宣言・溶ける魚	アンドレ・ブルトン	巖谷國士	1992	岩波書店	230
純粋理性批判	イマニュエル・カント	篠田英雄	1961	岩波書店	94, 407〜412
常識と核戦争	バートランド・ラッセル	飯島宗享	1959	理想社	176
消費社会の神話と構造	ジャン・ボードリヤール	今村仁司 他	1979	紀伊國屋書店	480
初期ギリシア哲学者断片集	タレス 他	山本光雄 訳編	1958	岩波書店	354〜359
女性の権利の擁護	メアリ・ウルストンクラフト	白井堯子	1980	未来社	19
神学大全	トマス・アクィナス	山田晶	2014	中央公論新社	373
進化しすぎた脳	池谷裕二		2004	朝日出版社	281
進化心理学から考えるホモ・サピエンス	アラン・S・ミラー、サトシ・ナカザワ	伊藤和子	2019	パンローリング	44, 64
進化とゲーム理論	ジョン・メイナード・スミス	寺本英 他	1985	産業図書	178
進化と人間行動 [第2版]	長谷川寿一、長谷川眞理子 他		2022	東京大学出版会	39
進化の意外な順序	アントニオ・ダマシオ	高橋洋	2019	白揚社	349
神曲	ダンテ作、ギュスターブ・ドレ画	谷口江里也	1989	JICC出版局	213
人工知能のための哲学塾	三宅陽一郎		2016	ビー・エヌ・エヌ新社	
神聖ローマ帝国皇帝ルドルフ2世の驚異の世界展	Bunkamura ザ・ミュージアム 編		2017	Bunkamura	204
親族の基本構造	クロード・レヴィ=ストロース	福田和美	2000	青弓社	484
神智学	ルドルフ・シュタイナー	高橋巖	1977	イザラ書房	445

書名	著者・編者	訳者・監訳者	出版年	出版社	セクション
新潮美術文庫 7　ボス	土方定一		1975	新潮社	
新訳ソシュール一般言語学講義	フェルディナン・ド・ソシュール	町田健	2016	研究社	447〜449
心理学	ウィリアム・ジェームズ	今田寛	1992	岩波書店	245
心理学［第5版補訂版］	鹿取廣人 他編		2020	東京大学出版会	
心理学キーワード	田島信元 編		1989	有斐閣	
心理学辞典	中島義明 他編		1999	有斐閣	
心理学大事典	中野明		2022	秀和システム	
心理学ビジュアル百科	越智啓太 編		2016	創元社	
心理学用語大全	田中正人		2020	誠文堂新光社	
人類の知的遺産 48　キルケゴール	小川圭治		1979	講談社	434
人類の歴史とAIの未来	バイロン・リース	古谷美央	2019	ディスカヴァー・トゥエンティワン	305, 333
スーパーインテリジェンス	ニック・ボストロム	倉骨彰	2017	日本経済新聞出版	314〜316, 319
図解 de 理解　ゲーム理論入門	中野明		2023	FLoW ePublication	121,122,129
図鑑心理学	トム・ジャクソン	清水寛之、井上智義 監訳	2020	ニュートン・プレス	
図鑑哲学	トム・ジャクソン	高橋昌一郎 監訳	2020	ニュートン・プレス	
図説・標準哲学史	貫成人		2008	新書館	
図説名画の誕生	仲川与志、西永裕		2018	秀和システム	212
図像学事典	水之江有一		1991	岩崎美術社	206
スタニスラフスキーへの道	レオニード・アニシモフ	遠坂創三 他	2016	未知谷	226
正義論	ジョン・ロールズ	川本隆史 他	2010	紀伊國屋書店	82
精神の生態学	グレゴリー・ベイトソン	佐藤良明	2000	新思索社	487
生態学的視覚論	ジェームズ・ギブソン	古崎敬	1986	サイエンス社	313
生物から見た世界	ヤーコプ・フォン・ユクスキュル、ゲオルク・クリサート	日高敏隆 他	1973	新思索社	278
西洋絵画の主題物語 II　神話編	諸川春樹 監修		1997	美術出版社	
西洋哲学小事典	生松敬三 他編		2011	筑摩書房	
西洋美術解読事典	ジェイムズ・ホール	高階秀爾 監修	1988	河出書房新社	
西洋美術館	青柳正規 他		1999	小学館	196, 207, 211, 213, 220
西洋美術史	高階秀爾 監修		1990	美術出版社	
西洋美術史小辞典（改訂新版）	ジェイムズ・スミス・ピアス	大西廣 他訳	1991	美術出版社	202 他
世界SF全集 10　ハックスリイ　オーウェル	オルダス・ハックスリイ、ジョージ・オーウェル	松村達雄、新庄哲夫	1968	早川書房	62, 63
世界神秘学事典	荒俣宏 編		1981	平河出版社	372
世界の大思想 6　ベーコン	フランシス・ベーコン	服部英次郎	1966	河出書房	82, 387, 388
世界の大思想 12　ヘーゲル　精神現象学	ゲオルク・ヴィルヘルム・フリードリヒ・ヘーゲル	樫山欽四郎	1966	河出書房	91, 415
世界の大思想 29　サルトル	ジャン＝ポール・サルトル	松浪信三郎 他	1969	河出書房新社	470
世界の大思想 II -8　キルケゴール	ゼーレン・キルケゴール	浅井真男 他	1968	河出書房新社	435
世界の美術 2　中世の美術	座右宝刊行会 編		1965	河出書房	195

書名	著者・編者	訳者・監訳者	出版年	出版社	セクション
世界の名著 6 プラトン I	プラトン	田中美知太郎 編	1966	中央公論社	360, 361
世界の名著 7 プラトン II	プラトン	田中美知太郎 編	1969	中央公論社	130, 362, 364
世界の名著 8 アリストテレス	アリストテレス	田中美知太郎 編	1972	中央公論社	365
世界の名著 14 アウグスティヌス	アウグスティヌス	山田晶 編	1968	中央公論社	371
世界の名著 16 マキァヴェリ	ニッコロ・マキァヴェリ	会田雄次 編	1966	中央公論社	379
世界の名著 17 エラスムス トマス・モア	デジリウス・エラスムス、トマス・モア	渡辺一夫 編	1969	中央公論社	380, 381
世界の名著 19 モンテーニュ	ミシェル・ド・モンテーニュ	荒木昭太郎 編	1967	中央公論社	382
世界の名著 21 ガリレオ	ガリレオ・ガリレイ	豊田利幸 編	1973	中央公論社	383
世界の名著 22 デカルト	ルネ・デカルト	野田又夫 編	1967	中央公論社	393〜397
世界の名著 23 ホッブズ	トマス・ホッブズ	永井道雄 編	1971	中央公論社	133, 135〜139
世界の名著 24 パスカル	ブレーズ・パスカル	前田陽一 編	1966	中央公論社	404〜405
世界の名著 25 スピノザ ライプニッツ	バルフ・デ・スピノザ、ゴットフリート・ライプニッツ	下村寅太郎 編	1969	中央公論社	398〜400
世界の名著 26 ニュートン	アイザック・ニュートン	河辺六男 編	1971	中央公論社	387
世界の名著 27 ロック ヒューム	ジョン・ロック、デイヴィッド・ヒューム	大槻春彦 編	1968	中央公論社	140〜143, 258, 389, 390, 392
世界の名著 28 モンテスキュー	シャルル・ド・モンテスキュー	井上幸治 編	1972	中央公論社	134
世界の名著 30 ルソー	ジャン=ジャック・ルソー	平岡昇 編	1966	中央公論社	403
世界の名著 31 アダム・スミス	アダム・スミス	大河内一男 編	1968	中央公論社	421〜423
世界の名著 32 カント	イマニュエル・カント	野田又夫 編	1972	中央公論社	413
世界の名著 35 ヘーゲル	ゲオルク・ヴィルヘルム・フリードリヒ・ヘーゲル	岩崎武雄 編	1967	中央公論社	414, 417
世界の名著 36 コント スペンサー	オーギュスト・コント、ハーバート・スペンサー	清水幾太郎 編	1970	中央公論社	38
世界の名著 38 ベンサム ミル	ジェレミー・ベンサム、ジョン・スチュアート・ミル	関嘉彦 編	1967	中央公論社	418〜420
世界の名著 39 ダーウィン	チャールズ・ダーウィン	今西錦司 編	1967	中央公論社	41
世界の名著 40 キルケゴール	ゼーレン・キルケゴール	桝田啓三郎 編	1966	中央公論社	436
世界の名著 46 ニーチェ	フリードリッヒ・ニーチェ	手塚富雄 編	1966	中央公論社	438, 440
世界の名著 48 パース ジェイムズ デューイ	チャールズ・パース、ウィリアム・ジェイムズ、ジョン・デューイ	上山春平 編	1968	中央公論社	475
世界の名著 49 フロイト	ジクムント・フロイト	懸田克躬 編	1966	中央公論社	443
世界の名著 50 ウェーバー	マックス・ウェーバー	尾高邦雄 編	1975	中央公論社	441
世界の名著 51 ブレンターノ フッサール	ブレンターノ、フッサール	細谷恒夫 編	1970	中央公論社	264, 461〜463
世界の名著 52 レーニン	ウラジミール・レーニン	江口朴郎 編	1966	中央公論社	149
世界の名著 58 ラッセル ウィトゲンシュタイン ホワイトヘッド	ラッセル、ウィトゲンシュタイン、ホワイトヘッド	山元一郎 編	1971	中央公論社	450
世界の名著 62 ハイデガー	マルティン・ハイデガー	原佑 編	1971	中央公論社	464〜467
世界の名著 66 現代の科学 II	アルベルト・アインシュタイン 他	湯川秀樹 他編	1970	中央公論社	351〜353

書名	著者・編者	訳者・監訳者	出版年	出版社	セクション
世界の名著 続10 ショーペンハウアー	アルトゥール・ショーペンハウアー	西尾幹二 編	1975	中央公論社	433
世界の名著 続13 ヤスパース マルセル	カール・ヤスパース、マルセル	山本信 編	1976	中央公論社	468
世界美術辞典	新潮社編		1985	新潮社	
全体主義の起源	ハンナ・アーレント	大久保和郎	2017	みすず書房	150, 153
全体性と無限	エマニュエル・レヴィナス	熊野純彦	2005 2006	岩波書店	477
選択の科学	シーナ・アイエンガー	櫻井祐子	2010	文藝春秋	376
千のプラトー	ジル・ドゥルーズ、フェリックス・ガタリ	宇野邦一 他	1994	河出書房新社	495, 496
戦略的思考とは何か	アビナッシュ・ディキシット、バリー・ネイルバフ	菅野隆、嶋津祐一	1991	TBS ブリタニカ	124, 173
創造的進化	アンリ・ベルグソン	真方敬道	1954	岩波書店	425
た行					
大規模言語モデルは新たな知能か	岡野原大輔		2023	岩波書店	301
第二の性	シモーヌ・ド・ボーヴォワール	生島遼一	1959	新潮社	20
単純な脳、複雑な「私」	池谷裕二		2009	朝日出版社	
知恵の樹	ウンベルト・マトゥラーナ、フランシスコ・バレーラ	管啓次郎	1997	筑摩書房	54
知覚の現象学	モーリス・メルロ＝ポンティ	中島盛夫	1982	法政大学出版局	473, 474
知識ゼロからの哲学入門	竹田青嗣＋現象学研究会		2008	幻冬舎	
地政学世界地図	バティスト・コルナバス	神田順子 他	2020	東京書籍	131, 174
沈黙の春	レイチェル・カーソン	青樹簗一	1974	新潮社	14
デカルトの誤り	アントニオ・ダマシオ	田中三彦	2010	筑摩書房	273, 274
テクニウム	ケヴィン・ケリー	服部桂	2014	みすず書房	293, 294
哲学・思想事典	廣松渉 他編		1998	岩波書店	243 および全般
哲学・論理用語事典（増補改訂）	思想の科学研究会編		1959	三一書房	
哲学原典資料集	今井和正 他		1993	東京大学出版会	
哲学大図鑑	ウィル・バッキンガム	小須田健	2012	三省堂	
哲学大図鑑	金山弥平 他監修		2022	ニュートンプレス	
哲学探究	ルートウィッヒ・ウィトゲンシュタイン	鬼界彰夫	2020	講談社	451, 452, 454
哲学の改造	ジョン・デューイ	清水幾太郎 他	1968	岩波書店	476
哲学のしくみとはたらき図鑑	川口茂雄 監修		2022	創元社	
哲学用語図鑑	田中正人		2015	プレジデント社	
ドイツの独裁	カール・ディートリヒ・ブラッハー	山口定 他	2009	岩波書店	151
ドイツ表現主義の誕生	早崎守俊		1996	三修社	224
道徳の系譜	フリードリッヒ・ニーチェ	木場深定	1964	岩波書店	168
動物の解放	ピーター・シンガー	戸田清	2011	人文書院	33
閉じこもるインターネット	イーライ・パリサー	井口耕二	2012	早川書房	165
友達の数は何人？	ロビン・ダンバー	藤井留美	2011	インターシフト	47
トレードオフ	ケビン・メイニー	有賀裕子	2010	プレジデント社	93

書名	著者・編者	訳者・監訳者	出版年	出版社	セクション
な行					
なぜ心はこんなに脆いのか	ランドルフ・M・ネシー	加藤智子	2021	草思社	43
なぜ世界は存在しないのか	マルクス・ガブリエル	清水一浩	2018	講談社	500
なぜ私たちは友だちをつくるのか	ロビン・ダンバー	吉嶺英美	2021	青土社	46
なぜ私は私であるのか	アニル・セス	岸本寛史	2022	青土社	276, 277, 279
七つのダダ宣言とその周辺	トリスタン・ツァラ	小海永二 他	1994	土曜美術社	227
日本美術のことば案内	日高薫		2003	小学館	
人間性の最高価値	アブラハム・マズロー	上田吉一	1973	誠信書房	49, 291
人間性の心理学	アブラハム・マズロー	小口忠彦	1987	産業能率大学出版部	290
認知心理学キーワード	森敏昭、中條和光 編		2005	有斐閣	
ネオ・ヒューマン	ピーター・スコット=モーガン	藤田美菜子	2021	東洋経済新報社	324
脳が心を生みだすとき	スーザン・グリーンフィールド	新井康允	1999	草思社	
脳研究の最前線	理化学研究所脳科学総合研究センター編		2007	講談社	248, 319
脳と意識のワークスペース	バーナード・バース	苧阪直行 監訳他	2004	協同出版	267
脳には妙なクセがある	池谷裕二		2012	扶桑社	
脳のなかの天使	V・S・ラマチャンドラン	山下篤子	2013	角川書店	189, 233
脳のなかの万華鏡	リチャード・サイトウィック、デイヴィッド・イーグルマン	山下篤子	2010	河出書房新社	285
脳のなかの幽霊	V・S・ラマチャンドラン、サンドラ・ブレイクスリー	山下篤子	1999	角川書店	282
脳は世界をどう見ているのか	ジェフ・ホーキンス	大田直子	2022	早川書房	270
脳は美をいかに感じるか	セミール・ゼキ	河内十郎 監訳他	2002	日本経済新聞社	190, 221
脳は美をどう感じるか	川畑秀明		2012	筑摩書房	193
は行					
ハーバード白熱教室講義録	マイケル・サンデル	小林正弥 他	2010	早川書房	181
パイドロス	プラトン	藤沢令夫	1967	岩波書店	363
ハイラスとフィロナスの三つの対話	ジョージ・バークリー	戸田剛文	2008	岩波書店	391
バウハウス―その建築造形理念	杉本俊多		1979	鹿島出版会	228
はじめての哲学史	竹田青嗣、西研 編		1998	有斐閣	
蜂の寓話	上田辰之助		1950	新紀元社	114
発想する会社	トム・ケリー、ジョナサン・リットマン	鈴木主税 他	2002	早川書房	119
発達心理学キーワード	内田伸子 編		2006	有斐閣	
パリのノートル・ダム	馬杉宗夫		2002	八坂書房	198
万国博覧会の美術	東京国立博物館 他編		2004	NHK、日本経済新聞社	217
反知性主義	森本あんり		2015	新潮社	170
ビッグクエスチョンズ哲学	サイモン・ブラックバーン	山邉昭則 他	2015	ディカヴァー・トゥエンティワン	
ビッグデータと人工知能	西垣通		2016	中央公論新社	296, 297
人はどこまで合理的か	スティーブン・ピンカー	橘明美	2022	草思社	115
ピナコテーカ・トレヴィル・シリーズ1 モンス・デジデリオ画集	谷川渥 解説・監修		1995	トレヴィル	199

書名	著者・編者	訳者・監訳者	出版年	出版社	セクション
ピナコテーカ・トレヴィル・シリーズ4 フォンテーヌブロー派画集	岩井瑞枝 解説・監修		1995	トレヴィル	208
ピナコテーカ・トレヴィル・シリーズ9 イタリアのマニエリスム画集	甲斐教行 解説・監修		1996	トレヴィル	203
美の起源	渡辺茂		2016	共立出版	
批判的理性論考	ハンス・アルバート	萩原能久	1985	御茶の水書房	401, 402
ファシズム	山口定		2006	岩波書店	152
ファスト＆スロー	ダニエル・カーネマン	村井章子	2012	早川書房	96〜98, 101, 102
プーシキン美術館展 シチューキン・モロゾフ・コレクション	三浦篤 監修		2005-2006	朝日新聞社	236
フェイクニュースを科学する	笹原和俊		2021	化学同人	57, 164, 166,167
フェルメールになれなかった男	フランク・ウイン	小林頼子 他	2012	ランダムハウスジャパン	235
複雑性の探究	グレゴイール・ニコラス、イリヤ・プリゴジン	安孫子誠也 他	1993	みすず書房	50
複製技術時代の芸術	ヴァルター・ベンヤミン	佐々木基一 編	1999	晶文社	234
不合理な地球人	ハワード・S・ダンフォード		2016	筑摩書房	99, 100, 116
フラクタル幾何学	ベンワー・マンデルブロ	広中平祐 監訳	1985	日経サイエンス社	52
プラグマティズム	ウィリアム・ジェイムズ	桝田啓三郎	1957	岩波書店	はじめに
プラットフォームの経済学	アンドリュー・マカフィー、エリック・ブリニョルフソン	村井章子	2018	日経BP	330
フランクフルト学派	細見和之		2014	中央公論新社	458
ブリューゲル「バベルの塔」展	ボイスマンス・ファン・ベーニンゲン美術館 他編		2017	朝日新聞社	209
ブルシット・ジョブ	デヴィッド・グレーバー	酒井隆史 他	2020	岩波書店	23, 24
フレーゲ著作集〈4〉哲学論集	ゴットロープ・フレーゲ	黒田亘 他編	1999	勁草書房	455
フロイト著作集1 精神分析入門（正、続）	ジグムント・フロイト	懸田克躬、高橋義孝 共訳	1983	人文書院	443
フロイト著作集2 夢判断	ジグムント・フロイト	高橋義孝	1968	人文書院	442
フロイト著作集6 自我論・不安本能論	ジグムント・フロイト	井村恒郎 他訳	1970	人文書院	444
フロイトの技法論	ジャック・ラカン	小出浩之 他	1991	岩波書店	486
ブロックチェーン	岡嶋裕史		2019	講談社	339
文法理論の諸相	ノーム・チョムスキー	安井稔	1997	研究社出版	453
ポオ小説全集3	エドガー・アラン・ポオ	丸谷才一 他	1974	創元社	83, 84
ポジティブ心理学は人を幸せにするのか	中野明		2016	アルテ	
ポスト・ヒューマン誕生	レイ・カーツワイル	井上健 監訳	2007	NHK出版	316
ポスト・モダンの条件	ジャン＝フランソワ・リオタール	小林康夫	1986	風の薔薇	478, 479
ポピュリズムという挑戦	水島治郎 編		2020	岩波書店	169
ま行					
マインド 心の哲学	ジョン・R・サール	山本貴光、吉川浩満	2006	朝日出版社	251, 252, 317
マインド・タイム	ベンジャミン・リベット	下條信輔	2005	岩波書店	265, 266
魔女狩りの社会史	ノーマン・コーン	山本通	2022	筑摩書房	171

書名	著者・編者	訳者・監訳者	出版年	出版社	セクション
未来派 1909 - 1944	エンリコ・クリスポルティ、井関正昭 監修		1992	東京新聞	222
「みんなの意見」は案外正しい	ジェームズ・スロウィッキー、小高 尚子		2006	角川書店	117
無限、宇宙および諸世界について	ジョルダーノ・ブルーノ	清水純一	1982	岩波書店	383
名画の誕生	仲川与志、西永裕		2018	秀和システム	202, 212
メタ産業革命	小宮昌人		2022	日経 BP	329
メディア論　人間拡張の諸相	マーシャル・マクルーハン	栗原裕 他	1987	みすず書房	58
モラル・アニマル	ロバート・ライト	竹内久美子 監訳	1995	講談社	
モラル・トライブズ	ジョシュア・グリーン	竹田円	2015	岩波書店	179, 180
や行					
野生の思考	クロード・レヴィ＝ストロース	大橋保夫	1976	みすず書房	482, 483
野蛮な進化心理学	ダグラス・ケンリック	山形浩生、森本正史	2014	白揚社	
用語集政治経済 [新訂第 5 版]	清水書院編		2018	清水書院	
用語集倫理	清水書院編		2023	清水書院	
ら行					
裸婦の中の裸婦	澁澤龍彦、巖谷國士		1990	文藝春秋	205
利己的な遺伝子	リチャード・ドーキンス	日高敏隆 他	2006	紀伊國屋書店	37, 59, 292
リベラリズムとは何か	マイケル・フリーデン	山岡 龍一 監修・訳 他	2021	筑摩書房	183
理由と人格	デレク・パーフィット	森村進	1998	勁草書房	327
ルネサンス美術館	石鍋真澄 監修		2008	小学館	201
レイ・カーツワイル　加速するテクノロジー	レイ・カーツワイル、徳田英幸		2007	NHK 出版	
歴史哲学講義	ゲオルク・ヘーゲル	長谷川宏	1994	岩波書店	416
ロゴセラピーのエッセンス	ヴィクトール・フランクル	赤坂桃子	2016	新教出版社	338
ロボット (R.U.R.)	カレル・チャペック	千野栄一	1989	岩波書店	331
ロマネスク美術	柳宗玄		2009	八坂書房	197
論理学入門	近藤洋逸、好並英司		1979	岩波書店	68, 70〜73
論理学入門	三浦俊彦		2000	NHK 出版	90
「論理思考」の基本が身につく本	中野明		2013	秀和システム	85
論理トレーニング	野矢茂樹		1997	産業図書	69, 74〜76
論理パラドクス	三浦俊彦		2002	二見書房	109, 111
わ行					
われはロボット	アイザック・アシモフ	小尾芙佐	2004	早川書房	332

資料一覧

セクション	資料名
003	国立感染症研究所「国立感染症研究所 病原体等安全管理規程」(https://www.niid.go.jp/niid/images/biosafe/kanrikitei3/Kanrikitei3_20200401.pdf)
016	United Nations. "THE 17 GOALS." (https://sdgs.un.org/goals)
026	SDGs ACTION!「相対的貧困とは？ 定義と現状、解決につながる対策を紹介」(https://www.asahi.com/sdgs/article/14844785#h2sledtt5br159f27ge2l1yf1j51qrl)
036	Eldredge, Niles & Gould, Stephen Jay. 1972. 'Punctuated Equilibria: An Alternative to Phyletic Gradualism.' *Models in Paleobiology*. Freeman Cooper.
042	Martie G. Haselton, David M. Buss. 2000. 'Error Management Theory.' *Journal of Personality and Social Psychology*. January Vol. 78, No. 1.
048	Devendra Singh. 1993. 'Adaptive Significance of Female Physical Attractiveness: Role of Waist-to-Hip Ratio.' *Journal of Personality and Social Psychology*. September
060	Vallone, R. P., Ross, L., & Lepper, M. R. 1985. 'The hostile media phenomenon.' *Journal of Personality and Social Psychology*, 49(3).
103	P. N. Johnson-Laird, P. C. Wason. 1970. 'A Theoretical Analysis of Insight into a Reasoning Task.' *Cognitive Psychology* 1.
104	Adam D. Galinsky, Thomas Mussweiler. 2001. 'First Offers as Anchors.' *Journal of Personality and Social Psychology*, November.
105	Ellen Langer. et al. 1978. 'The mindlessness of ostensibly thoughtful action.' *Journal of Personality and Social Psychology*. Vol. 36. No. 6.
106	Lee Ross, David Greene, Pamela House. 1977. 'The false consensus effect.' *Journal of Experimental Social Psychology*. 13(3).
160	Henri Tajfel, et al. 1971. 'Social categorization and intergroup behaviour.' *European Journal of Social Psychology*. April/June.
161	Muzafer Sherif et al. 1988. '*The Robbers Cave Experiment : Intergroup Conflict and Cooperation.*' Wesleyan University Press.
162	Solomon E. Asch. 1955. 'Opinions and Social Pressure.' *Scientific American*, Vol. 193. No. 5.
188	Museum Ulm (https://museumulm.de/en/collections/archaeology/)
223	Various Artists（Luigi Russolo 含む）「Dada for Now」(ARK ／音楽 CD)
237	シェーンベルク「交響詩《ペレアスとメリザンド》」(Deutsche Grammophon)
238	Steve Reich Ensemble「Music for 18 Musicians」(ECM Records)
239	Beatles「Sgt. Pepper's Lonely Hearts Club Band」(Parlophone)
240	アレックス・コックス監督「シド・アンド・ナンシー」(映画)
241	Kraftwerk「Autobahn」(EMI ／音楽 CD)
244	Gordon Gallup Jr. 1977. 'Self recognition in primates.' *American Psychologist*, 32(5).
255	Baron-Cohen, S., Leslie, A. M., & Frith, U. 1985. 'Does the autistic child have a 'theory of mind?' *Cognition*, 21(1).
257	Frank Jackson. 1982. "Epiphenomenal Qualia." *The Philosophical Quarterly*, Vol. 32, No. 127.
260	David Chalmers. 1995. "Facing up to the problem of consciousness." *Journal of Consciousness Studies* 2 (3):200-19.
261	Thomas Nagel. 1974. 'What Is It Like to Be a Bat?' *The Philosophical Review*, Vol. 83, No. 4 (Oct.)
268	David Rosenthal. 1986. 'Two concepts of consciousness.' *Philosophical Studies*, January

セクション	資料名
279	Karl J Friston. 2010. 'The free-energy principle: a unified brain theory?' *Nature Reviews Neuroscience* February
283	Matthew Botvinick, Jonathan Cohen. 1998. 'Rubber hands "feel" touch that eyes see.' *Nature*, 391(6669), 756.
284	H. Henrik Ehrsson. 2007. 'The Experimental Induction of Out-of-Body Experiences.' *Science*, 317, 1048.
287	Gary L. Wells, Richard E Petty. 1980. 'The Effects of Over Head Movements on Persuasion.' *Basic and Applied Social Psychology*. September.
288	John A. Bargh, Mark Chen, Lara Burrows. 1996. 'Automaticity of Social Behavior.' *Journal of Personality and Social Psychology*, Aug.
289	Henk Aarts, Ruud Custers, Hans Marien. 2008. 'Preparing and Motivating Behavior Outside of Awareness.' *Science* March.
295	Gordon Moore. 1965. 'Cramming More Components onto Integrated Circuits' *Electronics Magazine*, April.
299	Generative AI (https://generativeai.net)
300	ChatGPT(https://chat.openai.com)
302	日本経済新聞「G7、生成AI活用「5原則」で合意　デジタル相会合開幕」（2023年4月29日）
304	Vannevar Bush. 1945. 'As We May Think.' *LIFE*, September 10.
306	日本経済新聞「米ハリウッド、《AI脚本家》に反発　15年ぶり大規模スト」（2023年5月10日）
308	ジリアン・テット「AI偽情報、市場操作も」（日本経済新聞朝刊、2023年6月14日）
309	Masahiro Mori. 2012. 'The Uncanny Valley.' *IEEE ROBOTICS & AUTOMATION magazine*, Vol.19, No.2, June.
310	Nick Bostrom. 2003. 'Are You Living in a Computer Simulation.' *Philosophical Quarterly*, Vol. 53, No. 211.
317	A. M. Turing. 1950. 'Computing Machinery and Intelligence'. *Mind, New Series*, Vol. 59, No. 236.
328	Appleプレスリリース「Apple Vision Proが登場 — Appleが開発した初の空間コンピュータ」
343	SpaceX (https://www.spacex.com)
350	第一学習社「ライフゲーム」（https://www.daiichi-g.co.jp/osusume/forfun/07_lifegame/07.html）
386	"The Chemistry of Issac Newton." (https://webapp1.dlib.indiana.edu/newton/index.jsp)
485	Jacques Lacan. 1949. 'The Mirror Stage as Formative of the Function of the I as Revealed in Psychoanalytic Experience.' *International Congress of Psychoanalysis*.
498	Alan D. Sokal. 1995. 'Transgressing the Boundaries: Towards a Transformative Hermeneutics of Quantum Gravity.' *Social Text* #46/47. spring/summer.

資料一覧

索引

注：索引中の［数字］は項目番号になります。

索引

記号・数字